證券商高級業務員資格測驗

完整考試資訊
立即了解更多

■ 測驗依據

(一)「證券商負責人與業務人員管理規則」。

(二)「期貨商負責人與業務員管理規則」、「中華民國期貨業商業同業公會辦理期貨商業務員資格測驗辦法」、「中華民國期貨業商業同業公會辦理期貨交易分析人員資格測驗辦法」及「中華民國期貨業商業同業公會辦理期貨信託基金銷售機構銷售人員資格測驗辦法」。

(三)「證券投資顧問事業負責人與業務人員管理規則」及「中華民國證券投資信託暨顧問商業同業公會辦理證券投資信託事業證券投資顧問事業業務人員資格測驗及認可辦法」。

■ 報考資格（擇一）

(一)教育部認可之國內、外大學系所以上學校畢業者。

(二)高等考試或相當高等考試以上之特種考試及格者。

(三)取得證券商業務員資格者。

(四)取得投信投顧業務員資格者。

(五)取得證券交易相關法規與實務乙科測驗成績合格者。

■ 報名費用

(一)筆試：680元。

(二)電腦應試：1,080元。

■ 報名方式：一律採個人網路報名方式辦理。

■ 測驗日期及考區

(一) 測驗日期：依證基會公告日期為主。

(二) 臺北、臺中及高雄等三考區辦理，請擇一考區報考。

■ 測驗科目、測驗時間、題型及方式

節次	專業科目	測驗題數	測驗時間	作答方式
1	證券投資與財務分析－試卷「投資學」	50題	60分鐘	2B鉛筆劃卡
2	證券投資與財務分析－試卷「財務分析」		90分鐘	
3	證券交易相關法規與實務		60分鐘	

■ **合格標準：**3科總成績須達210分為合格；惟其中任何1科成績低於50分者即屬不合格。

■ 測驗範圍

(一)證券交易相關法規與實務之「證券法規」、「證券法規概論」

1.證券交易法。
2.證券交易法施行細則。
3.公司法－總則、股份有限公司及關係企業專章。
4.發行人募集與發行有價證券處理準則。
5.外國發行人募集與發行有價證券處理準則。
6.公司募集發行有價證券公開說明書應行記載事項準則。
7.公開發行公司年報應行記載事項準則。
8.發行人募集與發行海外有價證券處理準則。
9.公開發行公司取得或處分資產處理準則。
10.公開發行公司建立內部控制制度處理準則。
11.證券發行人財務報告編製準則。
12.會計師查核簽證財務報表規則。
13.證券商管理規則。
14.公開發行股票公司股務處理準則。
15.公開發行公司出席股東會使用委託書規則。
16.公開收購公開發行公司有價證券管理辦法。
17.證券商營業處所買賣有價證券管理辦法。
18.證券投資信託基金管理辦法。
19.有價證券集中保管帳簿劃撥作業辦法。
20.其他主管機關頒訂之法令。

(二)證券交易相關法規與實務之「證券市場」

1.發行市場。2.交易市場。3.基金。4.稅賦與必要費用。

～以上資訊僅供參考，詳細內容請參閱招考簡章～

學習方法 系列

如何有效率地準備並順利上榜，學習方法正是關鍵！

榮登金石堂暢銷排行榜

連三金榜 黃禕

翻轉思考 破解道聽塗說	適合的最好 調整習慣來應考	一定學得會 萬用邏輯訓練

三次上榜的國考達人經驗分享！
運用邏輯記憶訓練，教你背得有效率！
記得快也記得牢，從方法變成心法！

作者線上分享

網路書店

作者在投入國考的初期也曾遭遇過書中所提到類似的問題，因此在第一次上榜後積極投入記憶術的研究，並自創一套完整且適用於國考的記憶術架構，此後憑藉這套記憶術架構，在不被看好的情況下先後考取司法特考監所管理員及移民特考三等，印證這套記憶術的實用性。期待透過此書，能幫助同樣面臨記憶困擾的國考生早日金榜題名。

最強校長 謝龍卿

榮登博客來暢銷榜

作者線上分享

經驗分享＋考題破解
帶你讀懂考題的know-how！

open your mind！
讓大腦全面啟動，做你的防彈少年！

108課綱是什麼？考題怎麼出？試要怎麼考？書中針對學測、統測、分科測驗做統整與歸納。並包括大學入學管道介紹、課內外學習資源應用、專題研究技巧、自主學習方法，以及學習歷程檔案製作等。書籍內容編寫的目的主要是幫助中學階段後期的學生與家長，涵蓋普高、技高、綜高與單高。也非常適合國中學生超前學習、五專學生自修之用，或是學校老師與社會賢達了解中學階段學習內容與政策變化的參考。

最狂校長帶你邁向金榜之路

15招最狂國考攻略

謝龍卿／編著

獨創15招考試方法，以圖文傳授解題絕招，並有多張手稿筆記示範，讓考生可更直接明瞭高手做筆記的方式！

榮登博客來、金石堂暢銷排行榜

贏在執行力！吳盼盼一年雙榜致勝關鍵

吳盼盼／著

一本充滿「希望感」的學習祕笈，重新詮釋讀書考試的意義，坦率且饒富趣味地直指大眾學習的盲點。

http://0rz.tw/4Ua

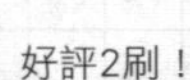

好評2刷！

金榜題名獨門絕活大公開

國考必勝的心智圖法

孫易新／著

全球第一位心智圖法華人講師，唯一針對國考編寫心智圖專書，公開國考準備心法！

熱銷2版！

江湖流傳已久的必勝寶典

國考聖經

王永彰／著

九個月就考取的驚人上榜歷程，及長達十餘年的輔考經驗，所有國考生的Q&A，都收錄在這本！

熱銷3版！

雙榜狀元讀書秘訣無私公開

圖解 最省力的榜首讀書法

賴小節／編著

榜首五大讀書技巧不可錯過，圖解重點快速記憶，答題技巧無私傳授，規劃切實可行的讀書計畫！

榮登金石堂暢銷排行榜

請問，國考好考嗎？

開心公主／編著

開心公主以淺白的方式介紹國家考試與豐富的應試經驗，與你無私、毫無保留分享擬定考場戰略的秘訣，內容囊括申論題、選擇題的破解方法，以及獲取高分的小撇步等，讓你能比其他人掌握考場先機！

推薦學習方法　影音課程

每天10分鐘！斜槓考生養成計畫

立即試看

斜槓考生／必學的考試技巧／規劃高效益的職涯生涯

看完課程後，你可以學到

講師／謝龍卿

1. 找到適合自己的應考核心能力
2. 快速且有系統的學習
3. 解題技巧與判斷答案之能力

國考特訓班 心智圖筆記術

立即試看

筆記術＋記憶法／學習地圖結構

本課程將與你分享

講師／孫易新

1. 心智圖法「筆記」實務演練
2. 強化「記憶力」的技巧
3. 國考心智圖「案例」分享

目次

Part 2 投資學

Part 3 財務分析

Part 4 近年試題與解析

高分準備方法

證券商高級業務員測驗內容分成三大考科，分別為「投資學」、「財務分析」與「證券交易相關法規與實務」。上述三個考科每科各50題選擇題，合格標準為三種試卷總成績達210分，其中任何一種試卷不得低於50分。因為證券商高級業務員近年難度明顯提高，所以我們可以說本測驗可能達特許財務分析師（CFA）Level 1八成的難度，因此，如何有效率分配準備考試的時間便成為考取證照的重點。

「投資學」一科中，建議各位備考時務必讀懂「第八章 資本市場理論」，該章節的資產定價模型（CAPM）所衍生題型為投資學一科中佔比最大之考點。而第四章與第五章同屬佔分高的篇章，惟其係屬需要記誦的章節，各位需於考前務必再度複習。

「財務分析」的題型近年有難度增加之趨勢，若本身會計較弱的人，建議把握基本分數，「第一章 財報分析的基本概念」定性部分的考點及早背熟；另外第二章、第五章、第七章及第八章所提到的財務比率亦須熟記公式，上述這些都是C/P值高、較好拿分之考點，請各位一定要好好把握。

「證券交易相關法規與實務」測驗範圍涉及將近二十部法規、內容繁多，但因題型固定，所以建議各位可在大方向掃過本書正文後開始刷題，藉由做題來協助記憶考點。

證券商高級業務員為於任職券商所須考取之證照，而且越來越來越多企業將本證照視為面試時的加分條件；鼓勵大家於熟稔上述三大考科後，也要勤做歷屆試題培養解題手感，祝福各位早日上岸！

參考資料

1. MBA 智庫百科，全球專業中文經管百科
   https://wiki.mbalib.com
2. 金管會金融智慧網
   https://moneywise.fsc.gov.tw/index.jsp
3. 臺灣證券交易所
   https://www.twse.com.tw/zh/page/listed/process/standars.html
4. 臺灣期貨交易所
   https://www.taifex.com.tw/cht/index
5. 全國法規資料庫
   https://law.moj.gov.tw/

Part 1

證券交易相關法規與實務

第一章 公司法

依據出題頻率區分，屬：**A** 頻率高

公司法為各企業類型（不論是無限、有限、兩合或股份有限公司）所應依循之基本法令。惟因證券商高級業務員之測驗，主要考點為針對已公開發行之上市（櫃）企業規範出題，故本章截錄公司法中對於「股份有限公司」之重點法條，請務必熟記之。

重點01 總則

重要度★★★

一、主管機關

公司法所稱主管機關：在中央為經濟部；在直轄市為直轄市政府。

二、經營業務

未經設立登記，不得以公司名義經營業務或為其他法律行為。

三、公司分類

公司分可為以下四種：

種類	出資與組織	對公司債務所負責任	注意事項
無限公司	二人以上股東所組織	負連帶**無限**清償責任	公司名稱均應標示公司之種類
有限公司	一人以上股東	就其出資額負**有限**責任	
兩合公司	**一人以上無限**責任股東 ＋ **一人以上有限**責任股東	⇒負連帶**無限**清償責任 ⇒就其出資額負**有限**責任	
股份有限公司	二人以上股東 或 **政府**、**法人**股東**一人**所組織	就其所認**股份**，對公司負其責任	

四、公司負責人

(一) **在無限公司、兩合公司**：公司負責人為執行業務或代表公司之股東。

(二) **在有限公司、股份有限公司**：公司負責人為董事。

(三) 公司之經理人、清算人或臨時管理人，股份有限公司之發起人、監察人、檢查人、重整人或重整監督人，在執行職務範圍內，亦為公司負責人。

五、公司經理人

(一) **有關經理人的委任、解任及報酬**

1. 無限公司、兩合公司須經全體無限責任股東過半數同意。
2. 有限公司須經全體股東表決權過半數同意。
3. 股份有限公司應由董事會以董事過半數之出席，及出席董事過半數同意之決議行之。

(二) **有下列情事之一者，不得充經理人，其已充任者，當然解任**

1. 曾犯組織犯罪防制條例規定之罪，經有罪判決確定，尚未執行、尚未執行完畢，或執行完畢、緩刑期滿或赦免後未逾五年。
2. 曾犯詐欺、背信、侵占罪經宣告有期徒刑一年以上之刑確定，尚未執行、尚未執行完畢，或執行完畢、緩刑期滿或赦免後未逾二年。
3. 曾犯貪污治罪條例之罪，經判決有罪確定，尚未執行、尚未執行完畢，或執行完畢、緩刑期滿或赦免後未逾二年。
4. 受破產之宣告或經法院裁定開始清算程序，尚未復權。
5. 使用票據經拒絕往來尚未期滿。
6. 無行為能力或限制行為能力。
7. 受輔助宣告尚未撤銷。

(三) 經理人不得兼任其他營利事業之經理人，並不得自營或為他人經營同類之業務。但經依第29條第1項規定之方式同意者，不在此限。

(四) 經理人不得變更董事或執行業務股東之決定，或股東會或董事會之決議，或逾越其規定之權限。

六、公司應定期申報之資訊

公司應每年定期將董事、監察人、經理人及持有已發行股份總數或資本總額超過百分之十之股東之姓名或名稱、國籍、出生年月日或設立登記之年月日、身分證明文件號碼、持股數或出資額及其他中央主管機關指定之事項，以電子方式申報至中央主管機關建置或指定之資訊平台；其有變動者，並應於變動後十五日內為之。但符合一定條件之公司，不適用之。

七、公司之解散

(一) 公司有下列情事之一者，主管機關得依職權或利害關係人之申請，命令解散之：

1. 公司設立登記後六個月尚未開始營業。但已辦妥延展登記者，不在此限。
2. 開始營業後自行停止營業六個月以上。但已辦妥停業登記者，不在此限。
3. 公司名稱經法院判決確定不得使用，公司於判決確定後六個月內尚未辦妥名稱變更登記，並經主管機關令其限期辦理仍未辦妥。
4. 未於第7條第1項所定期限內，檢送經會計師查核簽證之文件者。但於主管機關命令解散前已檢送者，不在此限。

(二) 公司之經營，有顯著困難或重大損害時，法院得據股東之聲請，於徵詢主管機關及目的事業中央主管機關意見，並通知公司提出答辯後，裁定解散。前項聲請，在股份有限公司，應有**繼續六個月以上**持有已發行股份總數**百分之十**以上股份之股東提出之。

八、公司不得為他公司無限責任股東或合夥事業之合夥人

公開發行股票之公司為他公司有限責任股東時，其所有投資總額，除以投資為事業或公司章程另有規定或經代表已發行股份總數三分之二以上股東出席，以出席股東表決權過半數同意之股東會決議者外，不得超過本公司實收股本百分之四十。

出席股東之股份總數不足前項定額者，得以有代表已發行股份總數過半數股東之出席，出席股東表決權三分之二以上之同意行之。

九、公司之資金，除有左列各款情形外，不得貸與股東或任何他人

(一) 公司間或與行號間有業務往來者。

(二) 公司間或與行號間有短期融通資金之必要者。融資金額不得超過貸與企業淨值的百分之四十。

公司負責人違反前項規定時，應與借用人連帶負返還責任；如公司受有損害者，亦應由其負損害賠償責任。

牛刀小試

( ) **1** 二人以上股東或政府、法人股東一人所組織，全部資本分為股份；股東就其所認股份，對公司負其責任之公司，上述公司為公司法所規定之何種公司？
(A)股份有限公司 (B)無限公司
(C)有限公司 (D)兩合公司。【110年第1次高業】

( ) **2** 股份有限公司經理人之委任、解任及報酬，依公司法有何限制規定？
(A)須有股東三分之二之同意
(B)須有股東過半數之同意
(C)須有董事三分之二之同意
(D)應由董事會以董事過半數出席，及出席董事過半數同意。

( ) **3** 下列關於公司負責人之敘述，何者錯誤？ (A)公司之非董事，而實質上執行董事業務，與公司法董事同負民事、刑事及行政罰之責任 (B)在執行職務範圍內，公司之清算人為公司負責人 (C)有限公司、股份有限公司之負責人為董事 (D)重整監督人在執行職務範圍時，不屬於公司負責人。【109年第1次高業】

解答與解析

1 (A)。根據公司法第2條，股份有限公司：指二人以上股東或政府、法人股東一人所組織，全部資本分為股份；股東就其所認股份，對公司負其責任之公司。

2 (D)。根據公司法第29條，經理人的委任、解任及報酬在股份有限公司，應由董事會以董事過半數之出席，及出席董事過半數同意之決議行之。

3 (D)。公司法第8條第2項規定，公司之經理人、清算人或臨時管理人，股份有限公司之發起人、監察人、檢查人、重整人或重整監督人，在執行職務範圍內，亦為公司負責人。

重點 02 股份有限公司 重要度★★★

一、公司的發起與設立

(一) 公司章程

1. **發起人應以全體之同意**訂立章程，載明下列各款事項，並簽名或蓋章：
   (1)公司名稱。
   (2)所營事業。
   (3)採行票面金額股者，股份總數及每股金額；採行無票面金額股者，股份總數。
   (4)本公司所在地。
   (5)董事及監察人之人數及任期。
   (6)訂立章程之年、月、日。
2. 下列各款事項，非經載明於章程者，不生效力：
   (1)分公司之設立。
   (2)解散之事由。
   (3)特別股之種類及其權利義務。
   (4)發起人所得受之特別利益及受益者之姓名。

(二) 認股

1. **發起人認足第一次應發行之股份時，應即按股繳足股款並選任董事及監察人**。
2. **發起人不認足第一次發行之股份時，應募足之**。
3. **發起人所認股份，不得少於第一次發行股份四分之一**。
4. 未認足之第一次發行股份，及已認而未繳股款者，應由發起人連帶認繳；其已認而經撤回者亦同。
5. 採行票面金額股之公司，其股票之發行價格，不得低於票面金額。採行無票面金額股之公司，其股票之發行價格不受限制。

(三) 創立會

1. 公司初次募集之股款繳足後，發起人應於二個月內召開創立會。
2. 發起人應就下列各款事項報告於創立會：
   (1)公司章程。
   (2)股東名簿。
   (3)已發行之股份總數。

(4)以現金以外之財產、技術抵繳股款者，其姓名及其財產、技術之種類、數量、價格或估價之標準及公司核給之股數。

(5)應歸公司負擔之設立費用，及發起人得受報酬。

(6)發行特別股者，其股份總數。

(7)董事、監察人名單，並註明其住所或居所、國民身分證統一編號或其他經政府核發之身分證明文件字號。

(四) 撤回認股

1. 第一次發行股份募足後，逾三個月而股款尚未繳足，或已繳納而發起人不於二個月內召集創立會者，認股人得撤回其所認之股。
2. 創立會結束後，認股人不得將股份撤回。

二、股份

(一) 股份發行

1. 股份應以票面金額股或無票面金額股擇一發行。

   (1)採行票面金額股者，每股金額應歸一律。

   (2)採行無票面金額股者，其所得之股款應全數撥充本。

2. (1)公司採票面金額股，可全數轉換為無票面金額股。其通過方式：經有代表已發行股份總數三分之二以上股東出席之股東會，以出席股東表決權過半數之同意。

   (2)公司採行無票面金額股者，不得轉換為票面金額股。

3. **公開發行股票之公司，應於設立登記或發行新股變更登記後三個月內發行股票**。

(二) 股份轉讓

1. 股票由股票持有人以背書轉讓之，並應將受讓人之姓名或名稱記載於股票。
2. 股份之轉讓，非將受讓人之姓名或名稱及住所或居所，記載於公司股東名簿，不得以其轉讓對抗公司。
3. **股東名簿記載之變更：**

   (1)一般股份有限公司於股東常會開會前三十日內，股東臨時會開會前十五日內，或公司決定分派股息及紅利或其他利益之基準日前五日內，不得為之。

   (2)**公開發行股票之公司於股東常會開會前六十日內，股東臨時會開會前三十日內，不得為之。**

(三) 庫藏股

1. 公司除依第158條、第167-1條、第186條、第235-1條及第317條規定外，不得自將股份收回、收買或收為質物。但於股東清算或受破產之宣告時，得按市價收回其股份，抵償其於清算或破產宣告前結欠公司之債務。
2. 公司依前項但書、第186條規定，收回或收買之股份，**應於六個月內，按市價將其出售**，屆期未經出售者，視為公司未發行股份，並為變更登記。
3. **被持有已發行有表決權之股份總數或資本總額超過半數之從屬公司，不得將控制公司之股份收買或收為質物**。
4. 公司得經董事會，以董事三分之二以上之出席及出席董事過半數同意之決議，於不超過該公司已發行股份總數百分之五之範圍內，收買其股份；收買股份之總金額，不得逾保留盈餘加已實現之資本公積之金額。
5. 前項公司收買之股份，應於三年內轉讓於員工，屆期未轉讓者，視為公司未發行股份，並為變更登記。
6. 公司收買自己之股份轉讓於員工者，得限制員工在一定期間內不得轉讓。但其期間最長不得超過二年。

牛刀小試

( ) **1** 依公司法規定，公司應於設立登記或發行新股變更登記後，多久時間內發行股票？
(A)三十日 (B)二個月
(C)三個月 (D)六個月。 【104年第3次高業】

( ) **2** 發起設立之股份有限公司之章程由何人訂定？
(A)全體發起人 (B)全體股東
(C)全體董事 (D)全體董事及監察人。

解答與解析

1 (C)。乃係根據公司法第161-1條規定，公開發行股票之公司，應於設立登記或發行新股變更登記後三個月內發行股票。

2 (A)。乃係根據公司法第129條規定，發起人應以全體之同意訂立章程，載明下列各款事項，並簽名或蓋章：……。

三、股東會

(一) 股東會之時間

		股東常會	股東臨時會
會議召集時間		每年至少召集一次（**應於會計年度終了後六個月內召開**）	必要時召集之
通知股東時間	非公開發行公司	二十日前通知	十日前通知
	公開發行公司	**三十日前通知**	**十五日前通知**

(二) 股東會議案

1. **不得提出之議案**：根據公司法第172條，**選任或解任董事、監察人、變更章程、減資、申請停止公開發行、董事競業許可、盈餘轉增資、公積轉增資、公司解散、合併、分割或第一百八十五條第一項各款之事項，不得以臨時動議提出**。
2. **提出議案**：
   (1) **資格**：持有已發行**股份總數百分之一以上股份之股東**，得向公司提出股東常會議案。但以一項為限，提案超過一項者，均不列入議案。
   (2) **受理時間**：公司應於股東常會召開前之停止股票過戶日前，公告受理股東之提案、書面或電子受理方式；**其受理期間不得少於十日**。股東所提議案以三百字為限；**提案股東應親自或委託他人出席股東常會，並參與該項議案討論**。

(三) 召集股東會

1. **召集股東常會**：股東會除公司法另有規定外，**由董事會召集之**。
2. **召集臨時股東會**：提出資格：
   (1) **繼續一年以上，持有已發行股份總數百分之三以上股份之股東**，得以書面記明提議事項及理由，請求董事會召集股東臨時會。
   (2) 前項請求提出後**十五日內**，董事會不為召集之通知時，股東得報經主管機關許可，自行召集。
   (3) **繼續三個月以上**持有已**發行股份總數過半數股份**之股東，得自行召集股東臨時會。

(四) **股東會委託**

1. 股東得於每次股東會，出具委託書，載明授權範圍，委託代理人，出席股東會。
2. **一股東以出具一委託書，並以委託一人為限，應於股東會開會五日前送達公司，委託書有重複時，以最先送達者為準**。
3. 委託書送達公司後，股東**若欲改為親自出席、或欲以書面或電子方式行使**表決權者，**應於股東會開會二日前，以書面向公司撤銷委託**；逾期撤銷者，以委託代理人出席行使之表決權為準。
4. 除信託事業或經證券主管機關核准之股務代理機構外，**一人同時受二人以上股東委託時，其代理之表決權不得超過已發行股份總數表決權之百分之三**，超過時其超過之表決權，不予計算。

(五) **股東會之表決權**

1. **不得行使**表決權的股份：
股東對於會議之事項，有自身利害關係致有害於公司利益之虞時，不得加入表決，並不得代理他股東行使其表決權。
2. **無表決權**的股份：
(1) 公司依法持有自己之股份。
(2) 被持有已發行有表決權之股份總數或資本總額超過半數之從屬公司，所持有控制公司之股份。
(3) 控制公司及其從屬公司直接或間接持有他公司已發行有表決權之股份總數或資本總額合計超過半數之他公司，所持有控制公司及其從屬公司之股份。
3. 股東會之決議，對**無表決權**股東之股份數，不算入已發行股份之總數。
股東會之決議，對**不得行使**表決權之股份數，不算入已出席股東之表決權數。

(六) **股東會之決議**

1. **普通決議**：已發行股份總數過半數股東之出席，以出席股東表決權過半數之同意行之。
2. **假決議**：**出席股東不足普通決議的定額，而有已發行股份總數三分之一以上股東出席時，得以出席股東表決權過半數之同意，為假決議**。**應將假決議通知各股東，於一個月內再行召集股東會**。若前述股東會，對於假決議仍有已發行股份總數三分之一以上股東出席，並出席股東過半數之同意，視同普通決議。

3. **特別決議**：需有已**發行股份總數三分之二以上股東出席，且出席股東過半數同意**，稱之為特別決議。

   下列事項均應經股東會特別決議：

   (1)締結、變更或終止關於出租全部營業，委託經營或與他人經常共同經營之契約。

   (2)讓與全部或主要部分之營業或財產。

   (3)受讓他人全部營業或財產，對公司營運有重大影響。

   公開發行股票之公司，**出席股東之股份總數不足前述特別決議規定者，得以有代表已發行股份總數過半數股東之出席、出席股東三分之二以上之同意行**之。

知識補給站

股東表決權不是以股東人數作為依據，而是以股份作為依據。由此可知，股東會決議因著出席股東人數代表已發行股份總數之多寡不同，分成不同的決議種類。而關係越是重大的，需要越多的股份股東出席為其意見發聲。

(七) **股東會之議決事項**

股東會之議決事項，應作成議事錄，由主席簽名或蓋章，並於**會後二十日內**，將議事錄分發各股東。

1. 前述議事錄之製作及分發，得以電子方式為之。
2. 第1項議事錄之分發，公開發行股票之公司，得以公告方式為之。
3. 議事錄應記載會議之年、月、日、場所、主席姓名、決議方法、議事經過之要領及其結果，在公司存續期間，應永久保存。
4. **出席股東之簽名簿及代理出席之委託書，其保存期限至少為一年**。但經股東依第189條提起訴訟者，應保存至訴訟終結為止。
5. 股東會之召集程序或其決議方法，違反法令或章程時，股東得自決議之日起三十日內，訴請法院撤銷其決議。

牛刀小試

( ) **1** 股東會之召集程序或決議方法，違反法令或章程時，股東得採取何種行動？ (A)請求主管機關宣告決議無效 (B)訴請法院撤銷其決議 (C)請求董事會宣告決議無效 (D)違法決議任何人皆不須遵守。

( ) **2** 出席股東不足規定定額，而為假決議時，應將假決議通知各股東，並於多久期間內再行召集股東會？ (A)十五日 (B)一個月 (C)四十五日 (D)二個月。

( ) **3** 符合公司法規定資格之股份有限公司少數股東，得以書面記明提議事項及理由，請求董事會召集股東臨時會，如董事會在請求提出後幾日內不為召集之通知時，股東得報請經主管機關許可，自行召集？ (A)五日 (B)七日 (C)十日 (D)十五日。 【109年第3次高業】

( ) **4** 股東會之決議，除「公司法」另有規定外，應有代表已發行股份總數多少股東之出席，以出席股東表決權多少之同意行之？
(A)半數以上之出席；半數以上之同意
(B)過半數之出席；過半數之同意
(C)三分之二以上之出席；半數以上之同意
(D)三分之二以上之出席；過半數之同意。 【109年第2次高業】

解答與解析

1 (B)。根據公司法第189條，股東會之召集程序或其決議方法，違反法令或章程時，股東得自決議之日起三十日內，訴請法院撤銷其決議。

2 (B)。根據公司法第175條，應將假決議通知各股東，並於一個月內再次召集股東會。

3 (D)。根據公司法第173條，繼續一年以上，持有已發行股份總數百分之三以上股份之股東，得以書面記明提議事項及理由，請求董事會召集股東臨時會。前項請求提出後十五日內，董事會不為召集之通知時，股東得報經主管機關許可，自行召集。

4 (B)。根據公司法第174條，股東會之決議，除本法另有規定外，應有代表已發行股份總數過半數股東之出席，以出席股東表決權過半數之同意行之。

四、董事及董事會

(一) 董事會的組成

1. 公司董事會，設置董事不得少於三人。
2. 但公司得依章程規定不設董事會，置董事一人或二人。
   (1) 置董事一人者，以其為董事長，董事會之職權並由該董事行使，不適用公司法有關董事會之規定。
   (2) 置董事二人者，準用公司法有關董事會之規定。

(二) 董事的任期：不得逾三年，但得連選連任。

(三) 董事的選任

1. 公司董事選舉，採候選人提名制度者，應載明於章程，股東應就董事候選人名單中選任之。
2. 公司應於股東會召開前之停止股票過戶日前，公告受理董事候選人**提名之期間**、董事應選名額、其受理處所及其他必要事項，**受理期間不得少於十日**。持有已發行**股份總數百分之一以上股份之股東，得以書面向公司提出董事候選人名單**，提名人數不得超過董事應選名額。
3. 公司應於股東常會開會二十五日前或股東臨時會開會十五日前，將董事候選人名單及其學歷、經歷公告。但公開發行股票之公司應於股東常會開會四十日前或股東臨時會開會二十五日前為之。

(四) 董事的補選

董事缺額達三分之一時，董事會應於**三十日內召開股東臨時會**補選之。但**公開發行股票之公司，董事會應於六十日內**召開股東臨時會補選之。

(五) 董事的解任

1. 董事經選任後，應向主管機關申報，其選任當時所持有之公司股份數額；**公開發行股票之公司董事在任期中轉讓超過選任當時所持有之公司股份數額二分之一時，其董事當然解任**。董事在任期中其股份有增減時，應向主管機關申報並公告之。
2. 董事得由股東會之決議，隨時解任；如於任期中無正當理由將其解任時，董事得向公司請求賠償因此所受之損害。
   股東會為前述**解任之決議，應有代表已發行股份總數三分之二以上股東之出席，以出席股東表決權過半數之同意行之**。
   公開發行股票之公司，出席股東之股份總數不足前項定額者，得以有代表已發行股份總數**過半數股東之出席，出席股東表決權三分之二以上之同意行之**。

3. 董事執行業務，有重大損害公司之行為或違反法令或章程之重大事項，**股東會未為決議將其解任時**，得由持有已發行**股份總數百分之三以上股份之股東，於股東會後三十日內**，訴請法院裁判之。

(六) **董事會的召集**

1. 每屆第一次董事會，**由所得選票代表選舉權最多之董事於改選後十五日內召開之**。但董事係於上屆董事任滿前改選，並決議自任期屆滿時解任者，應於上屆董事任滿後十五日內召開之。
2. 董事會之召集，**應於三日前通知各董事及監察人**。但章程有較高之規定者，從其規定。董事會之召集，應載明事由。
3. 董事會由董事長召集之。
過半數之董事亦得以書面記明提議事項及理由，請求董事長召集董事會。前述請求提出後十五日內，董事長不為召開時，過半數之董事得自行召集。

(七) **董事會的出席**

1. 董事會開會時，董事應親自出席。但公司章程訂定得由其他董事代理者，不在此限。董事委託其他董事代理出席董事會時，應於每次出具委託書，並列舉召集事由之授權範圍。前項代理人，以受一人之委託為限。
2. 董事會開會時，如以視訊會議為之，其董事以視訊參與會議者，視為親自出席。
3. 公司章程得訂明經全體董事同意，董事就當次董事會議案以書面方式行使其表決權，而不實際集會。前述情形，視為已召開董事會；以書面方式行使表決權之董事，視為親自出席董事會。

(八) **董事會之決議**

1. 董事會之決議，應有過半數董事之出席，出席董事過半數之同意行之。
2. 董事會決議，為違反法令或章程之行為時，繼續一年以上持有股份之股東，得請求董事會停止其行為。

(九) **對董事提起訴訟**

1. 股東會決議對於董事提起訴訟時，公司應自決議之日起三十日內提起之。
2. 公司與董事間訴訟，除法律另有規定外，由監察人代表公司，股東會亦得另選代表公司為訴訟之人。
3. 繼續六個月以上，持有已發行股份總數百分之一以上之股東，得以書面請求監察人為公司對董事提起訴訟。

監察人自有前項之請求日起，三十日內不提起訴訟時，前述之股東，得為公司提起訴訟。

(十) **其他**

公司虧損達實收資本額二分之一時，董事會應於最近一次股東會報告。

公司資產顯有不足抵償其所負債務時，除得依第282條辦理者外，董事會應即聲請宣告破產。

牛刀小試

( ) **1** 關於董事出席董事會，下列敘述何者錯誤？ (A)原則上應由董事親自出席 (B)董事委託其他董事出席董事會時，應出具委託書，列舉召集事由之授權範圍 (C)董事以視訊會議參與開會，視為親自出席 (D)代理其他董事出席之董事，得受二人以上之委託。【109年第3次高業】

( ) **2** 下列對董事之敘述何者有誤？
(A)公司董事會設置董事不得少於三人
(B)董事任期不得逾三年，但連選得連任
(C)董事缺額達三分之一時，董事會應於三十日內召開股東臨時會補選之
(D)公開發行公司董事在任期中轉讓公司股份數，不影響其董事身分。【109年第1次高業】

( ) **3** 下列敘述何者正確？ (A)董事會之決議違反法令或章程時，持有百分之三股份之股東得請求董事會停止其行為 (B)董事會之決議違反法令或章程之行為時，監察人應即通知董事會停止其行為 (C)董事會之決議為違反法令或章程之行為時，有異議之股東得請求董事會停止其行為 (D)董事會決議違反章程，監察人應即向司法機關檢舉。【106年第2次高業】

解答與解析

1 (D)。根據公司法第205條，代理其他董事出席之董事，以受一人之委託為限。

2 (D)。公司法第192條第1項規定，公司董事會設置董事不得少於三人；公司法第195條第1項，董事任期不得逾三年，但連選得連任；公司法第201條，董事缺額達三分之一時，董事會應於三十日內召開股東臨時會補選之；公司法第197條第1項，董事經選任後，應向主管機關申報，其選任當時所持有之公司股份數額；公開發行股票之公司董事在任期中轉讓超過選任當時所持有之公司股份數額二分之一時，其董事當然解任。

3 (B)。根據公司法第218-2條，董事會或董事執行業務有違反法令、章程或股東會決議之行為者，監察人應即通知董事會或董事停止其行為。

五、監察人

(一) 監察人的選任

1. 公司監察人，由股東會選任之。
2. 監察人全體均解任時，董事會應於三十日內召開股東臨時會選任之。但公開發行股票之公司，董事會應於六十日內召開股東臨時會選任之。

(二) 監察人的任期：不得逾三年，但得連選連任。

(三) 監察人之職權

1. 監察人對於董事會編造提出股東會之各種表冊，應予查核，並報告意見於股東會。監察人辦理前述事務，得委託會計師審核之。
2. 董事發現公司有受重大損害之虞時，應立即向監察人報告。**董事會或董事執行業務有違反法令、章程或股東會決議之行為者，監察人應即通知董事會或董事停止其行為**。
3. 董事為自己或他人與公司為買賣、借貸或其他法律行為時，由監察人為公司之代表。

(四) 監察人之限制：監察人不得兼任公司董事、經理人或其他職員。

(五) 其他：股東會決議，對於監察人提起訴訟時，公司應自決議之日起三十日內提起之。

六、會計

(一) 會計報表

1. 每會計年度終了，董事會應編造營業報告書、財務報表、盈餘分派或虧損撥補之議案，於股東常會開會**三十日前**交監察人查核。

2. **繼續六個月以上，持有已發行股份總數百分之一以上之股東**，得檢附理由、事證及說明其必要性，聲請法院選派檢查人，於必要範圍內，檢查公司業務帳目、財產情形、特定事項、特定交易文件及紀錄。

(二) **分派盈餘**

1. **得以分派盈餘之前提：**

(1)需有盈餘。

(2)需彌補虧損。

(3)需完納一切稅捐。

(4)需提出百分之十為法定盈餘公積。但法定盈餘公積，已達實收資本額時，不在此限。

若公司違反前述規定分派股息及紅利時，公司之債權人，得請求退還，並得請求賠償因此所受之損害。

2. **發放股利：**

(1)**發放新股：**

方式一	總股份三分之二以上股東出席，且出席股東過半數同意。
方式二	若是公開發行股票之公司，但出席股東之股份總數不足上述規定者，得以總股份數過半數股東出席，且出席股東三分之二以上同意行之。

(2)**發放現金：**公開發行股票之公司，得以章程授權董事會，以三分之二以上董事之出席，且出席董事過半數同意。

3. **法定盈餘公積與資本公積：**

(1)法定盈餘公積及資本公積，除填補公司虧損外，不得使用之。但有公司法第241條規定之情形，或法律另有規定者，不在此限。

(2)公司非於盈餘公積填補資本虧損，仍有不足時，不得以資本公積補充之。

七、公司債

(一) **程序**

公司**經董事會特別決議後**，得募集公司債。但須將募集公司債之原因及有關事項報告股東會。

(二) 發行公司債總額

1. 公開發行股票公司之公司債總額，不得逾公司現有全部資產減去全部負債後之餘額。
2. 無擔保公司債之總額，不得逾前項餘額二分之一。

(三) 禁止發行公司債情形

禁止發行無擔保公司債	1. 對於前已發行之公司債或其他債務，曾有違約或遲延支付本息之事實已了結，自了結之日起三年內。 2. 最近三年或開業不及三年之開業年度課稅後之平均淨利，未達原定發行之公司債，應負擔年息總額之百分之一百五十。
禁止發行所有公司債	1. 對於前已發行之公司債或其他債務有違約或遲延支付本息之事實，尚在繼續中者。 2. 最近三年或開業不及三年之開業年度課稅後之平均淨利，未達原定發行之公司債應負擔年息總額之百分之一百者。但經銀行保證發行之公司債不受限制。

八、發行新股

(一) 公司發行新股時，應由董事會以董事三分之二以上之出席，及出席董事過半數同意之決議行之。

(二) 公司發行新股時，應保留發行新股總數百分之十至十五之股份由公司員工承購。

九、公司重整

(一) 聲請公司重整資格

當公開發行股票或公司債之公司因財務困難，暫停營業或有停業之虞，而有重建更生之可能者，得由公司或下列利害關係人之一向法院聲請重整：

1. 繼續六個月以上持有已發行股份總數百分之十以上股份之股東。
2. 相當於公司已發行股份總數金額百分之十以上之公司債權人。
3. 工會。
4. 公司三分之二以上之受僱員工。

公司聲請重整，應經董事會以董事三分之二以上之出席，及出席董事過半數同意之決議行之。

(二) 公司重整人，應於重整計畫所定期限內完成重整工作；重整完成時，應聲請法院為重整完成之裁定，並於裁定確定後，召集重整後之股東會選任董事、監察人。

十、解散

股份有限公司，有下列情事之一者，應予解散

(一) 章程所定解散事由。

(二) 公司所營事業已成就或不能成就。

(三) 股東會為解散之決議。

(四) 有記名股票之股東不滿二人。但政府或法人股東一人者，不在此限。

(五) 與他公司合併。

(六) 分割。

(七) 破產。

(八) 解散之命令或裁判。

十一、清算

(一) 公司之清算，**除公司法或因公司章程另有規定或股東會另選清算人外，以董事為清算人**。

(二) 不能依前項選定清算人時，**法院得因利害關係人之聲請，選派清算人**。

(三) 清算完結時，清算人應於十五日內，造具清算期內收支表、損益表、連同各項簿冊，送經監察人審查，並提請股東會承認。

十二、關係企業

公司法所定義的關係企業：(一)相互投資之公司。(二)控制與從屬關係之公司。

(一) **相互投資公司**

1. **定義**：甲公司與乙公司各持有對方股份總數或資本額達三分之一以上者，稱為「相互投資公司」。

2. **規範**：

(1) 甲公司持有乙公司具表決權之股份，超過乙公司已發行具表決權之股份總數達三分之一者，應於事實發生之日起一個月內以書面通知該乙公司。

(2) 相互投資公司若行使表決權，不得超過被投資公司已發行股份總數之三分之一。

(二) 控制與從屬關係之公司

1. 定義：

(1) 認定為控制／從屬公司

情況一	甲公司持有乙公司一半以上的股份；甲為控制公司、乙為從屬公司。
情況二	甲公司直接或間接控制乙公司之人事、財務或經營業務；甲為控制公司、乙為從屬公司。

(2) 推定為控制／從屬公司

情況一	甲公司與乙公司之執行業務股東或董事有半數以上相同。
情況二	甲公司與乙公司之佔一半以上股權的股東或出資者相同。

2. 規範：

(1) 控制公司直接或間接使從屬公司為不合營業常規或其他不利益之經營，而未於會計年度終了時為適當補償，致從屬公司受有損害者，應負賠償責任。若控制公司未為賠償，**從屬公司之債權人**或**繼續一年以上持有從屬公司已發行有表決權股份總數或資本總額百分之一以上之股東**，得以自己名義行使從屬公司之權利，請求對從屬為給付。

(2) **從屬公司為公開發行股票之公司者**，應於每會計年度終了，造具其**與控制公司間之關係報告書**，載明相互間之法律行為、資金往來及損益情形。

(3) **控制公司為公開發行股票之公司者**，應於每會計年度終了，編製關係**企業合併營業報告書及合併財務報表**。

牛刀小試

(　　) **1** 依「公司法」規定，公司募集公司債應經何項程序？
(A)股東會普通決議
(B)股東會特別決議
(C)董事會過半數通過後報告股東會
(D)董事會特別決議後報告股東會。 【109年第4次高業】

( ) **2** 股份有限公司於彌補虧損完納一切稅捐後，分派盈餘時，除了法定盈餘公積，已達資本總額時外，依法應提出多少法定盈餘公積？
(A)百分之十 (B)百分之二十
(C)百分之三十 (D)百分之五十。【107年第1次高業】

( ) **3** 私募普通公司債，其發行總額，除經主管機關徵詢目的事業中央主管機關同意者外，不得逾全部資產減去全部負債餘額之多少？ (A)百分之百 (B)百分之二百 (C)百分之三百 (D)百分之四百。【109年第2次高業】

( ) **4** 依公司法規定，股份有限公司之清算，如章程未規定，或股東會未另選任時，以下列何單位為清算人？
(A)監察人 (B)董事
(C)檢查人 (D)債權人。

解答與解析

1 (D)。根據公司法第246條，公司經董事會決議後，得募集公司債。但須將募集公司債之原因及有關事項報告股東會。前項決議，應由三分之二以上董事之出席，及出席董事過半數之同意行之。

2 (A)。根據公司法第237條，公司於完納一切稅捐後，分派盈餘時，應先提出百分之十為法定盈餘公積。

3 (D)。根據證券交易法第43-6條第3項規定：「普通公司債之私募，其發行總額，除經主管機關徵詢目的事業中央主管機關同意者外，不得逾全部資產減去全部負債餘額之400%，不受公司法第247條規定之限制」。

4 (B)。根據公司法第322條，董事為股份有限公司之清算人。

重點回顧

公司分類

	最低成立限制	經理人的委任、解任及報酬
無限公司	2人以上股東	須經全體無限責任股東過半數同意。
有限公司	1人以上股東	須經全體股東表決權過半數同意。
兩合公司	1人以上無限責任股東 +1人以上有限責任股東	須經全體無限責任股東過半數同意。
股份有限公司	2人以上股東	由董事會以董事過半數之出席，及出席董事過半數同意之決議行之。

股東會召集通知時間

	股東臨時會	股東常會
一般股份有限公司	於召集前**10**日通知	於召集前**20**日通知
公開發行股票公司	於召集前**15**日通知	於召集前**30**日通知

股東名簿記載之變更

	股東臨時會	股東常會	其他
非公開發行股票之公司	開會前15日內	開會前30日內	決定分派股息及紅利或其他利益之基準日前5日內
公開發行股票之公司	開會前30日內	開會前60日內	—

精選試題

( ) **1** 股份有限公司經理人之委任、解任及報酬之議決，原則上需有董事會過半數出席及出席董事過多少比例同意？ (A)二分之一 (B)三分之二 (C)四分之三 (D)五分之一。

( ) **2** 公司為他公司有限責任股東時，應得下列何種股東同意或股東會決議，其投資總額始得超過公司實收股本百分之四十？ (A)無限公司股東過半數同意 (B)有限公司股東過半數同意 (C)股份有限公司特別決議通過 (D)以上皆正確。

( ) **3** 公開發行公司股東名簿變更記載，應注意於股東臨時會開會前幾日內，不得為之？ (A)十日 (B)二十日 (C)三十日 (D)六十日。 【111年第2次高業】

( ) **4** 依「公司法」規定，股份有限公司發生下列何種情事，應予解散？ (A)董事長決定之任何原因 (B)監察人決定之任何原因 (C)股東會為解散之決議 (D)法律無限制。 【110年第1次高業】

( ) **5** 公開發行公司應注意於股東常會開會前幾日內，不得為該公司股東名簿記載之變更？
(A)十日 (B)二十日 (C)三十日 (D)六十日。 【107年第4次高業】

( ) **6** 下列何項情形，發起人須負連帶認繳責任？
(A)第一次發行股份未認足者 (B)認足發行股份但未繳股款者 (C)已認股份但撤回認股者 (D)選項(A)(B)(C)皆是。

( ) **7** 二人以上股東或政府、法人股東一人所組織，全部資本分為股份；股東就其所認股份，對公司負其責任之公司，上述公司為公司法所規定之何種公司？ (A)股份有限公司 (B)無限公司 (C)有限公司 (D)兩合公司。 【110年第1次高業】

( ) **8** 公開發行公司與他公司無業務往來，亦無相互投資關係，但有短期融通資金之必要，其融資限額為？ (A)貸與公司淨值之百分之十 (B)貸與公司淨值之百分之二十 (C)貸與公司淨值之百分之四十 (D)貸與公司淨值之百分之六十。 【107年第2次證券分析】

( ) **9** 股東會之召集程序或其決議方法，違反法令或章程時，股東得自決議之日起多久內，訴請法院撤銷其決議？ (A)三個月內 (B)六個月內 (C)三十日內 (D)二個月內。 【104年第1次高業】

( ) **10** 公開發行公司召集股東常會，應於多久前通知公司記名股東？ (A)十日 (B)四十五日 (C)三十日 (D)六十日。【108年第1次高業】

( ) **11** 股東具有下列何種資格者，得以書面記明提議事項及理由，請求董事會召集股東臨時會？ (A)繼續一年以上持有已發行股份總數百分之三以上股份 (B)繼續一年以上持有已發行股份總數百分之一以上股份 (C)繼續一年以上持有已發行股份總數百分之二以上股份 (D)持有已發行股份總數百分之五以上股份。 【105年第4次高業】

( ) **12** 關於股東提案權，下列敘述何者為非？ (A)持有已發行股份總數百分之一以上股份之股東，得以書面向公司提出股東常會議案 (B)以一項為限，提案超過一項者，均不列入議案 (C)公告受理股東提案其受理期間不得少於十日 (D)提案列入議案之股東，不得委託他人出席股東常會。 【105年第1次高業】

( ) **13** 股份有限公司之股東常會，原則上每會計年度終結後，多久時間內召集之？ (A)三個月 (B)六個月 (C)九個月 (D)法無明文，授權由董事會決定行之。 【106年第4次高業】

( ) **14** 公司召開股東會時，股東行使其表決權，下列敘述何者為非？ (A)得以書面或電子方式行使其表決權 (B)得以公告方式行使其表決權 (C)得親自出席股東會行使其表決權 (D)得委託出席股東會行使其表決權。 【104年第2次高業】

( ) **15** 股東會之召集程序或其決議方法，違反法令或章程時，股東得自決議之日起多久內，訴請法院撤銷其決議？ (A)三個月內 (B)六個月內 (C)三十日內 (D)二個月內。 【109年第3次高業】

( ) **16** 某公司召開股東會，由於業績不佳，股東以臨時動議提議立即解任董事，則應有出席股東會股份之多少百分比通過，才有效？ (A)二分之一通過 (B)三分之一通過 (C)三分之二通過 (D)無法改選。 【104年第4次高業】

( ) **17** 符合公司法規定資格之股份有限公司少數股東，得以書面記明提議事項及理由，請求董事會召集股東臨時會，如董事會在請求提出後幾日內不為召集之通知時，股東得報請經主管機關許可，自行召集？
(A)五日 (B)七日 (C)十日 (D)十五日。 【109年第1次高業】

( ) **18** 股份有限公司董事缺額達多少時，應即召集股東臨時會補選之？
(A)五分之一 (B)四分之一 (C)三分之一 (D)二分之一。

( ) **19** 持有已發行股份總數多少之股東得以書面向公司提出董事候選人名單？ (A)百分之一 (B)百分之二 (C)百分之三 (D)百分之五。 【109年第4次高業】

( ) **20** 關於董事出席董事會，下列敘述何者錯誤？ (A)原則上應由董事親自出席 (B)董事委託其他董事出席董事會時，應出具委託書，列舉召集事由之授權範圍 (C)董事居住國外者，得以書面委託非股東之人，代理出席董事會 (D)代理其他董事出席之董事，得受一人以上之委託。 【109年第3次高業】

( ) **21** 股份有限公司之監察人，係由公司何一機關選任之？ (A)董事會 (B)股東會 (C)監察人會 (D)總經理。

( ) **22** 股份有限公司之職員，不得由下列何人兼任？ (A)董事 (B)常務董事 (C)監察人 (D)選項(A)(B)(C)皆是。 【108年第2次高業】

( ) **23** 股份有限公司股東會決議對監察人或董事提起訴訟時，公司應自決議之日起，多久期限提起之？ (A)三十日內 (B)二十日內 (C)二個月內 (D)四個月內。

( ) **24** 公司法上，董事發現公司有受重大損害之虞時，應立即向誰報告？ (A)董事長 (B)董事會 (C)監察人 (D)簽證會計師。

( ) **25** 下列哪一項是錯的？ (A)公司一年應提列盈餘20%為法定盈餘公積 (B)法定盈餘公積，已達資本總額時，得不再提列 (C)依章程訂定，得提特別盈餘公積 (D)依股東會議決，得提特別盈餘公積。 【103年第1次高業】

( ) **26** 股份有限公司發行新股，應由董事多少比例以上出席，及出席董事過半數之同意為之？ (A)三分之二 (B)三分之一 (C)四分之三 (D)一分之一。 【110年第1次高業】

( ) **27** 公開發行公司發放股票股利，原則上應事前經下列何者之同意通過？ (A)股東會之普通決議 (B)董事會之普通決議 (C)股東會之特別決議 (D)董事長個人之決定。

( ) **28** 公司募集公司債應經何項程序？ (A)股東會普通決議 (B)股東會輕度特別決議 (C)董事會普通決議後報告股東會 (D)董事會特別決議後報告股東會。 【109年第4次高業】

( ) **29** 依現行「公司法」規定，發行無擔保公司債之總額，不得超過公司現有全部資產減去全部負債及無形資產後之餘額的多少？ (A)一倍 (B)二分之一 (C)三分之一 (D)三分之二。 【105年第1次高業】

( ) **30** 公開發行股票或公司債之公司，因財務困難，暫停營業或有停業之虞者，法院得依下列何機關之聲請，裁定准予重整？ (A)相當於公司已發行股份總數百分之五以上之公司債權人 (B)監察人 (C)董事 (D)相當於公司已發行股份總數百分之十以上之公司債權人。

( ) **31** 公司清算完結時，清算人應於多久內，將清算期內收支表、損益表、連同各項簿冊，送經監察人審查，並提請股東會承認？ (A)十日 (B)十五日 (C)二十日 (D)三十日。

( ) **32** 相互投資公司知有相互投資之事實者，其得行使之表決權，不得超過被投資公司已發行有表決權股份總數之多少？ (A)五分之一 (B)四分之一 (C)三分之一 (D)二分之一 【107年第1次高業】

( ) **33** 下列何種情形，不屬於法律所推定具有控制從屬關係？ (A)公司與他公司之執行業務股東或董事有半數以上相同 (B)公司與他公司之已發行有表決權之股份總數半數以上為相同之股東持有 (C)公司與他公司之資本總額有半數以上為相同之股東出資 (D)公司與公司因財務或業務經營有融通資金之往來。 【106年第4次高業】

解答與解析

1 (A)。根據公司法第29條，經理人的委任、解任及報酬在股份有限公司，應由董事會以董事過半數之出席，及出席董事過半數同意之決議行之。

2 (C)。根據公司法第13條，公司為他公司有限責任股東時，其所有投資總額，除以投資為專業或公司章程另有規定或經代表已發行股份總數三分之二以上股東出席，以出席股東表決權過半數同意之股東會決議者外，不得超過本公司實收股本百分之四十。

3 (C)。「公司法」第165條第3項：公開發行股票之公司辦理第一項股東名簿記載之變更，於股東常會開會前六十日內，股東臨時會開會前三十日內，不得為之。

4 (C)。公司法第10條，公司有下列情事之一者，主管機關得依職權或利害關係人之申請，命令解散之：一、公司設立登記後六個月尚未開始營業。但已辦妥延展登記者，不在此限。二、開始營業後自行停止營業六個月以上。但已辦妥停業登記者，不在此限。三、公司名稱經法院判決確定不得使用，公司於判決確定後六個月內尚未辦妥名稱變更登記，並經主管機關令其限期辦理仍未辦妥。四、未於第七條第一項所定期限內，檢送經會計師查核簽證之文件者。但於主管機關命令解散前已檢送者，不在此限。

5 (D)。根據公司法第165條，公開發行公司因召開股常東會之停止過戶期間為六十日。

6 (D)。根據公司法第148條，第一次發行股份未認足、認足發行股份但未繳股款者、已認股份但撤回認股者，發起人須負連帶認繳責任。

7 (A)。根據公司法第2條，股份有限公司：指二人以上股東或政府、法人股東一人所組織，全部資本分為股份；股東就其所認股份，對公司負其責任之公司。

8 (C)。根據公司法第15條，公司間或與行號間有短期融通資金之必要者。融資金額不得超過貸與企業淨值的百分之四十。

9 (C)。根據公司法第189條，股東會之召集程序或其決議方法，違反法令或章程時，股東得自決議之日起三十日內，訴請法院撤銷其決議。

10 (C)。根據公司法第172條，非公開發行公司召集股東常會，應於二十日前通知公司記名股東；公開發行公司召集股東常會，應於三十日前通知公司記名股東。

11 (A)。根據公司法第173條，繼續一年以上，持有已發行股份總數百分之三以上股份之股東，得以書面記明提議事項及理由，請求董事會召集股東臨時會。

12 **(D)**。提案列入議案之股東，得委託他人出席股東常會。

13 **(B)**。根據公司法第170條，股份有限公司之股東常會，原則上每會計年度終結後六個月內召集。

14 **(B)**。股東得以(C)親自出席；或(D)委託代理人出席方式，(A)以書面或電子方式，以行使表決權。

15 **(C)**。根據公司法第189條，股東會之召集程序或其決議方法，違反法令或章程時，股東得自決議之日起三十日內，訴請法院撤銷其決議。

16 **(D)**。根據公司法第172條，選任或解任董事不得以臨時動議提出。

17 **(D)**。公司法第173條，繼續一年以上，持有已發行股份總數百分之三以上股份之股東，得以書面記明提議事項及理由，請求董事會召集股東臨時會。
前項請求提出後十五日內，董事會不為召集之通知時，股東得報經主管機關許可，自行召集。

18 **(C)**。根據公司法第201條，股份有限公司董事缺額達三分之一時，應召集股東臨時會補選。

19 **(A)**。根據公司法第192-1條，持有已發行股份總數百分之一以上股份之股東，得以書面向公司提出董事候選人名單，提名人數不得超過董事應選名額。

20 **(D)**。根據公司法第205條，董事委託其他董事代理出席董事會時，應出具委託書，前項代理人，以受一人之委託為限。

21 **(B)**。根據公司法第216條，股份有限公司之監察人由股東會選任之。

22 **(C)**。根據公司法第222條，監察人不得兼任公司董事、經理人或其他職員。

23 **(A)**。根據公司法第212條：股東會決議對於董事提起訴訟時，公司應自決議之日起三十日內提起之。另公司法第225條：股東會決議，對於監察人提起訴訟時，公司應自決議之日起三十日內提起。

24 **(C)**。根據公司法第218-1條，董事發現公司有受重大損害之虞時，應立即向監察人報告。

25 **(A)**。公司法一年提列10%的法定盈餘公積。

26 **(A)**。根據公司法第240條，股份有限公司發行新股，應由董事三分之二以上出席，及出席董事過半數同意。

27 **(C)**。公司得由有代表已發行股份總數三分之二以上股東出席之股東會，以出席股東表決權過半數之決議，將應分派股息及紅利之全部或一部，以發行新股方式為之；不滿一股之金額，以現金分派之。

28 **(D)**。根據公司法第246條，公司募集公司債應經董事會特別決議，並報告股東會。

29 **(B)**。根據公司法第247條，無擔保公司債之總額，不得逾公司現有全部資產減去全部負債後餘額的二分之一。

30 **(D)**。根據公司法第282條，相當於公司已發行股份總數百分之十以上之公司債權人得向法院聲請公司重整。

31 **(B)**。根據公司法第331條，清算人應於十五日內，造具清算期內收支表、損益表、連同各項簿冊，送經監察人審查，並提請股東會承認。

32 **(C)**。根據公司法第369-10條，相互投資公司若行使表決權，不得超過被投資公司已發行有表決權股份總數之三分之一。

33 **(D)**。選項(A)(B)(C)符合公司法第369-2、369-3條之控制從屬關係。

第二章 證券交易法的基本概念

依據出題頻率區分，
屬：**A** 頻率高

證券交易法的第1條即開宗明義地指出立法目的：「為發展國民經濟，並保障投資，特制定本法。」故由此可知，證券交易法是參與臺灣股票市場的人（不論是上市公司、券商、乃至一般投資人）所應依循的遊戲規則。本章節截錄證券交易法中較常出現的歷屆考點，請務必熟記之。

重點 證券交易法的基本概念 重要度★★★

一、證券交易法的基本性質

(一) **證券交易法是公司法之「特別法」**。

(二) 證交法規範對象是公開發行公司，依特別法（證交法）優於普通法（公司法）原則，**只有**非公開發行公司適用公司法之規定，公開發行公司仍依證交法規定。

(三) 證券交易法所稱的主管機關為**金融監督管理委員會**。

知識補給站

普通法VS特別法

凡對於一般的人、地、事適用之者，謂之「普通法」。

對於特殊的人、地、事適用之者，謂之「特別法」。

普通法與特別法的區別實益，在於特別法優於普通法原則的適用。**意即，若同一事件有兩種以上的法律為不同規定時，應優先適用特別法的規定**。

二、證券交易法的規範範圍

(一) 從證交法第4條與第7條，可得知是**規範公開發行的股份有限公司**。

證交法第4條：本法所稱公司，謂依公司法組織之股份有限公司。

證交法第7條：本法所稱募集，謂發起人於公司成立前或發行公司於發行前，對非特定人公開招募有價證券之行為。

(二) 根據證券交易法第6條，**其所規範的有價證券**，係指：政府債券、公司股票、公司債券、新股認購權利證書、新股權利證書、及經主管機關核定之其他有價證券。

惟政府發行之債券，其上市由主管機關以命令行之，不適用證券交易法有關上市之規定。**故政府債券又稱「豁免債券」**。（證交法第149條）

三、名詞定義

下表為證券交易法所出現之名詞定義：

名詞	定義
發行人	募集及發行有價證券之公司，或募集有價證券之發起人。
募集	發起人於公司成立前或發行公司於發行前，對非特定人公開招募有價證券之行為。
發行	發行人於募集後製作並交付，或以帳簿劃撥方式交付有價證券之行為。
私募	對特定人招募有價證券之行為。
承銷	依約定包銷或代銷發行人發行有價證券之行為。

四、財務報告

(一) 公告及申報時間

發行有價證券之公司，應依下列規定公告並向主管機關申報：

1. 於每**會計年度終了後三個月內，公告並申報**由董事長、經理人及會計主管簽名或蓋章，並經會計師查核簽證、董事會通過及監察人承認之**年度財務報告**。
2. 於每會計年度第一季、第二季及第三季**終了後四十五日內**，公告並申報由董事長、經理人及會計主管簽名或蓋章，並經會計師核閱及提報董事會之**財務報告**。
3. 於**每月十日以前**，公告並申報上月份**營運情形**。

(二) **財報聲明**：財務報告應經董事長、經理人及會計主管簽名或蓋章，並出具財務報告內容無虛偽或隱匿之聲明。

(三) **會計師查核簽證**

1. **公開發行公司之財務報告**，應由依會計師法第15條規定之聯合或法人會計師事務所之執業會計師**二人以上共同查核簽證**。
2. **會計師**辦理財務報告簽證，發生錯誤或疏漏者，主管機關得視情節之輕重，為以下處分：
   (1)**警告**。
   (2)**停止其二年以內辦理本法所定之簽證**。
   (3)**撤銷簽證之核准**。

(四) **財務報表重編**

1. 個體財務報告有下列情事之一，應重編財務報告，並重行公告：
   (1)**更正綜合損益金額在新臺幣一千萬元以上，且達原決算營業收入淨額百分之一者**。
   (2)更正資產負債表個別項目（不含重分類）金額在新臺幣一千五百萬元以上，且達原決算總資產金額百分之一點五者。
2. 合併財務報告有下列情事之一，應重編財務報告，並重行公告：
   (1)更正綜合損益金額在新臺幣一千五百萬元以上，且達原決算營業收入淨額百分之一點五者。
   (2)更正資產負債表個別項目（不含重分類）金額在新臺幣三千萬元以上，且達原決算總資產金額百分之三者。
3. 更正綜合損益，或資產負債表個別項目（不含重分類）金額未達前二款規定標準者，得不重編財務報告，並應列為保留盈餘、其他綜合損益或資產負債表個別項目之更正數，且於主管機關指定網站進行更正。

(五) **財務預測**

1. 公開發行公司**公開財務預測者，應於公開之即日起算二日內**申報。
2. 如有下列情事之一者，應重編財務預測：
   (1)財務預測之**公告申報日期距編製日期達一個月以上者**。
   (2)變更簽證會計師者（但因會計師事務所內部調整者，不在此限）。
   (3)當編製財務預測所依據之因素或基本假設發生變動，致綜合損益金額變動百分之二十以上且影響金額達新臺幣三千萬元及實收資本額之千分之五者，公司應依規定更新財務預測。

3. 已公開財務預測之公司經發現財務預測應重編、或須更新時，**應於發現之即日起算二日內公告申報說明**原財務預測編製完成日期、如有會計師核閱者其核閱日期，所發現基本假設重大變動或發生錯誤致原發布資訊已不適合使用之情事，及其對預計綜合損益表各重要科目之影響金額，**並於發現之即日起算十日內公告申報重編或更新（正）後財務預測**。
4. 財務預測應包括「係屬估計，將來未必能完全達成」之聲明。
5. 財務預測應標明「預測」字樣。

(六) **損害賠償**

1. 發行人依證券法規定申報或公告之財務報告及財務業務文件，其內容不得有虛偽或隱匿之情事。
2. 若違反，下列各款之人，對於該有價證券之善意取得人、出賣人或持有人因而所受之損害，應負賠償責任：
   (1) 發行人及其負責人。
   (2) 發行人之職員，曾在財務報告或財務業務文件上簽名或蓋章者。
   (3) 辦理財務報告或財務業務文件之簽證會計師（若其有不正當行為或違反或廢弛其業務上應盡之義務，致損害發生）。
3. 損害賠償請求權，自有請求權人知有得受賠償之原因時起二年間不行使而消滅；自募集、發行或買賣之日起逾五年者亦同。

牛刀小試

( ) **1** 下列證券何者非為「證券交易法」上之有價證券？ (A)政府債券 (B)公司股票、公司債券 (C)受益憑證 (D)商業本票。 【105年第3次高業】

( ) **2** 上櫃公司應於第二季終了後多久公告並申報經會計師核閱之季財務報告？ (A)二十日內 (B)一個月內 (C)四十五日內 (D)三個月內。 【109年第2次高業】

( ) **3** 依「證券交易法」第6條規定，下列何者視為有價證券？
(A)利率交換契約 (B)匯票
(C)支票 (D)新股權利證書。【109年第4次高業】

( ) **4** 在下列何種狀況下，公司依法應重編財務報表，並重行公告？ (A)更正損益金額在壹千萬元以上者 (B)更正損益金額在原決算營業收入淨額百分之一以上者 (C)更正損益金額在實收資本額百分之五以上 (D)更正稅後損益金額在壹千萬元以上且達原決算營業收入淨額百分之一者。

( ) **5** 公開發行公司依規定公開財務預測者，應於公開之即日起算幾日內申報？ (A)一日 (B)二日 (C)五日 (D)選項(A)(B)(C)皆非。 【107年第1次高業】

( ) **6** 上市公司與上櫃公司每月應公告並申報上月份營運情形，請問應於每月幾日以前公告並申報？ (A)五日 (B)十日 (C)十五日 (D)二十日。 【109年第4次高業】

( ) **7** 下列何種有價證券之上市，不適用「證券交易法」有關上市審查之規定？ (A)公開發行公司股票 (B)認購權證 (C)公司債 (D)政府公債。

解答與解析

1 (D)。根據證券交易法第6條，有價證券指政府債券、公司股票、公司債券、經主管機關核定之其他有價證券、新股認購權利證書、新股權利證書及前項各種有價證券之價款繳納憑證或表明其權利之證書。

2 (C)。根據證券交易法第36條第1項：已依本法發行有價證券之公司，除情形特殊，經主管機關另予規定者外，應依下列規定公告並向主管機關申報：

一、於每會計年度終了後三個月內，公告並申報由董事長、經理人及會計主管簽名或蓋章，並經會計師查核簽證、董事會通過及監察人承認之年度財務報告。

二、於每會計年度第一季、第二季及第三季終了後四十五日內，公告並申報由董事長、經理人及會計主管簽名或蓋章，並經會計師核閱及提報董事會之財務報告。

三、於每月十日以前，公告並申報上月份營運情形。

3 (D)。根據證券交易法第6條第2項：新股認購權利證書、新股權利證書及前項各種有價證券之價款繳納憑證或表明其權利之證書，視為有價證券。

4 (D)。根據證券交易法施行細則第6條，更正稅後損益金額在壹千萬元以上，且達原決算營業收入淨額百分之一者，應重編財務報表。

5 (B)。根據公開發行公司公開財務預測資訊處理準則，公開財務預測者，應於公開之二日內申報。

6 (B)。根據證券交易法第36條，上市公司與上櫃公司應於每月十日以前，公告並申報上月份營運情形。

7 (D)。根據證券交易法第149條，政府發行之債券，其上市由主管機關以命令行之，不適用證券交易法有關上市之規定。故政府債券又稱豁免債券。

五、董事會

(一) 董事會席次規範

1. 公開發行公司之董事會，其設置**董事不得少於五人**。
2. 董事因故解任，致不足五人者，公司應於最近一次股東會補選之。但董事**缺額達章程所定席次三分之一者，公司應自事實發生之日起六十日內**，召開股東臨時會補選之。

(二) 董事資格限制

公司除經主管機關核准者外，董事間應有超過半數之席次，不得具有下列關係之一：1.配偶、2.二親等以內之親屬。

(三) 董事會召集

1. **董事會應至少每季召開一次**，並於議事規範明定之。
2. **董事會之召集，應載明召集事由，於七日前通知**各董事及監察人。但有緊急情事時，得隨時召集之。
3. 公司對於下列事項應提董事會討論：

   (1) 公司之營運計畫。

   (2) 年度財務報告及半年度財務報告。

(3)修正內部控制制度，及內部控制制度有效性之考核。

(4)訂定或修正取得或處分資產、從事衍生性商品交易、資金貸與他人、為他人背書或提供保證之重大財務業務行為之處理程序。

(5)募集、發行或私募具有股權性質之有價證券。

(6)董事會未設常務董事者，董事長之選任或解任。

(7)財務、會計或內部稽核主管之任免。

(8)對關係人之捐贈或對非關係人之重大捐贈。但因重大天然災害所為急難救助之公益性質捐贈，得提下次董事會追認。

(9)依其他依法令或章程規定應由股東會決議或董事會決議事項或主管機關規定之重大事項。

(四) 董事會的出席

1. **董事會應由董事長召集並擔任主席**。但每屆第一次董事會，由股東會所得選票代表選舉權最多之董事召集，會議主席由該召集權人擔任之。
2. 董事長請假或因故不能行使職權時，由副董事長代理之，無副董事長或副董事長亦請假或因故不能行使職權時，由董事長指定常務董事一人代理之；其未設常務董事者，指定董事一人代理之。
3. 董事應親自出席董事會，如不能親自出席，得依公司章程規定委託其他董事代理出席；如以視訊參與會議者，視為親自出席。
4. 公司設有獨立董事者，應有至少一席獨立董事親自出席董事會。
5. 召開董事會時，應設簽名簿供出席董事簽到，並供查考。
6. **如全體董事有半數未出席時，主席得宣布延後開會，其延後次數以二次為限**。延後二次仍不足額者，主席得依「公開發行公司董事會議事辦法」第3條第2項規定之程序重行召集。
7. 非經出席董事過半數同意者，主席不得逕行宣布散會。

(五) 董事會的決議

1. 董事會決議應有過半數董事之出席，出席董事過半數之同意行之。
2. 董事對於會議事項，與其自身或其代表之法人有利害關係者，不得加入討論及表決，且討論及表決時應予迴避，並不得代理其他董事行使其表決權。
3. 董事會之議事，應作成議事錄；董事會簽到簿為議事錄之一部分，應於公司存續期間妥善保存。
4. 議事錄須由會議主席及記錄人員簽名或蓋章，於會後二十日內分送各董事及監察人，並應列入公司重要檔案，於公司存續期間妥善保存。

5. 董事會之議決事項，如有下列情事之一者，除應於議事錄載明外，並應於二日內於主管機關指定之資訊申報網站辦理公告申報：
   (1) 獨立董事有反對或保留意見且有紀錄或書面聲明。
   (2) 設置審計委員會之公司，未經審計委員會通過，而經全體董事三分之二以上同意通過。
6. 公司應將董事會之開會過程全程錄音或錄影存證，並至少保存五年，其保存得以電子方式為之。

六、獨立董事

(一) 獨立董事席次規範

1. 公開發行公司，得依章程規定設置獨立董事。但主管機關應視公司規模、股東結構、業務性質及其他必要情況，要求其設置**獨立董事，人數不得少於二人，且不得少於董事席次五分之一**。
2. 公司董事會設有常務董事者，常務董事中獨立董事人數不得少於一人，且不得少於常務董事席次五分之一。

(二) 獨立董事資格

1. **資格限制：**
   (1) 公開發行公司之獨立董事兼任其他公開發行公司獨立董事不得逾三家。
   (2) 公開發行公司之獨立董事，應取得下列專業資格條件之一，並具備五年以上工作經驗：
   A. 商務、法務、財務、會計或公司業務所需相關科系之公私立大專院校講師以上。
   B. 法官、檢察官、律師、會計師或其他與公司業務所需之國家考試及格領有證書之專門職業及技術人員。
   C. 具有商務、法務、財務、會計或公司業務所需之工作經驗。
2. **不得擔任獨立董事限制：**
   有下列情事之一者，不得充任獨立董事，其已充任者，當然解任：
   (1) 有公司法第30條各款情事之一。
   (2) 依公司法第27條規定以政府、法人或其代表人當選。
   (3) 違反**公開發行公司獨立董事設置及應遵循事項辦法**所定獨立董事之資格。

3. **獨立董事的獨立性：**

公開發行公司之獨立董事於執行業務範圍內應保持其獨立性，不得與公司有直接或間接之利害關係，應於選任**前二年及任職期間無下列情事之一**：

(1) 公司或其關係企業之受僱人。

(2) 公司或其關係企業之董事、監察人。

(3) **本人及其配偶、未成年子女或以他人名義**持有公司已發行股份總數百分之一以上或持股前十名之自然人股東。

(4) 第1款之經理人或前二款所列人員之配偶、二親等以內親屬或三親等以內直系血親親屬。

(5) 直接持有公司已發行股份總數百分之五以上、持股前五名或依公司法第27條第1項或第2項指派代表人擔任公司董事或監察人之法人股東之董事、監察人或受僱人。

(6) 公司與他公司之董事席次或有表決權之股份超過半數係由同一人控制，他公司之董事、監察人或受僱人。

(7) 公司與他公司或機構之董事長、總經理或相當職務者互為同一人或配偶，他公司或機構之董事（理事）、監察人（監事）或受僱人。

(8) 與公司有財務或業務往來之特定公司或機構之董事（理事）、監察人（監事）、經理人或持股百分之五以上股東。

(9) **為公司或關係企業提供審計或最近二年取得報酬累計金額逾新臺幣五十萬元之商務、法務、財務、會計等相關服務之專業人士**、獨資、合夥、公司或機構之企業主、合夥人、董事（理事）、監察人（監事）、經理人及其配偶。

(三) **獨立董事選任**

1. **獨立董事因故解任，致人數不足規定者，應於最近一次股東會補選之**。獨立董事**均解任時，公司應自事實發生之日起六十日內，召開股東臨時會**補選之。

2. 公開發行公司獨立董事選舉，**應採候選人提名制度**，並載明於章程，**股東**應就獨立董事候選人名單中**選任之**。

3. 公開發行公司得以下列方式提出獨立董事候選人名單：

(1) 持有已發行**股份總數百分之一以上股份之股東，得以書面向公司提出**獨立董事候選人名單，提名人數不得超過獨立董事應選名額。

(2)**由董事會提出獨立董事候選人名單**，提名人數不得超過獨立董事應選名額。

(3)其他經主管機關規定之方法。

4.公開發行公司之董事選舉，獨立董事與非獨立董事應一併進行選舉，分別計算當選名額。

七、審計委員會

(一) 公開發行公司，應擇一設置審計委員會或監察人。但主管機關得視公司規模、業務性質及其他必要情況，命令設置審計委員會替代監察人。

(二) **審計委員會席次規範**

審計委員會應由全體獨立董事組成，其人數不得少於三人，其中一人為召集人，且至少一人應具備會計或財務專長。

(三) **審計委員會決議**

1.審計委員會之決議，應有審計委員會全體成員二分之一以上之同意。

2.公開發行公司設置審計委員會者，下列事項應經**審計委員會全體成員二分之一以上同意，並提董事會決議：**

(1)依證券交易法第14-1條規定來訂定或修正內部控制制度。

(2)內部控制制度有效性之考核。

(3)依證券交易法第36-1條規定訂定或修正取得或處分資產、從事衍生性商品交易、資金貸與他人、為他人背書或提供保證之重大財務業務行為之處理程序。

(4)涉及董事自身利害關係之事項。

(5)重大之資產或衍生性商品交易。

(6)重大之資金貸與、背書或提供保證。

(7)募集、發行或私募具有股權性質之有價證券。

(8)簽證會計師之委任、解任或報酬。

(9)財務、會計或內部稽核主管之任免。

(10)由董事長、經理人及會計主管簽名或蓋章之年度財務報告及須經會計師查核簽證之第二季財務報告。

(11)其他公司或主管機關規定之重大事項。

上述事項除「由董事長、經理人及會計主管簽名或蓋章之年度財務報告及須經會計師查核簽證之第二季財務報告」外，如未經審計委員會全體成員二分之一以上同意者，得由全體董事三分之二以上同意行之。

牛刀小試

( ) **1** 依據現行證券相關法令之規定，公開發行公司獨立董事之提名方式為何？ (A)依章程任意規定 (B)依章程載明之候選人提名制度 (C)依董事會推薦名單 (D)並無規定。【109年第1次高業】

( ) **2** 下列哪些事項應經審計委員會全體成員二分之一以上同意，並提董事會決議？ (A)內部控制制度有效性之考核 (B)為他人背書或提供保證之處理程序 (C)涉及董事自身利害關係之事項 (D)選項(A)(B)(C)皆是。【107年第2次高業】

( ) **3** 依據現行證券相關法令之規定，被主管機關要求設置獨立董事之公開發行公司，其獨立董事人數不得少於幾人？ (A)二人 (B)三人 (C)四人 (D)五人。【109年第1次高業】

解答與解析

1 (B)。公開發行公司獨立董事選舉，應採候選人提名制度。而候選人名單得由(1)持有股份百分之一以上之股東、(2)董事會提出。

2 (D)。內部控制制度有效性之考核、為他人背書或提供保證之處理程序、涉及董事自身利害關係之事項，均需經審計委員會全體成員二分之一以上同意，並提董事會決議。

3 (A)。證券交易法第14-2條，已依本法發行股票之公司，得依章程規定設置獨立董事。但主管機關應視公司規模、股東結構、業務性質及其他必要情況，要求其設置獨立董事，人數不得少於二人，且不得少於董事席次五分之一。

精選試題

( ) **1** 公開發行股票公司之董事會，設置董事不得少於幾人？ (A)三人 (B)五人 (C)七人 (D)九人。 【109年第3次高業】

( ) **2** 關於證券交易法上有價證券之定義，下列敘述何者錯誤？
(A)包括經行政院金融監督管理委員會核定之有價證券
(B)新股認購權利證書、新股權利證書均屬有價證券的一種
(C)有價證券未印製表示其權利之實體有價證券者，不視為有價證券
(D)有價證券包含有價證券之價款繳納憑證。

( ) **3** 下列何種有價證券之募集、發行不適用證券交易法相關規定之規範？ (A)政府債券 (B)公司債券 (C)股票 (D)再次發行之公開招募。 【107年第2次高業】

( ) **4** 下列何者屬於證券交易法「有價證券」之範疇？ I.新股權利證書；II.新股認購權利證書： (A)僅I (B)僅II (C)I、II皆是 (D)I、II皆非。

( ) **5** 請問會計師辦理公開發行公司財務報告查核簽證核准準則是依據哪一項法律訂定？ (A)會計師法 (B)證券交易法 (C)公司法 (D)商業會計法。

( ) **6** 公開發行公司之財務報告，應由聯合或法人會計師事務所之執業會計師，多少人數以上共同查核簽證？ (A)一人 (B)二人 (C)三人 (D)五人。 【108年第1次高業】

( ) **7** 會計師辦理公開發行公司財務報告之查核簽證發生錯誤或疏漏時，下列何者不是主管機關得依證券交易法第三十七條第一項得為之處分？ (A)警告 (B)停止其二年以內辦理本法所訂之簽證 (C)撤銷其簽證之核准 (D)撤銷其會計師資格。

( ) **8** 依證券交易法施行細則第六條第一項第二款之規定，公司有更正損益之情形，但未達應重編財務報告之程度者，得不重編財務報告但必須： (A)重為財務預測 (B)列為保留盈餘之更正數 (C)受限於二年內不得盈餘轉增資 (D)受限於二年內不得現金增資。

( ) **9** 依規定完整式財務預測之公告申報日期距編製日期達幾個月以上，應重編財務預測？ (A)一個月 (B)二個月 (C)三個月 (D)選項(A)(B)(C)皆非。 【109年第2次高業】

( ) **10** 公開說明書主要內容有虛偽不實記載，對於善意投資人之損失，下列何者原則上不與公司負連帶賠償責任？ (A)發行人及其負責人 (B)承銷該證券之證券承銷商 (C)買賣該證券之證券經紀商 (D)會計師、律師等專業者簽名其上以證實所載內容。 【111年第2次高業】

( ) **11** 依據現行證券相關法令之規定，公開發行公司董事會應至少多久召開一次？
(A)每一季 (B)每四個月
(C)每半年 (D)每年。 【109年第1次高業】

( ) **12** 下列何者非為證券交易法所稱之有價證券？
(A)政府債券 (B)新股認購權利證書
(C)公司股票 (D)商業本票。 【110年第1次高業】

( ) **13** 關於公開發行公司設置獨立董事之規定，下列敘述何者有誤？ (A)獨立董事人數不得少於二人，且不得少於董事席次五分之一 (B)獨立董事均解任時，公司應自事實發生之日起三十日內，召開股東臨時會補選 (C)獨立董事不得持有該公司百分之一以上之股份 (D)獨立董事兼任其他公開發行公司獨立董事不得逾三家。

( ) **14** 公開發行股票之公司依「證券交易法」第十四條之四之規定，選擇設置審計委員會者，委員會由全體獨立董事組成，其人數不得少於多少人，且至少應有多少人須具備會計或財務專長者擔任？ (A)獨立董事二人；具備會計或財務專長者一人 (B)獨立董事三人；具備會計或財務專長者二人 (C)獨立董事四人；具備會計或財務專長者三人 (D)獨立董事三人；具備會計或財務專長者一人。 【107年第2次高業】

( ) **15** 依「證券交易法」之規定，公開發行公司設置審計委員會者，應如何作成決議？
(A)應由審計委員會成員三分之二以上同意
(B)應由審計委員會成員三分之一以上同意
(C)應由審計委員會成員二分之一以上同意
(D)應由審計委員會成員全體同意。 【111年第2次高業】

( ) **16** 依「證券交易法」之規定，未經審計委員會全體成員二分之一以上同意之事項，得由全體董事多少比例以上同意行之？ (A)二分之一 (B)三分之二 (C)四分之三 (D)五分之四。 【110年第2次高業】

解答與解析

1 **(B)**。證券交易法第26-3條，已依本法發行股票之公司董事會，設置董事不得少於五人。

2 **(C)**。根據證券交易法第6條，有價證券未印製表示其權利之實體有價證券者，亦視為有價證券。

3 **(A)**。根據證券交易法第149條，政府發行之債券，其上市由主管機關以命令行之，不適用證券交易法有關上市之規定。故政府債券又稱「豁免債券」。

4 **(C)**。根據證券交易法第6條，新股認購權利證書、新股權利證書及前項各種有價證券之價款繳納憑證或表明其權利之證書，視為有價證券。

5 **(B)**。會計師辦理公開發行公司財務報告查核簽證，是依證券交易法第36條。

6 **(B)**。根據會計師辦理公開發行公司財務報告查核簽證核准準則，公開發行公司之財務報告，應由聯合或法人會計師事務所之執業會計師，二人以上共同查核簽證。

7 **(D)**。會計師辦理財務報告簽證，發生錯誤或疏漏者，主管機關得視情節之輕重，為以下處分：
(1)警告。
(2)停止其二年以內辦理本法所定之簽證。
(3)撤銷簽證之核准。

8 **(B)**。
(1)依證券交易法施行細則規定，公司公告並申報之財務報告有未依有關法令編製而應予更正者，若更正稅後損益金額在新臺幣「一千萬元」以上，且達原決算營業收入淨額「百分之一」者，應重編財務報告，並重行公告。

(2)若更正稅後損益金額未達上述標準者，得不重編財務報告。但應列為保留盈餘之更正數。

9 **(A)**。根據公開發行公司公開財務預測資訊處理準則，財務預測之公告申報日期距編製日期達一個月以上，應重編財務預測。

10 **(C)**。「證券交易法」第32條第1項：前條之公開說明書，其應記載之主要內容有虛偽或隱匿之情事者，左列各款之人，對於善意之相對人，因而所受之損害，應就其所應負責部分與公司負連帶賠償責任：一、發行人及其負責人。二、發行人之職員，曾在公開說明書上簽章，以證實其所載內容之全部或一部者。三、該有價證券之證券承銷商。四、會計師、律師、工程師或其他專門職業或技術人員，曾在公開說明書上簽章，以證實其所載內容之全部或一部，或陳述意見者。故選(C)。

11 **(A)**。公開發行公司董事會應至少每季召開一次。

12 **(D)**。根據證券交易法第6條第2項：新股認購權利證書、新股權利證書及前項各種有價證券之價款繳納憑證或表明其權利之證書，視為有價證券。

13 **(B)**。獨立董事均解任時，公司應自事實發生之日起六十日內，召開股東臨時會補選。

14 **(D)**。設置審計委員會者，委員會由全體獨立董事組成，其人數不得少於三人；具備會計或財務專長者至少一人。

15 **(C)**。「證券交易法」第14-4條第6項：審計委員會之決議，應有審計委員會全體成員二分之一以上之同意。

16 **(B)**。根據「證券交易法」第14-5條第2項，如未經審計委員會全體成員二分之一以上同意者，得由全體董事三分之二以上同意行之，不受前項規定之限制，並應於董事會議事錄載明審計委員會之決議。故選(B)。

證券交易所及上市標準

依據出題頻率區分，屬：**A** 頻率高

臺灣證券交易所於民國50年成立，證券交易所的出現，有助於保證股票市場運行的連續性、亦實現市場資金的有效分配並減少了證券投資的風險。本章節的重點1先介紹了臺灣證交所的基本概念與制度；並於重點2介紹在證交所交易的上市股票，其發行公司的上市標準為何。

重點01 證券交易所的基本概念

重要度★★

一、證券交易所

(一) 業務為經營供給有價證券集中交易市場。

(二) 非經主管機關核准，不得經營其他業務或對其他事業投資。

(三) 證券交易所名稱，應標明證券交易所字樣；非證券交易所，不得使用類似證券交易所之名稱。

二、證券交易所組織

證券交易所之組織，分會員制及公司制。

(一) **會員制證券交易所**

1. 會員制證券交易所，為非以營利為目的之社團法人。
2. 會員以證券**自營商**及證券**經紀商**為限。
3. **會員制證券交易所之會員，不得少於七人**。
4. 會員制證券交易所至少應置**董事三人，監事一人**，由會員選任之。
   (1) **董事中至少有三分之一，監事至少有一人**從非會員之有關專家中選任。
   (2) 董事、監事之任期均為三年，連選得連任。
5. 會員應向證券交易所繳存交割結算基金，及繳付證券交易經手費。

(二) **公司制證券交易所**

1. 公司制證券交易所之組織，**以股份有限公司為限**。
2. 公司制證券交易所之最低實收資本額為新臺幣五億元。

3. 公司制證券交易所**存續期間不得逾十年，但得視當地證券交易發展情形，於期滿三個月前，呈請主管機關核准延長之**。
4. 證券商之董事、監察人、股東或受僱人不得為公司制證券交易所之經理人。
5. 公司制證券交易所之董事、監察人至少應有三分之一，由主管機關指派非股東之有關專家任之。
6. 公司制證券交易所發行之股票，不得於自己或他人開設之有價證券集中交易市場，上市交易。

考點速攻

臺灣證券交易所（Taiwan Stock Exchange, TWSE）

臺灣證券交易所為公司制，於西元1961年成立。其自行編製的加權指數，被視為是臺灣經濟走向的主要指標之一。

三、證券交易所的管理

(一) **營業保證金**：證券交易所應向國庫繳存**營業保證金，金額為其會員出資額總額或公司實收資本額百分之五**。

(二) **賠償準備金**：證券交易所應一次提存新臺幣五千萬元作為賠償準備金；並於每季終了後十五日內，按證券交易經手費收入之百分之二十，繼續提存。但賠償準備金提存金額已達資本總額時，不在此限。

證券交易所提存前條之**賠償準備金，應專戶提存保管，非經金融監督管理委員會核准，不得為下列以外之運用**：

1. **政府債券**。
2. **銀行存款或郵政儲金**。

(三) 證券交易所應就有價證券集中交易市場內成交之買賣，於每日、每月、每年終了製作日報表、月報表及年報表。

四、證券交易所之人員

(一) **人員異動**

證券交易所董事、監事、監察人及經理人	該證券交易所應於**異動後五日內，申報金融監督管理委員會核備**。
證券交易所業務人員異動	該證券交易所應按月列冊彙報本會備查。

(二) **證券交易所之經理人及業務人員不得以任何方式擔任有價證券上市公司、證券商之任何兼職或名譽職位**。

(三) 證券交易所之經理人及業務人員，不得有下列行為：

1. 以職務上所知悉之消息，直接或間接從事上市有價證券買賣之交易活動。
2. 非應依法令所為之查詢，洩漏職務上所獲悉之秘密。
3. 與業務有關人員有款項、有價證券之借貸情事。
4. 對於職務上或違背職務之行為，要求期約或收受不正當利益。
5. 執行職務涉及本身利害關係時未行迴避。
6. 辦理有價證券上市、交易、結算、交割或保管時，有虛偽、詐欺或其他足致他人誤信之行為。
7. 其他違反證券管理法令或本會規定應為或不得為之情事。

五、主管機關對證券交易所之監督

(一) 證券交易所之行為，有違反法令或妨害公益或擾亂社會秩序時，主管機關得為下列之處分：

1. **解散證券交易所**。
2. **停止或禁止證券交易所之全部或一部業務**，但停止期間不得逾三個月。
3. 以命令解任其董事、監事、監察人或經理人。
4. 糾正。
5. 主管機關為上述第1項或第2項之處分時，**應先報經行政院核准**。

(二) 當證券商與證券交易所發生有價證券交易之爭議，不論當事人間有無訂立仲裁契約，均應進行仲裁。

牛刀小試

(　　) **1** 關於公司制之證券交易所，下列敘述何者正確？
(A)公司制證交所以股份有限公司之組織為限
(B)公司制證交所得發行股票，並可上市交易之
(C)公司制證交所之存續期間，原則上以二十年為限
(D)以上皆是。

(　　) **2** 證券經紀商與證券交易所因使用市場契約產生爭議，應以下列何種方式處理？ (A)強制當事人調解 (B)應進行強制仲裁 (C)應以訴訟解決 (D)申請主管機關調處。 【112年第1次高業】

解答與解析

1 (A)。公司制證券交易所之股票不可上市交易；另其存續期間不得逾十年，但得視當地證券交易發展情形，於期滿三個月前，呈請主管機關核准延長之。

2 (B)。「證券交易法」第166條：依本法所為有價證券交易所生之爭議，當事人得依約定進行仲裁。但證券商與證券交易所或證券商相互間，不論當事人間有無訂立仲裁契約，均應進行仲裁。前項仲裁，除本法規定外，依仲裁法之規定。

重點02 上市相關規定 重要度★★★

一、本國有價證券之上市

(一) 一般公司股票的上市條件

1. 設立年限：公司設立登記滿三年以上，但公營事業或公營事業轉為民營者，不在此限。
2. 資本額：**實收資本額達新臺幣六億元且募集發行普通股股數三千萬股以上**。
3. 獲利能力：其日財務報告之稅前淨利符合下列標準之一，且最近一個會計年度決算無累積虧損者。
   (1) 稅前淨利占年度決算之財務報告所列示股本比率，最近二個會計年度**均達**百分之六以上。
   (2) 稅前淨利占年度決算之財務報告所列示股本比率，最近二個會計年度平均達百分之六以上，且最近一個會計年度之獲利能力較前一會計年度為佳。
   (3) 稅前淨利占年度決算之財務報告所列示股本比率，最近五個會計年度均達百分之三以上。
4. 股權分散：**記名股東人數在一千人以上，公司內部人及該等內部人持股逾百分之五十之法人以外之記名股東人數不少於五百人**，且其所持股份合計占發行股份總額百分之二十以上或滿一千萬股者。【109年第2次高業】
5. 上市產業類別係屬食品工業或最近一個會計年度餐飲收入占其全部營業收入百分之五十以上之發行公司，應符合下列各目規定：

(1)設置實驗室，從事自主檢驗。

(2)產品原材料、半成品或成品委外辦理檢驗者，應送交經衛生福利部、財團法人全國認證基金會或衛生福利部委託之機構認證或認可之實驗室或檢驗機構檢驗。

(3)洽獨立專家就其食品安全監測計畫、檢驗週期、檢驗項目等出具合理性意見書。

※若第3項獲利能力之條件無法達成，但有符合以下者，仍可上市（注意：只有條件1、2、4、5都符合，僅條件3不符合時方可適用）

・市值達新臺幣五十億元，且下列各款均符合

(1)最近一個會計年度營業收入大於新臺幣五十億元，且較前一會計年度為佳。

(2)最近一個會計年度營業活動現金流量為正數。

(3)最近期財務報告之淨值不低於財務報告所列示股本三分之二。

・市值達新臺幣六十億元，且下列各款均符合

(1)最近一個會計年度營業收入大於新臺幣三十億元，且較前一會計年度為佳。

(2) 最近期財務報告之淨值不低於財務報告所列示股本三分之二。

(二) 科技事業、文化創意事業公司股票的上市條件

1. 資本額：申請上市時之實收資本額達新臺幣三億元以上且募集發行普通股股數達兩千萬股以上。
2. 股權分散：記名股東人數在一千人以上，且公司內部人及該等內部人持股逾百分之五十之法人以外之記名股東人數不少於五百人者。
3. 經中央目的事業主管機關出具其係屬科技事業或文化創意事業且具市場性之明確意見書。
4. 經證券承銷商書面推薦。
5. **最近期財務報告之淨值不低於財務報告所列示股本三分之二**。【109年第4次高業】

(三) 國家經濟建設之重大事業公司股票的上市條件

1. 國家經濟建設之重大事業的定義：**由政府推動**創設，並有中央政府或其指定之省（直轄市）級地方自治團體及其出資百分之五十以上設立之法人參與投資，合計持有其申請上市時已發行股份總額百分之五十以上者。申請上市時須**經目的事業主管機關認定，並出具證明文件**。

2. 資本額：實收資本額達**新臺幣十億元**以上者。
3. 股權分散：記名股東人數在一千人以上，公司內部人及該等內部人持股逾百分之五十之法人以外之記名股東人數不少於五百人，且其所持股份合計占發行股份總額百分之二十以上或滿一千萬股者。

(四) 政府獎勵民間參與國家重大公共建設事業公司股票的上市條件

1. 政府獎勵民間參與國家重大公共建設事業定義：取得中央政府、直轄市級地方自治團體或其出資百分之五十以上之法人核准投資興建及營運之特許權合約。
2. 資本額：實收資本額達新臺幣五十億元以上者。
3. 取得特許合約之預計工程計畫總投入成本達二百億元以上者。
4. 申請上市時，其**特許營運權尚有存續期間在二十年以上者**。
5. 公司之董事、持股達已發行股份總額百分之五以上之股東、持股達發行股份總額千分之五以上或十萬股以上之技術出資股東或經營者需具備完成特許合約所需之技術能力、財力及其他必要能力，並取得核准其特許權合約之機構出具之證明。
6. 股權分散：記名股東人數在一千人以上，公司內部人及該等內部人持股逾百分之五十之法人以外之記名股東人數不少於五百人，且其所持股份合計占發行股份總額百分之二十以上或滿一千萬股者。

(五) 證券業、金融業、保險業及期貨商股票的上市條件

上述機構申請其股票上市前，應符合下列條件：

1. 取得目的事業主管機關之同意函。
2. 證券公司申請其股票上市，應同時經營證券承銷、自行買賣及行紀或居間等三種業務屆滿五個完整會計年度。

(六) 屬於母子公司關係之子公司申請其股票的上市條件

1. 應檢具母公司與其所有子公司之合併財務報表。
2. 依前款檢送之合併財務報表核計，**最近一個會計年度之淨值總額應達新臺幣十億元以上；且最近二個會計年度之稅前淨利占淨值總額之比率，均應達百分之三以上。**

(七) 普通股與各種特別股一併申請上市【110年第1次高業】

發行公司就其所發行之**普通股與各種特別股一併申請上市者**：

→普通股申請上市股份發行總額，應符合第4條、第5條、第6條、第6-1條、第16條或第20-2條所訂資本額之規定（即本章此前所撰）。

→**特別股**申請上市股份發行總額，應達**新臺幣三億元以上**，且發行股數達三千萬股以上，並應符合股權分散之上市條件（記名股東人數在五百人以上，且公司內部人及該等內部人持股逾百分之五十之法人以外之記名股東，其所持股份合計占各種特別股之發行股份總額百分之二十以上或滿一千萬股）。

註：當特別股因公司贖回而導致**發行總額低於二億元，或發行股數低於二千萬股時，臺灣證券交易所應報經主管機關終止其上市**。

(八) **應不同意其股票上市**

申請公司若有下列情形之一者，證券交易所「應」不同意其股票上市：

1. **申請公司於最近五年內**，或其現任董事、總經理或實質負責人於**最近三年內**，有違反誠信原則之行為者。
2. 申請公司之董事會成員少於五人，獨立董事人數少於三人或少於董事席次五分之一；其董事會有無法獨立執行其職務；或未依證券交易法第十四條之六及其相關規定設置薪資報酬委員會者。另所選任獨立董事其中至少一人須為會計或財務專業人士。
3. 申請公司於申請上市會計年度及其最近一個會計年度已登錄為證券商營業處所買賣興櫃股票，於掛牌日起，其現任董事及持股超過其發行股份總額百分之十之股東有未於興櫃股票市場而買賣申請公司發行之股票情事者。

(九) **得不同意其股票上市**

申請公司若有下列情形之一者，證券交易所「得」不同意其股票上市：

1. 遇有證券交易法第156條第1項第1款、第2款所列情事，或其行為有虛偽不實或違法情事，足以影響其上市後之證券價格，而及於市場秩序或損害公益之虞者。
2. 財務或業務未能與他人獨立劃分者。
3. 有足以影響公司財務業務正常營運之重大勞資糾紛或污染環境情事，尚未改善者。
4. 經發現有重大非常規交易，尚未改善者。
5. 請上市年度已辦理及辦理中之增資發行新股併入各年度之決算實收資本額計算，不符合上市規定條件者。
6. 有迄未有效執行書面會計制度、內部控制制度、內部稽核制度，或不依有關法令及一般公認會計原則編製財務報告等情事，情節重大者。
7. 所營事業嚴重衰退者。

8. 申請公司係屬上市（櫃）公司進行分割後受讓營業或財產之既存或新設公司，該上市（櫃）公司最近三年內為降低對申請公司之持股比例所進行之股權移轉，有損害公司股東權益者。
9. 其他因事業範圍、性質或特殊狀況，證交所認為不宜上市者。

二、外國有價證券之上市

有價證券已在其所屬國證券交易所上市之外國公司，得向金融監督管理委員會申請募集與發行臺灣存託憑證。

(一) 外國發行人申請股票第一上市

合於下列各款條件者，證券交易所得出具同意其上市之證明文件：

1. 符合「臺灣地區與大陸地區人民關係條例」相關規範。但大陸地區人民、法人、團體或其他機構直接或間接持有股份或出資總額逾百分之三十，或具有控制能力者，應取得主管機關專案許可。
2. 申請上市時，申請公司或其任一從屬公司應有三年以上業務紀錄。
3. 公司規模應符合下列條件之一：
   (1) 申請上市時之實收資本額或淨值達新臺幣六億元以上者。
   (2) 上市時之市值達新臺幣十六億元以上者。
4. 最近三個會計年度之稅前淨利累計達新臺幣二億五千萬元以上，且最近一個會計年度之稅前淨利達新臺幣一億二千萬元及無累積虧損者。
5. 記名股東人數在一千人以上，公司內部人及該等內部人持股逾百分之五十之法人以外之記名股東人數不少於五百人，且其所持股份總額合計占發行股份總額百分之二十以上或逾一千萬。
6. 上市產業類別係屬食品工業或最近一個會計年度餐飲收入占其全部營業收入百分之五十以上之發行公司，應符合下列各目規定：
   (1) 設置實驗室，從事自主檢驗。
   (2) 產品原材料、半成品或成品委外辦理檢驗者，應送交經當地主管機關、國際性認證機構或其主管機關委託之機構認證之實驗室或檢驗機構檢驗。
   (3) 洽獨立專家就其食品安全監測計畫、檢驗週期、檢驗項目等出具合理性意見書。

7. 預計上市掛牌交易之股數應逾其已發行股份總數之百分之五十。
8. 經二家以上證券承銷商書面推薦者。

(二) **外國發行人申請股票第二上市**

合於下列各款條件者，證券交易所得出具同意其上市之證明文件：

1. 上市股數：二千萬股以上或市值達新臺幣三億元以上者。
2. 外國發行人依據註冊地國法律發行之記名股票，於申請上市之股票掛牌前，已在經主管機關核定之海外證券市場之一主板掛牌交易者。
3. **淨值**：申請上市時，經會計師查核簽證之最近期財務報告所顯示之淨值折合新臺幣六億元以上者。
4. **獲利能力**：最近一個會計年度無累積虧損，並符合下列標準之一者：
   (1) 稅前淨利占年度決算之淨值比率，最近一年度達百分之六以上者。
   (2) 稅前淨利占年度決算之淨值比率，最近二年度均達百分之三以上，或平均達百分之三以上，且最近一年度之獲利能力較前一年度為佳者。
   (3) 稅前淨利最近二年度均達新臺幣二億五千萬元以上者。
5. **股權分散**：上市時，在中華民國境內之記名股東人數不少於一千人，且扣除外國發行人內部人及該等內部人持股逾百分之五十之法人以外之股東，其所持股份合計占發行股份總額百分之二十以上或滿一千萬股。

三、永續報告書

(一) **上市公司符合下列情事之一者，應編製與申報永續報告書：**

1. 屬食品工業、化學工業及金融保險業者。
2. 最近一會計年度財務報告，餐飲收入占其全部營收比率達百分之五十以上者。
3. 最近一會計年度財務報告，股本達新臺幣二十億元以上者。

> **考點速攻**
> **屬食品工業、化學工業及金融保險業者，應於每年六月三十日前**申報永續報告書，並將報告書檔案置於其公司網站之連結。但最近一年未編製或未參考全球永續性報告協會發布之準則編製永續報告書者，或永續報告書經會計師依照前項準則出具意見書者，得延至九月三十日完成申報。

(二) **各行業永續報告書應加強揭露事項**

1. **食品工業之上市公司：**

應揭露企業在供應商對環境或社會衝擊之評估、顧客健康與安全及行銷與標示重大主題之管理方針、揭露項目及其報導要求。其報導要求至少應包含下列項目：

(1)為改善食品衛生、安全與品質，而針對其從業人員、作業場所、設施衛生管理及其品保制度等方面進行之評估與改進及所影響之主要產品與服務類別與百分比。

(2)違反有關產品與服務之健康與安全法規及未遵循產品與服務之資訊與標示法規之事件類別與次數。

(3)採購符合國際認可之產品責任標準者占整體採購之百分比，並依標準區分。

(4)經獨立第三方驗證符合國際認證之食品安全管理系統標準之廠房所生產產品之百分比。

(5)對供應商進行稽核之家數及百分比、稽核項目及結果。

(6)依法規要求或自願進行產品追溯與追蹤管理之情形及相關產品占所有產品之百分比。

(7)依法規要求或自願設置食品安全實驗室之情形、測試項目、測試結果、相關支出及其占營業收入淨額之百分比。

2. **化學工業之上市公司：**

應揭露保障職業安全與衛生、對當地社區之影響及企業本身及其供應商對環境或社會衝擊之評估等重大主題之管理方針、揭露項目及其報導要求。其報導要求至少應包含下列項目：

(1)說明員工受傷害類別，計算傷害率、職業病率、損工日數率、缺勤率以及因公死亡件數。

(2)對當地社區具有顯著實際或潛在負面衝擊之營運活動。

(3)企業本身及其供應商為降低對環境或社會之負面衝擊所採取之具體、有效機制及作為。

3. **金融保險業之上市公司：**

金融保險業應揭露企業在永續金融重大主題之管理方針、揭露項目及其報導要求。其報導要求至少應包含各經營業務為創造社會效益或環境效益所設計之產品與服務。

4. **上述三類（食品工業、化學工業、金融保險業）上市公司皆須揭露：**

(1)企業非擔任主管職務之全時員工人數、非擔任主管職務之全時員工薪資平均數及中位數，及前三者與前一年度之差異。

(2)企業對氣候相關風險與機會之治理情況、實際及潛在與氣候相關之衝擊、如何鑑別、評估與管理氣候相關風險及用於評估與管理氣候相關議題之指標與目標。

牛刀小試

( ) **1** 某水泥業者初次申請股票上市條件，其股權分散規定為記名股東人數至少須有多少人？
(A)五百人 (B)一千人
(C)一千五人 (D)二千人。 【104年第2次高業】

( ) **2** 一般發行公司初次申請股票上市條件，公司獲利能力標準之一為營業利益及稅前純益占年度決算之財務報告所列示股本比率，最近五個會計年度均達多少者？ (A)10%以上 (B)6%以上 (C)5%以上 (D)3%以上。

( ) **3** 一般上市公司與科技事業上市之條件下列何者正確？
(A)上市公司的資本額高於科技事業
(B)科技事業需經一家證券承銷商書面推薦
(C)二者中的記名股東人數在一千人以上
(D)選項(A)(B)(C)皆是。 【105年第3次高業】

( ) **4** 股票首次經臺灣證券交易所股份有限公司同意上市之外國發行人稱之為： (A)第一上市公司 (B)第二上市公司 (C)第一上櫃公司 (D)第二上櫃公司。 【109年第4次高業】

( ) **5** 上市特別股發行總額低於多少者，臺灣證券交易所應報經主管機關終止其上市？
(A)二億元 (B)四億元
(C)六億元 (D)十億元。 【107年第2次高業】

解答與解析

1 (B)。一般公司股票上市，記名股東人數應在一千人以上，公司內部人及該等內部人持股逾百分之五十之法人以外之記名股東人數不少於五百人，且其所持股份合計占發行股份總額百分之二十以上或滿一千萬股者。

2 (D)。稅前淨利占年度決算之財務報告所列示股本比率，最近五個會計年度均達百分之三以上始符合申請上市資格。

3 (D)

4 (A)。股票首次經臺灣證券交易所股份有限公司同意上市之外國發行人稱之為第一上市公司。

5 (A)。根據臺灣證券交易所股份有限公司營業細則第50-1條，上市特別股發行總額低於新臺幣二億元者，應依證券交易法第一百四十四條規定終止其上市，並報請主管機關備查。

精選試題

( ) **1** 依現行證券交易法規定，一個證券交易所，以開設幾個有價證券集中交易市場為限？ (A)一個 (B)二個 (C)三個 (D)無明文限制。【109年第4次高業】

( ) **2** 證券商與證券交易所之間因證券交易而產生之爭議其仲裁方式為？
(A)強制仲裁 (B)約定仲裁
(C)任意仲裁 (D)協議仲裁。【108年第3次高業】

( ) **3** 公司制證交所董事、監察人至少應有多少比例是由主管機關指派非股東之有關專家任之？
(A)四分之一 (B)三分之一
(C)二分之一 (D)五分之一。【107年第3次高業】

( ) **4** 一般企業申請股票上市，公司內部人及該等內部人持股逾百分之五十之法人以外之記名股東人數不少於多少人？ (A)一百人 (B)三百人 (C)五百人 (D)七百人。【104年第1次高業】

( ) **5** 科技事業申請上市，其申請上市最近期及其最近一個會計年度財務報告之淨值，不得低於財務報告所列示股本多少？
(A)五分之二 (B)四分之三
(C)三分之二 (D)二分之一。【107年第1次高業】

( ) **6** 申請以科技事業上市之發行公司，其上市條件含以下那一項？
(A)經證券承銷商書面推薦
(B)經證券自營商書面推薦
(C)經證券經紀商書面推薦
(D)經證券商業同業公會書面推薦。【104年第2次普業】

( ) **7** 申請以國家經濟建設重大事業上市之發行公司，其實收資本額至少應達新臺幣多少元以上？ (A)二億元 (B)三億元 (C)五億元 (D)十億元。【103年第4次高業】

( ) **8** 凡有價證券已在其所屬國證券交易所上市之外國公司，得向金融監督管理委員會申請募集與發行何種證券？
(A)全球存託憑證
(B)受益憑證
(C)海外存託憑證
(D)臺灣存託憑證。 【104年第1次高業】

( ) **9** 某上市公司之子公司擬申請上市，其合併財務報表中最近一個會計年度之股東權益為新臺幣十億元以上，且營業利益及稅前純益占股東權益總額比率，於最近二個會計年度均達百分之六以上，以下敘述何者為是？
(A)該子公司具備上市資格
(B)該公司不符上市資格，因該公司最近一個會計年度之股東權益未達新臺幣二十億元以上
(C)目前法令不允許母子公司皆上市
(D)以上皆非。 【100年第1次高業】

( ) **10** 下列何種公司得參與存託機構發行臺灣存託憑證？
(A)已在臺灣證券交易所掛牌之上市公司
(B)已在財團法人中華民國證券櫃檯買賣中心掛牌之上櫃公司
(C)未上市或未上櫃公司
(D)已在經核可之外國證券交易所掛牌之公司。 【109年第1次高業】

解答與解析

1 (A)。一個證券交易所以開設一個有價證券集中交易市場為限。

2 (A)。根據證券交易法第166條：依本法所為有價證券交易所生之爭議，當事人得依約定進行仲裁。但證券商與證券交易所或證券商相互間，不論當事人間有無訂立仲裁契約，均應進行仲裁。

3 (B)。公司制證交所董事、監察人至少應有三分之一是由主管機關指派非股東之有關專家任之。

4 (C)。一般公司股票上市，記名股東人數應在一千人以上，公司內部人及該等內部人持股逾百分之五十之法人以外之記名股東人數不少於五百人，且其所持股份合

計占發行股份總額百分之二十以上或滿一千萬股者。

5 (C)。科技事業申請上市，其申請上市最近期及其最近一個會計年度財務報告之淨值，不得低於財務報告所列示股本三分之二。

6 (A)。申請以科技或文化創意事業上市的公司，其上市條件包含經證券承銷商書面推薦。

7 (D)。以國家經濟建設重大事業申請上市之公司，其實收資本額至少應達新臺幣十億元以上。

8 (D)。有價證券已在其所屬國證券交易所上市之外國公司，得向金融監督管理委員會申請募集與發行臺灣存託憑證。

9 (A)。子公司申請其股票上市，應檢具母公司與其所有子公司之合併財務報表；另最近一個會計年度之淨值總額應達新臺幣十億元以上；且最近二個會計年度之稅前淨利占淨值總額之比率，均應達百分之三以上。

10 (D)。外國發行人募集與發行有價證券處理準則第28條，外國發行人為第二上市（櫃）公司者，得參與存託機構發行臺灣存託憑證，並應依案件性質檢具「外國發行人參與發行臺灣存託憑證申報書」載明其應記載事項，連同應檢附書件，向本會申報生效後，始得為之。

第四章 櫃買中心及上櫃標準

依據出題頻率區分，屬：A 頻率高

相較於「上市」股票在臺灣證券交易所進行相關交易；「上櫃」股票的交易則由證券櫃檯買賣中心進行業務承辦。

企業上市或上櫃之目的，是希冀藉由股票的發行來進行募資、取得資金來從事商業行為而獲利。而申請上市或上櫃的根本區別在於門檻不同，由於上櫃的資本額條件比較小，若企業有意從群眾獲取資金，會先以櫃買市場進行測試，進一步才會以上市為目標。

本章架構與前一章節相同，重點1為介紹櫃檯買賣中心的基本概念，重點2介紹上櫃的標準為何；可比較兩章節間之差異。

重點01 櫃檯買賣中心的基本概念 重要度★

櫃買中心

(一) 財團法人中華民國證券櫃檯買賣中心（Taipei Exchange, TPEx）簡稱「櫃買中心」，為承辦臺灣證券櫃檯買賣（OTC）業務的公益性財團法人組織。目前上櫃公司約有633檔，興櫃公司約有254檔，創櫃公司約有60檔。

(二) 於83年11月1日依證券交易法設立。

(三) 業務：扶植企業掛牌及籌資，同時經營包括股票、債券、ETF、TDR與店頭衍生性金融商品等多元化的商品交易業務。

重點02 上櫃條件 重要度★★★

一、有價證券上櫃條件

(一) **一般公司股票之上櫃**

1. **設立年限**：依公司法設立登記滿二個完整會計年度。
2. **資本額**：實收資本額達新臺幣五千萬元以上，且募集發行普通股股數達五百萬股以上者。

3. **財務條件**：至少符合以下「獲利能力」或「淨值、營業收入及營業活動現金流量」其一標準：

(1) 獲利能力：經會計師查核簽證之財務報告，其稅前淨利占股本之比率，符合下列條件之一者，且最近一個會計年度之稅前淨利不得低於新臺幣四百萬元：

A. 最近一個會計年度達百分之四以上，且決算無累積虧損者。

B. 最近二個會計年度均達百分之三以上者。

C. 最近二個會計年度平均達百分之三以上，且最近一個會計年度之獲利能力較前一個會計年度為佳者。

(2) 淨值、營業收入及營業活動現金流量標準，同時符合：

A. 最近期經會計師查核簽證或核閱財務報告之淨值達新臺幣六億元以上且不低於股本三分之二。

B. 最近一個會計年度來自主要業務之營業收入達新臺幣二十億元以上，且較前一個會計年度成長。

C. 最近一個會計年度營業活動現金流量為淨流入。

4. **股權分散**：公司內部人及該等內部人持股逾百分之五十之法人以外之記名股東數不少於三百人，且其所持股份總額合計占發行股份總額百分之二十以上或逾一千萬股。

5. 經二家以上證券商書面推薦者。

知識補給站

推薦一般公司申請上櫃的證券商，應具備證券承銷商及櫃檯買賣自營商之資格，但若是申請上櫃的公司本身為證券商者，其推薦之券商僅需具備證券承銷商之資格。又當公開發行公司與推薦證券商具有下列情事之一者，櫃買中心拒絕接受該推薦證券商所出具之評估報告，且不同意其有價證券上櫃：

1. 雙方互為有價證券初次上櫃或上市評估報告之評估。
2. 有證券商管理規則第26條所列情事。
3. 屬同一集團企業。

※推薦證券商自其所推薦之股票開始櫃檯買賣之日起一年內，不得辭任。

(二) **科技事業或文化創意事業股票之上櫃**

公司取得中央目的事業主管機關出具其係屬科技事業或文化創意事業者，**得不受「設立年限」與「獲利能力」之限制**，但科技事業最近期經會計師查核簽證或核閱財務報告之淨值不低於股本三分之二。

(三) **證券業、期貨業、金融業及保險業之上櫃**

證券業、期貨業、金融業及保險業申請其股票為櫃檯買賣，**應先取得目的事業主管機關之同意函，本中心始予受理**。

(四) **公營事業之上櫃**

公營事業申請股票上櫃，除**「設立年限、股權分散、董監持股集保比率、輔導期限」的條件不受限制**外，其餘條件皆與一般公司申請上櫃相同。

(五) **母子公司上櫃**

申請時屬母子公司關係者，母公司申請其股票上櫃者，依據本中心審查準則有關規定辦理；**子公司申請其股票上櫃者，若有不能符合下列各款情事，應不同意其股票上櫃：**

1. 獲利能力應達上櫃標準，但申請公司基於行業特性、市場供需狀況、政府政策或其他合理原因者，得不適用上開限制。
2. 申請上櫃會計年度及**最近一會計年度之營業收入來自母公司者，不超過百分之五十**；**主要原料或主要商品或總進貨金額來自母公司者，不超過百分之七十**。但基於行業特性、市場供需狀況、政府政策或其他合理原因者，不在此限。
3. 申請公司之董事會成員至少五席，監察人至少三席，且其中之獨立董事席次不得低於三席。
4. **母公司及其所有子公司**，以及前開公司之董事、監察人、代表人，暨持有公司股份超過發行總額百分之十之股東，**與其關係人總計持有該申請公司之股份不得超過發行總額之百分之七十**。
5. 本國上櫃（市）公司或第一上櫃（市）公司之子公司申請上櫃時，該已掛牌之**母公司最近四季未包括子公司財務數據之營業收入，未較其同期財務報告衰退達百分之五十以上**，且母公司最近二個會計年度未有重大客戶業務移轉之情事。
6. **已於國內上櫃之金融控股公司，其持股逾百分之七十之子公司不得申請上櫃**。

(六) **特別股上櫃**

公開發行公司就其所發行之普通股與各種特別股一併申請為櫃檯買賣者，**其普通股及各種特別股申請櫃檯買賣股份面值總額分別應達新臺幣五千萬元以上**。

(七) **外國上櫃**

1. **外國發行人申請第一上櫃者**，應符合下列條件：
(1)未違反「臺灣地區與大陸地區人民關係條例」。
(2)大陸地區人民、法人、團體直接或間接持有股份逾百分之三十者，應取得主管機關專案許可，並依「外國發行人募集與發行有價證券處理準則」規定補辦股票公開發行。
(3)發行之記名股票未在海外證券市場掛牌交易。
(4)最近期經會計師查核簽證或核閱之**淨值折合新臺幣一億元以上者**。
(5)依照外國法律**設立登記滿二個完整會計年度**。
(6)外國發行人編製之財務報告應符合下列規定：
A. 以新臺幣為編製單位。
B. 以中文版本為主，另得加送英文版本。
C. 依主管機關認可之國際財務報導準則編製。
(7)財務要求應符合下列標準之一：
獲利能力：最近一個會計年度之稅前淨利不得低於折合新臺幣四百萬元，且占歸屬於母公司業主之權益金額之比率，應符合規定條件。
(8)公司內部人及該等內部人持股逾百分之五十之法人以外之記名股東人數不少於三百人，且其所持股份總額合計占發行股份總額百分之二十以上或逾一千萬股。

2. 外國發行人申請**第二**上櫃者，應符合下列條件：
(1) 櫃檯買賣股數：一千萬股以上或其申請總市值折合新臺幣一億元以上者。但不得逾其已發行股份總數之百分之五十。
(2)外國發行人依據註冊地國法律發行之記名股票，於申請第二上櫃之股票掛牌前，已在經主管機關核定之海外證券市場主板之一交易者。
(3)股東權益：最近期經會計師查核簽證之歸屬於母公司業主之權益折合新臺幣二億元以上者。
(4)獲利能力：最近一個會計年度之稅前淨利不得低於折合新臺幣四百萬元，且占歸屬於母公司業主之權益金額之比率，應符合規定條件。

(5) 發行人之股票於櫃檯買賣時，除發行人之內部人及該等內部人持股逾百分之五十之法人以外，在中華民國境內之記名股東人數不少於三百人，且其所持股份合計占發行股份總額須達百分之二十以上或逾一千萬股。

(6) 外國發行人依據註冊地國法律發行之記名股票，於其股票第二上櫃契約經本中心同意前三個月未有股價變化異常之情事。

(八) **外國公債上櫃**

外國政府發行之政府公債，由金融監督管理委員會函令證券櫃檯買賣中心公告，不必向櫃買中心申請。

牛刀小試

( ) **1** 申請股票上櫃必須有幾家以上證券商書面推薦？ (A)一家 (B)二家 (C)三家 (D)五家。

( ) **2** 推薦證券商股票上櫃之證券商依法應具備： (A)櫃檯買賣自營商 (B)證券承銷商 (C)綜合證券商 (D)證券經紀商。

( ) **3** 科技事業或文化創意事業取得目的事業主管機關出具其產品或技術成功之意見時，以下何項非其申請股票在櫃檯買賣之必要條件？ (A)實收資本額標準 (B)推薦證券商家數 (C)股權分散標準 (D)設立年限。 【107年第1次高業】

( ) **4** 下列哪家公司有可能上櫃？ (A)甲公司：設立滿3年、淨值33億，最近一會計年度淨值/股本=1.1、營收25億（年增5%）、稅前淨利占股本2%（前二年度均為3%），營業活動現金正流入 (B)乙公司：設立滿3年，淨值12億，最近一會計年度淨值/股本=0.8、營收20億（年增10%）、雖虧損但營業活動現金正流入 (C)2家公司均可能上櫃 (D)2家公司均不可能上櫃。 【110年第2次高業】

( ) **5** 申請股票上櫃之公司如與他公司有母子公司關係者，申請上櫃者為子公司，應符合下列何項條件？ (A)應檢具母公司與其所有子公司依母公司所在地會計原則編製之合併財務報表 (B)依合併財務報表核計之獲利能力應達上櫃標準 (C)申請公司之董事會成員至少五席，監察人至少三席，且其中之獨立董事席次不得低於三席 (D)選項(A)(B)(C)皆是。 【106年第4次高業】

解答與解析

1 (B)。申請股票上櫃必須有二家以上證券商書面推薦。

2 (B)。推薦一般公司申請上櫃的證券商，應具備證券承銷商及櫃檯買賣自營商之資格，但若是申請上櫃的公司本身為證券商者，其推薦之券商僅需具備證券承銷商之資格。

3 (D)。當科技事業或文化創意事業取得目的事業主管機關出具其產品或技術成功之意見，則其申請不受「設立年限」與「獲利能力」之限制。

4 (C)。上櫃股票條件，設立年限應設立登記滿2完整會計年度，財務要求應符合下列標準之一：

(1)「獲利能力」標準：最近1個會計年度合併財務報告之稅前淨利不低於新臺幣400萬元，且稅前淨利占股本（外國企業為母公司權益金額）之比率符合下列標準：最近1年度達4%，且無累積虧損。或最近2年度均達3%；或平均達3%，且最近1年度較前1年度為佳。

(2)「淨值、營業收入及營業活動現金流量」標準，同時符合：最近期經會計師查核簽證或核閱財務報告之淨值達新臺幣6億元以上且不低於股本2/3。最近一個會計年度來自主要業務之營業收入達新臺幣20億元以上，且較前一個會計年度成長。最近一個會計年度營業活動現金流量為淨流入。

故選(C)。

5 (D)。申請股票上櫃時屬母子公司關係者，若是子公司申請上櫃，若有不能符合上述(A)(B)(C)選項情事，應不同意其股票上櫃。

二、不得上櫃之情事

(一) 申請上櫃之公司縱使符合前述規定，但有下列各款情事之一，**應不同意其股票為櫃檯買賣**：

1. 公司或申請時之董事、監察人、總經理或實質負責人於最近三年內，有違反誠信原則之行為者。
2. 申請公司之董事會或監察人，有無法獨立執行其職務者。

3. 申請公司於申請上櫃會計年度及其最近一個會計年度已登錄為證券商營業處所買賣興櫃股票，於掛牌日起，其現任董事、監察人及持股超過其股份總額百分之十之股東，有未於興櫃股票市場，而買賣申請公司發行之股票情事者。

(二) 申請上櫃之公司縱使符合前述規定，但有下列各款情事之一，**得不同意其股票為櫃檯買賣**：

1. 有證券交易法第156條第1項第1款至第3款所列情事者。
2. 財務或業務未能與他人獨立劃分者。
3. 發生重大勞資糾紛或重大環境污染之情事，尚未改善者。
4. 有重大非常規交易迄申請時尚未改善者。
5. 申請上櫃會計年度已辦理及辦理中之增資發行新股併入最近一年度財務報告所列示股本計算，其獲利能力不符合上櫃規定條件者。
6. 未依相關法令及一般公認會計原則編製財務報告，或內部控制、內部稽核及書面會計制度未經健全建立且有效執行，其情節重大者。
7. 公司或申請時之董事、監察人、總經理或實質負責人於最近三年內，有違反誠信原則之行為者。
8. 申請公司之股份為上櫃（市）公司持有且合於下列條件之一者，於申請上櫃前三年內，上櫃（市）公司為降低對申請公司之持股比例所進行之股權分散行為，未採上櫃（市）公司原有股東優先認購或未採其他不損及上櫃（市）公司股東權益之方式者：
   (1) 申請公司係屬上櫃（市）公司進行分割之分割受讓公司。
   (2) 申請公司係屬上櫃（市）公司之子公司，於申請上櫃前三年內，該上（市）公司降低對申請公司直接或間接持股比例累積達百分之二十以上。
9. 所營事業嚴重衰退者。

三、停止其有價證券櫃檯買賣

發行人有下列情事之一者，櫃買中心得**停止其有價證券櫃檯買賣**，並報請主管機關備查；或得由發行人依「上櫃公司申請終止有價證券櫃檯買賣處理程序」規定申請終止其有價證券櫃檯買賣：（本處僅節錄常考重要之法規內容）

(一) 檢送之書表或資料發現涉有不實之記載，經本中心要求解釋而逾期不為合理解釋者。

(二) 未依法令規定辦理財務報告或財務預測之公告申報者。

(三) **公告並申報之財務報告，未依有關法令及一般公認會計原則編製且情節重大，經通知更正或重編而逾期仍未更正或重編者**。

(四) **公告並申報之財務報告，經其簽證會計師出具無法表示意見或否定意見之查核報告或出具否定結論或無法作成結論之核閱報告者**。

(五) **告並申報經會計師核閱之財務預測，經其簽證會計師出具否定式或拒絕式核閱報告者**。

(六) 參與公共建設之民間機構其工程發生重大延誤或有其他違反興建、營運合約情事者。

(七) 發生存款不足之金融機構退票情事，經依前條規定處置後三個月內仍未達成補正程序並檢附相關書件證明者。

(八) 無法如期償還到期或債權人要求贖回之債券，經依前條規定處置後三個月內仍未償還債務或未與其債權人達成協議解決相關債務問題者。

四、終止其有價證券櫃檯買賣

發行人有下列情事之一者，本中心得終止其有價證券櫃檯買賣，並報請主管機關備查：（本處僅節錄常考重要之法規內容）

(一) 該股票已在臺灣證券交易所股份有限公司上市者。

(二) 經法院裁定宣告破產已確定者。

(三) **經法院裁定准予重整確定者**。

(四) **公告並申報之最近期財務報告顯示淨值為負數者**。

(五) 有金融機構拒絕往來之紀錄者。

(六) 公司營運全面停頓逾六個月或連續六個月公告之營業收入為零或負數者。但參與公共建設之民間機構於特許合約工程興建時期無營業收入者，不在此限。

(七) 其申請書及所附之書類，對重要事項涉有虛偽之記載或重要之事實漏未記載者。

(八) 有重大違反上櫃契約情事者。

(九) 金融控股公司經主管機關廢止其許可者。

(十) **其已成為國內上市（櫃）公司持股逾百分之七十之子公司者**。

(十一) 其他有必要終止該有價證券櫃檯買賣之重大情事者。

五、管理股票

(一) 定義：管理股票指原在集中市場交易的全額交割股、自集中市場下市後轉至櫃檯買賣中心繼續交易的股票。

※全額交割股：全額交割股大多為發生財務困難、停工的公司。

(二) 公開發行公司符合下列條件之一，經二家以上證券商書面推薦，得向櫃買中心申請其股票為櫃檯買賣管理股票：

1. 終止有價證券櫃檯買賣者。
2. 上市公司依臺灣證券交易所營業細則第50-1條終止有價證券上市者。

依前項規定申請為櫃檯買賣管理股票者，應於終止公告日起一個月內向本中心提出申請。

(三) 櫃檯買賣之證券經紀商接受客戶委託買入管理股票時，應先收足款項方可買進。

(四) 公司申請股票為管理股票者，其開始買賣日期應訂於終止櫃檯買賣或臺灣證券交易所終止上市之同一日。

(五) 管理股票公司的淨值已為財務報告所列示股本之「負二倍」時，櫃檯買賣中心得終止其櫃檯買賣。

牛刀小試

( ) **1** 下列何者非屬證券商營業處所買賣有價證券審查準則所列之不宜上櫃條款？
(A)重大非常規交易迄申請時尚未改善
(B)所營事業不具成長性
(C)財務或業務未能與他人獨立劃分
(D)發生重大環境污染情事，尚未改善。

( ) **2** 以下何者為「財團法人中華民國證券櫃檯買賣中心證券商營業處所買賣有價證券業務規則」所規定證券櫃檯買賣中心報請終止櫃檯買賣之情事？ (A)已在交易所上市 (B)營業範圍有重大變更，不宜繼續櫃檯買賣 (C)營運全面停頓，無營運收入 (D)以上皆是。 【100年第2次高業】

( ) **3** 甲公司之股票雖在證券櫃檯買賣中心掛牌，但是嗣後經營發生困難，並經法院裁定宣告破產確定，證券櫃檯買賣中心應如何處理？ (A)通知甲公司停止該公司有價證券之櫃檯買賣交易 (B)報請主管機關撤銷甲公司之有價證券櫃檯買賣契約 (C)逕行終止甲公司有價證券櫃檯買賣 (D)得終止甲公司有價證券櫃檯買賣，並報請主管機關備查。 【112年第1次高業】

( ) **4** 下列何者，不得向櫃檯買賣中心申請其股票為櫃檯買賣管理股票？ (A)終止有價證券櫃檯買賣之公開發行公司 (B)終止有價證券上市買賣之公開發行公司 (C)股票未曾上市上櫃之公開發行公司 (D)選項(A)(B)(C)皆是。【103年第3次普業】

( ) **5** 上市公司於臺灣證券交易所終止上市時，可向櫃買中心申請股票為何種股票？ (A)標的股票 (B)庫藏股票 (C)特別股票 (D)管理股票。【108年第1次普業】

( ) **6** 管理股票上櫃公司依「證券交易法」第三十六條公告並申報之最近期財務報告顯示淨值已為財務報告所列示股本之多少倍時，櫃檯買賣中心得終止其櫃檯買賣？ (A)負一倍 (B)負一點五倍 (C)負二倍 (D)負三倍。【109年第3次普業】

解答與解析

1 (B)。重大非常規交易迄申請時尚未改善、財務或業務未能與他人獨立劃分、發生重大環境污染情事尚未改善者，均屬於不宜上櫃之情事。

2 (D)。已在交易所上市、營業範圍有重大變更、營運全面停頓皆屬於櫃檯買賣中心報請終止櫃檯買賣之情事。

3 (D)。根據「財團法人中華民國證券櫃檯買賣中心證券商營業處所買賣有價證券業務規則」第12條之2，經法院裁定宣告破產已確定者，本中心得終止其有價證券櫃檯買賣，並報請主管機關備查。

4 (C)。已終止有價證券上市買賣（選項(A)）、櫃檯買賣之公開發行公司（選項(B)），均得向櫃檯買賣中心申請其股票為櫃檯買賣管理股票。

5 (D)。上市公司於臺灣證券交易所終止上市時，可向櫃買中心申請轉為管理股票。

6 (C)。管理股票公司的淨值已為財務報告所列示股本之「負二倍」時，櫃檯買賣中心得終止其櫃檯買賣。

重點回顧

一般公司上市／上櫃標準

	上市條件	上櫃條件
設立年限	設立滿3個完整會計年度（公營轉民營不受此限）	設立滿2個完整會計年度（公營轉民營不受此限）
實收資本額	6億元以上且普通股3,000萬股以上。	5,000萬元以上且普通股500萬股以上。
獲利能力	最近一個會計年度無累積虧損且財務報告之稅前淨利占年度決算之財務報告所列示股本比率合於下列條件之一者： 1.最近二年度均達6%以上。 2.最近二年度平均達6%以上，且後一年較前一年佳。 3.最近五年度均達3%以上。	最近一會計年度無累積虧損且財務報告之稅前淨利占財務報告所列示股本比率符合下列條件之一者： 1.最近年度達4%以上。 2.最近二年度均達3%以上。 3.最近二年度平均達3%以上，且後一年較前一年佳但前揭之決算稅前純益，於最近一會計年度不得低於新臺幣400萬元。
股東人數及持股比例	記名股東人數1,000人以上，公司內部人及該等內部人持股逾50%之法人以外之記名股東人數不少於500人，且佔股份總額20%以上或1,000萬股以上。	公司內部人及該等內部人持股逾50%之法人以外之記名股東人數不少於300人，且佔股份總額20%以上或1,000萬股以上。
其他	一家承銷商輔導	需有兩家以上推薦證券商

科技事業上市／上櫃標準

	上市條件	上櫃條件
實收資本額	申請上市時達3億元以上且普通股2,000股以上。	5,000萬元以上且普通股500萬股以上。
資本結構	最近期及最近一個會計年度財務報告之淨值不低於財務報告所列示股本2/3。	最近期經會計師查核簽證或核閱財務報告之淨值不低於股本2/3。
股東人數及持股比例	記名股東人數1,000人以上，且公司內部人及該等內部人持股逾50%之法人以外之記名股東人數不少於500人。	公司內部人及該等內部人持股逾50%之法人以外之記名股東人數不少於300人，且佔股份總額20%以上或1,000萬股以上。
其他	1.經證券承銷商書面推薦。 2.需由中央目的事業主管機關出具產品或技術開發成功具市場性之評估意見書。	1.二家以上證券商書面推薦。 2.需由中央目的事業出具產品或技術開發成功具市場性之評估意見書。

精選試題

( ) 1 推薦一般公開發行公司股票上櫃之推薦證券商必須具備何種資格？ (A)證券承銷商及櫃檯買賣自營商 (B)證券自營商及經紀商 (C)證券自營商 (D)證券經紀商及櫃檯買賣經紀商。

( ) 2 公開發行公司與推薦證券商若有下列何種情事，櫃檯買賣中心可拒絕接受該推薦證券商所出具之評估報告，且不同意其有價證券上櫃？
(A)雙方互為有價證券初次上櫃或上市評估報告之評估
(B)有證券商管理規則不得為主辦承銷商之情事
(C)屬同一集團企業
(D)以上皆是。

( ) 3 下列何者為發行公司申請股票上櫃應符合之規定？
(A)最近二個會計年度決算之實收資本額均在新臺幣三億元以上
(B)須自設立登記後，已滿二個完整會計年度
(C)最近二個會計年度營業利益及稅前淨利均為正數
(D)最近期財務報告及其最近一個會計年度盈餘分派前之淨值須達資產總額百分之二十以上。 【104年第1次高業】

( ) 4 取得中央目的事業主管機關出具係屬科技事業或文化創意事業且其產品開發成功具有市場性之評估意見的公開發行公司，申請上櫃時可不受哪一限制？ (A)設立年限 (B)資本額 (C)股權分散 (D)選項(A)(B)(C)皆非正確。 【105年第1次高業】

( ) 5 上櫃公司計畫被收購而申請終止有價證券櫃檯買賣，若股東會決議日當天股價50元、董事會決議日前一個月平均收盤價46元，而財報淨值為每股45元，收購價不得低於？ (A)50元 (B)47元 (C)46元 (D)45元。 【111年第3次高業】

( ) 6 公營事業申請上櫃之條件與一般公司之相同者為： (A)實收資本額之限制 (B)設立年限 (C)股權分散之限制 (D)董監持股比率之限制。

( ) **7** 申請上櫃時屬母子公司關係者，母公司及所有子公司，及其董事、監察人、代表人暨持有公司股份超過百分之十之股東，與其關係人總計持有申請公司之股份不得超過發行總額之多少百分比？ (A)百分之十 (B)百分之三十 (C)百分之七十 (D)百分之八十。 【106年第1次高業】

( ) **8** 已於國內上櫃之金融控股公司，其持股逾多少比率之子公司不得在國內申請股票上櫃？
(A)20% (B)50% (C)60% (D)70%。 【101年第3次高業】

( ) **9** 公司就其發行之普通股及特別股一併申請為櫃檯買賣者，除均應符合股權分散條件外，其申請上櫃股份面值總額應分別達下列何項標準？ (A)五千萬元以上 (B)一億元以上 (C)二億元以上 (D)三億元以上。 【100年第2次高業】

( ) **10** 外國發行人申請股票第一上櫃者，關於最近一會計年度經會計師查核簽證之股東權益總額須達多少？
(A)新臺幣一億元以上
(B)新臺幣二億元以上
(C)新臺幣五億元以上
(D)新臺幣十億元以上。 【100年第2次高業】

( ) **11** 外國政府發行之政府公債，申請在櫃檯買賣之方式為何？ (A)逕向臺灣證券交易所申請，並由其審核後公告 (B)逕向證券櫃檯買賣中心申請，並由其審核後公告 (C)逕向中華民國證券商業同業公會申請，並由其審核後公告 (D)由金融監督管理委員會函令證券櫃檯買賣中心公告。 【106年第4次高業】

( ) **12** 下列何者非屬「財團法人證券櫃檯買賣中心證券商營業處所買賣有價證券審查準則」所列之不宜上櫃條款？
(A)重大非常規交易迄申請時尚未改善
(B)發生重大環境污染情事，尚未改善
(C)財務或業務未能與他人獨立劃分
(D)所營事業不具成長性。 【104年第4次高業】

( ) **13** 以下何者，非終止櫃檯買賣之情事？ (A)已在交易所上市 (B)營業範圍有重大變更，不宜繼續櫃檯買賣 (C)營運全面停頓，無營運收入 (D)會計師對財務報告出具無法表示意見或否定意見未逾六個月。

( ) **14** 發行人有金融機構拒絕往來之紀錄情事，證券櫃檯買賣中心得：(A)終止其有價證券櫃檯買賣，並報請主管機關備查 (B)公告後三日停止其有價證券櫃檯買賣 (C)要求其為合理之解釋 (D)由發行人申請暫停買賣。 【104年第3次高業】

( ) **15** 櫃檯買賣之證券經紀商接受客戶委託以等價成交系統買賣者，應先收足款項方可買進的證券是： (A)上市股票 (B)上櫃股票 (C)管理股票 (D)公司債。 【105年第1次高業】

( ) **16** 公開發行公司依規定要件申請股票為櫃檯買賣管理股票者，其開始買賣日期應訂於終止櫃檯買賣或臺灣證券交易所終止上市之：(A)同一日 (B)次日 (C)第三日 (D)前一日。 【103年第3次高業】

解答與解析

1 **(A)**。推薦一般公司申請上櫃的證券商，應具備證券承銷商及櫃檯買賣自營商之資格，但若是申請上櫃的公司本身為證券商者，其推薦之券商僅需具備證券承銷商之資格。

2 **(D)**。若申請上櫃之公司與推薦證券商，其雙方互為有價證券初次上櫃或上市評估報告之評估、隸屬同一集團企業、或有證券商管理規則不得為主辦承銷商之情事時，櫃檯買賣中心可拒絕接受該推薦證券商所出具之評估報告，且不同意其有價證券上櫃。

3 **(B)**。公司申請股票上櫃應符：設立登記滿二個完整會計年度、實收資本額新臺幣五千萬元以上、最近一個會計年之稅前淨利不得低於新臺幣四百萬元。

4 **(A)**。當科技事業或文化創意事業取得目的事業主管機關出具其產品或技術成功之意見，則其申請不受「設立年限」與「獲利能力」之限制。

5 **(A)**。根據「財團法人中華民國證券櫃檯買賣中心上櫃公司申請終止有價證券櫃檯買賣處理程序」第3條，上櫃公司計畫被收購而申請終止有價證券櫃檯買賣，收購價格不得低於股東會決議日或董事會決議日前一個月股票收盤價之簡單算術平均數之孰高者，且不得低於該公司最近期經會計師查核或核閱財務報告之每股淨值。故選(A)。

6 (A)。公營事業申請股票上櫃，除「設立年限、股權分散、董監持股集保比率、輔導期限」的條件不受限制外，其餘條件皆與一般公司申請上櫃相同。

7 (C)。申請上櫃時屬母子公司關係者，母公司及其所有子公司，以及前開公司之董事、監察人、代表人，暨持有公司股份超過發行總額百分之十之股東，與其關係人總計持有該申請公司之股份不得超過發行總額之百分之七十。

8 (D)。已於國內上櫃之金融控股公司，其持股逾70%之子公司不得申請上櫃。

9 (A)。公開發行公司就其所發行之普通股與各種特別股一併申請為櫃檯買賣者，其普通股及各種特別股申請櫃檯買賣股份面值總額分別應達新臺幣五千萬元以上。

10 (A)。國發行人申請股票第一上櫃者，關於最近一會計年度經會計師查核簽證之股東權益總額須達新臺幣一億元以上。

11 (D)。外國政府發行之政府公債，由金融監督管理委員會函令證券櫃檯買賣中心公告，不必向櫃買中心申請。

12 (D)。重大非常規交易迄申請時尚未改善、財務或業務未能與他人獨立劃分、發生重大環境污染情事尚未改善者，均屬於不宜上櫃之情事。

13 (D)。會計師對財務報告出具無法表示意見或否定意見未逾六個月並非終止櫃檯買賣之情事。

14 (A)。當發行人有金融機構拒絕往來之紀錄情事，證券櫃檯買賣中心得終止其有價證券櫃檯買賣，並報請主管機關備查。

15 (C)。櫃檯買賣之證券經紀商接受客戶委託買入管理股票時，應先收足款項方可買進。

16 (A)。公司申請股票為管理股票者，其開始買賣日期應訂於終止櫃檯買賣或臺灣證券交易所終止上市之同一日。

第五章 證券商的設立標準與管理

依據出題頻率區分，屬：A頻率高

證券商為經營證券業務的股分有限公司，其依經營業務可細分為：證券經紀商、證券自營商、證券承銷商三類。本章將帶領你認識不同券商的設立門檻以及認識證券從業人員的相關資格。

重點01 證券商的設立門檻 重要度★★★

一、證券商之申請

(一) 證券商得經營之業務項目，由金融監督管理委員會按證券商種類依本法及本標準之規定分別核定，並於許可證照載明之。

(二) 專業證券商之公司名稱應標明證券之字樣。

(三) 非證券商不得使用類似證券商之名稱。

(四) 設置證券商，自取得行政院金融監督管理委員會之許可後，應於六個月內辦妥公司登記，否則可撤銷許可。

二、證券商設立標準

(一) **最低實收資本額**【109年第2次高業】

1. 證券承銷商：新臺幣四億元。
2. 證券自營商：新臺幣四億元，僅經營自行買賣具證券性質之虛擬通貨業務者為新臺幣一億元。
3. 證券經紀商：新臺幣二億元。但經營下列業務者為新臺幣五千萬元：
   (1) 僅經營股權性質群眾募資業務。
   (2) 僅經營基金受益憑證買賣及互易之居間業務。
4. 經營二種以上證券業務者：按其經營種類依前三款規定併計之；故**綜合證券商最低實收資本額為10億元**（4+4+2＝10）。

※前項最低實收資本額，發起人應於發起時一次認足。

(二) 證券商發起人，應於向金融監督管理委員會申請許可時，按其種類向指定銀行存入營業保證金

類別	金額
證券承銷商	新臺幣四千萬元。
證券自營商	新臺幣一千萬元。
證券經紀商	新臺幣五千萬元。但經營下列業務者為新臺幣一千萬元： 1.僅經營股權性質群眾募資業務。 2.僅經營基金受益憑證買賣及互易之居間業務。

※ 上述存入款項，得以政府債券或金融債券代之。

(三) 設立分支機構

1. 證券商應**營業屆滿一年者，始得申請設置分支機構**。
2. 證券商每設置一家分支機構，其**最低實收資本額，應增加新臺幣三千萬元**。
3. 證券商每設置一家分支機構，其**營業保證金，應增提新臺幣五百萬元**。

牛刀小試

( ) **1** 綜合證券商之最低實收資本額應為新臺幣（沒有分支機構）：(A)二億 (B)四億 (C)六億 (D)十億。

( ) **2** 證券商應於辦理公司登記後，提存營業保證金於證券主管機關指定銀行，有關其存入款項之規定，下列敘述何者正確？(A)證券承銷商：新臺幣五千萬元 (B)證券自營商：新臺幣一千萬元 (C)證券經紀商：新臺幣四千萬元 (D)以上選項皆錯。

( ) **3** 證券商繳交之營業保證金，不可用以下何者繳之？ (A)現金 (B)商業本票 (C)金融債券 (D)政府債券。

解答與解析

1 (D)。依證券商設置標準第3條，綜合證券商最低實收資本額為4＋4＋2＝10億元。

2 (B)。提存營業保證金之規定：證券承銷商為新臺幣四千萬元。證券自營商為新臺幣一千萬元。證券經紀商為新臺幣五千萬元。

3 (B)。證券商繳交之營業保證金，得以政府債券或金融債券代之。

三、證券商有下列情事之一者，應先報經金融監督管理委員會核准

(一) 變更機構名稱。
(二) 變更資本額、營運資金或營業所用資金。
(三) 變更機構或分支機構營業處所。
(四) 受讓或讓與他人全部或主要部分營業或財產。
(五) 合併或解散。
(六) 投資外國證券商。

四、證券商有下列情事之一者，應向金融監督管理委員會申報

(一) 開業、停業、復業或終止營業。
(二) 證券商或其董事、監察人及受僱人因經營或從事證券業務，發生訴訟、仲裁或為強制執行之債務人，或證券商為破產人、有銀行退票或拒絕往來之情事。
(三) 董事、監察人及經理人有證券交易法第53條所定之情事。
(四) 董事、監察人及受僱人，有違反證券交易法之行為。
(五) 董事、監察人、經理人及持有公司股份超過百分之十之股東，持有股份變動。

前述第(一)項之事項，證券商應事先申報；第(二)項至第(四)項之事項，證券商應於知悉或事實發生之日起五個營業日內申報；第(五)項之事項，證券商應於次月十五日以前彙總申報。

牛刀小試

( ) **1** 證券商有下列何項情事者，應事先報經金融監督管理委員會核准？ (A)變更董事長、總經理 (B)購買不動產 (C)投資外國證券商 (D)選項(A)(B)(C)皆錯誤。 【105年第3次高業】

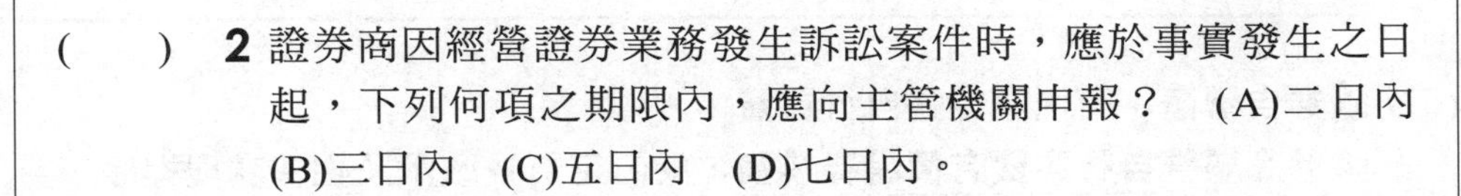

( ) **2** 證券商因經營證券業務發生訴訟案件時，應於事實發生之日起，下列何項之期限內，應向主管機關申報？ (A)二日內 (B)三日內 (C)五日內 (D)七日內。

( ) **3** 證券商發生下列情事者，於何種情形毋庸先行報經主管機關核准？ (A)因經營證券業務發生訴訟事件 (B)合併 (C)投資外國證券商 (D)變更機構名稱。

解答與解析

1 (C)。證券商有下列情事之一者，應先報經金融監督管理委員會核准：一、變更機構名稱。二、變更資本額、營運資金或營業所用資金。三、變更機構或分支機構營業處所。四、受讓或讓與他人全部或主要部分營業或財產。五、合併或解散。六、投資外國證券商。

2 (C)。證券商因經營證券業務發生訴訟案件時，應於事實發生日起之五日內向金融監督管理委員會申報。

3 (A)。證券商因經營證券業務發生訴訟案件時，應於事實發生日起之五日內向金融監督管理委員會申報；而非事前先行報經金融監督管理委員會核准。

五、經營之業務

不同證券商可經營之證券業務，其種類如下：

(一) **證券承銷商**

有價證券之承銷		
	代銷	指證券發行人委託承銷商代為向投資者銷售證券。承銷商依規定的發行條件，在約定期間內盡力銷售，若到銷售截止日仍有證券未售出，則未售出之證券退還給發行人，承銷商不承擔任何發行風險。
	包銷	1.指證券發行人與承銷商簽訂合約，由承銷商買下全部或銷售剩餘部分的證券，承擔全部銷售風險。 2.證券商包銷有價證券者，其包銷之總金額，不得超過其流動資產減流動負債後餘額之十五倍。其中證券商國外分支機構包銷有價證券之總金額，不得超過其流動資產減流動負債後餘額之五倍。

(二) **證券自營商**：有價證券之自行買賣。

證券商經營**自行買賣有價證券業務**，應訂定買賣政策及相關處理程序，買賣之分析、決策、執行、變更及檢討等作業程序應納入其內部控制制度。前項之資料，應按時序記載並建檔保存，**其保存期限不得少於五年**。

(三) **證券經紀商**：有價證券買賣之行紀、居間、代理。

牛刀小試

( ) **1** 證券承銷商包銷有價證券，於承銷契約所訂之承銷期間屆滿後，對於約定包銷之有價證券，未能全數銷售者，其剩餘數額之有價證券，應如何處理？ (A)自行認購 (B)再行銷售 (C)退還發行人 (D)洽特定人認購。 【105年第3次普業】

( ) **2** 證券承銷商包銷有價證券，原則上包銷總金額之上限為何？ (A)全部資產減全部負債後餘額之十五倍 (B)淨資產減無形資產後餘額之十五倍 (C)流動資產減流動負債後餘額之十五倍 (D)固定資產減短期債款後餘額之十五倍。 【108年第1次高業】

解答與解析

1 (A)。包銷指證券發行人與承銷商簽訂合約，由承銷商買下全部或銷售剩餘部分的證券，承擔全部銷售風險。

2 (C)。證券承銷商包銷有價證券，原則上包銷總金額之上限為流動資產減流動負債後餘額之十五倍。

六、證券商的財務規範

(一) 證券商除有特殊需要經專案核准者或由金融機構兼營者另依有關法令規定辦理外，其對外負債總額不得超過其淨值之六倍；其流動負債總額不得超過其流動資產總額。
但經營受託買賣有價證券或自行買賣有價證券業務，除另有規定者外，其對外負債總額不得超過其淨值。

(二) 證券商除由金融機構兼營者另依有關法令規定外，已依證券交易法發行有價證券者，應依證券交易法第41條規定，於每年稅後盈餘項下，**提存百分之二十特別盈餘公積**。但金額累積已達實收資本額者，得免繼續提存。
未依證券交易法發行有價證券者，應於每年稅後盈餘項下，**提存百分之二十特別盈餘公積**。但金額累積已達實收資本額者，得免繼續提存。

(三) 證券商轉投資證券、期貨、金融及其他事業，其全部事業投資總金額不得超過該證券商淨值之百分之四十。

(四) 證券商除由金融機構兼營者依有關法令規定外，其經營自行買賣有價證券業務者，應依下列規定辦理：

1. 持有任一本國公司股份之總額不得超過該公司已發行股份總額之百分之十；持有任一本國公司所發行有價證券之成本總額，並不得超過該證券商淨值之百分之二十。
2. 持有任一外國公司股份之總額，不得超過該公司已發行股份總額之百分之五；持有任一外國公司所發行有價證券之成本總額，不得超過該證券商淨值之百分之二十，但涉及股權性質有價證券之成本總額，不得超過該證券商淨值之百分之十。
3. 持有單一關係人所發行股權性質有價證券之投資成本總額，不得超過該證券商淨值之百分之五；持有所有關係人所發行股權性質有價證券之投資成本總額，不得超過該證券商淨值之百分之十。但辦理認購（售）權證及於營業處所經營衍生性金融商品交易業務之履約與避險操作，以及指數股票型證券投資信託基金之受益憑證及該受益憑證所表彰股票組合之避險者，不在此限。
4. 持有單一證券商所發行普通公司債之投資成本總額，不得超過該證券商淨值之百分之五；持有所有證券商所發行普通公司債之投資成本總額，不得超過該證券商淨值之百分之十。

七、財務安全防衛機制

(一) **賠償準備金**：依證券交易法第154條規定，臺灣證券交易所得就證券交易經手費提存賠償準備金，**備供證券商不履行交付義務時之支付**；證券交易所應一次提存新臺幣五千萬元做為賠償準備金，並於每季終了後十五日內，按證券交易經手費收入之百分之二十繼續提存，但提存金額已達資本總額時，不在此限。

(二) **共同責任制交割結算基金**

1. 為處理證券商發生違約之善後作業，設立「共同責任制交割結算基金」。
2. **共同責任制交割結算基金總額為新臺幣六十四億元，主要以兩大部分組成**。
   (1) **臺灣證券交易所提撥之三十億元**：第一特別結算基金二十億元＋第二特別結算基金十億元。

(2)**全體證券商提撥之三十四億元**：其提撥方式包括：

A. **固定部分**

a. 就證券經紀商之總公司、分公司家數、是否設有自營商加總計算。

b. 證券經紀商**總公司**於**開始營業前**繳存基本金額新臺幣**一千五百萬元，開業次一年起，減為三百五十萬元**；分公司開始營業前繳存三百萬元，開業次一年起，減為五十萬元；證券自營商則於開始營業前繳存五百萬元。

B. **變動部分**：為三十四億元扣除固定部分後之餘額，由全體券商按前一年度之淨收及淨付佔市場之比重進行分配。

(三) **特別結算基金**：依共同責任制交割結算基金管理辦法規定，臺灣證券交易所應提列特別結算基金十億元，另外並就所提存賠償準備金超過新臺幣十億元之部分，繼續提列特別結算基金，繼續提列部分以二十億元為上限。

(四) **動用順序及補足方式**

1. **動用順序**：如證券商發生無法履行交割義務，其善後作業所生之價金差額及一切費用，由臺灣證券交易所**先動用違約證券商所繳之交割結算基金及其孳息**代為償還。如有不足，**再動用臺灣證券交易所提撥之二十億元特別結算基金**，再有不足，**再動用違約證券商以外證券商所提之交割結算基金與本公司之十億元特別結算基金**按提撥金額比例分攤。

2. **補足方式**：證券商所繳交割結算基金經動支代償違約金額後，應於限期內補足。如經法院強制執行，應即補足，應行補繳而未補繳時，即暫停其在證券集中市場交易。

牛刀小試

( ) **1** 下列何種證券商應向臺灣證券交易所繳存交割結算基金？ (A)承銷商、自營商 (B)自營商、經紀商 (C)經紀商、承銷商 (D)承銷商、自營商、經紀商。 【105年第4次高業】

( ) **2** 證券商經營在集中交易市場受託買賣有價證券業務者，於開始營業前，應繳之交割結算基金為多少？ (A)九百萬元 (B)八百萬元 (C)一千五百萬元 (D)六百萬元。 【108年第2次高業】

( ) **3** 證券經紀商於集中交易市場買賣有價證券而不履行交付義務者，不可運用於清償之資金為何？ (A)交割結算基金 (B)證券交易所之賠償準備 (C)證券商營業保證金 (D)證券交易所營業保證金。 【105第4次高業】

解答與解析

1 (B)。證券經紀商與自營商應向證券交易所繳存交割結算基金。

2 (C)。證券商經營受託買賣有價證券業務者，於開始營業前應繳之交割結算基金一千五百萬元。

3 (D)。證券交易法第55條：「證券商於辦理公司設立登記後，應依主管機關規定，提存營業保證金。因證券商特許業務所生債務之債權人，對於前項營業保證金，有優先受清償之權（選項(C)）。同法第154條：「證券交易所得就其證券交易經手費提存賠償準備金（選項(B)），備供前條規定之支付；其攤提方法、攤提比率、停止提存之條件及其保管、運用之方法，由主管機關以命令定之。因有價證券集中交易市場買賣所生之債權，就第一百零八條及第一百三十二條之交割結算基金（選項(A)）有優先受償之權，其順序如左：一、證券交易所。二、委託人。三、證券經紀商、證券自營商。交割結算基金不敷清償時，其未受清償部分，得依本法第五十五條第二項之規定受償之。」

重點02 證券商之從業人員 重要度★★

一、證券商負責人與業務人員

證券商業務人員，指從事下列業務之人員：

(一) 有價證券投資分析、內部稽核、自行查核、法令遵循或主辦會計。

(二) 有價證券承銷、買賣之接洽或執行。

(三) 有價證券自行買賣、結算交割或代辦股務。

(四) 有價證券買賣之開戶、徵信、招攬、推介、受託、申報、結算、交割或為款券收付、保管。

(五) 有價證券買賣之融資融券。
(六) 衍生性金融商品之操作。
(七) 風險管理。
(八) 辦理其他經核准之業務。

二、證券商業務人員之職務

證券商之業務人員，依其職務之繁簡難易、責任輕重，分為下列二種

(一) **高級業務員**：擔任部門主管及分支機構負責人、投資分析或內部稽核等職務者。
(二) **業務員**：從事有價證券承銷、自行買賣、受託買賣、內部稽核或主辦會計等職務者。

三、同業兼職之禁止

證券商業務人員，不得兼任國內外其他證券商任何職務。但證券商法令遵循人員、內部稽核人員、風險管理人員及主辦會計人員兼任國外證券關係企業相同性質職務者，不在此限。

四、業務權責之規範

證券商之**下列業務人員不得辦理登記範圍以外之業務或由其他業務人員兼辦**

(一) **辦理有價證券自行買賣業務之人員**。
(二) **內部稽核人員**。
(三) **風險管理人員**。

五、職前訓練與在職訓練

初任及離職滿三年再任之證券商業務人員應於到職後半年內參加職前訓練；在職人員應每三年參加在職訓練。

六、董事、監察人、經理人資格限制

有下列情事，不得充任證券商之董事、監察人或經理人；其已充任者解任之：

(一) 有公司法第30條各款情事之一者。
(二) 曾任法人宣告破產時之董事、監察人、經理人或其他地位相等之人，其破產終結未滿三年或調協未履行者。
(三) 最近三年內在金融機構有拒絕往來或喪失債信之紀錄者。

(四) 依證券交易法之規定，受罰金以上刑之宣告，執行完畢、緩刑期滿或赦免後未滿三年者。

(五) 違反證券交易法第51條之規定者。

(六) 受證券交易法第56條及第66條第2款解除職務之處分，未滿三年者。

牛刀小試

( ) **1** 證券商之在職人員應每幾年參加在職訓練？ (A)一年 (B)二年 (C)三年 (D)四年。

( ) **2** 證券商從事下列何項職務之人員，不以取得高級業務員資格為要件？ (A)營業部經理 (B)自營部主管 (C)交割部主管 (D)內部稽核人員。

( ) **3** 王君擔任某證券商總經理，因公司違反證券管理法規情節嚴重，經主管機關處以證券交易法第六十六條第二款命令解除總經理職務之處分，請問王君幾年內不得再擔任證券商董事、監察人或經理人？ (A)一年 (B)二年 (C)三年 (D)五年。

解答與解析

1 (C)。證券商負責人與業務人員管理規則第15條規定，證券商之在職人員應每三年參加在職訓練。

2 (D)。證券商負責人與業務人員管理規則第3、4條規定，證券商業務員包含：從事有價證券承銷、自行買賣、受託買賣、內部稽核或主辦會計等職務者。故內部稽核人員不以取得高級業務員資格為要件。

3 (C)。受證券交易法第56條及第66條第2款解除職務之處分，未滿三年者，不得充任證券商之董事、監察人或經理人；其已充任者，解任之。

精選試題

(　　) 1 下列何者為非？　(A)證券商須為依法設立之股份有限公司　(B)專業證券商之公司名稱應標明證券之字樣　(C)非證券商不得使用類似證券商之名稱　(D)外國人不得投資我國證券商。【104年第1次高業】

(　　) 2 證券商每設置一分支機構，應增提多少營業保證金？　(A)新臺幣一百萬元　(B)新臺幣二百萬元　(C)新臺幣五百萬元　(D)新臺幣三千萬元。【110年第3次高業】

(　　) 3 有關證券商最低實收資本額，依證券商設置標準第三條，證券經紀商發起人應於發起時一次認足之金額為何？　(A)新臺幣四億元　(B)新臺幣三億元　(C)新臺幣二億元　(D)新臺幣一億元。【104年第3次高業】

(　　) 4 有關證券商最低實收資本額之充實，下列何者正確？　(A)發起人應於發起時一次認足　(B)發起人應於發起時至少認足四分之一，其餘向外公開募足　(C)發起人應於發起時至少認足三分之一，其餘向外公開募足　(D)發起人應於發起時至少認足二分之一，其餘向外公開募足。【109年第2次高業】

(　　) 5 證券交易所之會員或證券經紀商、證券自營商在證券交易市場買賣證券，買賣一方不履行交付義務時，證券交易所應指定其他會員或證券經紀商或證券自營商代為交付。其因此所發生價金差額及一切費用，證券交易所最先運用何者代償？　(A)賠償準備金　(B)營業保證金　(C)交割結算基金　(D)證券商經手費。【107年第1次高業】

(　　) 6 證券商經營有價證券集中交易市場之受託買賣，應將交割結算基金繳存於何單位？　(A)商業銀行　(B)證券交易所　(C)中央銀行　(D)國庫。【101年第4次高業】

(　　) 7 證券經紀商所經營之業務為下列何者？　(A)有價證券之承銷　(B)有價證券之自行買賣　(C)有價證券買賣之行紀或居間　(D)有價證券投資之全權委託。

( ) **8** 下列何者並非證券承銷商包銷有價證券，所得採行之方式？
(A)對於約定包銷之有價證券，未能全數銷售者，自行認購其剩餘數額之有價證券
(B)先行認購後再行銷售
(C)於承銷契約訂明保留一部分自行認購
(D)承諾延長承銷期間至約定包銷之有價證券，全數銷售完畢為止。 【102年第2次高業】

( ) **9** 我國現行交割結算基金係採何種制度？
(A)個別責任制 (B)共同責任制 (C)折衷制 (D)兼採個別責任與共同責任制。 【110年第1次高業】

( ) **10** 證券商業務人員辦理下列何種事項之人員，不得辦理登記範圍以外之業務或由其他業務人員兼辦？
(A)辦理結算交割人員 (B)內部稽核人員 (C)集保業務人員 (D)代理股務作業之人。 【107年第1次高業】

( ) **11** 初任證券商業務人員應於到職後多久內參如職前訓練？ (A)一個月 (B)二個月 (C)半年 (D)一年。 【103年第4次高業】

( ) **12** 「證券交易法」第五十四條之對於有價證券營業行為直接有關之業務人員，係指：
(A)證券承銷商之辦理承銷、買賣接洽或執行人員
(B)證券自營商之辦理買賣、結算交割或代辦股務人員
(C)證券經紀商之辦理買賣開戶、推介、受託、申報、結算交割或款券收付保管人員
(D)選項(A)(B)(C)皆正確。 【107年第1次高業】

( ) **13** 初任及離職滿三年再任之證券商業務人員應於到職後多久之內參加職前訓練？
(A)二個月 (B)三個月 (C)半年 (D)一年。 【107年第4次高業】

解答與解析

1 **(D)**。外國人得投資我國證券商。

2 **(C)**。根據「證券商管理規則」第9條，每設置一家分支機構應增提新臺幣五百萬元營業保證金。

3 **(C)**。依證券商設置標準第3條，證券經紀商最低實收資本額為新臺幣二億元。

4 **(A)**。根據證券商設置標準第3條第2項，證券商最低實收資本額，發起人應於發起時一次認足。

5 **(C)**。首先動用的為違約證券商所繳之交割結算基金。

6 **(B)**。證券商經營有價證券集中交易市場之受託買賣，應將交割結算基金繳存於證券交易所。

7 **(C)**。證券經紀商所經營之業務為有價證券買賣之行紀或居間。

8 **(D)**。包銷指承銷商在約定期間內若未能全數銷售證券，則剩餘證券自行認購；並無承諾延長承銷期間至銷售完畢之情事。

9 **(B)**。我國現行交割結算基金為共同責任制。

10 **(B)**。證券商之下列業務人員不得辦理登記範圍以外之業務或由其他業務人員兼辦：一、辦理有價證券自行買賣業務之人員。二、內部稽核人員。三、風險管理人員。

11 **(C)**。初任及離職滿三年再任之證券商業務人員應於到職後半年內參加職前訓練。

12 **(D)**。上述選項皆屬證券商業務人員。

13 **(C)**。初任及離職滿三年再任之證券商業務人員應於到職後半年內參加職前訓練。

第六章 證交法對公司內部人之規範

依據出題頻率區分，屬：**A** 頻率高

證券集中交易市場的主要任務，旨在確保交易得以有效且公平的進行。惟相較於一般投資大眾，董事、監察人、經理人及大股東（通稱「公司內部人」），因身分特殊、對公司財務及經營資訊的掌握度極高，倘若內部人利用尚未發布之企業消息先行股票交易，致使不知情的投資人受損，會顯失股票交易的公平性。

規範公司內部人交易的重點在於資訊平等，即要求公開內部人的持股情況，藉以監督、防範不法交易行為，另投資人可經由經營者的持股變動，來預測企業未來經營情形，以作為投資決策之參考。

重點 證交法對公司內部人之規範 重要度★★★

一、內部人的定義

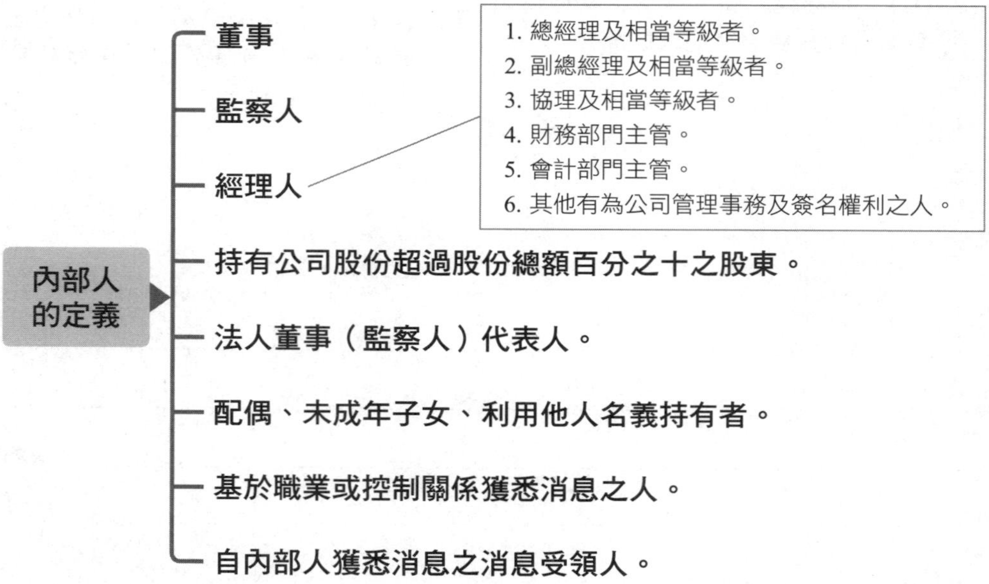

內部人的定義：

- 董事
- 監察人
- 經理人
  1. 總經理及相當等級者。
  2. 副總經理及相當等級者。
  3. 協理及相當等級者。
  4. 財務部門主管。
  5. 會計部門主管。
  6. 其他有為公司管理事務及簽名權利之人。
- 持有公司股份超過股份總額百分之十之股東。
- 法人董事（監察人）代表人。
- 配偶、未成年子女、利用他人名義持有者。
- 基於職業或控制關係獲悉消息之人。
- 自內部人獲悉消息之消息受領人。

二、內部人之義務

證券交易法中規範，**公司內部人的義務包括：持股轉讓之事前申報、持股變動之事後申報、董事與監察人最低持股成數之維持、庫藏股實施期間賣出之禁止、大量取得股份及變動之申報、短線交易之禁止、內線交易之禁止等七項**。

三、內部人股權申報的範圍

事前申報	內部人持股轉讓前之申報。
事後申報	內部人每月持股異動情形之申報。
設解質申報	內部人持股設解質之申報、每月設解質彙總之申報。

(一) 事前申報

1. 根據證券交易法第22-2條，公開發行公司的內部人於**轉讓**所屬公司之股票前，應先依規定辦理持股轉讓申報後，始得轉讓持股，其持股轉讓應依下列方式之一為之：

向非特定人轉讓	經主管機關核准或自申報主管機關生效日後，向非特定人為之。
於市場中轉讓	依所定持有期間及每一交易日得轉讓數量比例，於申報之日起**三日後**，在集中交易市場或證券商營業處所為之。但每一交易日轉讓股數**未超過一萬股者，免予申報**。
向特定人轉讓	於**申報之日起三日內，向符合所定條件之特定人為之**（且該特定人在**一年內**欲轉讓其股票，仍須依此三種方式之一為之）。

2. **「持有期間」限制**：內部人採集中市場交易或證券商營業處所之方式轉讓持股時，應先符合「持有期間」之規定。規定為公開發行公司內部人自取得其身分之日起**六個月後**，始得於集中市場或證券商營業處所轉讓持股。
3. **每一交易日得轉讓數量比例**：依證券交易法第22-2條，內部人採集中市場交易或證券商營業處所之方式轉讓持股時，公司內部人每日於盤中交易最大得轉讓股數之限制如下：

(1)上市上櫃公司之股數限制依下兩種方式，擇一計算之

A. 發行股數在三千萬股以下部分，為千分之二；發行股數超過三千萬股者，其超過部分為千分之一。

B. 申報日之前十個營業日該股票市場平均每日交易量（股數）之百分之五。

(2)興櫃公司者，其股數限制為發行股份之百分之一。

(二) **事後申報**

根據證券交易法第25條，公開發行公司內部人應於**每月五日以前將上月持股變動之情形向公司申報**，**公司應於每月十五日以前，彙總申報並輸入「公開資訊觀測站」**。

> **考點速攻**
>
> **內部人買進公司股票前是否應辦理事前申報?**
>
> 內部人「買進」所屬公司股票前不必申報，即無須辦理「事前申報」；惟買進股票後之次月應依規定辦理「事後申報」。

(三) **設解質申報**

1. **不定期申報**：董事、監察人，與代表行使董事監察人職務之自然人及所代表之法人，其持有之股票辦理設解質時，**出質人應即通知公司；公司應於其質權設定後五日內**，將其出質情形，辦理申報並輸入「公開資訊觀測站」。
2. **定期申報**：公司應於每月十五日前，應將上月份公司全體內部人（含配偶、未成年子女及利用他人名義持有者）「質權設定及解除登記」之情形彙整，併同全體內部人股權異動情形辦理申報。

(四) **違反申報之罰責**

違反該法第22-2條（事前申報）或第25條（事後申報）之規定者，**處新臺幣二十四萬元以上四百八十萬元以下罰鍰**。法人違反本法之規定者，處罰其為行為之負責人。

牛刀小試

( ) **1** 依證券交易法第157條規定，短線交易歸入權主要行使對象包含上市（櫃）公司董事、監察人、經理人及持有公司股份超過百分之十之股東，下列何者非屬經理人之範圍？

(A)總經理 (B)副總經理

(C)財務部門主管 (D)內部稽核。【109年第1次高業】

( ) **2** 公開發行公司董事、監察人、經理人或持股超過百分之十之股東，其股票在集中交易市場或在證券商營業處所轉讓者，下列敘述何者錯誤？ (A)依主管機關所定持有期間及每一交易日得轉讓數量比例進行轉讓 (B)於向主管機關申報之日起五日後開始轉讓 (C)每一交易日轉讓股數未超過一萬股者免予申報 (D)轉讓對象可為符合主管機關所定條件之特定人。 【109年第1次高業】

( ) **3** 公開發行公司董事、監察人、經理人及大股東持有股數如有變動時，應於每月幾日以前將上月份持有股數變動之情形，向公司申報；公司應於每月幾日以前，彙總向主管機關申報？ (A)五日；十日 (B)五日；十五日 (C)十日；十五日 (D)十日；二十日。 【105年第2次普業】

解答與解析

1 (D)。證券交易法所稱經理人，包括：

(1)總經理及相當等級者。
(2)副總經理及相當等級者。
(3)協理及相當等級者。
(4)財務部門主管。
(5)會計部門主管。
(6)其他有為公司管理事務及簽名權利之人等。

2 (B)。根據證券交易法第22-2條，已依本法發行股票公司之董事、監察人、經理人或持有公司股份超過股份總額百分之十之股東，其股票之轉讓，應依左列方式之一為之：

一、經主管機關核准或自申報主管機關生效日後，向非特定人為之。
二、依主管機關所定持有期間及每一交易日得轉讓數量比例，於向主管機關申報之日起三日後，在集中交易市場或證券商營業處所為之。但每一交易日轉讓股數未超過一萬股者，免予申報。
三、於向主管機關申報之日起三日內，向符合主管機關所定條件之特定人為之。

經由前項第三款受讓之股票，受讓人在一年內欲轉讓其股票，仍須依前項各款所列方式之一為之。

第一項之人持有之股票，包括其配偶、未成年子女及利用他人名義持有者。

3 (B)。根據證券交易法第25條，公開發行公司內部人應於每月五日以前將上月持股變動之情形向公司申報，公司應於每月十五日以前，彙總申報並輸入「公開資訊觀測站」。

四、董事、監察人最低持股成數之維持

(一) 證券交易法第26條規定，公開發行公司其全體董事及監察人所持有之股份，各不得少於公司已發行股份總額一定之成數。

(二) **全體董事、監察人其持股成數標準如下表：**

公司實收資本（X）	全體董事應持有股數總額比例或股數	全體監察人應持有股數總額比例或股數
X≦三億	15%	1.5%
三億＜X≦十億	10%（最低四百五十萬股）	1%（最低四十五萬股）
十億＜X≦二十億	7.5%（最低一千萬股）	0.75%（最低一百萬股）
二十億＜X≦四十億	5%（最低一千五百萬股）	0.5%（最低一百五十萬股）
四十億＜X≦一百億	4%（最低二千萬股）	0.4%（最低二百萬股）
一百億＜X≦五百億	3%（最低四千萬股）	0.3%（最低四百萬股）
五百億＜X≦一千億	2%（最低一億五千萬股）	0.2%（最低一千五百萬股）
X＞一千億	1%（最低二億股）	0.1%（最低二千萬股）

(三) 現行查核實施規則條文重點

1. 選任時持股成數不足，或任期中轉讓或部分董事（監察人）解任致持股成數不足，公司應於每月十六日以前通知獨立董事外之全體董事或監察人補足，並副知主管機關。
2. 獨立董事所持有公司股票不計入持股總額中計算；公司同時選任獨立董事二人以上者，獨立董事外之全體董事、監察人之應持有股權成數，得按原規定調降為八成。
3. 已依證券交易法設置審計委員會者，不適用有關監察人持有股數不得少於一定比率之規定。
4. 除金融控股公司、銀行法所規範之銀行及保險法所規範之保險公司外，選任之獨立董事超過全體董事席次二分之一，且已依證券交易法設置審計委員會者，不適用全體董事及監察人持有股數各不得少於一定比率之規定。
5. 政府或法人為股東，自行或由其代表人當選董事或監察人者，其持有股份總額應以政府或法人股東持有之記名股票計算。但其指定之代表人自己所持有以分戶保管方式提交證券集中保管事業辦理集中保管之該公司記名股票，得併入前條持有股份總額中計算。

(四) 違反規定之行政責任

違反主管機關依證券交易法第26條第2項所定公開發行公司董事、監察人股權成數及查核實施規則有關通知及查核之規定，則依同法第178條規定，處新臺幣二十四萬以上四百八十萬以下罰鍰，並得命其限期改善；屆期未改善者，得按次處罰。

五、短線交易之禁止

為避免董事、監察人、經理人及持有公司股份超過10%的大股東等內部人致力於利用內部消息而無心經營公司，影響證券市場的公平性及功能，世界各主要國家，如美、英、日等均於法律中明文禁止內線交易。

為補充禁止內線交易規定的不足，並實現禁止內線交易的規範目的，而有**歸入權**的設計，**將從事短線交易而獲得的利益歸屬於公司**。

(一) 短線交易的行為態樣

公司內部人對於所持有該公司上市、上櫃股票或具有股權性質的其他有價證券，**於取得後六個月內再行賣出，或於賣出後六個月內再行買進，即短線交易**，若有差價利益，即可對內部人行使歸入權，將利益歸入公司。

短線交易不一定屬於內線交易，惟若內部人利用未公開的重大消息從事短線交易，則同時適用內線交易及歸入權的規定。

(二) **歸入權－內部人短線交易**

1. 發行股票公司的內部人，對該公司的股票或具有股權性質的其他有價證券，從事短線交易而獲有利益時，公司應請求內部人將其**利益歸屬於公司**，即為歸入權。
2. 得對內部人行使歸入權之人：
   (1) 內部人從事短線交易而獲有利益時，應由董事會或監察人代表公司對內部人行使歸入權，將利益歸入公司，**董事會或監察人不為公司行使時，股東得請求董事或監察人於三十日內行使；董事或監察人超過三十日仍不行使時，請求的股東得為公司對內部人行使歸入權**。
   (2) 董事或監察人不代表公司行使歸入權以致公司受損害時，對公司負連帶賠償責任。
3. 對內部人行使歸入權的期限：自內部人獲得利益之日起二年內均可對內部人行使歸入權，超過二年期間而未行使，即不得再為行使。

(三) **歸入利益的計算**

1. 歸入利益的計算採「最高賣價減最低買價法」，以最高賣價與最低買價相配，再取次高賣價與次低買價相配，依序計算所得的差價，虧損部分不予計入。
2. 交易股票所獲配的股息列入計算，若獲配現金股利，則應自獲取之日起，至交付公司之日止，該期間依民法第203條所規定的年利率5%，計算法定利息。
3. 買賣所支付證券商的手續費及證券交易稅，得自利益中扣除。

牛刀小試

( ) **1** 有關短線交易之規定，下列敘述何者錯誤？ (A)短線交易的期間為六個月 (B)請求短線交易之利益，自獲得利益之日起二年間不行使而消滅 (C)短線交易利益之計算採最高賣價減最低買價法 (D)買進同一公司之普通股、賣出特別股，不構成短線交易。 【106年第3次高業】

(　) **2** 「證券交易法」對「短線交易」期間之定義，為取得公司上市股票幾個月內再行賣出，因而獲有利益之行為？　(A)十二個月內　(B)六個月內　(C)三個月內　(D)一個月內。　【107年第3次普業】

(　) **3** 下列有關內部人交易規範之敘述何者正確？　(A)可能包括公司內部人之短線交易及利用內部消息買賣圖利之情形　(B)短線交易所獲利益所有權直接屬於公司，不須另由他人請求　(C)所規範之行為主體僅限於公司內部人　(D)只有利用內部消息獲利之人須負刑事責任。　【111年第3次高業】

(　) **4** 下列何者得自短線交易所得利益中扣除？　(A)股息　(B)高低價相配所生之虧損　(C)證券交易稅　(D)選項(A)(B)(C)皆可扣除。　【110年第3次高業】

(　) **5** 有關短線交易利益歸入權，下列敘述何者正確？　(A)持有公司股份超過百分之五之股東方可行使　(B)董事或監察人不向義務人請求時，股東即可直接代為請求　(C)歸入請求權自可行使權利之日起二年間不行使而消滅　(D)董事或監察人不行使請求權，致公司受有損害時，對公司負連帶賠償之責任。　【111年第2次高業】

解答與解析

1 (D)。對該公司的股票或具有股權性質的其他有價證券，從事短期交易而獲有利益時即構成短線交易。

2 (B)。公司內部人對於所持有該公司上市、上櫃股票或具有股權性質的其他有價證券，於取得後六個月內再行賣出，或於賣出後六個月內再行買進，即短線交易。

3 (A)。根據「證券交易法」第157條、第157-1條：(B)發行股票公司董事、監察人、經理人或持有公司股份超過百分之十之股東，對公司之上市股票，於取得後六個月內再行賣出，或於賣出後六個月內再行買進，因而獲得利益者，公司應請求將其利益歸於公司。發行股票公司董事會或監察人不為公司行使前項請求權時，股東得以三十日之限期，請求董事或監察人行使之；逾期不行使時，請求之股東得為公司行使前項請求權。(C)所規範之行為主體也包含從內部人獲悉消息之人。(D)提供消息之人，也須負連帶賠償責任。故選(A)。

4 (C)。根據「證券交易法施行細則」第11條，短線交易所得利益之買賣所支付證券商之手續費及證券交易稅，得自利益中扣除。

5 (D)。根據「證券交易法」第157條：(A)持有公司股份超過百分之十之股東方可行使。(B)董事或監察人不向義務人請求時，股東得以三十日之限期，請求董事或監察人行使之；逾期不行使時，請求之股東得為公司行使前項請求權。(C)歸入請求權自獲得利益之日起二年間不行使而消滅。僅(D)正確。

六、內線交易之禁止

(一) 規範對象

1. 發行股票公司之董事、監察人、經理人及依公司法第27條第1項規定受指定代表行使職務之自然人。
2. 持有該公司之股份超過百分之十之股東。
3. 基於職業或控制關係獲悉消息之人。
4. 喪失前三款身分後，未滿六個月者。
5. 從前四款所列之人獲悉消息之人。

(二) **禁止行為**：上述各款之人，知悉發行股票公司有重大影響其股票價格之消息時，**在該消息明確後，未公開前或公開後十八小時內**，不得對該公司之上市或在證券商營業處所買賣之股票或其他具有股權性質之有價證券，自行或以他人名義買入或賣出。

(三) **重大影響股票價格之消息**：根據「證券交易法第157-1條第5項及第6項重大消息範圍及其公開方式管理辦法」，重大影響公司股價的消息包括：

1. 證交法施行細則第7條所定之事項。
2. 公司辦理重大之募集發行或私募具股權性質之有價證券、減資、合併、收購、分割、股份交換、轉換或受讓、直接或間接進行之投資計畫，或前開事項有重大變更者。

3. 公司辦理重整、破產、解散、或申請股票終止上市或在證券商營業處所終止買賣，或前開事項有重大變更者。
4. 公司董事受停止行使職權之假處分裁定，致董事會無法行使職權者，或公司獨立董事均解任者。
5. 發生災難、集體抗議、罷工、環境污染或其他重大情事，致造成公司重大損害，或經有關機關命令停工、停業、歇業、廢止或撤銷相關許可者。
6. 公司之關係人或主要債務人或其連帶保證人遭退票、聲請破產、重整或其他重大類似情事；公司背書或保證之主債務人無法償付到期之票據、貸款或其他債務者。
7. 公司發生重大之內部控制舞弊、非常規交易或資產被掏空者。
8. 公司與主要客戶或供應商停止部分或全部業務往來者。
9. 公司財務報告有下列情形之一：
   (1) 未依本法第36條規定公告申報者。
   (2) 編製之財務報告發生錯誤或疏漏，有本法施行細則第6條規定應更正且重編者。
   (3) 會計師出具無保留意見或修正式無保留意見以外之查核或核閱報告者。但依法律規定損失得分年攤銷，或第一季、第三季及半年度財務報告若因長期股權投資金額及其損益之計算係採被投資公司未經會計師查核簽證或核閱之報表計算等情事，經其簽證會計師出具保留意見之查核或核閱報告者，不在此限。
   (4) 會計師出具繼續經營假設存有重大疑慮之查核或核閱報告者。
10. 公開之財務預測與實際數有重大差異者或財務預測更新（正）與原預測數有重大差異者。
11. 公司營業損益或稅前損益與去年同期相較有重大變動，或與前期相較有重大變動且非受季節性因素影響所致者。
12. 公司有下列會計事項，不影響當期損益，致當期淨值產生重大變動者：
   (1) 辦理資產重估。
   (2) 金融商品期末評價。
   (3) 外幣換算調整。
   (4) 金融商品採避險會計處理。
   (5) 未認列為退休金成本之淨損失。
13. 為償還公司債之資金籌措計畫無法達成者。
14. 公司辦理買回本公司股份者。
15. 進行或停止公開收購公開發行公司所發行之有價證券者。

16.公司取得或處分重大資產者。

17.公司發行海外有價證券，發生依上市地國政府法令及其證券交易市場規章之規定應即時公告或申報之重大情事者。

18.其他涉及公司之財務、業務，對公司股票價格有重大影響，或對正當投資人之投資決定有重要影響者。

(四) **從事內線交易應負責任**

若從事內線交易，不問其是否因內線交易而獲利，縱使虧損，除有正當理由相信消息已公開外，仍應對於善意不知情而從事相反買賣之人負民事損害賠償責任及刑事責任。

民事責任	對於當日善意從事相反買賣之人買入或賣出該證券之價格，與消息公開後**十個營業日收盤平均價格**之差額，負損害賠償責任；其**情節重大者，法院得依善意從事相反買賣之人之請求，將賠償額提高至三倍**；其情節輕微者，法院得減輕賠償金額。
刑事責任	**處三年以上十年以下有期徒刑**，得併科新臺幣一千萬元以上二億元以下罰金，犯罪所得金額達新臺幣一億元以上者，處七年以上有期徒刑，得併科新臺幣二千五百萬元以上五億元以下罰金。

(五) **損害賠償的請求期限**

自有請求權人知有得受賠償的原因二年內，或自募集、發行或買賣起五年內，應行使請求權，逾期不得行使。

牛刀小試

( ) **1** 對於內線交易之民事賠償責任，法院得依被害人之請求將賠償責任額提高至：(A)二倍 (B)三倍 (C)五倍 (D)四倍。

( ) **2** 內部人於實際知悉發行股票公司有重大影響其股票價格之消息時，在該消息明確後，未公開前或公開後幾小時內，不得買入或賣出該公司之股票或其他具有股權性質之有價證券？(A)十 (B)十二 (C)十八 (D)二十四。【106年第2次高業】

(　　) **3** 內線交易之民事賠償責任之請求權人，為下列何者？　(A)當日善意從事相反買賣之人　(B)公司監察人　(C)金融監督管理委員會　(D)發行公司。【108年第3次高業】

(　　) **4** 依現行法之規定，僅提供內部消息而未從事內線交易者，應負下列何項之責任？　(A)可處二年以下有期徒刑　(B)與消息受領者從事內線交易者負民事連帶賠償責任　(C)選項(A)(B)之刑事、民事責任皆有　(D)無任何法律責任。【104年第1次高業】

(　　) **5** 公開發行公司之內部人（如董監、經理人等）喪失其身分後，未滿多久前仍受「證券交易法」第一百五十七條之一（內線交易）的規範？　(A)三個月　(B)六個月　(C)九個月　(D)十二個月。【109年第1次高業】

解答與解析

1 (B)。內線交易之民事賠償，為對於當日善意從事相反買賣之人買入或賣出該證券之價格，與消息公開後十個營業日收盤平均價格之差額，負損害賠償責任；其情節重大者，法院得依善意從事相反買賣之人之請求，將賠償額提高至三倍；其情節輕微者，法院得減輕賠償金額。

2 (C)。內部人於實際知悉發行股票公司有重大影響其股票價格之消息時，在該消息明確後，未公開前或公開後十八小時內，不得買入或賣出該公司之股票或其他具有股權性質之有價證券。

3 (A)。內部人交易之民事賠償責任，其賠償對象為當日就該股票善意從事相反買賣之人。

4 (B)。若僅提供內部消息但未從事內線交易者，其應與消息受領者從事內線交易者負民事連帶賠償責任。

5 (B)。公開發行公司之內部人喪失其身分後，未滿六個月仍受「證券交易法」第157-1條的規範。

重點回顧

規範項目	內容摘要	申報（辦理）期限	違反效果
持股轉讓事前申報	1. 公司董事、監察人、經理人及持有股份超過10%之股東（包括其配偶、未成年子女及利用他人名義持有者），**轉讓公司股票前應先辦理轉讓申報**。 2. 政府或法人股東指派代表人及其配偶、未成年子女及利用他人名義持有者亦併受規範。 3. 金融控股公司持股100%子公司內部人及其配偶、未成年子女及利用他人名義持有者亦併受規範。	1. 依主管機關所定期間及轉讓數量，於申報之日起**3日後**，在集中交易市場或證券商營業處所為之。 2. 於申報之日起**3日內**，向符合主管機關所定條件之特定人為之（該特定人在1年內欲轉讓其股票，仍須依三種方式之一為之）。	依證券交易法第178條規定，處新臺幣24萬元以上480萬元以下之罰鍰。
持股變動事後申報	1. 公司董事、監察人、經理人及持有股份超過10%之股東（包括其配偶、未成年子女及利用他人名義持有者）**取得或轉讓公司股票後，次月應辦理持股異動申報**。 2. 政府或法人股東指派代表人及其配偶、未成年子女及利用他人名義持有者亦併受規範。 3. 金融控股公司之子公司內部人及其配偶、未成年子女及利用他人名義持有者亦併受規範。	1. 公司內部人應於每月5日以前將上月份持有股數變動之情形，向公司申報；**公司應於每月15日以前**，彙總申報。 2. 公司內部人股票設定質權者，出質人應即通知公司；**公司應於其質權設定後5日內**，將其出質情形，辦理申報；質權解除者亦同。	

規範項目	內容摘要	申報（辦理）期限	違反效果
董事、監察人最低持股成數之維持	（第一上市公司不適用） 1. **選任時**持股成數不足，或**任期中**轉讓或部分董事（監察人）解任致持股成數不足，公司應於每月16日以前通知獨立董事外之全體董事或監察人補足，並副知主管機關。 2. 獨立董事所持有公司股票不計入持股總額中計算；公司同時選任獨立董事2人以上者，獨立董事外之全體董事、監察人之應持有股權成數，得按原規定調降為8成。 3. 已依證券交易法設置審計委員會者，不適用有關監察人持有股數不得少於一定比率之規定。 4. 除金融控股公司、銀行法所規範之銀行及保險法所規範之保險公司外，選任之獨立董事超過全體董事席次1/2，且已依證券交易法設置審計委員會者，不適用全體董事及監察人持有股數各不得少於一定比率之規定。 5. 政府或法人為股東，自行或由其代表人當選董事或監察人者，其持有股份總額應以政府或法人股東持有之記名股票計算。但其指定之代表人自己所持有以分戶保管方式提交證券集中保管事業辦理集中保管之該公司記名股票，得併入前條持有股份總額中計算。	1. 選任時及任期中均應維持法定持股成數標準。 2. 選任時或任期中有持股成數不足者，公司均應於每月16日以前通知獨立董事外之全體董事或監察人補足，並副知主管機關。	依證券交易法第178條規定，處新臺幣24萬以上480萬以下罰鍰，並得命其限期改善；屆期未改善者，得按次處罰。

規範項目	內容摘要	申報（辦理）期限	違反效果
大量取得股份及變動申報	任何人單獨或與其他人共同取得任一公開發行公司已發行股份總額超過5%及其後異動之申報。	1. 任何單獨或共同取得人取得公開發行公司股份超過5%者，應於**取得後10日內**公告，並檢附公告報紙向證期局申報。 2. 申報後若申報事項有**變動，應於事實發生之日起2日內**公告，並檢附公告報紙向證期局申報。	依證券交易法第178條規定，處新臺幣24萬以上480萬以下罰鍰，並得命其限期改善；屆期未改善者，得按次處罰。
短線交易之禁止	1. 上市上櫃興櫃公司董事、監察人、經理人或持有公司股份超過10%之股東，對公司股票及具有股權性質之其他有價證券，不得於取得後6個月內再行賣出，或於賣出後6個月內再行買進。 2. 政府或法人股東指派代表人及其配偶、未成年子女及利用他人名義持有者亦併受規範。	不適用	依證券交易法第157條規定，公司應請求將其**利益歸於公司**。
內線交易之禁止	1. 上市上櫃興櫃公司內部人及利害關係人於**實際知悉有重大影響其股票價格之消息時，在該消息明確後，未公開前或公開後18小時內**，不得對該公司之上市或在證券商營業處所買賣之股票或其他具有股權性質之有價證券，自行或以他人名義買入或賣出。	不適用	1. 依證券交易法第171條規定，處3年以上10年以下有期徒刑，得併科新臺幣1,000萬元以上2億元以下罰金；**犯罪所得金額達新臺幣1億元以上者，處7年以上有期徒刑，得併科新臺幣2,500萬元以上5億元以下罰金**。

規範項目	內容摘要	申報（辦理）期限	違反效果
內線交易之禁止	2. 政府或法人股東指派代表人及其配偶、未成年子女及利用他人名義持有者亦應併受規範。	不適用	2. 對於當日善意從事相反買賣之人買入或賣出該證券之價格，與消息公開後10個營業日收盤平均價格之差額，負損害賠償責任；其情節重大者，法院得依善意從事相反買賣之人之請求，將賠償額提高至3倍；其情節輕微者，法院得減輕賠償金額。

精選試題

( ) **1** 公開發行公司董事、監察人、經理人或持股超過百分之十之股東，其股票在集中交易市場或在證券商營業處所轉讓者，下列敘述何者錯誤？

(A)依主管機關所定持有期間及每一交易日得轉讓數量比例進行轉讓

(B)於向主管機關申報之日起三日後開始轉讓

(C)每一交易日轉讓股數未超過二萬股者免予申報

(D)每次申報轉讓之有效期間為一個月。

( ) **2** 某上櫃公司之監察人，連續兩次未依「證券交易法」第二十二條之二所定程序轉讓其持股，主管機關每次得處新臺幣多少元之行政罰鍰：

(A)新臺幣十萬元以上，五十萬元以下

(B)新臺幣二十四萬元以上，四百八十萬元以下

(C)新臺幣十三萬元以上，二百萬元以下

(D)新臺幣十四萬元以上，二十萬元以下。 【109年第2次高業】

( ) **3** 公開發行公司董、監、經理人或大股東持股於集中交易市場或櫃檯買賣市場之轉讓，依證券交易法有一定之申報期間之限制，下列何者為例外？ (A)每三交易日轉讓股數未超過十萬股者 (B)每十交易日轉讓股數未超過五萬股者 (C)每一交易日轉讓股數未超過一萬股者 (D)以上皆是。

( ) **4** 公開發行公司之董事、監察人、經理人及持有股份超過股份總額百分之十之股東，應於每月幾日以前將上月份持有股份變動之情形，向公司申報，公司再彙總向主管機關申報？ (A)五日前 (B)七日前 (C)十日前 (D)十五日前。 【103年第3次高業】

( ) **5** 公開發行公司之董事、監察人、經理人或持有公司股份超過股份總額百分之十之股東如有取得或出售股票情事，公司應於每月幾日以前，彙總內部人持有股數變動之情形向主管機關申報？ (A)5日 (B)10日 (C)15日 (D)20日。 【101年第1次高業】

( ) 6 公開發行公司董事、監察人、經理人或持股超過百分之十之股東，其持有之公司股票經設定質權者，出質人應即通知公司；公司則應於其質權設定後若干日內，將其出質情形，向主管機關申報並公告之？ (A)二日內 (B)三日內 (C)四日內 (D)五日內。 【101年第1次高業】

( ) 7 公開發行公司董、監、經理人及大股東，欲向特定人轉讓其持股，須於向主管機關申報之日起幾日內，向該特定人轉讓之？ (A)二日 (B)三日 (C)五日 (D)十日。 【103年第3次高業】

( ) 8 董事、監察人發生短線交易之情事，得為公司請求其將所得利益歸入公司者，可為下列何者？ (A)董事會 (B)監察人 (C)股東 (D)選項(A)(B)(C)皆是。 【107年第1次高業】

( ) 9 下列何種有價證券為證券交易法所規範之短線交易歸入權及內線交易所稱「具有股權性質之其他有價證券」？ (A)可轉換公司債 (B)認購（售）權證 (C)臺灣存託憑證 (D)選項(A)(B)(C)皆是。 【100年第4次高業】

( ) 10 甲上市公司董事小明之下列有價證券交易行為，何者構成「證券交易法」第一百五十七條之短線交易？ (A)小明於取得甲公司配發之股票股利滿3個月時，將該股票股利賣出獲利 (B)小明買進甲公司發行但未掛牌上市買賣之特別股股票，5個月後，以高於特別股股價之價格賣出同數量之甲公司普通股 (C)小明於甲公司上市前買進甲公司之股票，3個月後甲公司上市，小明乃賣出持股獲利 (D)小明賣出所持有之公司股票後4個月，認為甲公司後市看好，又買進甲公司股票。 【112年第1次高業】

( ) 11 關於「證券交易法」第一百五十七條之一所定內線交易禁止規定，下列敘述何者正確： (A)適用對象為具有股權性質之有價證券 (B)規範對象以他人之名義買入或賣出，亦構成內線交易 (C)該重大影響股價之消息，若已公開超過十八小時，即非屬內線交易 (D)選項(A)(B)(C)皆正確。 【105年第4次高業】

( ) **12** 適用內線交易禁止規定的內部人為？甲、公司之董事、監察人；乙、持有該公司股份超過百分之十之股東；丙、公司之顧問律師；丁、公司之會計師 (A)甲、乙、丙、丁 (B)僅甲、乙、丙 (C)僅乙、丙、丁 (D)僅甲、丙、丁。【107年第1次高業】

( ) **13** 有關內部人交易規範之敘述，下列何者正確？ (A)可能包括公司內部人之短線交易及利用內部消息買賣圖利之情形 (B)短線交易所獲利益所有權直接屬於公司，不須另經他人請求 (C)利用內部消息圖利之行為主體亦限於公司內部人 (D)只有利用內部消息獲利之人須負刑事責任。【105年第1次高業】

( ) **14** 「證券交易法」第一百五十七條之一所定內部人交易之民事賠償責任，其賠償對象為下列何者？ (A)該內線交易行為之相對人 (B)任何因該股票之交易而受有損害之人 (C)當日就該股票善意從事相反買賣之人 (D)證券承銷商。【109年第1次高業】

( ) **15** 根據證券交易法之規定，違反第一五七條之一內線交易規定之刑事責任，以下敘述何者正確？ (A)一年以上七年以下有期徒刑 (B)三年以上七年以下有期徒刑 (C)三年以上十年以下有期徒刑，得併科新臺幣二千萬元以上一億元以下罰金 (D)犯罪所得達一億元以上者，處七年以上有期徒刑，得併科新臺幣二千五百萬元以上五億元以下罰金。【101年第2次分析師】

( ) **16** 「證券交易法」第一百五十七條之一第五項及第六項所稱涉及公司之財務、業務，對其股票價格有重大影響，或對正當投資人之投資決定有重要影響之消息，係指下列何種消息？ (A)私募具股權性質之有價證券 (B)公司董事受停止行使職權之假處分裁定，致董事會無法行使職權者 (C)停止公開收購公開發行公司所發行之有價證券 (D)選項(A)(B)(C)皆是。【107年第2次高業】

( ) **17** 依現行法，下列何者非刑事不法行為？ (A)內部人短線交易行為 (B)利用內部消息從事內線交易行為 (C)操縱市場行情行為 (D)選項(A)(B)(C)皆是刑事不法行為。【102年第3次高業】

解答與解析

1 **(C)**。公開發行公司之內部人，每一交易日轉讓股數未超過一萬股者，免予申報。

2 **(B)**。證券交易法第178條「有下列情事之一者，處新臺幣二十四萬元以上四百八十萬元以下罰鍰，並得命其限期改善；屆期未改善者，得按次處罰：一、違反第二十二條之二第一項、第二項、第二十六條之一，或第一百六十五條之一準用第二十二條之二第一項、第二項規定。……」

3 **(C)**。根據證券交易法第22-2條，公開發行公司的內部人於轉讓所屬公司之股票，若每一交易日轉讓股數未超過一萬股者，免予申報。

4 **(A)**。根據證券交易法第25條，公開發行公司內部人應於每月五日以前將上月持股變動之情形向公司申報，公司應於每月十五日以前，彙總申報並輸入「公開資訊觀測站」。

5 **(C)**。根據證券交易法第25條，公開發行公司內部人應於每月五日以前將上月持股變動之情形向公司申報，公司應於每月十五日以前，彙總申報並輸入「公開資訊觀測站」。

6 **(D)**。董事、監察人，與代表行使董事監察人職務之自然人及所代表之法人，其持有之股票辦理設解質時，出質人應即通知公司；公司應於其質權設定後五日內，將其出質情形，辦理申報並輸入「公開資訊觀測站」。

7 **(B)**。根據證券交易法第22-2條，公開發行股票公司之內部人，其股票轉讓，應於向主管機關申報之日起三日內，向符合條件特定人為之。

8 **(D)**。內部人從事短線交易而獲有利益時，應由董事會或監察人代表公司對內部人行使歸入權，將利益歸入公司，董事會或監察人不為公司行使時，股東得請求董事或監察人於三十日內行使；董事或監察人超過三十日仍不行使時，請求的股東得為公司對內部人行使歸入權。

9 **(D)**。上市上櫃的普通股、特別股、可轉換公司債、附認股權公司債、認股權憑證、認購（售）權證、股款繳納憑證、新股認購權利證書、新股權利證書、債券換股權利證書、臺灣存託憑證及其他具有股權性質的有價證券；皆屬於內部人從事短線交易所買賣的有價證券。

10 **(D)**。「證券交易法」第157條第1項：發行股票公司董事、監察人、經理人或持有公司股份超過百分之十之股東，對公司之上市股票，於取得後六個月內再行賣出，或於賣出後六個月內再行買進，因而獲得利益者，公司應請求將其利益歸於公司。

11 **(D)**。上述選項皆正確。

12 **(A)**。內線交易禁止規定的內部人包括：(1)發行股票公司之董事、監察人、經理人。(2)持有該公司之股份超過百分之十之股東。(3)基於職業或控制關係獲悉消息之人。(4)喪失前三款身分後，未滿六個月者。(5)從前四款所列之人獲悉消息之人。

13 **(A)**。短線交易所獲利益需要董事或經理人主張。利用內部消息圖利之行為主體並不限於公司內部人。根據證券交易法第一百五十七條之一，凡利用內部消息獲利之人均須負刑事責任。

14 **(C)**。內部人交易之民事賠償責任，其賠償對象為當日就該股票善意從事相反買賣之人。

15 **(D)**。違反第157-1條內線交易規定之刑事責任，處三年以上十年以下有期徒刑，得併科新臺幣一千萬元以上二億元以下罰金，犯罪所得金額達新臺幣一億元以上者，處七年以上有期徒刑，得併科新臺幣二千五百萬元以上五億元以下罰金。

16 **(D)**。私募具股權性質之有價證券、公司董事受停止行使職權之假處分裁定，致董事會無法行使職權者、停止公開收購公開發行公司所發行之有價證券，上述消息均涉及公司之財務、業務，對其股票價格有重大影響。

17 **(A)**。內部人短線交易行為須負民事損害賠償責任，但無刑事罰則。

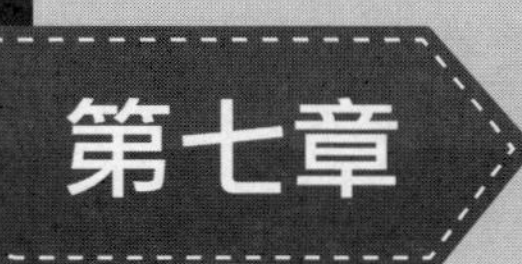

證券投資信託及投資顧問

依據出題頻率區分，
屬：**B** 頻率中

許多民眾希望參與金融市場，但礙於並無多餘時間研究各股標的或總體經濟變化，故採取購買基金的方式，將資金交由專業經理人操作；而基金即為證券投資信託公司所發行。

本章先分別介紹投信及投顧公司，再講述市面上常見的基金募集方式，最後帶領你認識全權委託投資業務（即代客操作）的相關規範。

重點 01 證券投資信託事業

重要度★★★

一、證券投資信託事業

(一) 業務概述

1. 證券投資信託，指向不特定人募集證券投資信託基金發行受益憑證，或向特定人私募證券投資信託基金交付受益憑證，從事於有價證券、證券相關商品或其他經主管機關核准項目之投資或交易。
2. 證券投資信託事業得經營之業務種類如下：
   (1) **發行受益憑證，募集證券投資信託基金**。
   (2) **運用證券投資信託基金，從事證券與相關商品之買賣**。
   (3) **接受客戶全權委託投資業務（代客操作）**。
   (4) **其他經主管機關核准之有關業務**。

(二) 證券投資信託事業之設置

1. **組織**：證券投資信託事業之組織，**以股份有限公司為限**。
2. **實收資本額**：**其實收資本額不得少於新臺幣三億元**。前述最低實收資本額，發起人應於發起時一次認足。
3. **發起人**：經營證券投資信託事業之發起人中應有**基金管理機構、銀行、保險公司、金融控股公司、證券商或其他經主管機關認可之機構，且其所認股份，合計不得少於第一次發行股份之百分之二十**。其詳細條件如下：

(1)**基金管理機構：**

A. **成立滿三年，且最近三年未曾因資金管理業務受其本國主管機關處分**。

B. 具有管理或經營國際證券投資信託基金業務經驗。

C. 該機構及其控制或從屬機構所管理之資產中，以公開募集方式集資投資於證券之共同基金、單位信託或投資信託之基金資產總值不得少於新臺幣六百五十億元。

(2)**銀行：**

A. **成立滿三年，且最近三年未曾因資金管理業務受其本國主管機關處分**。

B. 具有國際金融、證券或信託業務經驗。

C. 最近一年於全球銀行資產或淨值排名居前一千名內。

(3)**保險公司：**

A. **成立滿三年，且最近三年未曾因資金管理業務受其本國主管機關處分**。

B. 具有保險資金管理經驗。

C. 持有證券資產總金額在新臺幣八十億元以上。

(4)**證券商：**

A. **成立滿三年，並為綜合經營證券承銷、自營及經紀業務滿三年之證券商**。

B. **最近三年未曾受證券交易法第66條第2款至第4款規定之處分**；其屬外國證券商者，未曾受其本國主管機關相當於前述之處分。

C. **實收資本額達新臺幣八十億元以上**，且最近期經會計師查核簽證之財務報告，每股淨值不低於面額。

(5)**金融控股公司：**該公司控股百分之五十以上之子公司應有符合前四款所定資格條件之一者。

(三) 其他應注意之限制

1. 證券投資信託事業之董事、監察人或持有已發行股份總數百分之五以上之股東，不得兼為其他證券投資信託事業之發起人或持有已發行股份總數百分之五以上之股東。

2. **證券投資信託事業之股東，除事業發起人外，每一股東與其關係人及股東利用他人名義持有股份合計，不得超過該公司已發行股份總數百分之二十五**。
3. 證券投資信託事業之發起人自公司設立之日起一年內，不得兼為其他證券投資信託事業之發起人。曾擔任證券投資信託事業之發起人者，自主管機關核發該證券投資信託事業營業執照之日起三年內，不得再擔任其他證券投資信託事業之發起人。
4. **證券投資信託事業之負責人、部門主管、分支機構經理人或基金經理人本人或其配偶，有擔任證券發行公司之董事、監察人、經理人或持有已發行股份總數百分之五以上股東者，於證券投資信託事業運用證券投資信託基金買賣該發行公司所發行之證券時，不得參與買賣之決定**。
5. 證券投資信託事業應將重大影響受益人權益之事項，於事實發生之日起二日內，公告並申報主管機關。

牛刀小試

( ) **1** 下列何者不符合證券投資信託事業之專業發起人資格？
(A)基金管理機構
(B)銀行
(C)保險公司
(D)證券交易所。 【109年第2次高業】

( ) **2** 證券投資信託事業之專業發起人，其所認股份，合計不得少於第一次發行股份之百分之幾？ (A)20% (B)25% (C)30% (D)33%。

( ) **3** 證券投資信託事業之具有決定證券投資信託基金運用之人員，下列何者不得參與買賣之決定？ (A)擔任發行公司之董事、監察人 (B)擔任發行公司之經理人 (C)持有發行公司已發行股份總數百分之五以上之股東 (D)以上皆不得參與。

( ) **4** 經營證券投資信託事業，以股份有限公司組織為限，其實收資本額不得少於新臺幣多少元？ (A)一億元 (B)二億元 (C)三億元 (D)四億元。

(　　) 5 證券投資信託事業得經營業務範圍為？　甲、有價證券買賣之融資融券　乙、發行有關證券投資之出版品　丙、發行受益憑證募集證券投資信託基金　丁、運用證券投資信託基金從事證券及其相關商品之投資　(A)甲、乙、丙、丁　(B)僅乙、丙、丁　(C)僅甲、乙　(D)僅丙、丁。　【107年第2次高業】

解答與解析

1 (D)。根據證券投資信託事業設置標準第8條，基金管理機構、銀行、保險公司、證券商或金融控股公司符合證券投資信託事業之專業發起人資格。

2 (A)。證券投資信託事業之專業發起人，其所認股份，合計不得少於第一次發行股份的20%。

3 (D)。證券投資信託事業之負責人、部門主管、分支機構經理人或基金經理人本人或其配偶，有擔任證券發行公司之董事、監察人、經理人或持有已發行股份總數百分之五以上股東者，於證券投資信託事業運用證券投資信託基金買賣該發行公司所發行之證券時，不得參與買賣之決定。

4 (C)。證券投資信託事業實收資本額不得少於新臺幣三億元。

5 (D)。有價證券買賣之融資融券僅證券商得承作；發行有關證券投資之出版品屬於證券投資顧問事業之經營業務範圍。

重點 02 證券投資顧問事業　重要度★★★

一、證券投資顧問

(一) 業務概述

1. 證券投資顧問，指直接或間接自委任人或第三人取得報酬，對有價證券、證券相關商品或其他經主管機關核准項目之投資或交易有關事項，提供分析意見或推介建議。

2. 證券投資顧問事業經營之業務種類如下：

(1) **接受委任，對證券投資有關事項提供研究分析或推介建議**。

(2) **接受客戶全權委託投資業務（代客操作）**。

(3) **發行有關證券投資的出版品**。

(4) **舉辦有關證券投資的講習**。

(5) **其他經證期會核准之有關業務**。**例如顧問外國有價證券業務**。

(二) 證券投資顧問事業之設置

1. 組織：證券投資顧問事業之組織，**以股份有限公司為限**。
2. 實收資本額：其實收資本額不得少於**新臺幣二千萬元**。前項最低實收資本額，發起人應於發起時一次認足。
3. 證券投資顧問事業應至少設置投資研究、財務會計部門，配置適足、適任之經理人、部門主管及業務人員，並應符合證券投資顧問事業負責人與業務人員管理規則所定之資格條件。

(三) 其他應注意之限制

1. 證券投資顧問事業接受客戶委任，對證券投資或交易有關事項提供分析意見或推介建議時，應訂定書面證券投資顧問契約，載明雙方權利義務。
2. 於前項情形，客戶得自收受書面契約之日起**七日內，以書面終止契約**。前項契約終止之意思表示，於到達證券投資顧問事業時生效。證券投資顧問事業因前述原因而為契約之終止時，**得對客戶請求終止契約前所提供服務之相當報酬**。**但不得請求契約終止之損害賠償或違約金**。
3. 證券投資顧問事業提供投資分析建議時，應做成**投資分析報告**，報告之副本及紀錄應自提供之日起，至少保存**五年**。
4. 證券投資顧問事業在各種傳播媒體提供投資分析者，應將節目錄影及錄音存查，並至少保存一年。
5. 證券投資顧問事業為廣告、公開說明會及其他營業促銷活動，應於事實發生後**十日內向同業公會申報**。
6. 證券投資顧問事業為廣告、公開說明會及其他營業促銷活動，製作之宣傳資料、廣告物及相關紀錄應至少保存二年。

牛刀小試

( ) **1** 經營或提供有價證券價值分析，投資判斷建議，以獲取報酬者為何種事業？
(A)證券投資信託事業
(B)證券金融事業
(C)證券集中保管事業
(D)證券投資顧問事業。 【109年第1次高業】

( ) **2** 客戶與投顧事業訂定書面證券投資顧問契約，客戶得自收受書面契約之日起幾日內終止契約？ (A)3日 (B)5日 (C)7日 (D)10日。

( ) **3** 證券投資顧問事業在各種傳播媒體提供投資分析者，應將節目錄影及錄音存查，並至少保存多久？ (A)一年 (B)五年 (C)十年 (D)永久保存。 【105年第4次高業】

( ) **4** 證券投資顧問事業為廣告、公開說明會及其他營業促銷活動，應於事實發生後幾日內向同業公會申報？ (A)二日 (B)五日 (C)七日 (D)十日。 【108年第1次高業】

解答與解析

1 (D)。根據證券投資顧問事業管理規則第2條，本規則所稱證券投資顧問事業，指為獲取報酬，經營或提供有價證券價值分析、投資判斷建議，或基於該投資判斷，為客戶執行有價證券投資之業務者。

2 (C)。客戶與投顧事業訂定書面證券投資顧問契約，客戶得自收受書面契約之日起七日內，以書面終止契約。

3 (A)。證券投資顧問事業在各種傳播媒體提供投資分析者，應將節目錄影及錄音存查，並至少保存一年。

4 (D)。證券投資顧問事業為廣告、公開說明會及其他營業促銷活動，應於事實發生後十日內向同業公會申報。

二、證券投資信託及顧問事業共同規定（本處僅節錄常考重要之法規內容）

(一) 有下列情事之一者，不得充任證券投資信託事業與證券投資顧問事業之發起人、負責人及業務人員；其已充任負責人或業務人員者，解任之：

1. 曾犯組織犯罪防制條例規定之罪，經有罪判決確定，尚未執行完畢，或執行完畢、緩刑期滿或赦免後尚未逾五年。
2. **曾犯詐欺、背信或侵占罪，經宣告有期徒刑一年以上之刑確定，尚未執行完畢，或執行完畢、緩刑期滿或赦免後尚未逾二年**。
3. 違反證券交易法或證券投資信託及顧問法規定，經有罪判決確定，尚未執行完畢，或執行完畢、緩刑期滿或赦免後尚未逾三年。
4. 違反銀行法第29條第1項規定經營收受存款、受託經理信託資金、公眾財產或辦理國內外匯兌業務，經宣告有期徒刑以上之刑確定，尚未執行完畢，或執行完畢、緩刑期滿或赦免後尚未逾三年。
5. 違反信託業法第33條規定辦理信託業務，經宣告有期徒刑以上之刑確定，尚未執行完畢，或執行完畢、緩刑期滿或赦免後尚未逾三年。
6. 受破產之宣告，尚未復權，或曾任法人宣告破產時之董事、監察人、經理人或與其地位相等之人，其破產終結尚未逾三年或調協未履行。
7. **受證券交易法第56條或第66條第2款之處分，或受證券投資信託及顧問法第103條第2款或第104條解除職務之處分，尚未逾三年**。
8. 曾擔任證券商、證券投資信託事業或證券投資顧問事業之董事、監察人，而於任職期間，該事業受證券交易法第66條第3款或第4款之處分，或受證券投資信託及顧問法第103條第4款或第5款停業或廢止營業許可之處分，尚未逾一年。

(二) **行政監督**

1. **證券投資信託事業及證券投資顧問事業，應於每會計年度終了後三個月內，公告並向主管機關申報經會計師查核簽證、董事會通過及監察人承認之年度財務報告**。
2. 主管機關對證券投資信託事業或證券投資顧問事業違反證券投資信託及顧問法或依證券投資信託及顧問法所發布之命令者，除依證券投資信託及顧問法處罰外，並得視情節之輕重，為下列處分：

   (1)警告。

   (2)命令該事業解除其董事、監察人或經理人職務。

(3)對該事業二年以下停止其全部或一部之募集或私募證券投資信託基金或新增受託業務。
(4)對公司或分支機構就其所營業務之全部或一部為六個月以下之停業。
(5)對公司或分支機構營業許可之廢止。
(6)其他必要之處置。

重點03 證券投資信託基金 重要度★★★

一、基金募集、私募、發行及行銷

(一) 非經主管機關核准，不得在中華民國境內從事或代理募集、銷售、投資顧問境外基金。

(二) 證券投資信託事業經核發營業執照後，應於一個月內申請募集證券投資信託基金。申請經核准效後，應於核准通知函送達日起六個月內開始募集，**三十日內募集成立該基金**。

(三) 首次募集的證券投資信託基金最低成立金額為**新臺幣二十億元**。

(四) 證券投資信託事業得對下列對象進行受益憑證之私募：

1. 銀行業、票券業、信託業、保險業、證券業或其他經主管機關核准之法人或機構。
2. 符合主管機關所定條件之自然人、法人或基金（應募人總數不得超過九十九人。）

(五) 證券投資信託事業應於私募受益憑證價款繳納完成日起五日內，向主管機關申報之。

(六) 證券投資信託事業募集證券投資信託基金，**未依規定向申購人交付公開說明書，應處新臺幣三十萬元以上一百五十萬元以下之罰鍰**，並責令限期改善；屆期不改善者，得按次連續處二倍至五倍罰鍰至改善為止。

> **考點速攻**
> 投資人申購基金後，證券投資信託公司需印製「受益憑證」，發給投資人或代投資人保管（受益憑證亦得不印製實體，而以帳簿劃撥方式交付）。
> 受益憑證是一種有價證券，記載受益人申購之基金名稱及受益單位數。

二、基金持股相關規定

(一) 目前基金所持有股票的投票表決權，由證券投資信託公司行使之。

(二) 經理公司所經理之證券投資信託基金符合下列條件者，經理公司得不指派人員出席股東會：任一證券投資信託基金持有公開發行公司股份均**未達三十萬股**且全部證券投資信託基金合計持有股份**未達一百萬股**。

三、基金運用範圍的限制

(一) **不得投資於未上市、未上櫃股票或私募之有價證券**。
(二) **不得為放款或提供擔保**。
(三) **不得從事證券信用交易**。
(四) **不得與同一投信經理的其他各基金有價證券帳戶間為證券相關交易行為**。
(五) **不得運用基金買入本基金之受益憑證**。
(六) **不得投資於結構式利率商品**。
(七) **不得將基金持有之有價證券借予他人**。
(八) **證券投資**信託事業於國外募集基金投資國內任一上市或上櫃公司股票及公司債或金融債券之總金額，不得超過基金淨資產價值之**百分之二十**。
(九) 每一基金投資於任一上市或上櫃公司股票及公司債或金融債券之總金額，不得超過基金淨資產價值之百分之十。
(十) 每一基金投資於任一上市或上櫃公司股票之股份總額，**不得超過該公司已發行股份總數之百分之十**；所經理之全部基金投資於任一上市或上櫃公司股票之股份總額，不得超過該公司已發行股份總數之百分之十。
(十一) **每一基金投資於任一公司所發行無擔保公司債之總額，不得超過該公司所發行無擔保公司債總額之百分之十**。
(十二) 每一基金委託單一證券商買賣股票金額，不得超過本基金當年度買賣股票總金額之百分之三十。但基金成立未滿一個完整會計年度者，不在此限。

四、基金之保管

(一) **資信託事業募集或私募之證券投資信託基金，與證券投資信託事業及基金保管機構之自有財產，應分別獨立**。**證券投資信託事業及基金保管機構就其自有財產所負之債務，其債權人不得對於基金資產為任何請求或行使其他權利**。
(二) 證券投資信託事業運用證券投資**信託基金所持有之資產，應以基金保管機構之基金專戶名義登記**。

(三) 有下列情形之一者，**不得擔任基金保管機構**：

1. 經主管機關依第115條規定處分，處分期限尚未屆滿。
2. 未達經主管機關核准或認可之信用評等機構一定等級以上評等。
3. 投資於證券投資信託事業已發行股份總數達百分之十以上。
4. **擔任證券投資信託事業董事或監察人；或其董事、監察人擔任證券投資信託事業董事、監察人或經理人**。
5. 證券投資信託事業持有其已發行股份總數達百分之十以上。
6. 由證券投資信託事業或其代表人擔任董事或監察人。
7. 擔任證券投資信託基金之簽證機構。
8. 與證券投資信託事業屬於同一金融控股公司之子公司，或互為關係企業。
9. 其他經主管機關規定不適合擔任基金保管機構。

五、基金之買回

(一) 證券投資信託契約載有受益人得請求買回受益憑證之約定者，受益人得以書面或其他約定方式請求證券投資信託事業買回，證券投資信託事業不得拒絕；對買回價金之給付不得遲延。

(二) 受益人請求買回受益憑證到達之次一營業日起**五個營業日**內，給付買回價金。

(三) 受益憑證之買回價格，以買回請求到達證券投資信託事業或其代理機構之**到達當日或次一營業日**的基金淨資產核算。

六、基金之會計

(一) 證券投資信託事業應於**每一營業日計算證券投資信託基金之淨資產價值**。

(二) **證券投資信託事業應於每一營業日公告前一營業日證券投資信託基金每受益權單位之淨資產價值**。

(三) 證券投資信託事業**運用每一證券投資信託基金**，應依主管機關規定之格式及內容於每**會計年度終了後二個月內**，編具年度財務報告；於每月終了後十日內編具月報，向主管機關申報。

(四) 證券投資信託事業就每一證券投資信託基金之資產，應依主管機關所定之比率，以下列方式保持之：

1. 現金。
2. 存放於銀行。
3. 向票券商買入短期票券。
4. 其他經主管機關規定之方式。

(五) 證券投資信託基金投資所得依契約分配收益，應於會計年度終了後六個月內分配之，並應於契約內明定分配日期。

牛刀小試

( ) 1 證券投資信託事業經核發營業執照後，應於首次募集基金案件經核准函送達日起多久內開始募集？多久內募集成立該基金？ (A)三個月；三十天 (B)三個月；四十五天 (C)六個月；三十天 (D)六個月；四十五天。 【107年第4次高業】

( ) 2 證券投資信託事業經核發營業執照後，應於一個月內申請募集基金，其最低成立金額為： (A)五十億元 (B)十五億元 (C)二十億元 (D)三十億元。 【105年第4次高業】

( ) 3 下列有關證券投資信託事業運用募集證券投資信託基金應遵守之規範，何者為非？ (A)得投資於上櫃公司股票 (B)得投資於本證券投資信託事業或與本證券投資信託事業有利害關係之公司所發行之證券 (C)不得對於本證券投資信託事業經理之各基金間為證券交易行為 (D)不得從事證券信用交易。

( ) 4 證券投資信託事業募集之基金，投資於任一上市上櫃公司股票之股份總額，不得超過該公司已發行股份總數之多少？ (A)百分之一 (B)百分之五 (C)百分之十 (D)百分之二十。

( ) 5 證券投資信託事業運用證券投資信託基金為有價證券之買賣，應依據投資分析報告作成投資決定，並按月提出書面檢查報告，其書面資料之保存期間： (A)不得少於三年 (B)不得少於五年 (C)應依商業會計法規定保存十年 (D)以上皆非。

( ) 6 下列何者，除經金融監督管理委員會核准外，不得擔任基金保管機構？ (A)投資於證券投資信託事業已發行股份總數百分之八股份之銀行 (B)證券投資信託事業持有其已發行股份總數百分之五股份之銀行 (C)由證券投資信託事業或其代表人擔任董事或監察人之銀行 (D)選項(A)(B)(C)皆不適宜擔任保管機構。 【107年第1次高業】

( ) **7** 證券投資信託事業，應按下列時間，公告募集之證券投資信託基金每受益憑證單位之淨資產價值？ (A)每一營業日 (B)每二營業日 (C)每一月 (D)每一季。 【109年第3次高業】

解答與解析

1 (C)。投信經核發營業執照後，應於核准函送達日起六個月內開始募集，並於三十天內募集成立該基金。

2 (C)。首次募集的證券投資信託基金最低成立金額為新臺幣二十億元。

3 (B)。證券投資信託事業「不得」投資於本證券投資信託事業或與本證券投資信託事業有利害關係之公司所發行之證券。

4 (C)。基金投資於任一上市或上櫃公司股票之股份總額，不得超過該公司已發行股份總數之百分之十。

5 (B)。證券投資信託事業運用證券投資信託基金為有價證券之買賣，應按月提出書面檢查報告，其書面資料之保存期間不得少於五年。

6 (C)。除經金融監督管理委員會核准外，不得擔任基金保管機構如下：
(1) 投資於證券投資信託事業已發行股份總數達10%以上。
(2) 擔任證券投資信託事業董事或監察人。
(3) 證券信託投資事業持有其已發行股份數達10%以上。
(4) 由證券投資信託事業或其代表人擔任董事或監察人。
(5) 與證券投資信託是業屬於同一金融控股公司之子公司或互為關係企業。
(6) 其他經本會為保護公益規定不適合擔任基金保管機構。

7 (A)。證券投資信託事業應於每一營業日計算證券投資信託基金之淨資產價值，並於每一營業日公告前一營業日證券投資信託基金每受益權單位之淨資產價值。

重點 04

全權委託投資業務

重要度★★★

一、全權委託投資業務

「全權委託投資」即為俗稱的「代客操作」，由委任方將一筆資產（例如現金、股票、債券）委託投顧公司（受任人），由專業經理人依雙方約定條件、投資方針、可忍受的風險範圍進行投資。

二、經營全權委託投資業務之條件

(一) 證券投資信託事業申請經營全權委託投資業務，應具備下列條件：

1. 已募集成立證券投資信託基金。
2. 最近期經會計師查核簽證之財務報告每股淨值不低於面額。

(二) 證券投資顧問事業申請經營全權委託投資業務，應具備下列條件：

1. **實收資本額達新臺幣五千萬元**；**已兼營期貨顧問業務之證券投資顧問事業**申請或同時申請經營全權委託投資業務及兼營期貨顧問業務者，**實收資本額應達新臺幣七千萬元**。
2. 最近期經會計師查核簽證之財務報告每股淨值不低於面額。

三、營業保證金

證券投資信託事業或證券投資顧問事業應依下列規定提存營業保證金：

(一) 實收資本額未達新臺幣一億元者，提存新臺幣一千萬元。

(二) 實收資本額新臺幣一億元以上而未達新臺幣二億元者，提存新臺幣一千五百萬元。

(三) 實收資本額新臺幣二億元以上而未達新臺幣三億元者，提存新臺幣二千萬元。

(四) 實收資本額新臺幣三億元以上者，提存新臺幣二千五百萬元。

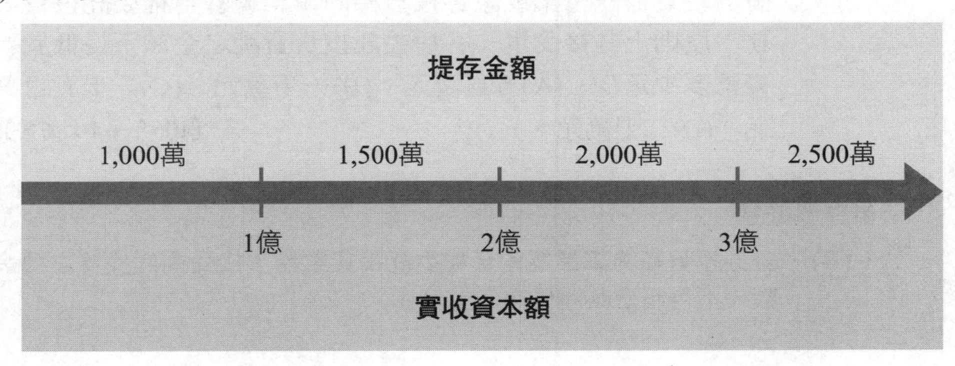

上述保證金應以現金、銀行存款、政府債券或金融債券提存，不得分散提存於不同金融機構。

四、其他規範

(一) 證券投資信託事業或證券投資顧問事業經營全權委託投資業務，其接受**單一客戶委託投資資產之金額不得低於新臺幣五百萬元**。

(二) **證券投資顧問事業經營全權委託投資業務，接受委託投資之總金額，不得超過其淨值之二十倍**。**但其實收資本額達新臺幣三億元者，不在此限**。

(三) 證券投資信託事業或證券投資顧問事業與客戶簽訂全權委託投資契約前，應有七日以上之期間，供客戶審閱全部條款內容。

(四) 經營全權委託投資業務，應每月定期編製客戶資產交易紀錄及現況報告書送達客戶。

牛刀小試

( ) **1** 證券投資顧問事業經營全權委託投資業務，其實收資本額未達三億元者，接受委託投資之總金額，其限制為： (A)不得超過淨值十倍 (B)不得超過淨值二十倍 (C)不得超過資本額十倍 (D)不得超過資本額二十倍。 【105年第2次高業】

( ) **2** 已兼營期貨顧問業務之證券投資顧問公司申請經營全權委託投資業務，最低實收資本額應達新臺幣多少元以上？
(A)一千萬元 (B)七千萬元
(C)五千萬元 (D)五百萬元。

( ) **3** 證券投資信託事業或證券投資顧問事業經營全權委託投資業務，原則上其接受單一客戶委託投資資產之金額不得低於新臺幣多少元？ (A)五百萬元 (B)一千萬元 (C)一千五百萬元 (D)二千萬元。 【106年第4次高業】

解答與解析

1 (B)。證券投資顧問事業經營全權委託投資業務，接受委託投資之總金額，不得超過其淨值之二十倍。

2 (B)。已兼營期貨顧問業務之證券投資顧問事業申請或同時申請經營全權委託投資業務及兼營期貨顧問業務者，實收資本額應達新臺幣七千萬元。

3 (A)。證券投資信託事業或證券投資顧問事業經營全權委託投資業務，其接受單一客戶委託投資資產之金額不得低於新臺幣五百萬元。

精選試題

( ) **1** 證券投資信託事業經核准且開始募集首支證券投資信託基金，必須於下列何項之期限內募集成立該基金，否則主管機關得撤銷營業之核准？
(A)三十日 (B)四十日 (C)六十日 (D)九十日。【106年第1次高業】

( ) **2** 證券投資信託事業募集之基金，投資於任一公司所發行無擔保公司債之總額，不得超過該公司所發行無擔保公司債總額之多少？
(A)百分之二十
(B)百分之十
(C)百分之五
(D)百分之一。【108年第2次證券投資分析人員】

( ) **3** 證券投資信託事業運用證券投資信託基金投資有價證券及從事證券相關商品之交易，下列何者錯誤？ (A)應依據投資或交易分析報告做成投資或交易決定 (B)應依據投資或交易決定書交付執行，並做成投資執行紀錄 (C)投資執行紀錄應記載實際投資或交易標的之種類、數量、價格及時間，並說明投資或交易差異原因 (D)有關投資分析報告、投資決定書及執行紀錄等書面資料之保存期限為三年。【108年第3次高業】

( ) **4** 證券投資信託事業運用募集之證券投資信託基金，下列那一項為禁止行為？ (A)投資於上市股票 (B)認購已上市公司增資股票 (C)從事信用交易 (D)認購已上櫃公司增資股票。【102年第3次高業】

( ) **5** 證券投資信託事業募集之證券投資信託基金，與證券投資信託事業及基金保管機構之自有財產，應如何處理？ (A)混合列帳 (B)分別獨立 (C)合併計算 (D)形式區分。 【102年第4次高業】

( ) **6** 證券投資信託事業就其自有財產所負債務，其債權人之求償權利如何行使？ (A)債權人應就證券投資事業之自有資產與基金資產擇一求償 (B)債權人須先就證券投資事業之自有資產求償後，始能就基金資產求償 (C)債權人只能就證券投資事業之自有資產與基金資產，比例求償 (D)債權人不得就基金資產求償。

( ) **7** 證券投資顧問事業為廣告、公開說明會及其他營業促銷活動，製作之宣傳資料、廣告物及相關紀錄應保存幾年？ (A)二年 (B)五年 (C)十年 (D)十五年。

( ) **8** 證券投資顧問事業最低實收資本額為：
(A)新臺幣五千萬元 (B)新臺幣三千萬元 (C)新臺幣二千萬元 (D)新臺幣一千萬元。 【105年第4次高業】

( ) **9** 證券投資顧問事業提供投資分析建議時，應做成投資分析報告，報告之副本及紀錄應自提供之日起，保存多久的時間？ (A)三年 (B)五年 (C)一年 (D)十年。

( ) **10** 因犯詐欺罪受有期徒刑一年以上刑之宣告，服刑期滿未超過幾年者，不得為證券投資顧問事業之負責人？ (A)一年 (B)二年 (C)三年 (D)四年。

( ) **11** 證券投資信託事業應於每會計年度終了後多少個月內，公告並向行政院金融監督管理委員會申報經會計師查核簽證、董事會通過及監察人承認之年度財務報告？ (A)三個月 (B)四個月 (C)五個月 (D)六個月。 【100年第1次分析師】

( ) **12** 證券投資信託事業運用每一證券信託基金，應於每會計年度終了後幾個月內，編具年報？並經何機構簽署後予以公告？ (A)一個月；投信投顧公會 (B)二個月；基金保管機構 (C)二個月；投信投顧公會 (D)四個月；基金保管機構。

( ) **13** 受「證券投資信託及顧問法」第一百零三條第二款或第一百零四條解除職務之處分者，幾年內不得充任證券投資信託事業與證券投資顧問事業之發起人、負責人及業務人員？ (A)二年 (B)三年 (C)五年 (D)七年。 【106年第2次分析師】

( ) **14** 證券投資信託基金所買入之有價證券，應登記為： (A)基金保管機構名義下基金專戶 (B)證券投資信託事業名義下專戶 (C)各受益憑證持有人名義下專戶 (D)以上皆非。 【100年第2次高業】

( ) **15** 證券投資信託事業所經理投資國內之公募基金，應自受益人買回受益憑證請求到達之次一營業日起幾日內，給付買回價金？
(A)二個營業日 (B)三個營業日
(C)四個營業日 (D)五個營業日。 【102年第3次高業】

( ) **16** 受益憑證之買回價格，以請求買回書面到達證券投資信託事業或其代理機構何時之基金淨資產核算？ (A)到達前一營業日 (B)到達當日或次一營業日 (C)到達次二營業日 (D)到達日起計算之第三日。 【106年第1次高業】

( ) **17** 證券投信事業之董事、監察人或經理人，除經主管機關豁免規定外，不得從事下列何項之行為？
(A)投資於其他證券投資信託事業
(B)擔任其他投信事業或證券商之董事、監察人或經理人
(C)擔任投信基金所購入股票發行公司之董事、監察人或經理人
(D)以上皆不可。

( ) **18** 證券投資信託事業除專業發起人外，每一股東與其關係人及股東利用他人名義持有股份，合計不得超過已發行股份百分之幾？
(A)10% (B)15% (C)25% (D)30%。 【103年第3次高業】

( ) **19** 證券投資信託事業的業務範圍為： (A)發行受益憑證募集證券投資信託基金 (B)運用證券投資信託基金從事證券投資 (C)全權委託投資業務 (D)以上皆是。

( ) **20** 我國證券投資信託事業所核准經營之業務「不」包括以下何者？(A)發行受益憑證募集證券投資信託基金 (B)接受客戶全權委託投資業務 (C)運用證券投資信託基金從事證券及其相關商品之投資 (D)開發並發行認購權證。

( ) **21** 投信或投顧經營全權委託業務，須增提營業保證金，實收資本額新臺幣二億元以上，而未達新臺幣三億元者，應增提多少金額？
(A)一千萬元　(B)二千萬元
(C)三千萬元　(D)五千萬元。 【110年第1次高業】

( ) **22** 下列何者為證券投資顧問事業申請經營全權委託業務須符合之條件？ (A)實收資本須達五千萬元，同時申請經營全權委託投資業務及兼營期貨顧問業務者，實收資本額應達新臺幣七千萬元 (B)最近三年未曾受金融監督管理委員會警告之處分 (C)營業滿一年 (D)選項(A)(B)(C)皆是。

解答與解析

1 **(A)**。證券投資信託事業經核准且開始募集首支證券投資信託基金，必須於三十日內募集成立該基金。

2 **(B)**。每一基金投資於任一公司所發行無擔保公司債之總額，不得超過該公司所發行無擔保公司債總額之百分之十。

3 **(D)**。有關投資分析報告、投資決定書及執行紀錄等書面資料之保存期限為五年。

4 **(C)**。證券投資信託事業運用證券投資信託基金，不得：(1)指示基金保管機構為放款或提供擔保。(2)從事證券信用交易。(3)與本證券投資信託事業經理之其他證券投資信託基金間為證券交易行為。(4)指示基金保管機構將基金持有之有價證券借與他人。

5 **(B)**。證券投資信託事業依法規以自己名義為投資人取得之資產，與證券投資信託事業或證券投資顧問事業之自有財產，應分別獨立。

6 **(D)**。證券投資信託事業或證券投資顧問事業就其自有財產所負債務，其債權人不得對前項資產，為任何之請求或行使其他權利。

7 **(A)**。證券投資顧問事業為廣告、公開說明會及其他營業促銷活動，製作之宣傳資料、廣告物及相關紀錄應至少保存二年。

8 (C)。證券投資顧問事業最低實收資本額為新臺幣二千萬元。

9 (B)。證券投資顧問事業提供投資分析建議時，應做成投資分析報告，報告之副本及紀錄應自提供之日起，至少保存五年。

10 (B)。因犯詐欺罪受有期徒刑一年以上刑之宣告，服刑期滿未超過二年者，不得為證券投資顧問事業之負責人。

11 (A)。證券投資信託事業及證券投資顧問事業，應於每會計年度終了後三個月內，公告並向主管機關申報經會計師查核簽證、董事會通過及監察人承認之年度財務報告。

12 (B)。證券投資信託事業運用每一證券投資信託基金，應依主管機關規定之格式及內容於每會計年度終了後二個月內，編具年度財務報告；並經基金保管機構簽署後予以公告。

13 (B)。受證券投資信託及顧問法解除職務之處分者，三年內不得充任證券投資信託事業與證券投資顧問事業之發起人、負責人及業務人員。

14 (A)。證券投資信託事業運用證券投資信託基金所持有之資產，應以基金保管機構之基金專戶名義登記。

15 (D)。受益人請求買回受益憑證後，證券投資信託事業應於請求到達之次一營業日起五日內給付買回價金。

16 (B)。受益憑證之買回價格，以買回請求到達證券投資信託事業或其代理機構之到達當日或次一營業日的基金淨資產核算。

17 (D)。證券投信事業之董事、監察人或經理人不得投資於其他證券投資信託事業、不得擔任其他投信事業或證券商或投信基金所購入股票發行公司之董事、監察人或經理人。

18 (C)。證券投資信託事業之股東，除專業發起人外，每一股東與其關係人及股東利用他人名義持有股份合計，不得超過該公司已發行股份總數百分之二十五。

19 (D)。投信的業務範圍包含一、證券投資信託業務。二、全權委託投資業務。三、其他經主管機關核准之有關業務。

20 (D)。僅證券商及銀行得發行認購權證。

21 (B)。投信或投顧經營全權委託業務，須增提營業保證金，實收資本額新臺幣二億元以上，而未達新臺幣三億元者，應增提二千萬元。

22 (A)。僅選項(A)為投顧公司申請經營全權委託業務須符合之條件。

第八章 仲裁與常考罰則

依據出題頻率區分，
屬：**B** 頻率中

由於有價證券交易流程繁雜，難免有發生爭議之時。若每次發生爭端便採取訴訟途徑，不僅浪費司法資源，過程亦耗費時力；故本章首先介紹倘遇有價證券交易發生爭議時，其訴訟外的解決方式——仲裁。

而本章的重點2則直接列舉證券商高級業務員測驗中常考的法條，於考前務必熟讀之。

重點01 仲裁

重要度★★★

一、強制仲裁／任意仲裁

(一) 證券商與證券商間，若交易有價證券發生爭議，應**強制仲裁**。

(二) 證券商證券交易所間，若交易有價證券發生爭議，應**強制仲裁**。（但在仲裁前得先請證券商業同業公會進行仲裁前之調解）

(三) 其餘狀況（如投資人與證券商間），若交易有價證券發生爭議，得依約進行仲裁（任意仲裁）。

> **小叮嚀**
> 證券商與證券交易所、或證券商之間，未先進行仲裁而提起訴訟時，對造得請求法院駁回訴訟。

二、仲裁人

(一) 仲裁契約應約定仲裁人或訂明選定仲裁人方式。

(二) 若仲裁契約未約定仲裁人及選定方法，應由雙方當事人各選一仲裁人、再由雙方選出之仲裁人共同推出第三仲裁人為主任仲裁人。

(三) 不能依協議推定另一仲裁人時，由主管機關依申請或以職權指定。

三、仲裁判斷

(一) 仲裁判斷書為迅速簡便之訴訟外解決紛爭方法。

(二) 仲裁人應於六個月內做成仲裁判斷書。

(三) **仲裁人之判斷與法院之確定判決有相同效力**。

(四) 證券商對仲裁之判斷延不履行時，主管機關得以命令**停止業務**。

重點02 常考罰則

重要度★★★

罰則	違反事項
一、五年以下有期徒刑，併科新臺幣一百萬元以上五千萬元以下罰金	(一)**未經主管機關許可，經營證券投資信託業務、證券投資顧問業務、全權委託投資業務或其他應經主管機關核准之業務**。 (二)在中華民國境內從事或代理募集、銷售境外基金。
二、三年以上十年以下有期徒刑，得併科新臺幣一千萬元以上二億元以下罰金	(一)**內線交易**。 (二)操縱市場行為（例如投顧於電視宣傳明牌、串聯其他主力聯合炒股、散布流言、不履行交割義務足以影響市場秩序）。
三、一年以下有期徒刑、拘役或科或併科新臺幣一百二十萬元以下罰金	未依法於集中市場買賣者。
四、處罰新臺幣二十四萬元以上二百四十萬元以下罰金	(一)證券經紀商接受全權委託。 (二)公開發行公司對於其董事、監察人、經理人及大股東持股，並未依於每月十五日以前，彙總向主管機關申報其異動。 (三)募集有價證券，未先向認股人交付公開說明書。
五、五年以下有期徒刑、拘役或科或併科新臺幣二百四十萬元以下罰金	證券交易所之董事、監察人或受僱人，對於職務上之行為，要求期約或收受不正利益。
六、七年以下有期徒刑，得併科新臺幣三百萬元以下罰金	證券交易所之董事、監察人或受僱人，對於「違背職務之行為」，要求期約或收受不正利益。 證券投資信託事業、證券投資顧問事業之董事、監察人、經理人或受僱人，對於違背職務之行為，要求、期約、收受財物或其他不正利益。

精選試題

( ) **1** 因有價證券交易而產生之爭議，何者不適用強制仲裁之規定？
(A)證券商與投資人之間
(B)證券商與證券商之間
(C)證券交易所與證券商之間
(D)一律適用強制仲裁。【107年第3次高業】

( ) **2** 對於證券交易所會員間或證券商間，因有價證券集中交易所生之爭議，證券交易所得請何單位為仲裁前之和解？
(A)中華民國仲裁協會
(B)證券商業同業公會
(C)行政院金融監督管理委員會
(D)證券暨期貨市場發展基金會。

( ) **3** 證券商與證券交易所或證券商相互間，依證券交易法所為有價證券交易所生之爭議，爭議當事人之一造如未依證券交易法規定進行仲裁，另行提起訴訟時，他造得請求法院如何處理？ (A)損害賠償 (B)停止訴訟 (C)駁回訴訟 (D)不予受理。【106年第3次分析師】

( ) **4** 證券商與證券交易所之間因證券交易而產生之爭議，其仲裁方式為？ (A)強制仲裁 (B)約定仲裁 (C)任意仲裁 (D)協議仲裁。【107年第3次高業】

( ) **5** 有關證券交易爭議之仲裁，下列敘述何者正確？ (A)是一種訴訟外解決紛爭之方法 (B)仲裁進行程序當事人得約定 (C)可區分為任意仲裁及強制仲裁 (D)選項(A)(B)(C)皆是。

( ) **6** 證券商對仲裁之判斷延不履行時，得如何處理之？
(A)主管機關得訂一期限要求履行，未履行者廢止其營業之許可
(B)主管機關得聲請強制執行
(C)主管機關得以命令停止業務
(D)相對人得另行請求仲裁。

解答與解析

1 **(A)**。證券商與投資人之間若因有價證券交易而產生爭議，採任意仲裁。

2 **(B)**。證券商之間若交易有價證券發生爭議，應強制仲裁；但在仲裁前得先請證券商業同業公會進行仲裁前之調解。

3 **(C)**。證券商與證券交易所、或證券商之間，未先進行仲裁而提起訴訟時，對造得請求法院駁回訴訟。

4 **(A)**。證券商與證券交易所之間因證券交易而產生之爭議，應強制仲裁。

5 **(D)**。以上敘述皆正確。

6 **(C)**。證券商對仲裁之判斷延不履行時，主管機關得以命令停止業務。

第九章 證券交易實務

依據出題頻率區分，屬：A 頻率高

儘管近二年全球面對中美貿易戰、英國脱歐、東亞地緣政治等問題，各國股市仍不斷創歷史新高，臺股亦已站穩萬點甚久，顯示許多投資人對各經濟體成長的看好。

以下將介紹投資人進行證券交易的基礎流程，包含開戶、下單、撮合等實務細節；以及掛單方式、各金融商品漲跌幅限制等規範。

重點 證券交易的基礎流程 重要度★★★

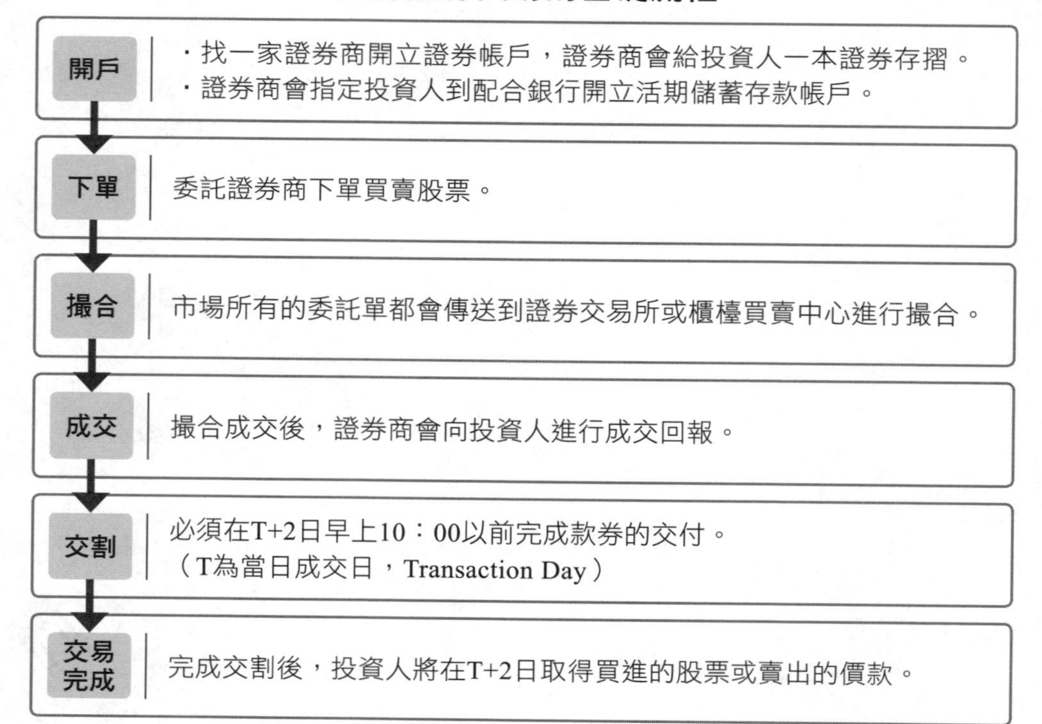

一、開戶

(一) 投資人需親臨證券商開戶

民眾須備妥證件，親臨證券公司進行開戶，相關開戶文件需要投資人親簽以及用印，以確保維護投資人權益。

(二) 填寫開戶契約

投資人須開立兩個帳戶，分別為：

1. **集保帳戶**：集保帳戶即為證券商的股票帳戶，早期臺股投資者是可以拿到實體股票的，但因容易發生遺失，甚至挪用、盜賣等人為弊端，後來便有臺灣集中保管結算所統一保管上市櫃公司之有價證券，並非把股票存在銀行或證券商。當投資人於券商買賣股票時，便會在集保帳戶中進行登載紀錄，透過集保存摺辦理股票交割，無須動用到實體股票。
2. **銀行劃撥帳戶**：當投資人在證券商買入股票，需交付股票交割款，「銀行劃撥帳戶」即為股票交割撥款的專款專用的銀行帳戶。

(三) 開戶所需證件

1. **自然人**：若年滿18歲之中華民國國民，由本人親持身分證正本及第二證件。若為未成年人，需準備委託人及法定代理人之身分證正本及第二證件，開戶契約須需加填法定代理人代理開戶授權書和委任授權暨受任承諾買賣國內有價證券授權書。
2. **大陸地區人民**：大陸地區人民只准受託賣出，不得受託買入。

> **小叮嚀**
> 委託人未申請身分證者，可用戶口名簿或戶籍謄本辦理。

(四) 禁止開戶之情形

1. 未成年人未經法定代理人之代理者。
2. <u>**證券主管機關及臺灣證券交易所職員雇員**</u>。
3. 受監護或輔助宣告尚未撤銷者。
4. 受禁治產之宣告未經法定代理人之代理者。
5. 法人委託開戶未能提出該法人授權開戶之證明者。
6. 證券自營商未經主管機關許可者。
7. 因證券交易違背契約，經臺灣證券交易所或櫃檯買賣中心轉知各證券經紀商後，未結案且<u>**未滿五年者**</u>。
8. 因違反證券交易法或偽（變）造上市、上櫃有價證券案件，經檢察機關提起公訴尚在審理中，或經法院諭知有罪判決確定<u>**未滿五年**</u>。

9. 因違背期貨交易契約未結案且未滿五年者，或違反期貨交易管理法令，經司法機關有罪之刑事判決確定**未滿五年者**。

知識補給站

若投資人**欲於股市中多空雙向操作、或擴大財務槓桿，須辦理信用交易**，信用交易帳戶開立條件如下：

1. 年滿20歲且有行為能力之中華民國國民。
2. 開立普通受託買賣帳戶滿三個月。
3. 最近一年內委託買賣成交十筆以上，累積成交金額達所申請融資額度之百分之五十。
4. 最近一年之所得與各種財產合計達所申請融資額度之百分之三十。

牛刀小試

( ) **1** 證券經紀商受理大陸地區人民開立之帳戶，可受託何種買賣？
(A)可自由買賣上市股票
(B)可自由買賣上櫃股票
(C)僅得受託買入，不得受託賣出
(D)僅得受託賣出，不得受託買入。 【106年第2次高業】

( ) **2** 曾因證券交易違背契約，或因偽造上市有價證券案件經法院諭知有罪判決確定，須滿幾年始得再行開戶買賣上市證券？
(A)一年 (B)二年 (C)三年 (D)五年。 【108年第2次高業】

解答與解析

1 (D)。根據臺灣證券交易所股份有限公司營業細則第77-2條，大陸地區人民只准受託賣出，不得受託買入。

2 (D)。因違反證券交易法或偽（變）造上市、上櫃有價證券案件，經檢察機關提起公訴尚在審理中，或經法院諭知有罪判決確定未滿五年者，不得申請開戶進行有價證券之買賣。

二、下單

(一) 下單管道

	網路下單	語音按鍵下單	透過營業員下單
特點	因可省下證券商之人力成本，故網路下單之手續費低廉	被網路下單取代，逐漸式微	致電所屬營業員以進行下單

(二) 下單條件設定

1. 單筆委託不可大於499張。
2. 證券商當日輸入委託或自行買賣申報總額，若超過其可動用資金淨額的**二十倍**時，證券交易所即可停止其輸入買賣申報。
3. 委託交易可選擇「限價委託」、「市價委託」兩種價格條件。

限價委託 Limit order	投資人自行決定買賣價格，成交價與客戶指定價間為買低賣高；例如：王小明以限價85元買進A公司股票，最後成交價會在45元或45元以下。
市價委託 Market order	若投資人沒有指定買進或賣出價格，則依當時市場的成交價進行撮合交易。掛入市價單的優點為成交迅速，缺點則是快市時，滑價容易過大。

4. **升降單位**：我國市場升降單位可依證券種類不同，區分為七類
   (1) **政府公債、公司債：升降單位為0.05元之單一固定方式**。
   (2) **外國債券**：升降單位為0.05貨幣單位之單一固定方式。
   (3) **中央登錄公債**：升降單位為0.01元之單一固定方式。
   (4) **轉換公司債及附認股權公司債**：分為三個級距，未滿一百五十元者其升降單位為五分，一百五十元至未滿一千元者為一元，**一千元以上者為五元**。
   (5) **股票指數型基金（ETF）**：採二個級距方式，未滿五十元者其升降單位為一分，五十元以上者為五分。
   (6) **股票、債券換股權利證書、受益憑證、存託憑證、外國股票、新股權利證書、股款繳納憑及附認股權特別股：則採六個級距方式**。

新制	升降單位
0.01元～10元	0.01元
10元～50元	0.05元
50元～100元	0.10元
100元～500元	0.50元
500元～1000元	1.00元
1000元以上	5.00元

(7)**認購（售）權證**：採五個級距方式。

5. **漲跌停限制：**

(1)股票、第一上市外國股票、受益憑證、存託憑證、轉換公司債暨債券換股權利證書：10%。

(2)債券：5%。

(3)外國股票第二上市、新上市普通股首五日、國外成分證券指數股票型基金受益憑證（ETF）、國外槓桿反向ETF：無漲跌幅度限制。

(4)**認購售權證**：漲跌幅依標的證券計算，標的證券漲跌幅限制10%。

例 甲股票價格一百元，認售權證二十元，則認售權證之漲跌上限為？

答 甲股票100元，其漲跌幅限制＝100×10%＝10元

⇒認購售權證之漲跌幅依標的證券計算，故亦為10元。

6. **除權息參考價：**

(1)**除息參考價＝除息前一天收盤價－配息金額**

例 除息前一天收盤價為100元，現金股息4元，則：

除息參考價＝100－4＝96元

(2)**除權參考價＝除權前一天收盤價÷（1＋配股率）**

例 除權前一天收盤價為100元，股票股利是2.5元，則：

除權參考價＝100÷（1＋0.25）＝80元

(3)上述例子若同時除權息，則參考價＝（100－4）÷（1＋0.25）＝76.8元

牛刀小試

( ) **1** 以下何者不是目前證券商可以接受的有價證券買賣委託方式？甲：口頭委託他人，乙：電報，丙：全權委託，丁：網際網路 (A)乙、丁 (B)甲、乙 (C)甲、丁 (D)甲、丙。

( ) **2** 證券經紀商於集中市場（臺灣交易所）受託為限價委託買進時： (A)僅得於限價之價格成交 (B)僅得於低於限價之價格成交 (C)僅得於限價以上之價格成交 (D)得在限價或低於限價之價格成交。

( ) **3** 申報買賣價格之升降單位，臺灣證券交易所規定股票每股市價十元至未滿五十元者為： (A)五分 (B)一元 (C)五角 (D)一角。

( ) **4** 所謂除權參考價，即以： (A)除權當日開盤價減權值 (B)除權前一日收盤價加權值 (C)除權當日收盤價減權值 (D)除權前一日收盤價減權值。 【104年第1次高業】

( ) **5** A股除權前一營業日收盤價60元，無償配股每股2元，則除權參考價為： (A)58元 (B)50元 (C)48元 (D)40元。

解答與解析

1 (D)。目前證券商可接受的委託下單方式有：網路下單、語音按鍵下單、透過營業員下單。

2 (D)。限價單之成交價位必須優於投資人之設定，故限價委託買進時，得在限價或低於限價之價格成交。

3 (A)。股票每股市價十五元至未滿五十元之升降單位為五分。

4 (D)。除權參考價即除權前一日收盤價減權值。

5 (B)。無償配股率＝股票股利／10（面額）＝2／10＝0.2
除權參考價＝除權前一日收盤價／（1＋無償配股率）
＝60／（1＋0.2）＝50

三、撮合

(一) 撮合方式

過去我國集中交易市場，是採「集合競價」方式，然隨著與國際市場接軌，臺灣證券交易所預定自2020年3月23日起，臺股盤中撮合方式將從集合競價（Call Auctions）改成逐筆交易（Continues Trading）。

1. **集合競價：**
   (1) **撮合方式：**集合競價是將同時段所有價位的委託買賣單集合在一起，**並取最大成交量為成交價位**。每一盤在價格決定時，都互為獨立，彼此價格並無必然關係。集合競價撮合循環秒數，從最初25秒一盤，後隨著硬體設備的進步逐漸縮短，目前為每5秒撮合一次。
   (2) **撮合成交順序：**「價格優先、時間優先」。
   (3) 我國上市（櫃）股票目前均採「集合競價」撮合方式。

範例

買進		賣出	
價格	張數	價格	張數
60.3	200	60.5	200
60.2	300	60.4	100
60.1	300	60.3	300
60.0	600	60.2	200
59.9	400	60.1	100

60.1元可成交張數：100張

60.2元可成交張數：300張

60.3元可成交張數：200張

60.0元、59.9元、60.4元、60.5元：無法成交

→60.2元可以滿足最大成交量，故為本次撮合成交價。

2. **逐筆交易：**
   (1) **撮合方式：**收到委託單後立刻撮合，所有未成交的委託都按價格排序，當收到委買單時，由價格最低的委賣單依序成交；當收到委賣單時，價格愈高的優先成交。
   (2) **撮合成交順序：**首重價格優先、再來才是時間優先。
   (3) **除限價單之外，增加市價單：**委託單期限除了當日有效之外，增加了立即成交或取消（IOC）以及全部成交或取消（FOK）。

知識補給站

當日委託有效單（Rest of Day, ROD）	送出委託之後，投資人只要不刪單且直到當日收盤前，此張單子都是有效的。
立即成交否則取消（Immediate-or-Cancel, IOC）	投資人委託單送出後，允許部分單子成交，其他沒有滿足的單子則取消。
立即全部成交否則取消（Fill-or-Kill, FOK）	當投資人掛單的當下，只要全部的單子成交，沒有全部成交時則全部都取消。

範例

買進		賣出	
價格	張數	價格	張數
60.3	200	60.5	200
60.2	300	60.4	100
60.1	300	60.3	300
60.0	600	60.2	200
59.9	400	60.1	100

有一筆60.4元200張的單子掛入，
此時會有100張全部以60.4元成交，另有100張以60.3元成交。
→逐筆競價的成交價可能有多個（集合競價只會有一個成交價）

牛刀小試

( ) 集中交易市場採逐筆交易之時段為： (A)開盤 (B)盤中 (C)收盤 (D)以上皆是。 【109年第4次高業】

解答與解析

(B)。集中交易市場採逐筆交易之時段為：盤中。

四、成交

現行法規規定，證券商應於**每月10日以前**，將前一月份有證券交易成交之投資人，依帳戶別寄發**月對帳單**供投資人核對，除有錯誤能即早發現外，亦希望降低成為人頭帳戶的風險。

一般投資人皆可申請改採以電子郵件方式，取代寄送實體紙本對帳單。惟有一個例外必須郵寄紙本對帳單，即投資人簽訂授權書委託他人下單月成交金額在1,000萬元以上，證券商仍須郵寄實體對帳單。

五、交割

(一) 什麼是股票交割

股票交割是買賣股票成交後，一手交錢一手交貨的過程。簡單來說，即投資人於買進股票成交後，須付出交割所需款項，方能獲取所買的股票；同樣地，投資人在賣出股票且成交後，須交付賣出的股票，方能獲取應得的款項。

(二) 如何交割股票

現在因證券的收付及交割作業，均委由券商及集保中管結算所辦理，故交割手續已經十分簡便，投資人只要在證券商的辦理開戶，券商都會為投資人處理交易的所有交割手續。

(三) 股票交割時間點

1. 投資人對證券商款券交割截止時點

	時間點
付券	T＋2日上午10時
付款	T＋2日上午10時

2. 證券商對證交所款券交割截止時點

	時間點
付券	T＋2日上午10時
付款	T＋2日上午11時

(四) **交割種類**

1. **普通交割**：證券商在成交日後的第二營業日（T＋2）進行交割。

2. **餘額交割**：

(1)若投資人透過同一券商、同一證券交易帳戶，則**當日買賣的股票可以用買賣相抵後的價金餘額辦理交割**，此即稱為「餘額交割」。

(2)**例如**：王小明今日在A券下單買進500萬元的股票，並另有賣出300萬元的股票，則成交日後的第二個營業日（T＋2）時，王小明的銀行交割帳戶僅備有200萬元（500萬－300萬）的現金以供扣款。但如果王小明是透過不同的券商買／賣股票，則會因為需分別辦理交割，故兩家證券商間的款項不能以買賣相抵後的餘額辦理交割。

3. **全額交割**：

(1)一般股票的買賣，通常是先成交、再進行交割。但投資人買進全額交割股時，需先繳交全額股款，經紀商才會接受委託代為買進；賣出時亦須先繳交股票，經紀商才會接受委託代為賣出，且不接受信用交易。

(2)「全額交割」指投資人不可以將同一天買賣相同標的股票總張數相互沖抵，必須把每筆交易的股票或現金集中送到交易所清算組交割。

(3)通常證交所會對營運可能出問題的公司，強制採取全額交割的方式，用意在限制股票過度流通。

(五) **違約交割**

根據「臺灣證券交易所股份有限公司證券經紀商受託契約準則」，若投資人在股票成交後無法履行交割義務，券商可以以成交金額的7%向投資人收取違約金，甚至可以將投資人在集保帳戶中的其他股票自行賣出以償還違約債務和費用。

另外違約交割的投資人會被註銷委託買賣帳戶，且五年內證券商應拒絕接受其申請開戶，已開戶者亦應拒絕接受委託買賣或申購有價證券，故投資人不得不慎交割帳戶的資金水位是否足夠，避免陷入違約交割的窘境。

重點回顧

撮合方式

	逐筆交易（現行交易制度）	集合競價（舊制）
撮合方式	買賣委託隨到隨撮，可立即成交	累積一段時間（現行為5秒）之委託後始進行撮合處理
價格形成	依已下單的對手方價格依序成交，一筆委託可能於瞬間產生多個成交價量資訊	滿足最大成交量之委託價為成交價，只有單一成交價格
資訊揭示速度	快	慢

每日漲跌幅限制

證券種類	**升降幅度**
股票、**外國股票第一上市**、受益證券、存託憑證、國內成分證券指數股票型基金受益憑證（ETF）、債券換股權利證書、新股權利證書、股款繳納憑證、轉換公司債、國內成分指數投資證券（ETN）等	漲或跌至當日開盤競價基準10%
公司債	漲或跌至當日開盤競價基準5%
中央登錄公債、**外國債券、外國股票第二上市、新上市普通股首五日**、國外成分證券指數股票型基金受益憑證（ETF）、追蹤國外商品期貨指數之指數股票型期貨信託基金受益憑證（ETF）、境外指數股票型基金受益憑證（ETF）	**無漲跌幅**

精選試題

( ) 1 只准受託賣出，不得受託買入之帳戶為： (A)華僑 (B)外國人 (C)大陸地區人民 (D)證券商之董事人、監察人。【106年第2次高業】

( ) 2 曾因證券交易違背契約未結案，或因偽造上市有價證券案件經法院諭知有罪判決確定者，須滿幾年始得再行開戶買賣上市證券？ (A)二年 (B)三年 (C)五年 (D)七年。【105年第4次高業】

( ) 3 依現行集中市場交易制度，下列敘述何者有誤？ (A)市價係指委託人未限定價格，得在該有價證券當日升降幅度內成交 (B)限價買進時，可成交之最高價即限價 (C)當日有效報價若未能一次全部成交，即取消該筆交易 (D)以上皆正確。【109年第1次高業】

( ) 4 以下有關證券經紀商接受買賣委託之敘述，何者符合現行規定？
(A)市價委託最優先
(B)不聲明限價即為市價
(C)賣出時，不得在限價以下成交
(D)買進時，不得在限價以下成交。【102年第4次高業】

( ) 5 證券商當日輸入委託或自行買賣申報總金額，若超過其可動用資金淨額的幾倍時，證券交易所即可停止其輸入買賣申報？ (A)二十倍 (B)十五倍 (C)十倍 (D)五倍。

( ) 6 透過電腦自動成交系統買賣股票，其最高單筆可買賣股數為多少股？ (A)100千股 (B)499千股 (C)500千股 (D)1,000千股。

( ) 7 股票市價五十元至未滿一百元者，其升降單位為： (A)五分 (B)一角 (C)五角 (D)一元。【107年第3次高業】

( ) 8 買賣轉換公司債及交換公司債為一千元以上者，其升降單位為： (A)五分 (B)一角 (C)一元 (D)五元。

( ) 9 集中交易市場買賣存託憑證之申報升降單位為： (A)依該存託憑證所表彰之外國股票原流通市場之規定 (B)準用上市股票升降單位 (C)準用債券升降單位 (D)選項(A)(B)(C)皆非。【109年第1次高業】

( ) **10** 集中交易市場轉換公司債，每日市價之升降幅度為：(A)百分之一 (B)百分之七 (C)百分之十 (D)一律不予限制。【106年第2次高業】

( ) **11** 集中交易市場存託憑證每日之升降幅度為：(A)百分之七 (B)百分之十 (C)百分之十五 (D)不予限制。【106年第4次高業】

( ) **12** 下列何者具漲跌幅限制？ (A)在店頭市場買賣之外國債券 (B)中央公債 (C)店頭市場債券交易 (D)轉換公司債。【102年第2次高業】

( ) **13** 某股票除息前一日之收盤價為123元，發放現金股利每股3元，則依電腦交易除息當日漲停板價格為：(A)130元 (B)131元 (C)132元 (D)133元。

( ) **14** 股票在除權交易日前一天收盤價為90元，若盈餘轉增資配股率15%，資本公積轉增資配股率10%，則除權參考價為：(A)64元 (B)72元 (C)69.5元 (D)80元。【102年第2次高業】

( ) **15** 某股票除息前一日之收盤價格為89.5元，發放現金股息每股2.3元，則除息交易日之參考價格為：(A)87.2元 (B)89元 (C)81.5元 (D)84元。

( ) **16** 逐筆交易制度中，若委託不能全部成交時，則全數取消不予成交，此委託方式為？
(A)ROD (B)IOC
(C)FOK (D)ICO。【110年第1次高業】

( ) **17** 集中市場開盤後的撮合原則為：
(A)時間優先，其次為價格優先
(B)價格優先，其次為數量多者優先
(C)價格優先，其次為時間優先
(D)時間優先，其次為數量多者優先。

( ) **18** 在證券交易之競價制度中，允許市場在累積一段時間之買賣單後再進行撮合，每一次撮合多筆買賣單，且所有成交的委託全部以同一價格撮合。此種競價制度是指：(A)連續競價 (B)效率競價 (C)差別競價 (D)集合競價。

解答與解析

1 **(C)**。根據臺灣證券交易所股份有限公司營業細則第77-2條，大陸地區人民只准受託賣出，不得受託買入。

2 **(C)**。曾因證券交易違背契約未結案，須滿五年始得再行開戶買賣上市證券。

3 **(C)**。當日有效係指買賣申報如未能一次全部成交，其餘量未撤銷，當市有效。

4 **(C)**。賣出時，不得在限價以下成交；買進時，不得在限價以上成交。

5 **(A)**。證券商當日輸入委託或自行買賣申報總金額，若超過其可動用資金淨額的二十倍時，證券交易所即可停止其輸入買賣申報。

6 **(B)**。最高單筆可買賣股數為499千股。

7 **(B)**。股票市價五十元至未滿一百元者，其升降單位為一角。

8 **(D)**。轉換公司債及交換公司債為一千元以上者，其升降單位為五元。

9 **(B)**。根據臺灣證券交易所股份有限公司存託憑證買賣辦法，集中交易市場買賣存託憑證之申報升降單位為準用上市股票升降單位。

10 **(C)**。集中交易市場轉換公司債，每日市價之升降幅度為10%。

11 **(B)**。集中交易市場存託憑證每日之升降幅度為10%。

12 **(D)**。選項中僅轉換公司債具10%之漲跌幅限制。

13 **(C)**。除息參考價＝123－3＝120元，漲停板價格＝120×（1＋10%）＝132

14 **(B)**。除權參考價＝90／（1＋15%＋10%）＝72

15 **(A)**。除息參考價＝89.5－2.3＝87.2

16 **(C)**。FOK（Fill-or-Kill）：指「立即全部成交否則取消」，當投資人掛單的當下，只要全部的單子成交，沒有全部成交時則全部都取消。

17 **(C)**。集中市場的撮合方式為集合競價，原則為價格優先，其次為時間優先。

18 **(D)**。集合競價是將同時段所有價位的委託買賣單集合在一起，並取最大成交量為成交價位。

第十章 特殊交易制度

依據出題頻率區分，屬：A頻率高

除了一般的市場交易，證券市場中其實涵蓋許多特別的交易制度，以滿足投資人完成一般交易中無法達成的需求（例如：小資族可善用零股交易、主力或大戶可選擇鉅額交易），本章將介紹各類特殊的交易制度如下。

重點 特殊交易制度的種類 重要度★★

一、零股交易

(一) 一般股票的交易單位為1,000股，即所指的「一張」，而未滿一張即稱為零股。

(二) **制度演變**：過去一般投資人若要買賣零股，僅得於盤後時段。而後為便利社會大眾參與臺股，滿足投資人普通交易時段買賣零股之需求，證交所修訂上市股票零股交易辦法業獲金融監督管理委員會核可，**投資人自109年10月26日起**，**可於普通交易時段買賣零股**，**既有之盤後零股交易仍依原機制維持運作**。

(三) **盤中零股交易**

項目	說明
買賣申報時間	上午9時至下午1時30分。
競價方式	上午9:10起第一次撮合，進而每5秒鐘以集合競價撮合。 買賣成交優先順序： 1.價格優先原則：較高買進申報優先於較低買進申報，較低賣出申報優先於較高賣出申報。同價位之申報，依時間優先原則決定優先順序。 2.時間優先原則：第一次撮合前輸入之申報，依電腦隨機排列方式決定優先順序；第一次撮合後輸入之申報，依輸入時序決定優先順序。

項目	說明
買賣申報價格範圍及漲跌幅度	同當日普通交易（即以當日上午9時至下午1時30分大盤當日個股開盤競價基準上下10%為限）。惟新上市股票如掛牌後首五日於普通交易採無漲跌幅限制者，其零股交易該段期間買賣申報價格亦為無漲跌幅限制。
委託種類	以限價為之，且限當日有效。
收盤清盤	盤中零股交易時段未成交之委託，不保留至盤後零股交易時段。
資訊揭露	1.成交行情資訊：盤中零股自第一次撮合起，每次撮合後對外揭示成交價格及數量，以及未成交最佳5檔申報買賣價格、申報買賣數量等資訊。 2.收受買賣申報期間實施試算行情資訊：自上午9:00起第一次揭示，其後每隔5秒試算撮合後，揭露模擬成交價格、成交數量及最佳5檔申報買賣價格、申報買賣數量等資訊，至上午9:10止。
瞬間價格穩定措施	為避免因行情波動劇烈，致成交價超出投資人預期，除初次上市普通股採無升降幅度限制期間，依證交所章則規定施以延長撮合間隔時間之有價證券，及當市開盤競價基準低於一元者外，自第一次撮合成交後至申報時間截止前之一段時間（13:25），實施價格穩定措施，如每次撮合前經試算成交價格漲跌超逾前一次成交價格之上下3.5%時，證交所立即對當次撮合延緩2分鐘，並繼續接受買賣申報之輸入、取消及變更，俟延緩撮合時間終了後依序撮合成交。價格穩定措施暫緩撮合期間，每5秒揭露模擬撮合成交價、量及最佳5檔買賣價量之訊息供投資人參考。

(四) 盤中與盤後零股交易比較

1. 差異比較：

項目	盤中零股交易	盤後零股交易
實施日期	2020年10月26日	屆時仍維持運作
委託時間	9:00～13:30	13:40～14:30
競價方式	上午9:10起第一次撮合，之後每5秒鐘以集合競價撮合成交。	僅撮合一次，於14:30集合競價撮合成交。
買賣成交優先順序	(1)價格優先。 (2)同價格時間優先（第一次撮合以電腦隨機排序）。	(1)價格優先。 (2)同價格以電腦隨機排序。
資訊揭示	(1)成交資訊揭露：每盤撮合後，揭露成交價、量以及最佳5檔買賣申報價、量等。 (2)實施試算行情資訊揭露：9:00至13:30，約每5秒揭露模擬成交價、量及最佳5檔買賣申報價、量等。	買賣申報期間最後5分鐘（14:25至14:30），約每30秒揭露試算之最佳1檔買賣價格。
預收款券	併同普通交易之委託進行預收款券： (1)處置有價證券（處以預收款券者）。 (2)變更交易方法之有價證券。	(1)處置有價證券（處以預收款券者），須併同普通交易之委託進行預收款券。 (2)為避免影響既有作業，爰變更交易方法之有價證券維持盤後零股交易不預收款券。
委託方式	(1)原則：以電子式交易型態之規定辦理。 (2)例外：委託人為專業機構投資人者，得採非電子式委託。	形式不拘

項目	盤中零股交易	盤後零股交易
瞬間價格穩定措施	(1)實施時間：第一次撮合起（約9:10）至13:25。 (2)實施標準：每次撮合前經試算成交價格漲跌超逾前一次成交價格之上下3.5%。 (3)如達實施標準，當次撮合延緩2分鐘，該期間可進行新增、減量及刪除委託，俟延緩撮合時間終了以集合競價撮合成交。	無
收盤清盤	未成交委託，不保留至盤後零股交易時段。	無

2.相同：

項目	盤中零股交易	盤後零股交易
交易標的	(1)股票、TDR、ETF及受益憑證等。 (2)認購（售）權證及ETN不得進行零股交易。	
交易單位	1股～999股	
買賣申報價格範圍及漲跌幅度	同當日普通交易（即以當日上午9時至下午1時30分普通交易當日個股開盤競價基準上下10%為限）。惟新上市股票如掛牌後首五日於普通交易採無漲跌幅限制者，其零股交易該段期間買賣申報價格亦為無漲跌幅限制。	
委託種類	僅得以限價當日有效（限價ROD）進行委託。	
委託修改	可減量及取消，無法進行改價。	
交易限制	不得使用信用交易及借券賣出。	

二、鉅額交易

(一) 鉅額交易的最低數額標準如下

1. **單一證券：數量達500交易單位以上或金額達1,500萬元以上**。
2. **股票組合：**5種股票以上且總金額達1,500萬元以上。

(二) 交易時間

(1)**配對交易：**08：00～08：30及09：00～17：00

(2)**逐筆交易：**09：00～17：00

(三) **申報買賣價格範圍：**與一般交易相同。

(四) **升降單位：**一般交易漲跌停價格範圍內，**買賣價格升降單位均為0.01元**。

(五) **預收款券：**除另有規定應預收款券（如全額交割股及處置證券等）外，證券商接受鉅額買賣委託時，得視情形自行向投資人預收足額或一定成數之款券。

(六) **鉅額交易申報限制：**不得融資、融券，現股買賣不得當日沖銷。

三、盤後定價交易

證券市場多於正常交易時間以外特定時間實施盤後定價交易，提供未克參與前盤交易者再次成交機會。

(一) **制度：**盤後定價是指每日收盤後，有價證券依集中交易市場收盤價格進行交易之方式。若當日上午無成交價格產生時，則暫停該證券盤後定價交易。

(二) **買賣申報及撮合時間：**投資人可於週一至週五每日下午2：00～2：30向證券商委託買賣有價證券， 證券商受託後將買賣委託輸入本公司電腦主機，下午3：00本公司電腦會自動撮合。

(三) **買賣申報數量限制：**以一交易單位或其整倍數為限， 且一次買賣同種類有價證券之數量，仍受每筆499交易單位之限制。

牛刀小試

( ) **1** 以下關於上市股票之零股交易之敘述，何者為真？ (A)申報買賣以一股為一交易單位 (B)採電腦交易 (C)零股交易應併普通交易編製交割計算表 (D)選項(A)(B)(C)均符合現行規定。 【109年第1次高業】

( ) **2** 上市股票零股交易，下列敘述何者為非？ (A)委託人應先開立集中保管劃撥帳戶 (B)申報買賣之數量必須是一股或其倍數 (C)每筆委託買賣數量不得超過一千股 (D)零股交易於申報截止後，即以集合競價撮合成交。 【107年第1次高業】

( ) **3** 凡一次買賣同一上市證券數量相當於多少交易單位以上者，為單一證券鉅額買賣？ (A)五百 (B)五十 (C)五千 (D)一千。

( ) **4** 現行集中市場交易制度中實施所謂之「瞬間價格穩定措施」，在下列何者情況不適用？ (A)個股收盤前10分鐘 (B)個股開盤參考價低於1元者 (C)初次上市普通股採無升降幅度限制期間 (D)以上皆是。 【109年第1次高業】

解答與解析

1 (D)。上述選項皆正確。

2 (C)。每筆委託買賣數量不得超過999股。

3 (A)。數量達500交易單位以上或金額達1,500萬元以上，為鉅額買賣。

4 (D)。不執行瞬間價格穩定措施之六種例外情況如下：
(1) 上午9:00後第一次撮合。
(2) 下午13:20至13:25。
(3) 開盤競價基準為低於一元之證券。
(4) 處置證券或變更交易證券採分盤集合競價者。
(5) 認購（售）權證及認股權憑證。
(6) 適用新上市首五日無漲跌幅度限制之股票。

四、拍賣

(一) **交易時間：下午3時至4時，並於申報日成交**。

(二) **拍賣底價**：除公股釋出外，以拍賣當日開盤競價基準上下百分之十五幅度範圍內為限。

(三) 申報之買價較高者優先成交。申報之買價相同時，按各委託申報數量之比例分配至整拍賣單位為止。

(四) **申請拍賣數量限制：拍賣數量不得少於二百萬股（單位）**。但政府以其持有之證券申請拍賣者，不在此限。

牛刀小試

( ) **1** 上市股票拍賣價格的決定為： (A)最高賣價優先成交 (B)最低買價優先成交 (C)最高買價優先成交 (D)按申報數量比例分配。 【105年第1次高業】

( ) **2** 關於上市有價證券拍賣，下列何者有誤？
(A)申報之買價較高者優先成交 (B)於申報當日成交 (C)拍賣成交之價格，不受通常交易升降幅度規定之限制 (D)採人工撮合交易。 【105年第1次高業】

( ) **3** 上市有價證券拍賣競買申報之時間限於下午： (A)一時至二時 (B)三時至四時 (C)三時三十分至五時 (D)五時至六時。 【105年第1次高業】

解答與解析

1 (C)。上市股票拍賣價格的決定為最高買價優先成交。

2 (D)。應該為採電腦自動交易。

3 (B)。上市有價證券拍賣競買申報之時間為下午三時至四時。

五、有價證券借貸

所謂有價證券借貸交易，是指出借人同意將有價證券出借，並由借券人以相同種類數量有價證券返還之行為。

(一) **有價證券借貸依交易型態不同，分為下列三種：**

定價交易	採固定費率成交（年利率），**其費率由臺灣證券交易所公告之**。目前為3.5%，將定期檢討費率。

競價交易	**由借貸交易人依最高年利率16%以下，0.1%為升降單位**，自定費率委託證券商輸入出借或借券申報，經證券交易所借券系統撮合成交之借貸行為。
議借交易	借貸雙方當事人協議決定交易之所有條件，包括標的證券、數量、成交費率（**最高不得超過年利率16%，以0.01%為升降單位**）、擔保品比率、還券日期等，由證券交易所確認條件一致即通知集保公司撥券。**議借交易之借貸雙方為契約當事人**，擔保品之擔保權利歸出借人所有，擔保品條件及擔保比例由雙方議定並自行移轉，股利分派之補償及股權行使亦由雙方議定。**當借券人不履行還券義務時由出借人自行承擔風險**。

而「臺灣證券交易所借券系統」與「證券商辦理有價證券借貸」的差異可見下圖所示。

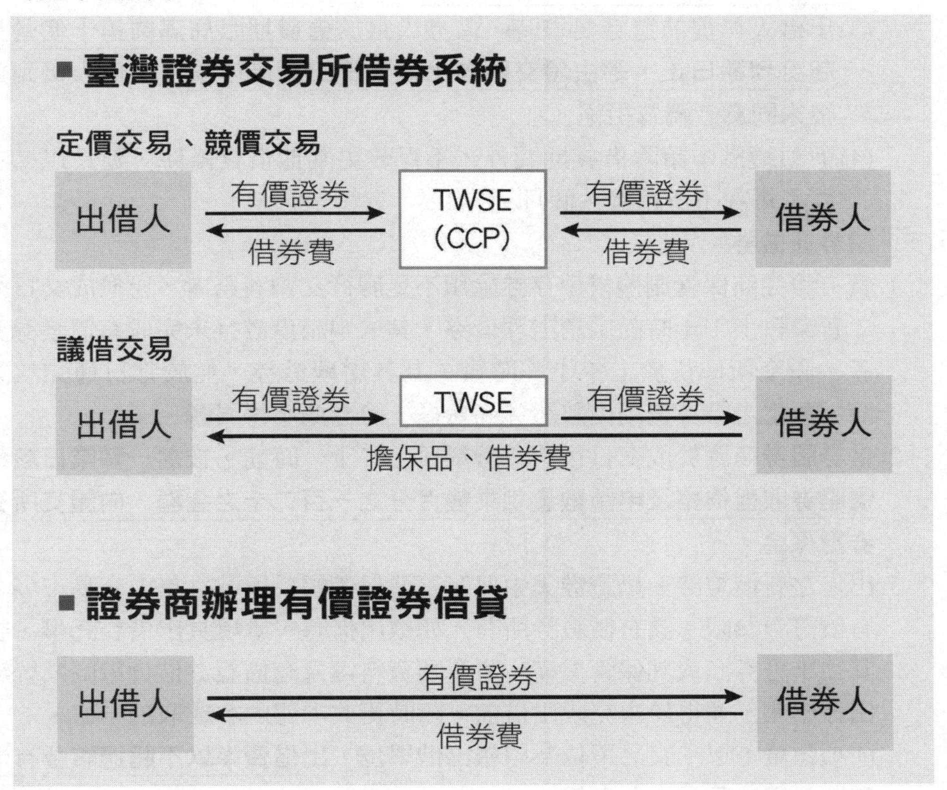

(二) 借券相關規定

1. 證交所借券系統參加人之資格：以法人或基金為限。
2. 可借貸之標的證券：得為融資融券交易之有價證券、得發行認購（售）權證之標的證券、指數股票型證券投資信託基金（ETF）之國內成分證券，及已發行下列金融商品之標的證券在我國上市（櫃）者：
   (1) 股票選擇權或股票期貨。
   (2) 海內外可轉換公司債或可交換公司債。
   (3) 海外存託憑證。
3. 證券交易所借券系統提供有價證券借貸之營業時間：上午九時至下午三時三十分止。
4. 定價、競價交易之借券申報，限當日有效，出借申報於取消前仍屬有效。
5. 借券期間：
   (1) **有價證券借貸期間，自借貸交易成交日起算，最長不得超過六個月**。
   (2) **借券人得於約定期限內隨時返還借券**。
   (3) 出借人無提前還券要求時，借券人得於**借貸期限屆滿前第十個營業日起至到期日止，經由證交所向出借人提出續借申請**，出借人接到通知後未同意者視為拒絕。
   (4) 前項續借申請除借貸期間外，不得變更其他借貸條件，延長以二次為限，每次不得超過六個月。

(三) 證券商借券

1. 賣方證券商保管劃撥帳戶存券餘額不足履行交割義務者，應於成交日後第二營業日上午十時前申請辦理借券。其未申請借券且未完成有價證券交割者，證交所即併於上午十一時後，為其辦理借券，並於當日通知該證券商，所生之借券費用由該證券商負擔，證券商不得異議。
2. **借券證券商**應於成交日後第二營業日上午十一時前，**按前一營業日該種有價證券收盤價格及申請數量相乘後百分之一百二十之金額，向證交所交借券擔保金**。
3. 出借之有價證券，以證券集中保管事業保管帳戶所載之集中交易市場上市有價證券為限。該有價證券所有人如欲出借時，應填具出借委託書，委由其往來證券商或其保管機構，將有關資料鍵入有價證券借貸電腦系統辦理出借申報，並得於未完成出借前，隨時更改申報內容或取消申報。

   前項數量，以一交易單位為申報出借單位，**出借費率以不超過該種有價證券收盤價格百分之七為限**。

4. 交割需求借券，按出借人所訂出借費率，由低而高依序取借，如相同費率之出借數量超過所需數量，以隨機方式取借。
5. **出借人之往來證券商**應將有價證券出借及歸還情形通知出借人，並**得向出借人收取手續費，其費率以不超過借券費百分之十為限**。

(四) **證券金融事業借券**

1. 證券金融事業因辦理融資融券、有價證券借貸及轉融通業務致某種有價證券發生差額時，或證券金融事業接受證券商委託代理因客戶有價證券當日沖銷交易先賣出後買進之未完成沖銷部位，**於次一營業日上午九時起，向該種有價證券所有人「標借」；若再有不足，於下午二時前，洽特定人「議借」；仍有不足時**，證券金融事業應於當日下午二時三十分前，委託證券商辦理**「標購」**。
2. 有價證券之**最高「標借」單價，以標借申請日開盤競價基準「百分之七」為限**；並按當日競標之單價；**由低而高依序取借**，如標定單價之出借股數超過所需標借股數時，依其輸入時間先後順序取借之。
3. 證券金融事業應於標借申請日下午二時前，依當日該種有價證券收盤價格及得標數量相乘後**百分之一百二十之金額向本公司繳存擔保金**。
4. **受託證券商得向出借人收取手續費，其費率以不超過借券費百分之十為限**。
5. 證券金融事業辦理「議借」時，議借之單價以不超過議借申請日開盤競價基準「百分之十」為限，並就議得數量優先分配予融資融券交易券差。
6. 證券商因證券金融事業辦理標借、議借、標購應負擔之各項費用，應向融券人計收。

牛刀小試

( ) **1** 證券商受託於證券交易所辦理標借，對於出借人得收取手續費，其費率為？ (A)不得收取 (B)借券費百分之五 (C)借券費百分之七 (D)證券面額百分之十。 【104年第2次高業】

( ) **2** 證券商辦理有價證券借貸業務時，其客戶向證券商借入有價證券之撥券日期為完成借券申報之次一營業日者，倘該客戶於借入證券尚未撥入其有價證券借貸帳戶前即需賣出該借入證券者，得委由何證券商辦理？ (A)任一開戶證券商 (B)出借證券商 (C)原借券證券商 (D)不得賣出。 【111年第2次高業】

( ) **3** 證券金融公司發生券源不足時所採行辦法之順序，是先公開標借，若不足時再洽特定人議價，仍不足時，最後才採行：(A)標借 (B)標購 (C)拍賣 (D)標售。

( ) **4** 證券商因證券金融事業辦理標借、議借、標購應負擔之各項費用，應向何人計收？ (A)融資人 (B)證券交易所 (C)融券人 (D)證金公司。 【105年第3次高業】

( ) **5** 有價證券借貸之交易型態不包括下列何者？ (A)定價交易 (B)等價交易 (C)競價交易 (D)議借交易。【107年第2次高業】

解答與解析

1 (D)。受託證券商得向出借人收取手續費，其費率以不超過借券費百分之十為限。

2 (C)。「臺灣證券交易所股份有限公司有價證券借貸辦法」第24條：議借交易成交申報之撥券日期為申報日之次一營業日者，借券人若於借入證券尚未撥入其有價證券集中保管帳戶前，即需賣出該借入證券，僅得委由受其委託為借券成交申報之同一證券商辦理。

3 (B)。證券金融公司發生券源不足時，應於次一營業日上午九時起，向該種有價證券所有人「標借」；若再有不足，於下午二時前，洽特定人「議借」；仍有不足時，證券金融事業應於當日下午二時三十分前，委託證券商辦理「標購」。

4 (C)。證券商因證券金融事業辦理標借、議借、標購應負擔之各項費用，應向融券人計收。

5 (B)。有價證券借貸之交易型態包含：定價交易、競價交易與議借交易。

六、有價證券標購

(一) 一般標購

1. 標購底價：以標購當日開盤競價基準上下**百分之十五**幅度範圍內為限。
2. 申請標購之證券，發行總數在二千萬股以下者，其標購數量不得於發行總數百分之二十，超過二千萬股者，其超過部分，不得少於百分之十。
3. 證券經紀商接受委託申請標購或參加競賣經成交者，均依規定向委託人收取手續費。

(二) **證券金融事業標購**

1. 證券經紀商接受證券金融事業為供交割或還券之用委託標購上市證券者，應於標購作業當日下午二時三十分前向證交所申請，證交所即將申請標購之有價證券名稱及數量等資訊於基本市況報導中公告之。公告後，證券金融事業及受託證券經紀商不得申請變更或撤銷。
2. 有價證券之標購單價，以標購申請日當日該種有價證券收盤價格加計**百分之十至百分二十為限**；並按標購申請日競賣之單價，申報賣價較低者優先成交，如申報之賣價相同，依其輸入時間先後順序成交。

七、公開收購

(一) 公開收購，是指不經由有價證券集中交易市場或證券商營業處所，對非特定人以公告、廣告、廣播、電傳資訊、信函、電話、發表會、說明會或其他方式為公開要約而購買有價證券之行為。

(二) 公開收購公開發行公司有價證券者，應向金融監督管理委員會申報並公告後始得為之。對同一公開發行公司發行之有價證券競爭公開收購者，應於原公開收購期間屆滿之日五個營業日以前向金融監督管理委員會辦理公開收購之申報並公告。

(三) 公開收購人應以同一收購條件為公開收購，**且不得為下列公開收購條件之變更：**

1. **調降公開收購價格**。
2. **降低預定公開收購有價證券數量**。
3. **縮短公開收購期間**。
4. **其他經金融監督管理委員會規定之事項**。

(四) 公開收購之對價除現金外，應以下列範圍為限：

1. 已在證券交易所上市或於證券商營業處所買賣之國內有價證券。
2. 公開收購人為公開發行公司者，其募集發行之股票或公司債。
3. 前款公開收購人之其他財產。

(五) 任何人單獨或與他人共同預定於五十日內取得公開發行公司已發行股份總額百分之二十以上股份者，應採公開收購方式為之。

(六) **公開收購之期間不得少於二十日，多於五十日**。

(七) 應賣有價證券之數量超過預定收購數量時，公開收購人應依同一比例向所有應賣人購買，並將已交存但未成交之有價證券退還原應賣人。

牛刀小試

( ) **1** 公開發行公司進行公開收購時，應以同一收購條件為公開收購，且不得為下列何種公開收購條件之變更？ (A)調升公開收購價格 (B)降低預定公開收購有價證券數量 (C)延長公開收購期間 (D)將收購對價從有價證券變更為現金。 【101年第4次分析師】

( ) **2** 公開收購之應賣人，於公開收購期間能否撤銷其應賣？(A)得隨時撤銷 (B)經公開收購人之同意後撤銷 (C)應主管機關核准者，得撤銷 (D)於條件成就公告後不得撤銷。

( ) **3** 下列有關公開收購之敘述，何種錯誤？ (A)公開收購人應以同一條件為公開收購 (B)公開收購人可以調升公開收購的價格 (C)公開收購人於應賣人請求時，應交付公開收購說明書 (D)任何人單獨或與他人共同預定於50日內取得公開發行公司已發行股份總額達30%之比例者，除符合一定條件外，應採公開收購方式為之。 【105年第1次分析師】

( ) **4** 有關「公開收購」，下列敘述何者正確？ (A)係經由證券集中交易市場或證券商營業處所所為之收購有價證券之行為 (B)對特定人所持有之有價證券為收購 (C)採核准制 (D)收購之有價證券限於公開發行公司所發行之有價證券。【105年第1次高業】

解答與解析

1 (B)。公開發行公司進行公開收購時，不得為下列公開收購條件之變更
(1) 調降公開收購價格。
(2) 降低預定公開收購有價證券數量。
(3) 縮短公開收購期間。
(4) 其他經金融監督管理委員會規定之事項。

2 (D)。公開收購之應賣人，於條件成就公告後不得撤銷。

3 (D)。任何人單獨或與他人共同預定於50日內取得公開發行公司已發行股份總額達「20%」之比例者，除符合一定條件外，應採公開收購方式為之。

4 (D)。公開收購是指「不」經由有價證券集中交易市場或證券商營業處所，對「非」特定人以公告、廣告、廣播、電傳資訊、信函、電話、發表會、說明會或其他方式為公開要約而購買有價證券之行為，其為「申報生效」制。

八、庫藏股買回

(一) 公司於有價證券集中交易市場或證券商營業處所買回其股份者，應於董事會決議之即日起算二日內，公告並向金融監督管理委員會申報。

(二) 公司於申報預定買回本公司股份期間屆滿之即日起算**二個月內，得經董事會三分之二以上董事之出席及出席董事超過二分之一同意，向金融監督管理委員會申報變更原買回股份之目的**。

(三) 公司**買回股份之數量每累積達公司已發行股份總數百分之二或金額達新臺幣三億元以上者**，應於事實發生之即日起算二日內將買回之日期、數量、種類及價格公告。

(四) 公司買回股份，應於申報之即日起算二個月內執行完畢，並應於上述期間屆滿或執行完畢後之即日起算五日內向本會申報並公告執行情形；逾期未執行完畢者，如須再行買回，應重行提經董事會決議。

(五) 公司買回股份，**其每日買回股份之數量，不得超過計畫買回總數量之三分一**且不得於交易時間開始前報價，並應委任二家以下證券經紀商辦理。公司每日買回股份之數量不超過二十萬股者，得不受前項有關買回數量之限制。

(六) **公司買回其股份之總金額，不得超過保留盈餘及下列已實現之資本公積之金額：**

1. 尚未轉列為保留盈餘之處分資產之溢價收入。
2. 超過票面金額發行股票所得之溢額及受領贈與之所得。

(七) 公司買回股份，應經由證券集中交易市場電腦自動交易系統或櫃檯買賣等價成交系統為之，並不得以鉅額交易、零股交易、標購、參與拍賣、盤後定價交易或證券商營業處所進行議價交易之方式買回其股份。

(八) 公司買回其股份時，該公司其關係企業或董事、監察人、經理人之本人及其配偶、未成年子女或利用他人名義所持有之股份，**於該公司買回之期間內不得賣出**。

(九) 公司買回股份，不得超過已發行股票總數百分之十。

九、外國證券之交易

(一) 證券商受託買賣外國有價證券，應與委託人簽訂受託買賣外國有價證券契約，始得接受委託辦理買賣有價證券。

(二) 證券商受託買賣外國有價證券契約，應報請證券商同業公會備查。

(三) 證券商受託買賣外國有價證券，**除委託人為專業機構投資人及高淨值投資法人外，應於委託人開戶前指派業務人員說明買賣外國有價證券可能風險，且應交付風險預告書**，並由負責解說之業務人員與委託人簽章存執。

(四) 證券商受託買賣外國有價證券，不得接受代為決定種類、數量、價格或買入、賣出之全權委託。

(五) 證券商受託買賣外國有價證券，應遵守下列規定：

1. 不得以自有資金先行買入該有價證券，再以受託買賣方式賣予委託人。
2. 投資標的之發行條件限制投資人於發行後一定期間內不得提前贖回或出售該投資標的，或未有該限制者，證券商不得另行與委託人為該發行條件以外之約定。
3. 證券商與委託人另行約定於固定期日受理委託人提前請求贖回或出售投資標的指示者，應同時明定委託人仍得於其他時間請求贖回，證券商並應告知可能不利委託人之情事。

(六) 證券商受託買賣外國有價證券，不得為有價證券買賣之融資融券。

(七) 證券商受託買賣外國有價證券，經向外國證券市場申報成交者，**以成交日後第一個營業日為確認成交日**。

(八) 證券商受託買賣外國有價證券，與複委託證券商間款券之交割期限為**依各外國證券市場之交割期限辦理**。

(九) 證券商受託買賣外國有價證券，應**按月編製對帳單，於次月十日前**分送委託人查對。

(十) 證券商受託買賣外國有價證券之手續費費率、買賣之契約準則、開戶受託買賣及交割等相關管理辦法，**由證券商同業公會報請金融監督管理委員會核定之**。

(十一) 證券商及其負責人、受僱人不得轉介投資人至國外證券商開戶、買賣外國有價證券。

(十二) 證券商接受委託買賣外國有價證券，應**按日**向**證券商同業公會**申報受託買賣外國有價證券營業日報表；並應**於次月十日**前向**外匯主管機關及證券商同業公會**申報受託買賣外國有價證券營業月報表。

精選試題

( ) **1** 上市股票零股交易，下列敘述何者正確？ (A)委託人應先開立集中保管劃撥帳戶 (B)申報買賣之數量必須是一股或其倍數 (C)每筆委託買賣數量不得超過九百九十九股 (D)以上皆是。

( ) **2** 零股交易每筆買賣委託申報量不得超過多少股？ (A)一千股 (B)九百股 (C)二千股 (D)九百九十九股。 【104年第3次高業】

( ) **3** 以下有關零股交易說明，何者有誤？ (A)指委託人買賣同一種類上市之本國股票或外國股票，其股數不足該股票原流通交易市場規定之交易單位者 (B)零股交易買賣申報時間為下午一時四十分起至二時止 (C)零股交易每筆買賣委託申報量不得超過九百九十九股 (D)零股交易申報及成交之股票價格均不作為當日之開盤、收盤價格，亦不作為最高、最低行情之紀錄依據。

( ) **4** 鉅額買賣價格之申報，升降單位為： (A)0.05元 (B)0.01元 (C)0.1元 (D)0.5元。

( ) **5** 某營業員接到客戶鉅額買進委託，要以參考基準價格下兩檔賣出某電子股500張，若參考基準價格為50元，營業員應填寫之委託報價為：
(A)49元 (B)49.8元
(C)49.9元 (D)49.98元。 【107年第2次高業】

( ) **6** 臺灣證券交易所中央公債鉅額買賣之一交易單位為新臺幣：(A)面額十萬元 (B)面額一百萬元 (C)面額五百萬元 (D)面額一千萬元。

( ) **7** 集中交易市場之盤後定價交易，應以何種價格撮合成交？
(A)當日市場收盤價格扣減千分之一
(B)當日市場收盤價格扣減百分之一
(C)當日市場開盤價格
(D)當日市場收盤價格。 【106年第2次普業】

( ) 8 關於「臺灣證券交易所股份有限公司受託辦理上市證券拍賣辦法」的規定，下列敘述何者為非？ (A)證券拍賣競買申報之時間限於星期一至星期五下午三時至四時 (B)參加競買者以使用臺灣證券交易所市場之證券商為限 (C)依本辦法申請拍賣之證券，其拍賣數量不得少於二百萬股 (D)證券商對於申報之競買數量及價格於申報時間內，不得取消或變更。 【107年第3次高業】

( ) 9 臺灣證券交易所向申請拍賣之證券商收取之拍賣經手費為成交總額之千分之： (A)一 (B)三 (C)六 (D)十。

( ) 10 關於上市有價證券拍賣，下列何者有誤？ (A)採人工撮合交易 (B)於申報當日成交 (C)拍賣成交之價格，不受通常交易升降幅度規定之限 (D)申報之買價較高者優先成交。

( ) 11 有關股票拍賣方式之規定，下列何者正確？ (A)申報當日成交 (B)不得申請變更或取消申報 (C)不得少於一百萬股 (D)等價成交。 【107年第2次高業】

( ) 12 於集中交易市場買賣外國股票使用之貨幣，以下列何者為準？ (A)臺幣 (B)美元 (C)外國發行人申請上市之幣別 (D)以上皆非。 【100年第2次高業】

( ) 13 依有價證券借貸辦法規定，借券證券商辦理借券手續時，應依規定將該種證券前一營業日收盤價格及取借數量相乘後的多少擔保金繳存證券交易所？ (A)百分之五十 (B)百分之八十 (C)百分之一百 (D)百分之一百二十。 【102年第3次高業】

( ) 14 有價證券借貸期間，自借貸交易成交日起算，原則上不得超過： (A)十二個月 (B)九個月 (C)六個月 (D)一個月。

( ) 15 向證券交易所辦理標借證券之最高標借價格，以不超過融券差額發生日該種證券次日參考價之多少為限？ (A)百分之二 (B)百分之三 (C)百分之四 (D)百分之七。 【100年第3次高業】

( ) 16 證券金融事業辦理議借時，議借之單價以不超過議借當日該種有價證券開始交易基準價多少為限？ (A)百分之五 (B)百分之十 (C)百分之十五 (D)百分之二十。 【104年第1次高業】

( ) **17** 上市證券標購底價，以標購當市開盤競價基準上下百分之多少為限？ (A)七 (B)十 (C)十五 (D)二十。 【103年第3次高業】

( ) **18** 對同一公開發行公司發行之有價證券競爭公開收購者，應於原公開收購期間屆滿之日若干日以前為之？ (A)三個營業日 (B)五個營業日 (C)七個營業日 (D)十個營業日。 【104年第1次高業】

( ) **19** 公司於申報預定買回本公司股份期間屆滿之日起多久期間內，得經董事會特別決議之同意，向主管機關申報變更原買回股份之目的？
(A)二個月 (B)三個月
(C)四個月 (D)六個月。 【107年第3次高業】

( ) **20** 依「證券交易法」規定，公司買回股份之總金額，不得超過下列何者？ (A)保留盈餘 (B)保留盈餘加資本公積 (C)可支配之現金 (D)保留盈餘加發行股份溢額及已實現之資本公積之金額。
【106年第2次高業】

( ) **21** 依「證券交易法」規定，公司買回本公司股份之數量比例，不得超過該公司已發行股份總數多少比例？ (A)百分之十 (B)百分之十五 (C)百分之三十 (D)百分之五十。 【109年第1次高業】

( ) **22** 證券商受託買賣外國有價證券，應按月編製對帳單，於次月何日前分送委託人查對？ (A)三日 (B)五日 (C)十日 (D)十五日。 【104年第2次高業】

( ) **23** 證券經紀商接受客戶初次委託買賣上櫃外國股票前，除下列何種客戶外，其他客戶均應簽署風險預告書？ (A)專業機構投資人 (B)專業自然人投資人 (C)一般投資人 (D)選項(A)(B)(C)皆非正確。 【104年第2次高業】

( ) **24** 證券商受託買賣外國有價證券成交者，以哪一天為確認成交日？ (A)成交日 (B)成交日後第一營業日 (C)成交日後第二營業日 (D)交割日。

解答與解析

1 **(D)**。上述選項皆正確。

2 **(D)**。零股交易每筆買賣委託申報量不得超過九百九十九股。

3 **(B)**。零股交易買賣申報時間自下午1：40至下午2：30止。

4 **(B)**。鉅額買賣價格升降單位均為0.01元。

5 **(D)**。鉅額買賣升降單位一律為0.01元，下兩檔之委託報價為＝50－0.01×2＝49.98元。

6 **(C)**。中央公債鉅額買賣之一交易單位為面額新臺幣五百萬元。

7 **(D)**。盤後定價交易，應以當日市場收盤價格撮合成交。

8 **(D)**。證券商對於申報之競買數量及價格，於申報時間內均得予取消或變更。

9 **(A)**。臺灣證券交易所向申請拍賣之證券商收取之拍賣經手費為成交總額之千分之一。

10 **(A)**。有價證券拍賣是電腦自動交易。

11 **(A)**。股票拍賣之相關規定：(1)交易時間：下午3時至4時，並於申報日成交。(2)得申請變更或取消申報。(3)申報之買價較高者優先成交。(4)申請拍賣數量限制：拍賣數量不得少於二百萬股（單位）。

12 **(C)**。於集中交易市場買賣外國股票使用之貨幣，以外國發行人申請上市之幣別為準。

13 **(D)**。借券證券商辦理借券手續時，應將該種證券前一營業日收盤價格及取借數量相乘後百分之一百二十擔保金繳存證券交易所。

14 **(C)**。有價證券借貸期間，自借貸交易成交日起算，原則上不得超過六個月。

15 **(D)**。向證券交易所辦理標借證券之最高標借價格，以不超過融券差額發生日該種證券次日參考價之百分之七為限。

16 **(B)**。證券金融事業辦理議借時，議借之單價以不超過議借當日該種有價證券開始交易基準價的百分之十。

17 **(C)**。上市證券標購底價，以標購當市開盤競價基準上下百分之十五為限。

18 **(B)**。對同一公開發行公司發行之有價證券競爭公開收購者，應於原公開收購期間屆滿之五個營業日以前為之。

19 **(A)**。公司於申報預定買回本公司股份期間屆滿之即日起算二個月內，得經董事會三分之二以上董事之出席及出席董事超過二分之一同意，向金融監督管理委員會申報變更原買回股份之目的。

20 **(D)**。公司買回其股份之總金額，不得超過保留盈餘及下列已實現之資本公積之金額：一、尚未轉列為保留盈餘之處分資產之溢價收入。二、超過票面金額發行股票所得之溢額及受領贈與之所得。

21 **(A)**。根據證券交易法第28-2條，公司買回股份之數量比例，不得超過該公司已發行股份總數百分之十；收買股份之總金額，不得逾保留盈餘加發行股份溢價及已實現之資本公積之金額。

22 **(C)**。證券商受託買賣外國有價證券，應按月編製對帳單，於次月十日前分送委託人查對。

23 **(A)**。證券商受託買賣外國有價證券，除委託人為專業機構投資人及高淨值投資法人外，應於委託人開戶前指派業務人員說明買賣外國有價證券可能風險，且應交付風險預告書，並由負責解說之業務人員與委託人簽章存執。

24 **(B)**。證券商受託買賣外國有價證券成交者，以成交日後第一營業日為確認成交日。

第十一章 信用交易制度

依據出題頻率區分，屬：**B** 頻率中

行政院於民國68年7月時制訂「證券金融事業管理規則」，成為證券金融事業辦理業務的法令依據，當時成立了第一家證券金融公司——復華證金，並於民國69年開辦有價證券買賣之融資融券業務（又稱「信用交易業務」）。

重點01 融資融券業務 重要度★★★

一、融資融券業務概述

(一) 融資

1. 當投資人預期股票價格將上漲，**先向券商借錢買進股票**。
2. 融資成數：上市櫃股票融資成數為60%。倘若一股股票市價10元，券商就會借你6元，意即投資人只花4元就可以買到10元的股票，槓桿度是10／4＝2.5倍。
3. 舉例：小明買進A股票5張，成交價12.5元，融資成數60%。
   券商可融資款項＝12.5×5,000×0.6＝37,500（不足千位捨去）
   小明實際自付款項＝12.5×5,000－37,000＝25,500

(二) 融券

1. 當投資人預期股票價格將下跌，**先向券商借股票賣出**。
2. 融券保證金：90%
3. 舉例：小明賣出A股票5張，成交價12.5元，融券成數90%，借券費萬分之八。
   融券借券費＝12.5×5,000×0.0008＝50元
   融券保證金＝12.5×5,000×90%＝56,250（不足百位自動進位）
   小明實際支付保證金＝56,300

二、融資融券相關規定

(一) **限額**：自104年6月29日起，金融監督管理委員會取消投資人與證券商業務避險之單戶及單股融資融券限額，回歸各授信機構自行控管。

(二) **最高融資比率：上市及上櫃有價證券為六成**。

(三) **最低融券保證金成數：上市及上櫃有價證券為九成**。

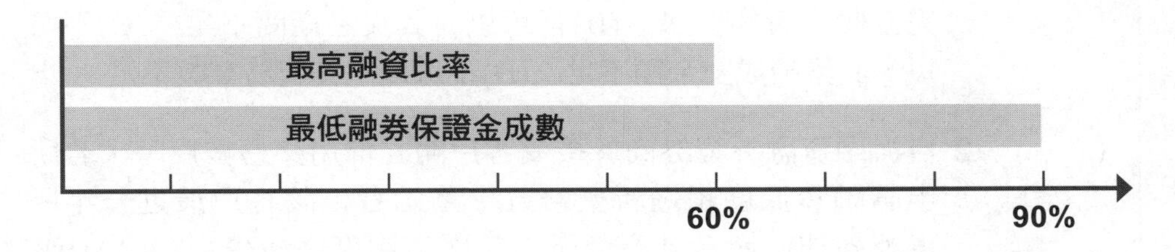

(四) **融資融券之期限**

1. 有價證券買賣融資融券之期限為六個月，委託人於期限屆滿前得申請展延，以二次為限；證券商應審核委託人之信用狀況始得同意展延。
2. 證券商若不同意前項委託人展延之申請，或該筆融資融券已展延二次者，證券商應於期限屆滿十個營業日前，以書面通知委託人。

三、融資融券信用帳戶之開立與管理

(一) **客戶須開立信用帳戶，證券商始得受理融資融券之委託**。

(二) 信用帳戶，以每人一戶為限。

(三) 客戶不得在同一證券商分別開立本人與全權委託投資帳戶之信用帳戶。

> **小叮嚀**
> 開立信用帳戶之條件由櫃檯買賣中心訂定。

(四) 申請開立信用帳戶，應備下列條件：

1. 年滿二十歲**有行為能力之國民，或登記之法人**。
2. **開立受託買賣帳戶滿三個月**。
3. **最近一年內委託買賣成交十筆以上，累積成交金額達所申請融資額度之百分之五十，其開立受託買賣帳戶未滿一年者亦同**。
4. **最近一年之所得及各種財產計達所申請融資額度之百分之三十，但申請融資額度**未逾新臺幣五十萬元者不適用之。

(五) 開立信用帳戶之委託人連續三年以上無融資融券交易紀錄者，證券商應即註銷其信用帳戶並通知委託人。

牛刀小試

( ) **1** 假設有一投資人，於三月二十日開立有價證券買賣帳戶，至同年七月十五日，累積交易筆數十筆，總累積成交金額為二百五十萬元，以下有關該投資人擬申請開立信用交易帳戶（額度為八百萬元）之說明，何者為真？ (A)可以申辦，完全吻合資格要求 (B)不可以，其交易期間不足 (C)不可以，其累積成交金額不足 (D)不可以，其交易筆數不足。

( ) **2** 自辦融資融券證券商於接受客戶開立信用交易帳戶時，若所申請融資額度超過新臺幣五十萬元者，該客戶最近一年所得及各種財產合計應達所申請融資額度之多少？ (A)10% (B)20% (C)30% (D)40%。 【105年第2次高業】

( ) **3** 自辦信用交易證券商受理委託人開立信用帳戶之開戶數：(A)每人限開一戶 (B)每人可在每一證券商總、分公司各開一戶 (C)每人限開二戶 (D)無限制。 【106年第4次高業】

( ) **4** 下列關於開立信用帳戶之敘述，何者錯誤？ (A)須年滿二十歲 (B)委託買賣累積成交金額達所申請融資額度之50% (C)須最近一年內委託買賣成交十筆以上 (D)可與委託買賣有價證券開戶時，一併申請開立。 【109年第1次高業】

解答與解析

1 (C)。累積成交金額應達所申請融資額度之百分之五十，故該投資人若申請額度八百萬，則交易金額須達四百萬元。

2 (C)。最近一年之所得及各種財產計達所申請融資額度之百分之三十。

3 (A)。證券商受理委託人開立信用帳戶，其開戶數每人限開一戶。

4 (D)。開立信用帳戶應具備之條件：

(1)年滿20歲有行為能力的中華民國國民，或依中華民國法律組織登記的法人。

(2)開立受託買賣帳戶滿三個月。

(3)最近一年內委託買賣成交達十筆（含）以上，累積成交金額達所申請之融資額度百分之五十，其開立受託委託買賣帳戶未滿一年者亦同。

(4)最近一年之所得及各種財產*合計達所申請融資額度之百分之三十。

根據上述第2點，可知信用帳戶無法於初始開立買賣有價證券開戶時一併申請。

四、得為融資融券交易之有價證券

(一) 上市

1. 上市滿六個月。
2. 每股淨值在票面以上。若未達者最近一個會計年度財報顯示無累積虧損。
3. **無下列情事之一者：**
   (1)**價格波動過度劇烈**。
   (2)**股權過度集中**。
   (3)**成交量過度異常**。

(二) 上櫃

1. 上櫃滿六個月。
2. 每股淨值在票面以上，若未達者最近一個會計年度財報需無累積虧損。
3. 公司設立登記屆滿三年以上。
4. 實收資本額達新臺幣三億元以上。但每股面額非屬新臺幣十元者，淨值須達新臺幣六億元以上。
5. 最近一個會計年度決算無累積虧損，且其個別或合併財務報表之營業利益及稅前淨利占年度決算實收資本額比率達百分之三以上。

(三) **櫃檯買賣管理股票、興櫃股票不得進行融資融券交易**。

牛刀小試

(　　) **1** 得為融資融券交易之上櫃股票經發行公司轉申請上市後，則除了下列何種原因之外均可為融資融券的標的？ (A)股價波動過度劇烈者 (B)股權過度集中者 (C)成交量過度異常者 (D)以上皆是。

( ) **2** 下列何者不是普通上櫃股票成為融資融券交易股票之條件？(A)上櫃滿六個月 (B)每股淨值在票面以上 (C)該上櫃股票之發行公司設立登記滿三年 (D)經證券商業同業公會公告得為融資融券交易股票。【106年第3次高業】

( ) **3** 上櫃股票公司若欲符合得為融資融券之資格，其公司設立登記應滿幾年？
(A)十年 (B)四年 (C)三年 (D)二年。【103年第4次高業】

解答與解析

1 (D)。無下列情事之一者：
(1)價格波動過度劇烈。
(2)股權過度集中。
(3)成交量過度異常，均可為融資融券的標的。

2 (D)。經櫃檯買賣中心公告，方為成為融資融券交易股票之條件。

3 (C)。上櫃股票公司需設立登記滿三年，方符合得為融資融券之資格。

五、信用交易擔保維持率

(一) 證券商應**逐日計算**每一信用帳戶之整戶及各筆融資融券擔保維持率。

(二) 擔保維持率＝

$$\frac{\text{（融資擔保品證券市值＋融券擔保品及保證金＋抵繳有價證券或其他商品市值）}}{\text{（融資金額＋融券標的證券市值）}}\times 100\%$$

(三) 上市（櫃）有價證券除權息交易日之前六個營業日，其融資擔保品證券市值及上市（櫃）有價證券抵繳市值，則以各當日收盤價扣除息值或扣除以該當日收盤價為基礎計算之權值計之：

1. **上市（櫃）中央登錄公債、地方政府債券、公司債、金融債**：面額。
2. **上市（櫃）有價證券**：證券交易所或櫃檯買賣中心公布之收盤價。

3. **登錄為櫃檯買賣之黃金現貨**：收市當時造市商間最高買進報價及最低賣出報價之均價（以下簡稱「收市均價」）。

4. **開放式證券投資信託基金受益憑證及期貨信託基金受益憑證**：前一營業日每受益權單位淨資產價值。

(四) 委託人信用帳戶之整戶**擔保維持率低於百分之一百三十者，證券商應即通知委託人就各該筆不足擔保維持率之融資融券**，於通知送達之日起**二個營業日內補繳**融資自備款或融券保證金差額。

重點02 證券商自辦有價證券融資融券 重要度★★★

(一) **申請條件**

1. **最近期之財報淨值達新臺幣二億元**。
2. **經營證券經紀業務屆滿一年以上**。
3. 最近期之財報每股淨值不低於票面金額。
4. 最近三個月未曾受警告處分。
5. 最近半年未曾受解除其董事、監察人或經理人職務處分。
6. 最近一年未曾受停業處分。
7. 最近二年未曾受廢止分支機構設立許可之處分。
8. 最近一年未曾受處以違約金或停止或限制買賣之處分。
9. 申請日前半年自有**資本適足比率未低於百分之一百五十者**。

(二) **營業保證金**：證券商辦理有價證券融資融券者，應增提新臺幣五千萬元營業保證金。

(三) **證券商辦理融資融券之限制**

1. **對每種證券之融資總金額，不得超過其淨值百分之十**。
2. 對每種證券融券與出借之總金額，合計不得超過其淨值百分之五。

(四) **對信用帳戶之管理**

1. 證券商辦理有價證券買賣融資融券，對所留存之融券賣出價款及融券**保證金，除下列用途外，不得移作他用**：

 (1)作為辦理融資業務之資金來源。

 (2)作為向證券金融事業轉融通證券之擔保。

(3)作為辦理證券業務借貸款項之資金來源。
(4)作為向證券交易所借券系統借券之擔保。
(5)銀行存款。
(6)購買短期票券。

2. 證券商辦理有價證券買賣融資融券，對所取得之**證券，除下列用途外，不得移作他用，且應送存集中保管**。
(1)作為辦理融券業務之券源。
(2)作為向證券金融事業轉融通資金或證券之擔保。
(3)作為辦理有價證券借貸業務之出借券源。
(4)作為向證券交易所借券系統借券之擔保。
(5)出借予辦理有價證券借貸業務之證券商或證券金融事業作為辦理有價證券借貸業務或有價證券融資融券業務之券源。
(6)於證券交易所借券系統出借證券。
(7)參與證券金融事業之標借或議借。

牛刀小試

( ) **1** 申請辦理有價證券買賣融資融券之證券商，須經營何種業務滿一年以上？ (A)承銷 (B)自營 (C)經紀 (D)承銷、自營、經紀。 【106年第2次高業】

( ) **2** 證券商辦理有價證券買賣融資融券，對每種證券之融資總金額，不得超過其淨值百分之多少？ (A)20% (B)5% (C)10% (D)15%。 【103年第2次高業】

( ) **3** 證券商應多久計算每一信用帳戶之整戶及各筆融資融券擔保維持率？
(A)每日 (B)每週 (C)每月 (D)每季。 【109年第1次高業】

解答與解析

1 (C)。申請辦理有價證券融資融券之證券商，須經營經紀業務滿一年以上。

2 (C)。證券商辦理有價證券買賣融資融券，對每種證券之融資總金額，不得超過其淨值的10%。

3 (A)。根據證券商辦理有價證券買賣融資融券業務操作辦法，證券商應逐日計算每一信用帳戶之整戶及各筆融資融券擔保維持率。

精選試題

( ) 1 證券商辦理有價證券買賣融資融券，對每種證券之融資總金額，不得超過其淨值百分之多少？ (A)百分之三 (B)百分之十 (C)百分之四十 (D)無限制。【107年第2次高業】

( ) 2 資本適足比率低於多少時，不可辦理融資融券業務？ (A)50% (B)100% (C)150% (D)200%。【102年第2次高業】

( ) 3 證券商辦理融券所留存之客戶融券賣出價款及融券保證金，下列何者非其合法用途？ (A)辦理融資業務之資金來源 (B)做為向證券金融事業轉融通證券之擔保 (C)購買商業本票 (D)銀行存款。【101年第2次高業】

( ) 4 下列何者不得融資融券？ (A)零股交易 (B)鉅額交易 (C)全額交割股票 (D)選項(A)(B)(C)皆是。【109年第4次高業】

( ) 5 得為融資融券交易之上櫃股票經發行公司轉申請上市後，除了下列何種原因之外均可為融資融券的標的？ (A)股價波動過度劇烈者 (B)股權過度集中者 (C)成交量過度異常者 (D)選項(A)(B)(C)皆是。【107年第1次高業】

( ) 6 下列上櫃有價證券得為融資融券之條件何者有誤？ (A)股票上櫃滿6個月 (B)每股市場成交收盤價格在票面之上 (C)實收資本額達新臺幣3億元以上 (D)設立登記屆滿3年以上。【101年第4次高業】

( ) 7 普通股股票須上市滿多久期間，始符合得為融資融券股票之要件？ (A)三個月 (B)半年 (C)一年 (D)不限期。【102年第3次普業】

( ) 8 假設老陳融資買進上市C股票五千股，當日股價每股為六十元，且融資比率為六成，如果二天後股價市價下跌至五十七元，則擔保維持率為多少？ (A)95% (B)135.70% (C)139% (D)158.30%。

( ) 9 開立受託買賣帳戶滿幾個月才可申請開立信用帳戶？ (A)六個月 (B)三個月 (C)二個月 (D)一個月。【102年第2次高業】

( ) **10** 下列那一項對證券金融事業辦理融資融券業務之規定為不正確？ (A)應與委託人簽訂融資融券契約 (B)應依開戶條件辦理徵信 (C)應開立信用交易帳戶 (D)開戶條件由金融監督管理委員會擬訂。 【105年第3次高業】

( ) **11** 信用帳戶在連續多少期間以上無融資融券交易紀錄，即被證券公司取消帳戶？
(A)一年 (B)五年 (C)二年 (D)三年。 【106年第2次高業】

( ) **12** 所謂「融券」之意義下列何者為非？ (A)須準備一定之保證金 (B)向證券金融公司借得股票賣出 (C)須開立信用帳戶 (D)向證券商借得資金。 【110年第1次高業】

( ) **13** 下列何者非為證券商申請經營信用交易業務所必須具備之條件？ (A)證券商淨值達新臺幣二億元 (B)每股淨值不低於票面金額，且財務狀況符合證券商管理規則之規定 (C)申請日前半年自有資本適足比率未低於百分之一百五十者 (D)必須為綜合證券商。 【106年第4次高業】

解答與解析

1 **(B)**。證券商辦理有價證券買賣融資融券，對每種證券之融資總金額，不得超過其淨值的10%。

2 **(C)**。申請辦理有價證券融資融券之證券商，其半年前的資本適足率須達150%以上。

3 **(C)**。對所留存之客戶融券賣出價款及融券保證金之利用，除下列用途外，不得移作他用：
(1)作為辦理融資業務之資金來源。
(2)作為向證券金融事業轉融通證券之擔保。
(3)作為辦理證券業務借貸款項之資金來源。
(4)作為向證券交易所借券系統借券之擔保。
(5)銀行存款。
(6)購買短期票券。

4 **(D)**。零股、鉅額交易、全額交割股票均不得融資融券。

5 **(B)**。無下列情事之一者：
(一)價格波動過度劇烈。
(二)股權過度集中。
(三)成交量過度異常。

有價證券得為融資融券標準第2條第6項(110.03.29):得為融資融券交易之上櫃股票經發行公司轉申請上市後,除有股權過度集中之情事者外,即得為融資融券交易,不適用第一項上市滿六個月與第四項第一款及第三款規定;該項作業程序由證券交易所擬訂,並報主管機關核定。

6 **(B)**。若每股市價低於票面金額者,其公司最近一個會計年度財報顯示無累積虧損,仍得融資融券。

7 **(B)**。股票上市公司需設立登記滿半年,方符合得為融資融券之資格。

8 **(D)**。擔保維持率=57×5,000/60×5,000×60%=158.3%。

9 **(B)**。開立受託買賣帳戶應滿三個月,方可申請開信用帳戶。

10 **(D)**。開立信用帳戶之條件由櫃檯買賣中心訂定。

11 **(D)**。信用帳戶連續三年以上無融資融券交易紀錄,即被證券公司取消帳戶。

12 **(D)**。融券指向證券金融公司借得股票賣出;融資指向證券商借得資金。

13 **(D)**。證券商申請經營信用交易業務並不一定要為綜合證券商,只要為經營證券經紀業務屆滿一年以上即可申請。

第十二章 有價證券之募集與發行

依據出題頻率區分，屬：A 頻率高

我國有價證券的募集與發行，應遵循發行人募集與發行有價證券處理準則，目前我國係採「申報生效制」。

本章介紹申請有價證券的募集應檢附哪些文件、相關規定，以及在哪些狀況下金融監督管理委員會得退回或廢止申請。

重點01 總則 重要度★★★

一、有價證券的募集制度

(一) 金融監督管理委員會審核有價證券之募集與發行、公開招募、補辦公開發行、無償配發新股與減少資本採**申報生效制**。

(二) 申報生效制：指發行人依規定檢齊書件向金融監督管理委員會提出申報，除因申報書件應行「記載事項不充分、為保護公益有必要補正說明或經本會退回者外」，**其案件自金融監督管理委員會收到申報書件即日起屆滿一定營業日即可生效**。

※若屬無償配發新股者（盈餘轉增資、資本公積轉增資），屆滿3個營業日即生效。

二、募集與發行有價證券應檢具的資料

(一) 發行人申報募集與發行有價證券，應檢具**公開說明書**。

1. 目前為降低發行人公開說明書製作之成本，引進他國制度而有簡式公開說明書。
2. 公開說明書之財務報告應載明，發行人申報募集發行有價證券時最近二年度之財務報告。
3. 會計項目重大變動說明：比較最近二年度資產負債表及綜合損益表之會計項目，**若金額變動達百分之十以上，且金額達當年度資產總額百分之一者，應詳予分析其變動原因**。

(二) 發行人申報募集與發行有價證券，有下列情形之一，應分別委請主辦證券承銷商及律師分別提出**評估報告及法律意見書**：

1. 上市或上櫃公司辦理現金發行新股、合併發行新股、受讓他公司股份發行新股、依法律規定進行收購或分割發行新股者。
2. 興櫃股票公司辦理現金增資並提撥發行新股總額之一定比率公開銷售者。
3. 發行人經證券交易所向本會申報其股票創新板上市契約後，辦理現金增資發行新股為初次上市公開銷售者。
4. 股票未在證券交易所上市（以下簡稱未上市）或未在證券商營業處所買賣之公司辦理現金發行新股，依第18條規定提撥發行新股總額之一定比率對外公開發行者。
5. 募集設立者。
6. 發行具股權性質之公司債有委託證券承銷商對外公開承銷者。

牛刀小試

(　) **1** 依證券交易法之規定，我國現行有價證券之募集及發行是採何種制度？ (A)申報生效制 (B)申請核准制 (C)兼採申請核准制與申報生效制 (D)核准制與實質審查原則。

(　) **2** 發行人申報募集與發行有價證券，至申報生效前，發生證券交易法第三十六條第三項第二款規定對股東權益或證券價格有重大影響之事項，應依規定於事實發生日起幾日內公告並申報？ (A)七日 (B)五日 (C)三日 (D)二日。 【107年第4次高業】

(　) **3** 發行人於編製公開說明書時，應比較最近兩年度資產負債表及損益表之會計科目，若其金額變動達下列何項標準時，應詳予分析其變動原因？ (A)百分之五以上，且金額達當年度資產總額百分之一者 (B)百分之五以上，且金額達當年度資產總額百分之二者 (C)百分之十以上，且金額達當年度資產總額百分之一者 (D)百分之十以上，且金額達當年度資產總額百分之二者。

(　) **4** 發行人申報募集與發行有價證券，以下何者情形不須委請主辦證券商出具承銷商評估報告以及委請律師出具法律意見書？ (A)未上市櫃公司辦理現金增資依規定提撥一定比率對外公開發行者 (B)上市公司辦理現金增資 (C)募集設立者 (D)盈餘轉增資。 【105年第2次高業】

( ) 5 甲上市科技公司欲辦理盈餘轉增資發行股票，請問適用下列那一項？
(A)適用申報生效制且十五個營業日自動生效
(B)適用申報生效制且十二個股市交易日自動生效
(C)適用申報生效制且三個營業日自動生效
(D)適用申請核准制。 【108年第3次高業】

解答與解析

1 (A)。我國現行有價證券之募集及發行是採申報生效制。

2 (D)。發行人申報募集與發行有價證券至申報生效前，發生對股東權益或證券價格有重大影響之事項，應於事實發生日起二日內公告並申報。

3 (C)。發行人於編製公開說明書時，應比較最近兩年度資產負債表及損益表之會計科目，若其金額變動達百分之十以上，且金額達當年度資產總額百分之一者，應詳予分析其變動原因。

4 (D)。有下列情形之一，應分別委請主辦證券承銷商及律師分別提出評估報告及法律意見書：
(1)上市或上櫃公司辦理現金發行新股、合併發行新股、受讓他公司股份發行新股、依法律規定進行收購或分割發行新股者。
(2)興櫃股票公司辦理現金增資並提撥發行新股總額之一定比率公開銷售者。
(3)發行人經證券交易所向本會申報其股票創新板上市契約後，辦理現金增資發行新股為初次上市公開銷售者。
(4)股票未在證券交易所上市（以下簡稱未上市）或未在證券商營業處所買賣之公司辦理現金發行新股，依第18條規定提撥發行新股總額之一定比率對外公開發行者。
(5)募集設立者。
(6)發行具股權性質之公司債有委託證券承銷商對外公開承銷者。

5 (C)。甲上市科技公司欲辦理盈餘轉增資發行股票，適用申報生效制且三個營業日自動生效。

三、募集期間重大事件之申報

發行人申報募集與發行有價證券，自所檢附最近期財務報告資產負債表日至申報生效前，**發生對股東權益或證券價格有重大影響之事項**，應於事實發生日起**二日內**公告並向金融監督管理委員會申報，並應視事項性質檢附相關專家意見，洽請簽證會計師表示其對財務報告之影響提報金融監督管理委員會。

四、退回有價證券募集與發行之聲請

發行人申報募集與發行有價證券有下列情形，**金融監督管理委員會得退回其案件**：

(一) 簽證會計師出具**無法表示意見或否定意見**之查核報告者。

(二) 簽證會計師出具保留意見之查核報告，其保留意見影響財務報告之允當表達者。

(三) 發行人填報、簽證會計師複核或主辦證券承銷商出具之案件檢查表，顯示有違反法令或公司章程，致影響有價證券之募集與發行者。

(四) **律師出具之法律意見書，表示有違反法令**，致影響有價證券之募集與發行者。

(五) **證券承銷商出具之評估報告，未明確表示本次募集與發行有價證券計畫之可行性、必要性及合理性者**。

(六) 有違反法令，情節重大者。

五、撤銷、廢止有價證券募集與發行

發行人募集與發行有價證券，**經發現有下列情形之一，金融監督管理委員會得撤銷或廢止申報生效或核准**：

(一) 發行人申報發行普通公司債案件之募集期間，逾櫃買中心審查準則及櫃買中心國際債券管理規則所定期限者。

(二) 前款以外之案件，自申報生效通知到達之日起，**逾三個月尚未募足並收足現金款項者**。但其有正當理由申請延期，經本會核准者，得再延長三個月，並以一次為限。

(三) 有公司法第251條第1項或第271條第1項規定情事者。

> **小叮嚀**
> 經撤銷或廢止申報生效時，已收取有價證券價款者，發行人或持有人應於接獲金融監督管理委員會撤銷或廢止通知之日起**十日內，依法加算利息返還該價款**，並負損害賠償責任。

(四) 違反或不履行辦理募集與發行有價證券時所出具之承諾，情節重大者。

(五) 發行人自申報生效之日起至有價證券募集完成之日止，對外公開財務預測資訊或發布之資訊與申報（請）書件不符，且對證券價格或股東權益有重大影響者。

牛刀小試

( ) **1** 發行人募集與發行有價證券，自申報生效通知到達之日起，逾一定時日尚未募足並收足現金款項者，金融監督管理委員會得撤銷或廢止其申報生效。其一定時日是指？ (A)一個月 (B)三個月 (C)半年 (D)一年。 【105年第1次高業】

( ) **2** 主管機關審核募集與發行有價證券之申報案件時，發現會計師查核報告有哪些情形得退回該案件？ (A)出具無法表示意見 (B)出具否定意見 (C)影響財報允當表達之保留意見 (D)選項(A)(B)(C)皆是。 【110年第2次高業】

解答與解析

1 (B)。發行人募集與發行有價證券，自申報生效通知到達之日起，逾三個月尚未募足並收足現金款項者，金融監督管理委員會得撤銷或廢止其申報生效。

2 (D)。「發行人募集與發行有價證券處理準則」第7條，發行人申報募集與發行有價證券，有下列情形之一，本會得退回其案件：一、簽證會計師出具無法表示意見或否定意見之查核報告者。二、簽證會計師出具保留意見之查核報告，其保留意見影響財務報告之允當表達者。

重點02 有價證券之發行 重要度★★★

一、發行股票

(一) 發行人辦理募集與發行股票應依案件性質分別檢具各項申報書，載明其應記載事項，連同應檢附書件，向金融監督管理委員會申報生效後，始得為之。

(二) 發行人所提出之申報書件不完備、應記載事項不充分或有發生對股東權益或證券價格有重大影響之事項，於未經金融監督管理委員會通知停止其申報生效前，自行完成補正者，自金融監督管理委員會及金融監督管理委員會指定之機構收到補正書件即日起屆滿十二個營業日生效。

(三) 發行人申報現金發行新股，因變更發行價格，於申報生效前檢齊修正後相關資料，向金融監督管理委員會及金融監督管理委員會指定之機構申報者，原申報生效之期間不受影響。

(四) **發行新股限制**：提撥比率

1. **上市或上櫃公司辦理現金增資發行新股**，應提撥發行新股總額之**百分之十**，以時價對外公開發行。
2. 辦理現金增資發行新股為初次上市、上櫃公開銷售者，「**應**」準用前項規定辦理；興櫃股票公司辦理上開案件以外之現金增資發行新股者，「**得**」準用前項規定辦理。
3. 未上市或未在證券商營業處所買賣之公司，其持股一千股以上之記名股東人數未達三百人；或未達其目的事業主管機關規定之股權分散標準者，於現金發行新股時，**除有下列情形之一外，應提撥發行新股總額之百分之十**，對外公開發行。
   (1) 首次辦理公開發行。
   (2) 自設立登記後，未逾二年。
   (3) 財務報告之決算營業利益及稅前純益占歸屬於母公司業主之權益比率均未達相關標準。
   (4) 依百分之十之提撥比率或股東會決議之比率計算，對外公開發行之股數未達五十萬股。
   (5) 發行附認股權特別股。

牛刀小試

( ) 1 上市公司於現金發行新股時，主管機關得依證券交易法規定提撥發行新股總額之多少，以時價向外公開發行？
(A)百分之五　(B)百分之十
(C)百分之十五　(D)百分之二十。【100年第3次高業】

( ) 2 股票未在證券交易所上市或未於證券商營業處所買賣之公開發行公司，其持有一千股以上之記名股東人數，未達多少人者，於現金增資發行新股時，應提撥發行新股總額的百分之十對外公開發行？
(A)五百人　(B)四百人
(C)三百人　(D)二百人。【101年第1次普業】

( ) 3 建設公司發行人申報現金發行新股，因變更發行價格，於申報生效前檢齊修正後相關資料，向證券主管機關申報者，其申報生效期間如何計算？
(A)自完成補正日起重新起算
(B)原申報生效之期間由7個營業日改成12個營業日
(C)原申報生效之期間不受影響
(D)選項(A)(B)(C)皆非。【111年第3次高業】

解答與解析

1 (B)。上市公司於現金發行新股時，主管機關得依證券交易法規定提撥發行新股總額之百分之十，以時價向外公開發行。

2 (C)。股票未在證券交易所上市或未於證券商營業處所買賣之公開發行公司，其持有一千股以上之記名股東人數，未達三百人者，於現金增資發行新股時，應提撥發行新股總額的百分之十對外公開發行。

3 (C)。根據「發行人募集與發行有價證券處理準則」第12條，建設公司發行人申報現金發行新股，因變更發行價格於申報生效前檢齊修正後相關資料，向證券主管機關申報者，其申報生效期間不受影響。

二、發行公司債

(一) 發行普通公司債

1. 公開發行公司發行公司債，應檢具發行公司債申報書，載明其應記載事項，連同應檢附書件，向金融監督管理委員會申報生效後，始得為之。
2. 公開發行公司依前項規定提出申報，於金融監督管理委員會及其指定機構收到發行公司債申報書即日起屆滿三個營業日生效。但金融控股、票券金融及信用卡等事業，申報生效期間為十二個營業日。
3. 公開發行公司得發行以其**持有期限二年以上**之其他上市櫃公司股票**為償還標的之交換公司債**。

(二) 發行轉換公司債

1. 發行轉換公司債應檢具發行轉換公司債申報書，載明其應記載事項，連同應檢附書件，向金融監督管理委員會申報生效後，始得為之。
2. 發行以外幣計價之轉換公司債，應向財團法人中華民國證券櫃檯買賣中心申請櫃檯買賣。
3. 轉換公司債面額限採新臺幣十萬元或為新臺幣十萬元之倍數，**償還期限不得超過十年**，且同次發行者，其償還期限應歸一律。
4. 轉換公司債發行時，除**上市或上櫃公司應全數委託證券承銷商包銷**者外，不得對外公開承銷。
5. 轉換公司債持有人請求轉換者，應填具轉換請求書，並檢同債券或登載債券之存摺，向發行人或其代理機構提出，於送達時生轉換之效力；發行人或其代理機構於受理轉換之請求後，其以已發行股票轉換者，應於次一營業日交付股票，其以發行新股轉換者，除應登載於股東名簿外，並應於五個營業日內發給新股或債券換股權利證書。上市、上櫃或興櫃股票公司依前項所發給之股票或債券換股權利證書，自向股東交付之日起上市或在證券商營業處所買賣。
6. **轉換公司債及依規定請求換發之債券換股權利證書或股票，除不印製實體者外，應一律為記名式**。

(三) 發行附認股權公司債

1. 「非」上市、上櫃公司或興櫃股票公司，「不得」發行公司債券與認股權分離之附認股權公司債。
2. 發行附認股權公司債時，其公司債之面額限採新臺幣十萬元或為新臺幣十萬元之倍數。

3. 發行附認股權公司債時，**因認股權行使而須發行新股之股份總數，按每股認股價格計算之認購總價額，不得超過該公司債發行之總面額**。
4. 附認股權公司債發行時，除上市或上櫃公司應全數委託證券承銷商包銷者外，不得對外公開承銷。

牛刀小試

( ) **1** 公開發行公司發行以其持有之其他上市或上櫃公司股票為償還標的之交換公司債，其持有期限至少為： (A)一年 (B)二年 (C)五年 (D)不限期間。 【106年第1次高業】

( ) **2** 依「發行人募集與發行有價證券處理準則」規定，上市上櫃公司發行轉換公司債時，應將多少數額委託證券承銷商包銷？ (A)全數 (B)半數 (C)其三分之一 (D)其四分之一。

( ) **3** 下列敘述何者為非？ (A)轉換公司債及依規定請求換發之債券換股權利證書或股票，應一律為記名式 (B)上市或上櫃公司發行轉換公司債時，應全數委託證券承銷商包銷 (C)轉換公司債之償還期限不得超過七年 (D)轉換公司債屬同次發行者，其償還期限應歸一律。 【106年第1次高業】

( ) **4** 轉換公司債經持有人請求轉換為債券換股權證，何時可以上市上櫃買賣？ (A)於發行公司或其代理機構同意之日 (B)於主管機關核准之日 (C)於主管機關核准後七日 (D)於向股東交付之日。

解答與解析

1 (B)。公開發行公司發行以其持有之其他上市或上櫃公司股票為償還標的之交換公司債，其持有期限至少二年。

2 (A)。上市上櫃公司發行轉換公司債時，應將全數委託證券承銷商包銷。

3 (C)。轉換公司債之償還期限不得超過十年。

4 (D)。轉換公司債經持有人請求轉換為債券換股權證，於向股東交付之日可以上市上櫃買賣。

三、發行員工認股權憑證與限制員工權利新股

(一) 發行人申報發行員工認股權憑證及限制員工權利新股，如有下列情形之一，金融監督管理委員會得退回其案件：

1. 最近連續二年有虧損者。但依其事業性質，須有較長準備期間或具有健全之營業計畫，確能改善營利能力者，不在此限。
2. 資產不足抵償債務者。
3. 重大喪失債信情事，尚未了結或了結後尚未逾三年者。
4. 對已發行員工認股權憑證或限制員工權利新股而有未履行發行及認股辦法約定事項之情事，迄未改善或經改善後尚未滿三年者。

(二) 員工認股權憑證不得轉讓。但因繼承者不在此限。

(三) 上市或上櫃公司申報發行員工認股權憑證，其認股價格不得低於發行日標的股票之收盤價。興櫃股票公司發行員工認股權憑證，其認股價格不得低於發行日前一段時間普通股加權平均成交價格，且不得低於最近期經會計師查核簽證或核閱之財務報告每股淨值。

(四) **員工認股權憑證自發行日起屆滿「二年」後，持有人除依法暫停過戶期間外，得依發行人所定之認股辦法請求履約**。

(五) **員工認股權憑證之存續期間不得超過十年**。

(六) 發行人申報發行員工認股權憑證，應經董事會三分之二以上董事出席及出席董事超過二分之一之同意。

(七) 發行人發行員工認股權憑證應檢具發行員工認股權憑證申報書，載明其應記載事項，連同應檢附書件，向金融監督管理委員會申報生效後，始得為之。依前項規定提出申報，於融監督管理委員會及融監督管理委員會指定之機構收到發行員工認股權憑證申報書即日起屆滿七個營業日生效，但金融控股、銀行、票券金融、信用卡及保險等事業，申報生效期間為十二個營業日。

牛刀小試

(　　) **1** 員工認股權憑證自發行日起屆滿幾年後，持有人除依法暫停過戶期間外，得依發行公司所定之認股辦法請求履約？
(A)一年　(B)二年　(C)三年　(D)五年。　【105年第4次高業】

( ) **2** 原則上發行人發行員工認股權憑證依規定向金融監督管理委員會提出申報書，並由其收到申報書即日起屆滿幾個營業日申報生效？ (A)7個營業日 (B)12個營業日 (C)20個營業日 (D)30個營業日。 【112年第1次高業】

( ) **3** 甲上市公司申報發行員工認股權憑證，其認股價格有何限制？ (A)不得低於發行日標的股票之開盤價 (B)不得低於發行日標的股票之收盤價 (C)不得低於申請通過時標的股票價格 (D)無限制。 【105年第4次高業】

( ) **4** 員工認股權憑證之存續期間不得超過幾年？ (A)二年 (B)五年 (C)十年 (D)十五年。 【107年第1次高業】

解答與解析

1 (B)。員工認股權憑證自發行日起屆滿「二年」後，持有人除依法暫停過戶期間外，得依發行人所定之認股辦法請求履約。

2 (A)。「發行人募集與發行有價證券處理準則」第55條：發行人發行員工認股權憑證應檢具發行員工認股權憑證申報書，載明其應記載事項，連同應檢附書件，向本會申報生效後，始得為之。依前項規定提出申報，於本會及本會指定之機構收到發行員工認股權憑證申報書即日起屆滿七個營業日生效，並準用第十二條第二項、第十五條及第十六條規定。但金融控股、銀行、票券金融、信用卡及保險等事業，申報生效期間為十二個營業日。

3 (B)。上市公司申報發行員工認股權憑證，其認股價格不得低於發行日標的股票之收盤價。

4 (C)。員工認股權憑證之存續期間不得超過十年。

精選試題

( ) **1** 發行人為有價證券之募集或出賣，依證券交易法之規定，向公眾提出之說明文書，稱為：(A)募集說明書　(B)風險預告書　(C)買賣報告書　(D)公開說明書。【109年第3次高業】

( ) **2** 目前為降低發行人公開說明書製作之成本，引進他國制度而有何種型式之公開說明書？(A)簡式公開說明書　(B)電子式公開說明書　(C)轉換公司債公開說明書　(D)以上皆是。

( ) **3** 公開說明書之財務報告應載明，發行人申報募集發行有價證券時最近幾年度之財務報告？(A)一年度　(B)二年度　(C)三年度　(D)四年度。【104年第4次高業】

( ) **4** 發行人申報募集與發行有價證券，以下何者不須承銷商評估或律師意見？(A)上市（櫃）公司辦理現金發行新股　(B)未上市（櫃）公司現金發行新股，提撥一定比率對外公開發行　(C)上市（櫃）公司盈餘轉增資　(D)募集設立。【102年第1次高業】

( ) **5** 依發行人募集與發行有價證券處理準則之規定，發行人申報發行股票，有下列何種情形，金融監督管理委員會得停止其申報發生效力？(A)申報書件完備或應記載事項充分者　(B)申報書件不完備或應記載事項不充分者　(C)申報書件完備者　(D)應記載事項充分者。【104年第1次分析師】

( ) **6** 發行人募集與發行有價證券案件，自主管機關停止申報生效通知到達日起，如屆滿幾個營業日未申請解除，主管機關將退回其案件？(A)7個　(B)12個　(C)15個　(D)選項(A)(B)(C)皆非。【109年第3次高業】

( ) **7** 甲上市公司現金增資發行新股於一零四年四月一日申報生效，請問甲公司應於何時募集完成？(A)五月一日以前　(B)六月一日以前　(C)七月一日以前　(D)八月一日以前。【105年第3次高業】

( ) **8** 依發行人募集與發行有價證券處理準則之規定，發行人募集與發行有價證券，經發現自申報生效或申請核准通知到達之日起，逾三個月尚未募足並收足現金款項者，金融監督管理委員會得為下列如何之處分？ (A)延期其申報生效或核准 (B)撤銷或廢止其申報生效或核准 (C)撤銷或廢止公司之營業 (D)延期該公司之營業。 【102年第2次分析師】

( ) **9** 上市上櫃公司於現金發行新股時，依「證券交易法」之規定，至少應提撥多少股份，以時價對外公開發行？ (A)公司已發行股份總數的百分之十 (B)公司該次發行新股總額之百分之十 (C)公司登記資本額的百分之十 (D)公司經核准發行股份總額的百分之三十。 【105年第1次高業】

( ) **10** 上市、上櫃公司發行轉換公司債時，應提出多少比例委託證券承銷商辦理公開承銷？ (A)百分之五十 (B)百分之六十 (C)百分之八十 (D)百分之百。 【107年第3次高業】

解答與解析

1 (D)。根據證券交易法第13條，本法所稱公開說明書，謂發行人為有價證券之募集或出賣，依本法之規定，向公眾提出之說明文書。

2 (A)。目前為降低發行人公開說明書製作之成本，引進他國制度而有簡式公開說明書。

3 (B)。公開說明書之財務報告應載明，發行人申報募集發行有價證券時最近二年的財務報告。

4 (C)。有下列情形之一，應分別委請主辦證券承銷商及律師分別提出評估報告及法律意見書：

(1)上市或上櫃公司辦理現金發行新股、合併發行新股、受讓他公司股份發行新股、依法律規定進行收購或分割發行新股者。

(2)興櫃股票公司辦理現金增資並提撥發行新股總額之一定比率公開銷售者。

(3)發行人經證券交易所向本會申報其股票創新板上市契約後，辦理現金增資發行新股為初次上市公開銷售者。

(4)股票未在證券交易所上市（以下簡稱未上市）或未在證券商營業處所買賣之公司辦理現金發行新股，依第18條規定提撥發行新股總額之一定比率對外公開發行者。
(5)募集設立者。
(6)發行具股權性質之公司債有委託證券承銷商對外公開承銷者。

5 **(B)**。發行人申報發行股票，若申報書件不完備或應記載事項不充分，金融監督管理委員會得停止其申報發生效力。

6 **(B)**。發行人募集與發行有價證券處理準則第16條，發行人募集與發行有價證券案件，自主管機關停止申報生效通知到達日起，如屆滿12個營業日未申請解除，主管機關將退回其案件。

7 **(C)**。發行人募集與發行有價證券，自申報生效通知到達之日起，應於三個月內募足並收足現金款項，故甲公司須於七月一日以前募集完成。

8 **(B)**。發行人募集與發行有價證券，經發現自申報生效或申請核准通知到達之日起，逾三個月尚未募足並收足現金款項者，金融監督管理委員會得撤銷或廢止其申報生效或核准。

9 **(B)**。上市上櫃公司於現金發行新股時，至少應提撥該次發行新股總額之百分之十股份，以時價對外公開發行。

10 **(D)**。上市上櫃公司發行轉換公司債時，應將全數委託證券承銷商包銷。

Part 2 投資學

第一章 金融市場與投資之基本介紹

依據出題頻率區分，屬：**B** 頻率中

在進入投資學這門科目前，我們應先對所處的金融市場有所認識，並且思考何謂投資，以及認清報酬與風險的衡量方式。本章將介紹上述基本概念，為後續章節內容做鋪陳。

重點 01 金融市場　　重要度★★

一、金融市場的分類

(一) 以期限長短區分

1. **貨幣市場：**
   (1) 金融商品的到期期限在一年以下者，是為「貨幣市場工具」，貨幣市場工具流通之市場，即「貨幣市場」。
   (2) 常見的貨幣市場工具有：可轉讓定期存單、銀行承兌匯票、國庫券、商業本票等。
2. **資本市場：**
   (1) 金融商品的到期期限在「一年以上」者，是為「資本市場工具」，資本市場工具流通之市場，即「資本市場」。
   (2) 常見的資本市場工具有：股票、債券、共同基金、臺灣存託憑證等。

(二) 以商品性質區分

權益市場	交易商品涵蓋股票、TDR等權益證券的金融市場。
債務市場	交易商品涵蓋公司債、政府公債、國庫券等債務工具的金融市場。

(三) **以流通順序區分**

1. **初級市場**：又稱「發行市場」，為金融工具初次發行的市場。
2. **次級市場**：又稱「流通市場」，為交易已經發行在外證券的市場。

(四) **以交易場所區分**

1. **集中市場**：上市股票在證券交易所，以集中競價的方式買賣的市場。
2. **櫃買市場**：在證券商營業櫃檯以議價進行的交易，稱為「櫃檯買賣」（Over-the-Counter，簡稱OTC），又稱「店頭市場」。

(五) **以資金的供輸作業區分**

1. **直接金融**：資金需求者直接向資金供給者籌措款項。
2. **間接金融**：資金需求者向金融仲介機構借款，而金融仲介機構的資金是來自於資金供給者的存款；故中間透過仲介角色，稱為「間接金融」。

二、金融市場的功能

(一) 資源的配置：在經濟的運行過程中，擁有多餘資產的盈餘部門並不一定是最有能力和機會作最有利投資的部門，現有的資產在這些盈餘部門得不到有效的利用，金融市場有效率的透過金融工具（如股票、債券）將資金由資金剩餘者手中移轉至資金不足者手中。

(二) 價格的發現。

(三) 降低交易成本。

(四) 提昇資產的流動性。

牛刀小試

( ) **1** 提供一年期以下短期有價證券交易之金融市場為：
(A)資本市場 (B)貨幣市場
(C)股票市場 (D)選項A、B、C皆非。 【102年第4次高業】

( ) **2** 對投資人而言，做多之公債保證金交易由下列何種交易組成？
(A)買斷（OB）與附賣回（RS）
(B)賣斷（OS）與附賣回（RS）
(C)買斷（OB）與附買回（RP）
(D)賣斷（OS）與附買回（RP）。 【110年第1次高業】

( ) **3** 貨幣市場交易工具不包括下列哪種工具？
(A)政府債券 (B)可轉讓定期存單
(C)銀行承兌匯票 (D)國庫券。 【107年第4次高業】

解答與解析

1 (B)。提供一年期以下短期有價證券交易之金融市場為貨幣市場；一年期以上為資本市場。

2 (C)。買斷公債：指投資人取得該債券的所有權與本息兌換權利。
賣斷公債：原持有者放棄債券的所有權與本息兌換權利。
附買回：交易雙方同意債券持有人賣出債券後在未來約定日期回購債券。
附賣回：買方以原金額加上事先約定的利率賣回該債券。

3 (A)。貨幣市場交易工具的到期日在一年以下，政府債券不屬之。

重點02 投資

重要度★★★

一、何謂投資

投資的本質：民眾將資金投入後，「花費時間，承擔風險，獲取報酬」的行為。是故，在了解投資之前，將先向各位介紹「報酬」與「風險」。

二、報酬率

資本利得（capital gain）← 資產期末價值－資產期初價值
股利（現金股利、股票股利）← 其他收益

(一) 投資報酬率＝ $\dfrac{(\text{資產期末價值}-\text{資產期初價值}+\text{其他收益})}{\text{資產期初價值}}$

例題1：**股票股利的報酬率**

小明半年前買進廣達股票1張，每股成本為210元，這期間獲發股票股利6元，目前股價為142元，請問這半年以來小明的投資報酬率為（忽略交易成本）：

答 小明原持有股票1張（＝1,000股），因配發股票股利6元，相當於取得600股的股票，故半年後共持有1,600股。

投資報酬率＝（資產期末價值－資產期初價值＋其他收益）／資產期初價值

＝（1,600×142－1,000×210）/（1,000×210）

＝8.19%

例題2：**現金股利＋股票股利的報酬率**

小黃今年以62元股價買進一張A公司股票，假設一年間配發2元的現金股利及2.5元的股票股利，一年後以65元賣出，請問一年後小黃的報酬率？（忽略交易成本）。【107年第1次高業】

答 小黃原持有股票1張（＝1,000股），因配發股票股利2.5元，相當於取得250股的股票，故一年後共持1,250股。

投資報酬率＝（資產期末價值－資產期初價值＋其他收益）／資產期初價值

＝（65×1,250－62×1,000＋2×1,000）/62×1,000

＝34.27%

(二) 平均報酬率

此前介紹的報酬率是累積報酬的概念，因其係計算投期期間的報酬總和，而並未考慮投入時間的長短。

若要客觀衡量一定期間的報酬率，應該要以每年的平均報酬率為依據。常用的平均年報酬率又可分為「算術平均報酬率」及「幾何平均報酬率」兩種。

1. 算術平均報酬率

公式：算術平均報酬率＝（R_1＋R_2＋...R_n）／n

R_1：第一年報酬率　R_2：第二年報酬率　R_n：第n年報酬率　n：n年

2. 幾何平均報酬率

公式：幾何平均報酬率＝（1＋R_1）（1＋R_2）...（1＋R_n）$^{1/n}$－1

R_1：第一年報酬率　R_2：第二年報酬率　R_n：第n年報酬率　n：n年

3. **舉例**：小明以10萬元投資A股票，在沒有配息的情況下，第一年末的A股票價值減少50%至5萬元，第二年末股票價A股票價值相對第一年末成長了100%為10萬元，試求投資A股票的平均年報酬率為多少？

(1) 若以算術平均報酬率計算＝（－50%＋100%）／2＝25%

但事實上，本金為10萬，投資A股票二年後，總資產依然為10萬，代表二年的投資總報酬率為0%，但算術平均的年報酬率卻有25%，造成邏輯上的偏差，並不準確。

(2)若以幾何平均報酬率計算＝[（1－50%）（1＋100%）]$^{1/2}$－1＝0%
本金為10萬，投資A股票二年後，總資產依然為10萬，代表二年的投資總報酬率為0%，**幾何平均法可以避免算術平均法的偏差**。

三、風險

常見的風險種類：

(一) 經營風險。

(二) **流動性風險**：指因市場成交量不足或缺乏願意交易的買方，導致想賣而賣不掉的風險。

(三) **違約風險**：**又稱為「信用風險」**。指債券發行主體在債券到期時，無法償付利息或本金的風險。通常**政府債券的違約風險極低**，而公司債的違約風險則應參考信評機構對該公司的債信評等而定，債信越好的公司通常發行利率越低。

(四) **利率風險**：利率與證券的價格一般呈反方向變化。當市場上的利率普遍提高時，證券價格會下降。

(五) **購買力風險**：因通貨膨脹而使貨幣購買力下降的風險。

牛刀小試

( ) **1** 張先生二年來投資A公司股票，第一年期間股價從200元下跌至120元，第二年期間卻又從120元回漲至150元，請問以幾何平均法計算之報酬率為何？ (A)－25% (B)－12.5% (C)－7.5% (D)－13.4%。 【107年第3次高業】

( ) **2** 某投資者買入某股票成本為60元，預期一年內可以64元賣出，且可收到現金股利2元，則其預期單期報酬率為： (A)10% (B)13.64% (C)15% (D)20.65%。 【109年第1次高業】

( ) **3** 下列何種事件的發生，是屬於非系統風險？ (A)政府宣布調整存款準備率，上一季經濟成長率為6.1% (B)中共臺海演習 (C)通貨膨脹率維持穩定 (D)公司發生火災。【106年第1次高業】

( ) **4** 投資股票多樣化，可： (A)消除個別風險 (B)規避市場風險 (C)消除市場非理性變動風險 (D)規避所有的風險。

(　　) **5** 一般而言，增加投資組合之證券種類，下列何者為真？(A)降低風險效果遞增 (B)非系統風險所占比例愈大 (C)系統風險愈來愈接近0 (D)總風險愈來愈接近系統風險。

解答與解析

1 (D)。第一年報酬率R_1＝（120－200）／200＝－40%
第二年報酬率R_2＝（150－120）／120＝25%
幾何平均法＝sqrt[（1－0.4）×（1＋0.25）]－1
＝0.866－1
＝－13.4%

2 (A)。（64＋2－60）／60＝10%

3 (D)。選項(A)(B)(C)皆是影響全臺的企業，屬於系統性風險；僅(D)選項為個別公司事件，為非系統性風險。

4 (A)。投資人可以藉由投資多檔股票，來消除個別風險（非系統風險）。

5 (D)。增加投資組合之證券種類會降低非系統性風險、使總風險愈來愈接近系統風險。

精選試題

(　　) **1** 對貨幣市場的敘述，何者有誤？ (A)貨幣市場通常有集中買賣交易的場所 (B)提供一年期以下金融工具交易的市場 (C)協助短期資金需求者與供給者之間的資金移轉 (D)銀行承兌匯票是此市場交易工具之一。 【106年第4次高業】

(　　) **2** 何者屬於貨幣市場之工具？ 甲、可轉讓銀行定期存單；乙、可轉換公司債；丙、國庫券；丁、商業本票 (A)僅甲、乙 (B)僅丙、丁 (C)僅乙、丙、丁 (D)僅甲、丙、丁。【110年第1次高業】

( ) **3** 以下何種經濟指標是用來衡量批發價格平均變動倍數？ (A)工業生產指數 (B)躉售物價指數 (C)消費者物價指數 (D)國民生產毛額平減指數。 【109年第1次高業】

( ) **4** 老王今年以60元股價買進一張聯強國際股票，假設一年間獲發2元的現金股利及2.5元的股票股利，一年後以65元賣出，請問一年後老王將可獲利多少（忽略交易成本）？ (A)21,250 (B)22,250 (C)23,250 (D)24,250。

( ) **5** 某投資組合過去三年的報酬率均為10%，則其三年之幾何平均報酬率： (A)高於算術平均報酬率 (B)等於算術平均報酬率 (C)低於算術平均報酬率 (D)無法判斷。

( ) **6** 市場風險（Market Risk）是指： (A)系統、可分散風險 (B)非系統、可分散風險 (C)系統、不可分散風險 (D)非系統、不可分散風險。 【105年第3次高業】

( ) **7** 以下何項原因與非系統風險無關？ (A)公司罷工 (B)開發新科技產品 (C)董事大舉出脫持股 (D)經濟成長率下降。

( ) **8** 所謂非系統風險，係指： (A)某一證券所獨有而隨機變動的風險 (B)政治、經濟、社會環境變動對個別證券之影響 (C)通貨膨脹風險 (D)利率風險。

( ) **9** 影響金融市場中所有資產報酬的事件，其衝擊屬於全面性的風險為： (A)某大集團負責人去世 (B)購買力風險 (C)某大公司被國外企業併購 (D)手機大廠產品瑕疵全面回收。 【108年第1次高業】

( ) **10** 下列何者是持有債券的系統風險？ (A)發行公司的信用風險 (B)市場的利率風險 (C)發行公司的財務風險 (D)發行公司的違約風險。 【105年第1次高業】

( ) **11** 公司債與公債之間的利差，主要是受到何種風險所影響？（假設公司債與公債的存續期間相同） (A)購買力風險 (B)違約風險 (C)利率風險 (D)再投資風險。 【109年第1次高業】

( ) **12** 當買入證券後，未能公平且迅速賣出該證券，此風險為：
(A)違約風險 (B)流動性風險
(C)購買力風險 (D)利率風險。 【106年第1次高業】

解答與解析

1 **(A)**。有集中買賣交易的場所通常指股票類證券，股票並無到期日，非貨幣市場工具（貨幣市場工具之到期日在一年以下）。

2 **(D)**。貨幣市場工具為到期期間一年內的，包含：可轉讓銀行定期存單、國庫券、商業本票。

3 **(B)**。躉售物價指數是根據大宗物資批發價格的加權平均價格編製而得的物價指數，包括原料、中間產品、最終產品與進出口品，但不包括各類勞務。

4 **(C)**。
資本利得：
（65－60）×1,000＝5,000
股利收益：
現金股利1,000×2＝2,000元
股票股利：
2.5／10×1,000＝250（股），
價值250×65＝16,250元
總共獲利：
5,000＋2,000＋16,250＝23,250

5 **(B)**。$R_1=R_2=R_3=10\%$
算術平均報酬率＝$(R_1+R_2+R_3)/3=(10\%+10\%+10\%)/3=10\%$
幾何平均報酬率＝$(1+R_1)(1+R_2)(1+R_3)^{1/3}-1=10\%$
⇒當每期報酬率相等時，算術平均與幾何平均報酬率是一樣的。

6 **(C)**。系統風險＝市場風險＝不可分散風險。

7 **(D)**。經濟成長率下降會影響整個金融市場，屬於系統風險。

8 **(A)**。非系統風險是指「某一證券所獨有」而隨機變動的風險。

9 **(B)**。購買力風險是指因通貨膨脹而使貨幣購買力下降的風險，屬於全面性的系統風險。

10 **(B)**。利率風險對於債券市場的影響是全面性的，屬於系統風險；其他皆為個別發行公司的非系統風險。

11 **(B)**。公司債與公債之間的利差，主要是受到違約風險（信用風險）影響。

12 **(B)**。流動性風險（liquidity risk）指因市場成交量不足或缺乏願意交易的買方，導致想賣而賣不掉的風險。

第二章 證券基本分析

依據出題頻率區分，屬：**A** 頻率高

進行證券分析時，實務上最常見的學派分為「基本面分析」與「技術面分析」兩大主流。基本面分析顧名思義，即依企業的財務報表、實際營運狀況等資訊來評估合理股價。本章節為證券商高級業務員中「投資學」一科的考試重點，請務必熟稔各模型的評價公式，並靈活應用。

證券分析方式之架構圖

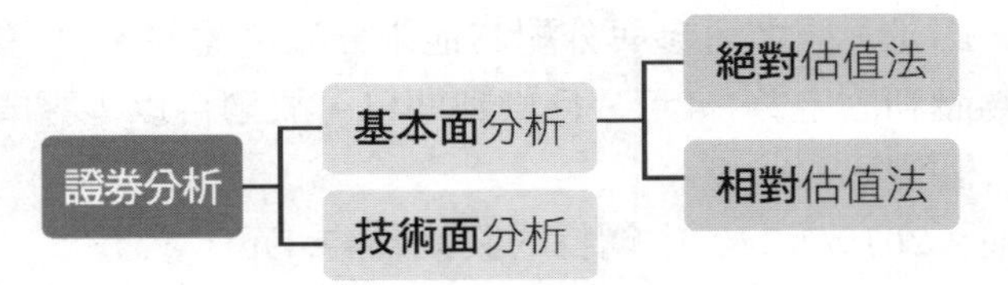

重點01 絕對估值法

重要度★★★

認為合理的股價為「未來可獲取之現金流折現的加總」；而持有股票的現金流來自於「股利發放」。絕對估值法又可根據股利發放模式分為「股利零成長」、「股利固定成長」及「股利非固定成長」三種模型。

一、股利零成長模型

(一) **假設**：企業每年發放固定金額的股利給股東，故為零成長股利。

(二) **公式推導**

1. 因零成長股票是預期股利金額固定，故$D_1 = D_2 = D_3 = \ldots = D_n$
   D_1第一年股利，D_2第二年股利，以此類推。
2. 現在的合理股價＝未來每期股利的折現加總

$$P_0 = \frac{D}{(1+R)^1} + \frac{D}{(1+R)^2} + \frac{D}{(1+R)^3} + \frac{D}{(1+R)^4} + \frac{D}{(1+R)^5} + \ldots$$

➔ $P_0 = D／R$　　D：每年股利　　R：要求報酬率

3. **例題**：聯佳公司每年固定配發現金股利3.5元，不配發股票股利，其股票必要報酬率為7%，在零成長之股利折現模式下，其股價應為多少？

答 P＝D／K＝3.5／7%＝50（元）

4. **應用**：

(1)雖零成長模型假定企業每年配發固定股利，惟現實生活中，因股利發放尚牽涉當年盈餘、公司政策等因素，故少有符合本假設之企業。

(2)但「特別股」之股息係以「發行價格×固定年息」計算，故在估計特別股之價值時不妨可參考本評價模型。

以中鋼特別股（股票代號：2002A）為例，中鋼的公司章程：特別股股息優先於普通股股息之分派，股息為面額之14%。

A. 意即，中鋼特每年可優先獲配股票面額百分之十四之股息（即每股一・四元），並可參與分配其他未分派之盈餘。

B. 因為股利固定為1.4元，且無到期日，故適合以「零成長股利模型」進行評價。

目前（2019/7/24）中鋼特的股價為47.4元，

P＝D／K

⇒47.4＝1.4／K

⇒K（殖利率）＝2.95%。

即代表，持有中鋼特的投資人認為其報酬率值2.95%。

但若認為穩定的投資標的很稀缺、只要中鋼特報酬率大於2.5%就願意持有，則願意購買的目標價會來到1.4／2.5%＝56元。

二、股利固定成長模型

(一) **假設**：企業每年發放的股利固定以g成長。

(二) **公式推導**

1. 假設目前股利是D_0，第一年的股利D_1是$D_0(1+g)$，

D_2是$D_1(1+g)=D_0(1+g)^2$，...第t年的股利$D_t=D_0(1+g)^t$

2. $$P_0=\frac{D_1}{(1+R)^1}+\frac{D_2}{(1+R)^2}+\frac{D_3}{(1+R)^3}+\ldots$$

$$=\frac{D_0(1+g)^1}{(1+R)^1}+\frac{D_0(1+g)^2}{(1+R)^2}+\frac{D_0(1+g)^3}{(1+R)^3}+\ldots$$

$$=\sum_{t=1}^{\infty}\frac{D_0(1+g)^t}{(1+R_s)^t}$$

3. 當股利成長率g固定時，上述公式可簡化為

$$P=\frac{D_0(1+g)}{R_s-g}=\frac{D_1}{R_s-g}$$

(三) **例題**：丙公司剛發放每股現金股利3元，已知該公司股利成長率很穩定，每年約5%，所有股利都是現金發放，若該股票之市場折現率為12%，請問該公司股票之價格應為多少？ 【105年第1次高業】

答 P＝D／（K－g）＝3／（12%－5%）＝42.857（元）

(四) **使用本評價模型時應注意**

1. 折現率必須大於股利固定成長率（k＞g）
2. 股利成長率g＝（ROE）×（1－d）
3. 股利固定成長模型又稱為「高登模型（The Gordon Model）」。

三、股利非固定成長模型

(一) **概念**：以現金流量折現的概念進行評價。

(二) **公式**：

$$E(P_0)=\frac{E(D_1)}{(1+\hat{R}_s)^1}+\frac{E(D_2)}{(1+\hat{R}_s)^2}+\cdots\frac{E(D_\infty)}{(1+\hat{R}_s)^\infty}=\sum_{t=1}^{\infty}\frac{E(D_t)}{(1+\hat{R}_s)^t}$$ 。

牛刀小試

( ) **1** 股利折現模式的股利：
(A)僅包括股票股利
(B)僅包括現金股利
(C)同時包括現金股利與股票股利
(D)即等於每股盈餘。 【101年第2次高業】

( ) **2** 固定成長股利折現模式在何種情況下無法適用？
(A)預估股利成長率大於歷史平均股利成長率
(B)預估股利成長率大於要求報酬率
(C)預估股利成長率小於歷史平均股利成長率
(D)預估股利成長率小於要求報酬率。 【109年第1次高業】

解答與解析

1 (B)。股利折現評價是將未來各期的「現金股利」，依投資人要求報酬率，折現成目前價值；即投資人願意購買的價格。

2 (B)。公式為P＝D／（K－g），當g＞K時不適用。

重點02 相對估值法 重要度★★★

以乘數方法評價。投資人常用的相對估值法有：本益比還原法、股價淨值比還原法、股價營收比還原法，而在認識上述估值法前，需先介紹何謂「本益比」、「股價淨值比」、「股價營收比」。

一、本益比P／E

(一) **公式**：本益比又稱「P／E Ratio」，

P／E＝Price／EPS

＝每股市價／每股盈餘

> **考點速攻**
> EPS（Earning Per Share）：每股盈餘
> EPS＝稅後淨利／在外流通股數

(二) **涵義**

1. 股價是投資人購買一股所需的成本，每股盈餘是投資人持有一股所得到的獲利；故本益比是投資一股股票，其成本與獲利的比值，亦為報酬率的倒數。
2. 不同產業的本益比亦不相同，具有高成長潛力的產業，其本益比常較穩定型產業之本益比高，例如通訊產業的本益比將高於食品業。
3. 以投資者角度而言，同產業中，本益比越小的公司越好。因代表投資者為取得相同的報酬，所需投入的金額越小。
4. 低本益比股票的報酬率通常較高本益比股票為高，此稱為「本益比效應」。【105年第3次高業】

(三) **例題**：有一公司流通在外的普通股有100,000股，每股市價為20元，每股股利為2元，公司股利發放率為40%，則此公司本益比為多少？【100年第4次高業】

答 本益比＝每股價格／每股盈餘＝20／EPS

EPS×股利發放率＝每股股利

⇒EPS＝每股股利／股利發放率＝2／40%＝5
本益比＝20／5＝4

二、本益比還原法

(一) 本益比還原法，指以本益比回推評估公司的合理股價。

合理股價＝每股盈餘（EPS）×合理的本益比（P／E）

(二) **例題**：甲食品公司宣布今年的每股盈餘為1.2元，且目前同產業的平均本益比為12倍，請推估該食品公司的合理股價為何？

答 甲食品公司的合理股價為EPS×P／E＝1.2×12＝14.4（元）

牛刀小試

(　) **1** 下列敘述何者為非？
(A)兩公司今年本益比相同，不代表兩公司成長性一樣
(B)產業成長性低的公司，其本益比會較高
(C)公司面臨風險的改變會影響本益比變動
(D)會計方法變動會影響本益比。【107年第3次高業】

(　) **2** 保守的投資人應該投資下列哪一種股票？
(A)高本益比股票
(B)低本益比股票
(C)低淨值市價比股票
(D)高市價現金流量比股票。【109年第1次高業】

解答與解析

1 (B)。產業趨於穩定或成長潛力低的公司，其本益比會較低。

2 (B)。保守的投資人應投低本益比股票，因高本益比隱含股價估值過高之意涵。

三、股價淨值比（市價淨值比）

> **考點速攻**
> 每股淨值：指企業每股的真正價值
> 每股淨值=（資產總額−負債總額）／在外流通股數

(一) **公式**：股價淨值比又稱「P／B Ratio」，
P／B＝Price／Book Value
＝每股市價／每股淨值

(二) **涵義**

1. 股價淨值比指企業於特定時間的股價，相對於每股淨值的比值。
2. 股價淨值比適用於擁有大量固定資產、帳面價值相對穩定的公司，例如銀行、保險此類多由貨幣資產所構成的企業。

(三) **例題**：甲公司目前股價是40元，已知該公司淨值為20元，試求該公司目前股價淨值比倍數是多少倍？

答 股價淨值比＝40／20＝2倍。

知識補給站

股價淨值比（Price／Book Value）雖公式簡單，但於考試中容易出現變化形態。
股價淨值比＝每股市價／每股淨值
＝每股市價／每股股東權益
＝（每股市價／每股盈餘）×（每股盈餘／每股股東權益）
＝本益比×股東權益報酬率

例題：南州公司的本益比為15倍，權益報酬率為12%，求其股價淨值比為何？

答 股價淨值比＝本益比×股東權益報酬率＝15×12%＝1.8

四、股價淨值比還原法

(一) **公式**：合理股價＝每股淨值×股價淨值比（P／B）

(二) **例題**：若一銀每股淨值為18元，目前每股市價為25元。若三商銀歷年來的股價淨值比約為1.5倍，目前一銀及彰銀的股價淨值比也接近此倍數。請問一銀合理的股價應有多少？

答 合理股價＝18×1.5＝27（元）

五、股價營收比

(一) **公式**：股價營收比又稱「P／S Ratio」，
P／S＝Price／Sales＝每股市價／每股營收

(二) **涵義**

1. 股價營收比用於確定每一股相對於業績的價值，但不同產業的公司其股價營收比差異甚鉅，估股價營收比通常用於比較同產業之公司。
2. 股價營收比常用於評估虧損公司的股票，因虧損的公司並無「盈餘」、無本益比可以參考。

(三) **例題**：甲公司總資產週轉率為2倍，資產負債比為2倍，已知每股總資產值30元，該公司股票市價為120元，試求該股票之市價／營收比為多少倍？

【102年第1次高業】

總資產週轉率＝營收／總資產，
因此每股營收＝總資產週轉率×每股總資產＝2×30＝60
市價／營收比＝120／60＝2。

六、股價營收比還原法

公式：合理股價＝每股營收×股價營收比（P／S）

牛刀小試

( ) **1** 某公司資產負債表中，有600萬元之資產，300萬元之負債，假設該公司股票流通在外股數為10萬股，且目前股票市價為60元，請問該公司股票之市價淨值比為： (A)3 (B)2.5 (C)2 (D)1.5。 【106年第3次高業】

( ) **2** 萬里公司本益比為60，當年度平均普通股東權益$250,000，淨利$60,000，特別股股利$10,000，則該公司之股價淨值比率為何？ (A)2.4 (B)10 (C)12 (D)14.4。 【105年第3次高業】

解答與解析

1 (C)。淨值＝資產－負債＝600萬－300萬＝300萬
每股淨值＝淨值／在外流通股數＝300萬／10萬＝30
市價淨值比P／B＝60／30＝2

2 (C)。本益比＝總市價／總普通股盈餘＝60
普通股盈餘＝60,000－10,000＝50,000
總市價＝50,000×60＝3,000,000
股價淨值比＝3,000,000／250,000＝12

重點03 估值法的變化型態　重要度★★★

有關證券基本面分析，除前述重點1的絕對估值法及重點2的相對估值法，考試時亦會從其概念中衍生、或融合兩種估值方法，本節將提出兩類考試中較常出現的變化題型。

> **小叮嚀**
> 若未曾學過CAPM，可先翻閱至第八章的重點1中的「資本定價模型」，以進行理解，再往下接續。

一、絕對估值法與CAPM的結合應用

(一) **說明**：絕對估值法評價的概念為未來現金流的折現，而「折現率」的決定，實務上多以資本定價模型CAPM衡量之。

(二) **概念複習**

1. 絕對估值法，股利折現公式

$$E(P_0)=\frac{E(D_1)}{(1+\hat{R}_s)^1}+\frac{E(D_2)}{(1+\hat{R}_s)^2}+\cdots\frac{E(D_\infty)}{(1+\hat{R}_s)^\infty}=\sum_{t=1}^{\infty}\frac{E(D_t)}{(1+\hat{R}_s)^t}$$

2. 資本資產定價模式（CAPM）

$R_i=R_f+B_i\times（R_m-R_f）$

R_i為股東要求報酬率；R_f為無風險利率；

B_i為系統性風險；（R_m-R_f）為市場風險貼水／風險溢酬

(三) **例題**：友好公司預期明年可發放1.2元現金股利，且每年成長6%。假設目前無風險利率為6%，市場風險溢酬為8%，若友好公司股票之貝它係數為0.75，在CAPM與股利折現模式同時成立，請問其股價應為何？

答 股東要求報酬率$R_i=R_f+B_i\times（R_m-R_f）=6\%+0.75\times8\%=12\%$

固定股利成長模型為$P=D_1／（K-g）=1.2／（12\%-6\%）=20$（元）

二、絕對估值法與本益比的結合應用

(一) **說明**：股利成長模型公式$P=D_1／（K-g）$，上一重點是在講述折現率K的衍生，而現欲探討股利成長率g在考題中的變化。

(二) **概念**

企業每年會從盈餘中提撥發放現金股利的比例，股利發放率以d表示，而未發放的比例（1－d）則稱為「保留盈餘率」。

(三) **例題**1：實務上將現金股利折現法（Gordon模型）與本益比（PER）相結合，若今年度現金股利為1.20元，折現率為10%，現金股利成長率為5%，預期每股盈餘為1.26元，則其理論本益比為多少倍？

考點速攻
Gordon的公式為下年度股利D_1，今年度現金股利應計算現金股利成長率，D_0×(1+g)。

答 Gordon模型下，合理股價P＝1.2（1＋5%）／（10%－5%）＝25.2，
本益比＝Price／EPS＝25.2／1.26＝20（倍）

例題2：假設某公司合理本益比為15倍，其現金股利發放率為30%，且預期現金股利成長率為10%，若高登模式（Gordon Model）成立，請問該公司股票之必要報酬率為何？

答 已知P／E＝15、g＝10%
P ＝D_1／（K－g）
⇒15×E＝D_0（1＋g）／（K－10%）
⇒15×E＝D_0（1＋10%）／（K－10%）
⇒15×E＝E×30%×（1＋10%）／（K－10%）
⇒15×E＝0.33E／（K－10%）
⇒K－10%＝2.2%，K＝12.2%

重點04 成長型股票與價值型股票 重要度★★★

一、成長型股票

(一) **特點**

1. 成長型股票具有強勁競爭力、成長潛力巨大。
2. 股價受市場對公司發展前景預期的影響，本益比偏高。
3. 股價波動幅度較大、投資風險較高。
4. 公司的盈餘主要用於再投資，故發放予股東之股利偏低，投資人選擇此類股票主要尋求「資本利得」為報酬來源。

(二) 代表人

談到成長型股票的投資，就一定會提到菲利普・費雪，其最讓人津津樂道的投資即為於1977年購買摩托羅拉（Motorola），當時摩托羅拉僅是汽車收音機製造商，並未被其他投資人認為擁有強大研發能力；費雪購買該公司股票後，二十年內獲得超過二十倍的報酬率。

費雪給投資人的忠告「不要因為一間公司的股價已高，就以為未來的獲利成長潛力已經反映在價格上了。」亦可反映出成長型投資人的中心思想。

二、價值型股票

(一) 特點

1. 價值型股票的發展已趨於成熟，故企業成長潛力較有限。
2. 市場對企業的股價表現，並不會有太高的預期，故股價相對平穩，本益比偏低。
3. 企業進行成長性再投資的機會較低，故有較高的股利發放率，投資人選擇此類股票主要尋求「現金股利」為報酬來源。

(二) 代表人

投資大師班傑明・葛拉漢（Benjamin Graham）主張保守的價值股投資策略，其1934年出版的《有價證券分析》被譽為投資人必讀之經典。

實證分析發現，價值股投資策略在市場空頭見底後的反彈期特別有效，例如科技網路泡沫化後的2000～2006年、金融海嘯後的2008～2009年。

三、投資策略

一般人可能也存在一個疑問，也就是「成長投資與價值投資是對立的策略嗎？」其實，儘管成長投資與價值投資的特點甚異，事實上，兩者並不互相衝突。股神巴菲特就曾指出：「價值投資和成長投資猶如人之雙腿。」更說過他的投資風格「85%來自於葛拉漢的影響，15%受到費雪的啟蒙」。

而實證分析上，當景氣佳、股市呈多頭走勢時，成長型股票表現較好；當景氣由盛轉衰時，投資價值型股票表現較佳。是故，投資人應配合市場當下總體環境影響，調整此兩類股票之投資比重。

牛刀小試

(　　) **1** 哪一種股票較可能是成長型股票？
(A)現金股息占盈餘之百分比偏低之股票
(B)低市價淨值比股票
(C)低本益比股票
(D)資產週轉率低的股票。　【109年第2次高業】

(　　) **2** 價值型股票通常具有哪些特性？　甲、低本益比；乙、高市價淨值比；丙、低股利率
(A)僅甲　(B)僅甲、乙
(C)僅乙、丙　(D)甲、乙、丙。　【111年第1次高業】

(　　) **3** 如果實證發現，價值型股票與成長型股票股價表現之相對優劣，會受總體環境顯著影響，則正確的投資策略是：
(A)投資標的多角化
(B)依據總體預測，積極調整上述二類股之投資比重
(C)積極調整持股比率
(D)買入持有特定風格的股票。

解答與解析

1 (A)。現金股息占盈餘之百分比偏低，代表公司傾向將盈餘再投資，可能是成長型股票。

2 (A)。通常認為本益比低、市價淨值比低、高股利率的公司是價值股。

3 (B)。如果實證上，價值型與成長型股票的表現會受總體環境顯著影響，則投資人應密切觀察總體經濟變化，並靈活調整此二類股之投資比重。

重點回顧

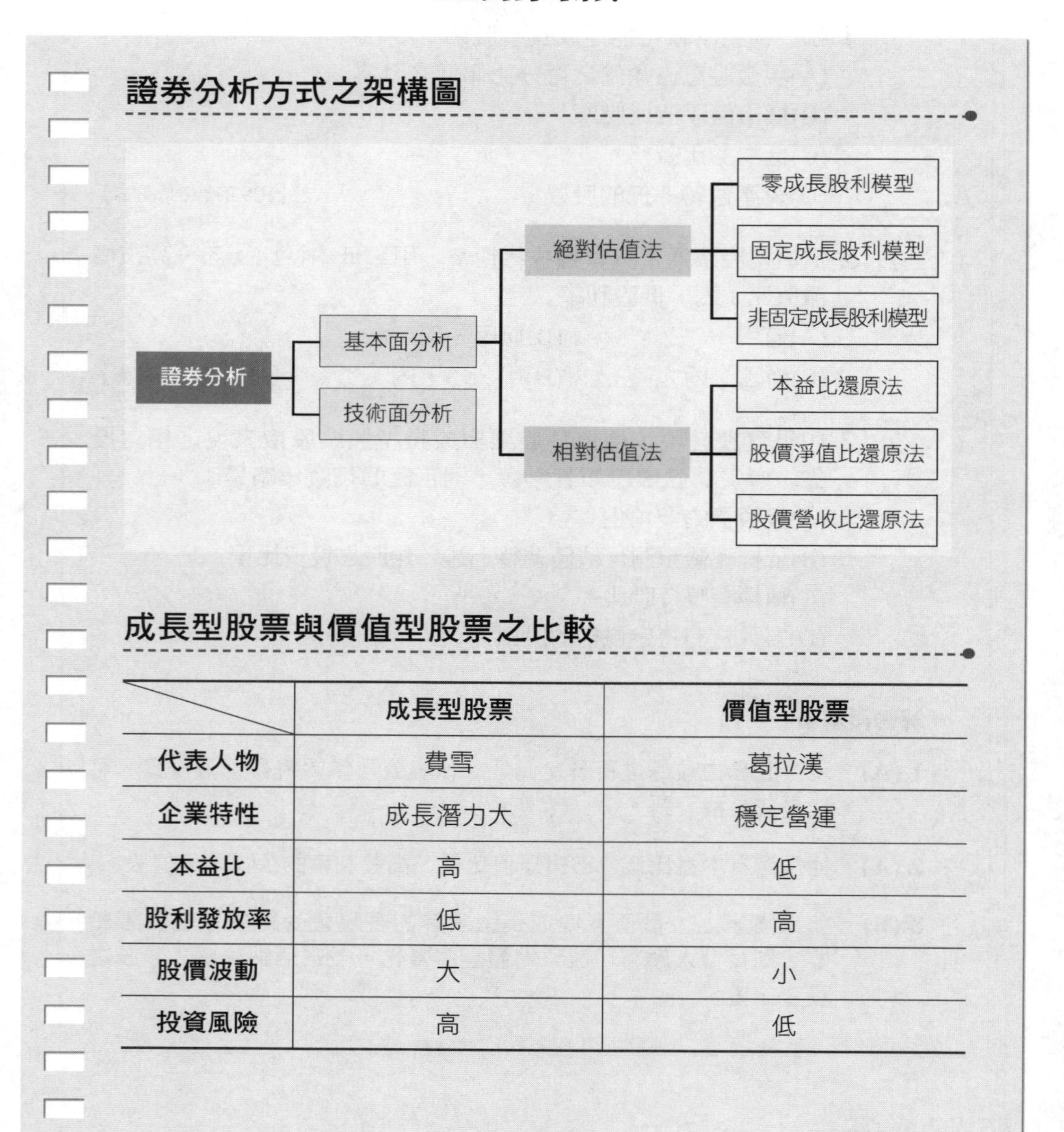

成長型股票與價值型股票之比較

	成長型股票	價值型股票
代表人物	費雪	葛拉漢
企業特性	成長潛力大	穩定營運
本益比	高	低
股利發放率	低	高
股價波動	大	小
投資風險	高	低

精選試題

( ) **1** 在股利折現模式中，下列何者不是直接影響折現率之因素？ (A)無風險利率 (B)市場風險溢酬 (C)股票之貝它係數 (D)股東權益報酬率。 【100年第3次高業】

( ) **2** 已知乙公司明年股利發放率為50%，股票必要報酬率為12%，股利成長率為4%，請問該公司股票之合理本益比為何？ (A)6.5 (B)7.67 (C)8.67 (D)9.67。 【103年第3次高業】

( ) **3** 利用淨值市價比倍數觀念投資股票時，下列哪一敘述正確？ 甲、淨值市價比的「淨值」是指每股稅後盈餘；乙、淨值市價比的「淨值」是指普通股每股淨值 (A)甲正確 (B)乙正確 (C)甲、乙皆正確 (D)甲、乙皆不正確。 【101年第1次高業】

( ) **4** 投資於成長股的投資人，預期報酬： (A)主要來自於現金股利 (B)主要來自於資本利得 (C)一半來自於現金股利，一半來自於差價 (D)選項(A)(B)(C)皆非。 【101年第2次高業】

( ) **5** 假如2014年廣泛市場指數的股票預期現金股利為$240百萬，折現率為8%，而且股利預期成長率為6%，利用固定成長股利折現公式，若利率上升為9%，市場價值有何變化？ (A)－10% (B)－20% (C)－25% (D)－33%。 【102年第4次證券分析師】

( ) **6** 股票評價可以利用下列哪一種方法？ 甲、本益比倍數還原法；乙、股價淨值比還原法；丙、股利折現法 (A)只有甲 (B)只有甲及乙 (C)只有甲及丙 (D)甲、乙及丙皆可。

( ) **7** 一般而言，P／E Ratio是指： (A)股價對每股稅後盈餘比 (B)股價對每股營收比 (C)股價對每股權益比 (D)股價對每股支出比。 【102年第4次高業】

( ) **8** 某公司的股東權益報酬率為19%，市價淨值比為1.9倍，則公司的本益比為： (A)10 (B)14 (C)19 (D)36.1。

( ) **9** 保守的投資人應該投資下列哪一種股票？ (A)高市價淨值比股票 (B)成長型（Growth）股票 (C)價值型（Value）股票 (D)高市價現金流量比股票。【102年第4次高業】

( ) **10** 福隆公司每年固定配發現金股利4元，不配發股票股利，其股票必要報酬率為9%，若其貝它係數為1.22，在零成長之股利折現模式下，其股價應為： (A)44.4 (B)33.3 (C)22.2 (D)25.4。

( ) **11** 股利折現模式的股利： (A)僅包括現金股利 (B)僅包括股票股利 (C)同時包括現金股利與股票股利 (D)即等於每股盈餘。

( ) **12** 德川公司的本益比為15倍，股東權益報酬率為12%，則其市價淨值比為： (A).2 (B).9 (C)1.5 (D)1.8。【101年第1次普業】

( ) **13** 某公司資產負債表中，有800萬元之資產，400萬元之負債，假設該公司股票流通在外股數為14萬股，且目前股票市價為90元，請問該公司股票之市價淨值比為： (A)2.98 (B)3.10 (C)3.15 (D)3.24。

解答與解析

1 (D)。股利折現模型基本型態為P＝D／（K－g）
K為股東要求報酬率，相當於CAPM中的$R_i＝R_f＋B_i×（R_m－R_f）$
R_f為無風險利率，B_i為股票之貝它係數，R_i為市場風險溢酬。

2 (A)。$P＝D_1／（K－g）$
$＝D_1／（12\%－4\%）$
＝EPS×d×（1＋g）／8%
P／E＝[EPS×50%×（1＋4%）／8%]／E，P／E＝6.5

3 (B)。淨值市價比的「淨值」是指普通股每股淨值；每股稅後盈餘（EPS）是本益比的分母。

4 (B)。投資於成長股的投資人，預期報酬主要來自於資本利得；投資價持股的投資人，預期報酬主要來自於現金股利。

5 (D)。固定成長股利折現P＝D／（K－g）＝240／（8%－6%）＝12,000（百萬）
利率上升為9%⇒P＝D／（K－g）＝240／（9%－6%）＝8,000（百萬）
市價變化＝（8000－12000）／12000＝－33%

6 (D)。投資人進行股票評價時，可以採絕對估值法（丙、股利折現法）、相對估值法（甲、本益比倍數還原法以及乙、股價淨值比還原法）。

7 **(A)**。本益比P／E Ratio指 Price to Earning Ratio，每股股價／每股稅後盈餘。

8 **(A)**。已知股東權益報酬率＝總獲利／總權益＝19%
市價淨值比＝每股股價／（總權益／股數）＝1.9
求本益比，本益比＝每股股價／每股盈餘
＝每股股價／（總獲利／股數）
＝1.9×（總權益／股數）／[（19%×總權益）／股數]
＝10

9 **(C)**。保守型的投資人應該投資價值型股票，其股價波動較小。

10 **(A)**。合理股價＝D／K，K為股東要求報酬率
＝4／9%＝44.4（元）

11 **(A)**。股利折現模式的股利僅包括現金股利。

12 **(D)**。已知股東權益報酬率＝總獲利／總權益＝12%
本益比＝市價／盈餘＝15
求市價淨值比，市價淨值比＝市價／淨值
＝（15×盈餘）／淨值
＝（15×總獲利）／（總權益）
＝（15×總獲利）／（總獲利／12%）
＝15×12%＝1.8

13 **(C)**。淨值＝資產－負債＝800萬－400萬＝400萬，
每股淨值＝淨值／在外流通股數＝400萬／14萬股
市價淨值比＝每股股價／每股淨值
＝90／（400萬／14萬股）
＝3.15

第三章 債券基本分析

依據出題頻率區分，屬：A 頻率高

相較於股票帶給投資人的收益具不確定性，金融市場中有一種工具可在事前告知投資人，其投資可獲得的利息，即稱「固定收益證券」又稱「債券」。

本章節的學習目標為了解債券基本特性、種類；並了解如何計算債券的理論價格，以及介紹會影響債券價格的因素等。

重點01 債券的基本特性 重要度★★★

一、債券的基本特性

債券，是為籌集資金所發行，其向投資人約定**在固定時間支付一定比例的利息，並於到期時償還本金的一種有價證券**。

債券具有以下特性：

(一) 利息發放頻率、金額固定，不因發行人的營收或財務狀況而受影響。

(二) 有固定之還款期限，到期發行人需償還本金。

(三) 相對於權益類商品，固定收益證券含優先求償權，對投資人較有保障。

(四) 節稅：發行方所支付的利息可扣抵稅賦。

二、投資債券的收益

投資債券的收益包括：

(一) **利息收益**：債券發行方會依票面利率，每期給付利息。

(二) **資本利得**：債券價格受市場利率影響，若投資人未將債權持有至到期、而是在到期前賣出，則會因當時的利率而產生資本利得或損失。

三、債券三率

影響債券最重要的三個利率，分別是「票面利率、當期收益率、到期收益率」。

(一) **票面利率**（Coupon rate）：發行時**印刷在債券票面上的利率**，為債務人每年應給付的利息額與債券面額比。

(二) **當期收益率**（Current Yield）：指債券利息除以當下市場價格而計算出的收益率，其並未考慮債券投資的資本利得或損失，只衡量某一期間獲得的現金收入相較債券價格的比率。

(三) **到期收益率**（Yield To Maturity）：指持有債券直至到期日所得的收益，亦即為一般俗稱的「**債券殖利率**」。

牛刀小試

( ) **1** 當購買債券後一直持有至到期日，而預期獲得的報酬率稱為： (A)當期收益率 (B)贖回收益率 (C)資本利得收益率 (D)到期收益率。

( ) **2** 買入債券並且持有一期不賣出，則所得到的報酬率稱之為：(A)到期收益率 (B)當期收益率 (C)贖回收益率 (D)資本利得收益率。 【104年第2次高業】

解答與解析

1 (D)。購買債券後一直持有至到期日，其所獲得的報酬率稱為「到期收益率」。

2 (B)。買入債券並且持有一期不賣出，則所得到的報酬率稱之為「當期收益率」。

四、債券的種類

(一) 依發行主體區分

1. **公債**：由國家所發行的債券。若是由一國的中央政府發行，該債券稱為「國債」；若是由地方政府發行，該債券稱為「國債地方債」。
2. **金融債券**：由金融機構發行的債券。
3. **公司債券**：由一般企業發行的債券。

(二) 依付息方式區分

1. **零息債券**（Zero Coupon Bond）：
   (1) **是不付利息的債券，於到期日時按面額支付給債券持有人**。
   (2) 因無利息收益，故投資者係透過買賣債券的資本利得來賺價差獲利，**故零息債券在發行時一般是以低於票面值發售，以吸引投資者購買**。

(3)**因零息債券未發放利息，故沒有再投資風險**。

(4)在其他條件不變下，**零息債券之價格與面額之差距會隨著到期日的接近而縮小，至到期日時價格會等於面額**。

2.**附息債券（Coupon Bond）：**

債券存續期內，債券持有人可定期領取利息。附息債券按計息的方式不同，又可分為固定利率債券和浮動利率債券兩大類。

(1)**固定利率債券**：持有期間投資人領取定額利息，不受市場利率影響。

(2)**浮動利率債券：**

A. 一般債券的票面利率固定不變，但浮動利率債券的票面利率會隨指標利率而變動。意即浮動利率債券的利率＝指標利率＋加碼利率（例如某浮動利率債券的票面利率＝三個月LIBOR＋加1%）

B. 市場利率上漲時，一般債券因本身的票面利率固定，價格會下跌（債券價格與殖利率成反向關係）。但浮動利率債券可以隨著指標利率調整，故相對較能抵抗利率升高的風險。

(三) 依償還期限區分

短期債券	到期日在三年之內。
中期債券	到期日三至十年。
長期債券	到期日十年之上。
永久債券	沒有到期日的債券，發行機構僅定期付息、不會還本。永續債券的利率較一般債券高。

(四) 依發行國及發行貨幣區分

1.**歐洲債券：**

(1)**借款人（政府、金融機構、工商企業）在國外債券市場上以第三國貨幣為面值發行的債券**。

(2)例如：法國公司在英國債券市場發行以美元計價的債券。歐洲債券的發行人、發行地以及面值貨幣分別屬於三個不同的國家。

2.**外國債券：**

(1)**借款人（政府、金融機構、工商企業）在某個國家的債券市場上發行的以這一國家貨幣為面值貨幣的債券**。

(2)例如：洋基債券是非美國主體在美國市場上發行的債券，武士債券是非日本主體在日本市場上發行的債券，同樣，還有英國的猛犬債券、西班牙的鬥牛士債券都是非本國主體在該國發行的債券。

牛刀小試

( ) **1** 下列對零息債券（Zero Coupon Bonds）的敘述何者正確？(A)投資人需要擔心再投資風險 (B)零息債券持有到期滿的報酬率是隨市場利率而變動 (C)零息債券不可訂有贖回條款（Call Provisions），故發行機構不可提前贖回 (D)利率下跌時，零息債券價格的漲幅高於傳統的固定收益債券。 【101年第4次高業】

( ) **2** 零息債券（Zero-coupon Bonds）之敘述何者正確？ (A)每間隔一固定期間，定期給付利息 (B)每間隔一固定期間，定期償還本金 (C)到期時，按面額贖回 (D)以高於面額發行。

( ) **3** 下列有關浮動利率債券之敘述，何者正確？ 甲、票面利率與指標利率有關；乙、指標利率水準為固定；丙、指標利率水準每期可能不同；丁、每期債息可能不同
(A)僅甲、乙對 (B)僅甲、丙對
(C)僅甲、乙、丁對 (D)僅甲、丙、丁對。 【105年第3次高業】

( ) **4** 永續債券的特性包含：甲、每年領取固定利息；乙、有到期日；丙、無法領回本金 (A)僅甲、乙對 (B)僅乙、丙對 (C)僅甲、丙對 (D)甲、乙、丙皆對。 【103年第2次高業】

( ) **5** 南韓三星電子在新加坡發行美元計價之債券，可稱此債券為：(A)歐洲債券 (B)外國債券 (C)亞洲債券 (D)南韓債券。

解答與解析

1 (D)。因零息債券未發放利息，故沒有再投資風險。零息債券持有至到期日之報酬率為購買零息債券時之折價，可以事先確定。

2 (C)。零息債券會以低於面額折價發行，其並不給付利息，並於到期時，按面額贖回。

3 (D)。指標利率水準可能每期不同，故乙錯。

4 (C)。永續債券無到期日。

5 (A)。歐洲債券的發行人、發行地以及面值貨幣分別屬於三個不同的國家。

五、債券的信用評等

(一) **信用評等用以衡量受評對象違約的風險**，**著名的國際信評機構有**：**標準普爾（Standard & Poor's）**、**穆迪（Moody's）和惠譽國際（Fitch）**。而臺灣另有「中華信用評等公司（中華信評）」作為金融市場資訊的提供者，其為標普全球評級的子公司。

(二) **長期信用評級表如下所示：**

1. **公司的信用評級越高，代表公司體質越好、違約機率越低**。
2. 垃圾債券（Junk Bond）
   (1) 指信用評級低的企業所發行的債券。垃圾債券具一定的投機性，其利率較高，但相對的違約風險也高。
   (2) **評等等級在BBB以上（含）為投資等級，以下則為投機等級**。

		標準普爾	穆迪	惠譽	中華信評
投資等級	最高評級	AAA	Aaa	AAA	twAAA
	優良	AA＋	Aa1	AA＋	twAA＋
		AA	Aa2	AA	twAA
		AA－	Aa3	AA－	twAA－
	好	A＋	A1	A＋	twA＋
		A	A2	A	twA
		A－	A3	A－	twA－
	中等	BBB＋	Baa1	BBB＋	twBBB＋
		BBB	Baa2	BBB	twBBB
		BBB－	Baa3	BBB－	twBBB－

		標準普爾	穆迪	惠譽	中華信評
非投資等級	低等級	BB＋	Ba1	BB＋	twBB＋
		BB	Ba2	BB	twBB
		BB－	Ba3	BB－	twBB－
		B＋	B1	B＋	twB＋
		B	B2	B	twB
		B－	B3	B－	twB－
		CCC＋	Caa1	CCC＋	twCCC＋
		CCC	Caa2	CCC	twCCC
		CCC－	Caa3	CCC－	twCCC－
	極低等級	CC	Ca	CC	twCC＋
		C	C	C	twCC

3. 中華信評的短期債務發行信用評等，由高到低依序為：「twA－1」「twA－2」「twA－3」「twB」「twC」「D」
4. 中華信評的固定收益基金信用品質評等，由高到低依序為：「twAAAf」「twAAf」「twAf」「twBBBf」「twBBf」「twBf」「twCCCf」「twCCf」「Df」

牛刀小試

(　　) **1** 在債券評等中，下列何者是Moody's債券評等等級中不屬於垃圾債券（Junk Bond）？
(A)Baa　(B)Ba　(C)B　(D)Caa。 【100年第4次高業】

(　　) **2** 信用評等對投資者有哪些好處？　甲、簡易的信用風險指標；乙、風險溢價評估；丙、提供共同基金的經理人、資產受託人及資金擁有者有效的監視系統，以調整投資組合
(A)僅甲、乙　(B)僅乙、丙
(C)僅甲、丙　(D)甲、乙、丙。 【112年第1次高業】

( ) **3** 在中華信評之短期債信評等等級中，下列何者表示債信最佳？
(A)twA－1 (B)twA－2
(C)twA－3 (D)twB。 【100年第4次高業】

解答與解析

1 (A)。評等等級在BBB以上（含）為投資等級，以下則為投機等級。

2 (D)。信用評等是指由專業信評機構，對國家、銀行、券商、基金、債券及上市公司進行信用評級，藉此評估信用狀況或償債能力，供投資人或相關機構來判斷這間公司財務是否健全、適合投資，故甲、乙、丙皆是。

3 (A)

重點 02 貨幣時間價值 重要度★★

一、何謂貨幣時間價值

貨幣隨著時間的推移而產生的增值，現在持有的一塊錢比未來獲得的一塊錢具有更高的價值。這是因為，貨幣存入銀行可獲得利息、運用於投資可獲得收益；在金融體系運作下，利率的存在使貨幣可在未來產生額外的價值。

二、現值與終值

(一) **現值**（Present Value）：未來貨幣在今天的價值。
(二) **終值**（Future Value）：貨幣在未來特定時點的價值，包含了貨幣的時間價值。
(三) **例題**：小明現在有現金10萬元，其存一年期利率3%的定期存款，則一年後，能領回的本利和為：
100,000＋100,000×3%＝100,000×（1＋3%）＝103,000
目前的100,000元，就是這筆存款的現值，而103,000則為此存款的終值。

三、單利與複利

從上述可看出，**因為有「利率」的存在，故使貨幣擁有時間價值**，而利率有兩種計算方式，分別為「單利」以及「複利」，茲說明如下：

(一) **單利**

1. **公式**：本利和＝本金＋（本金×利率×經過期數）
2. **例題**：甲公司持有一張票據，面額為1200元，票面利率4%，發票日為6月15日，到期日為8月14日（共60天），則到期時本利和＝1,200＋（1,200×4%×60／360）＝1,208
3. 單利的計算不管時間多長，所生利息均不加入本金重覆計算利息。

(二) **複利**

1. **公式**：本利和＝本金×（1＋利率）^{n}
2. **例題**：小明將一筆10,000款項存銀行定存，年利率3%，三年之後小明共會有多少錢？

本利和＝10,000×（1＋3%）^{n}＝10,927.27

四、折現

(一) 將未來終值轉換成現值的過程稱為「折現」。

(二) **公式**

$$FV=PV\times(1+i)^n \qquad PV=(FV)/(1+i)^n$$

FV：終值（Future Value） PV：現值（Present Value）
i：利率 n：期數
1／（1+i）^{n}：折現因子

(三) **例題**：某面額十萬元，票面利率6.8%，半年後到期之債券，其現值為101,332元，其半年折現因子為？ 【100年第2次高業】

答 100,000×（1＋3.4%）×折現因子＝101,332
⇒**折現因子＝0.98**

重點03 債券評價 重要度★★★

一、債券評價

債券的評價即為「**未來現金流的折現**」，故計算債券價格前必須知道兩個數值：

1. 債券未來各期的現金流入。
2. 投資人要求的殖利率。

(一) 普通債券的評價

1. **公式**

$$P=\frac{C}{(1+YTM)}+\frac{C}{(1+YTM)^2}+\frac{C}{(1+YTM)^3}+\cdots\cdots+\frac{C+F}{(1+YTM)^n}$$
$$=\sum_{t=1}^{n}\frac{C}{(1+YTM)^t}+\frac{F}{(1+YTM)^n}$$

P：債券價格　　C：債券每期支付的利息

YTM：債券的殖利率　　n：債券到期前年數

F：債券的面額

2. **例題**：假設甲公司持有一張面額1,000,000、票面利率6%、二年後到期、每年付息一次的債券，目前市場折現率5%，求債券的理論價格為何？

答　C＝1,000,000×6%＝60,000

$$P=\frac{C}{(1+YTM)}+\frac{C}{(1+YTM)^2}+\frac{C}{(1+YTM)^3}+\cdots\cdots+\frac{C+F}{(1+YTM)^n}$$
$$=\sum_{t=1}^{n}\frac{C}{(1+YTM)^t}+\frac{F}{(1+YTM)^n}$$

＝60,000／（1＋5%）＋60,000／$（1＋5\%）^2$＋1,000,000／$（1＋5\%）^2$

＝1,018,594.104

3. 從上述公式可看出：**債券價格與利率成反比**。**當利率走低時，債券價格會上漲；利率走高時，債券價格會下跌**。

(二) 零息債券的評價

1. **公式**

$$P=\frac{F}{(1+YTM)^n}$$

2. **例題**：一張面額10萬元、到期期間3年的零息債券，若YTM為2% ，其價格為何？

答　P＝100,000／$（1＋2\%）^3$

＝106,120.8

(三) 永續債券的評價

1. 永續債券為無到期日的債券，故理論上投資人拿不回本金（因為沒有到期日），但可以領利息。
2. **公式**

(1)

$$P = \frac{F \times C}{r}$$

P：永續債券價格　F：面額　C：票面利率　r：要求殖利率

(2) **存續期間之估算：**

因為永續債無法拿回本金，故投資人在意的是「領多久利息才會回本」，此即為「存續期間」之估算

存續期間＝（1＋r）／r

3. **例題**：已知一永續債券每年付息一次，其殖利率為5%，則此永續債券之存續期間（Duration）為幾年？【106年第1次高業】

答 存續期間算法為（1＋r）／r＝1.05／0.05＝21年

知識補給站

1.從上述債券評價的公式可發現，利率是影響債券價格最重要的因素。

(1)**當票面利率＝市場利率⇒發行價格＝債券面額，是為「平價發行」**

(2)**當票面利率＞市場利率⇒發行價格＞債券面額，是為「溢價發行」**

(3)**當票面利率＜市場利率⇒發行價格＜債券面額，是為「折價發行」**

解釋：票面利率影響評價公式的分子（每期可領利息金額），市場利率影響評價公式的分母（折現率）。當票面利率＞市場利率時，代表每期領利息的好處大過於折現率，故投資人願意付出比票面價值還高的價格去買這檔債券，故「溢價發行」。（折價發行概念相同）

2.不論債券是溢價或折價發行，債券到期時的價格會等於面額

⇒故，溢價債券在趨近到期日時，其價格會下跌；折價債券在趨近到期日時，其價格會上漲。

牛刀小試

( ) **1** 假設期望殖利率固定不變，債券愈趨近到期日時，下列敘述何者正確？ 甲、折價債券價格會趨近債券面額；乙、溢價債券價格會趨近債券面額；丙、溢價債券價格會遠離債券面額 (A)僅甲、乙 (B)僅甲、丙 (C)僅乙、丙 (D)甲、乙、丙。 【109年第1次高業】

( ) **2** 有關折價債券，下列三者之關係何者正確？ (A)票面利率＞當期收益率＞到期收益率 (B)票面利率＜當期收益率＜到期收益率 (C)票面利率＞到期收益率＞當期收益率 (D)票面利率＜到期收益率＜當期收益率。

( ) **3** 五年到期的公債，票面利率為8.5%，目前之到期殖利率為7.3%，若利率維持不變，則一年後此債券之價格將： (A)上漲 (B)下跌 (C)不變 (D)無法判定。 【104年第3次高業】

解答與解析

1 (A)。債券愈趨近到期日時，市價會愈趨近面額。

2 (B)。折價債券的票面利率＜當期收益率＜到期收益率。

3 (B)。因票面利率＞市場殖利率，故為溢價發行。溢價發行債券在越靠近到期日時，其價格會下跌。

二、存續期間（Duration）

(一) 一般存續期間（又稱「麥考雷存續期間（Macaulay Duration）」）

1. **定義**：投資人持有債券的平均到期年限，可理解為「投資人回本息的年限」。例如：小明投資A債券，A債券的存續期間為5年，表示小明5年後可以領回本息。
2. **用途**：存續期間用以衡量債券價格對利率變動的敏感度，即**判斷債券的利率風險有多大**。

3. **特性：**

(1) 到期日越長，存續期間越長。

(2) 票面利率越高，存續期間越短。

(3) 到期殖利率（YTM）越高，存續期間越短。

(4) **存續期間越長，對利率變動越敏感，價格波動越大**。

> **考點速攻**
>
> **理解特性的思路**
>
> 1. 到期日越長⇒回本較久⇒存續期間長。
> 2. 票面利率高⇒領的利息會多⇒回本較快⇒存續期間短。
> 3. 到期殖利率高⇒收益率高⇒回本的速度快⇒存續期間短。

4. **零息債券的存續期間：**因為一般債券附有票息，故存續期間小於到期年限；惟零息債券的存續期間等於到期年限。

5. **永續債券的存續期間**

(1) **公式：**1＋1／r

(2) **例題：**已知一永續債券每年付息一次，其殖利率為5%，則此永續債券之存續期間（Duration）為幾年？

答 永續債券存續期間＝1＋（1／r）＝1＋1／0.05＝21

（殖利率5%，20年回本，因第二年的第一天才配息，故20＋1＝21年）

6. **投資組合的存續期間：**

(1) 為組合中個別債券存續期間的加權平均，公式如下

$$\text{投資組合存續期間 } D_{mac}=\sum_{i=1}^{n}W_i\times D_{imac}$$

W_i：第i種債券佔整個投資組合的比重

D_i：第i種債券的存續期間

(2) **例題：**王先生設定甲、乙兩種債券之投資組合存續期間（Duration）為5年，已知甲債券之價格為50元，存續期間為6年，則乙債券應為：

(A)價格25元，存續期間3年

(B)價格25元，存續期間4年

(C)價格30元，存續期間4年

(D)價格30元，存續期間3年。 【100年第2次高業】

答 (A)，假設乙債券價格P元，存續期間N年

[50／（50＋P）×6]＋[P／（50＋P）×N]＝5

代入各選項，僅(A)符合。

7. 預期市場利率上升／下降時的操作策略

	債券價格	操作策略
市場利率上升	下跌。 存續期間越長⇒價格跌幅會越大 存續期間越短⇒價格跌幅會越小	**投資人應賣出存續期間長、買入存續期間短的債券**。
市場利率下降	上升。 存續期間越長⇒價格漲幅會越大 存續期間越短⇒價格漲幅會越小	**投資人應賣出存續期間短、買入存續期間長的債券**。

(二) 修正存續期間（Modified Duration）

1. **用途**：麥考雷存續期間（D_{mac}）用來衡量「投資人回本息的年數」。而修正存續期間（D_{mod}）用來衡量市場利率變化1%時，債券價格因此變化的百分比。
2. **公式**：修正存續期間（D_{mod}）＝D_{mac}／（1＋YTM）
3. **例題**：假設有一債券的存續期間為10，當時的殖利率（YTM）為5%，請問當其YTM變動1bp時，該債券價格變動的百分比約為何？

答 10／（1＋5%）＝9.52，當YTM變動1%時，債券價格變動9.52%。
而1bp＝0.01%，故變動1bp時，價格變動0.0952%。

牛刀小試

(　　) **1** 下列敘述，何者有誤？ (A)永續債券的到期日是無窮大，但其存續期間仍然可以求算 (B)零息債券之存續期間大於到期期間 (C)浮動利率債券存續期間等於每期的期間 (D)所有付息債券的存續期間皆會小於其到期期間。【100年第2次高業】

(　　) **2** 假設其他條件相同，李先生買進三種公債：甲公債殖利率6.24%，乙公債殖利率6.22%，丙公債殖利率6.20%，以上三種公債中，何者之存續期間（Duration）最短？ (A)甲公債 (B)乙公債 (C)丙公債 (D)三者皆同。

(　　) **3** 關於存續期間的敘述，何者為真？ (A)存續期間可以用來衡量債券的信用風險 (B)存續期間愈長，風險愈低 (C)票面利率愈高，存續期間愈短 (D)殖利率愈高，存續期限愈長。
【100年第3次高業】

( ) **4** 某基金經理人將6,000萬元資金投資於存續期間3年之證券，將3,000萬元投資存續期間6年之證券，則此投資組合之存續期間為幾年？ (A)3年 (B)4年 (C)4.5年 (D)6年。

( ) **5** 下列敘述何者為真？ 甲、如果其他條件相同，票面利率高的債券比票面利率低的債券價格受到殖利率變動的影響的幅度較大；乙、如果其他條件相同，長期債券比短期債券的價格受到殖利率變動的影響的幅度較大 (A)甲為真 (B)乙為真 (C)甲、乙皆不真 (D)甲、乙皆為真。

解答與解析

1 (B)。零息債券之存續期間「等於」到期期間。

2 (A)。其他條件相同，殖利率越高的回本速度越快，存續期間越短。

3 (C)。存續期間愈長，受利率變動影響越大，風險越高。

4 (B)。總投資組合有6,000萬＋3,000萬＝9,000 萬
6000／9000×3＋3000／9000×6＝4

5 (B)。存續期間越長，受殖利率變動影響的幅度越大，票面利率越高，存續期間越短，故甲有誤。

重點04 債券相關定理 重要度★★★

一、債券的免疫策略

(一) **因為債券是利率敏感性資產，故當市場利率變動時，投資人持有的債券會面臨：**

1. **價格風險**：指債券若在到期日前出售，賣出價格可能低於帳面價值的風險。
2. **再投資風險**：指投資人收到利息後，無法找到相同殖利率投資標的，以進行資金再投資之風險。

(二) 當市場殖利率高時，此時賣出債券為負效益（市場殖利率＞票面利率時，折價）；但此時進行再投資是正效益（相同資金可以獲得更高的殖利率）。
⇒可見**市場殖利率對於：價格風險與再投資風險是反向的**。

(三) 而「債券利率風險免疫」即藉由上述兩者的反向效果，來建構一個「**債券到期期限＝債券存續期間的債券投資組合」**，**使利率波動造成價格損益與再投資損益能互相抵消**，以維持投資組合的期末價值。

牛刀小試

( ) **1** 債券投資管理上所謂之免疫法（Immunization），主要是應用何種觀念？ (A)利率期限結構 (B)存續期間 (C)流動性偏好 (D)套利。 【105年第1次高業】

( ) **2** 使用免疫（Immunization）策略仍有哪些問題存在？ 甲、未考慮違約風險；乙、未考慮贖回風險；丙、殖利率曲線非平行移動 (A)僅甲、乙對 (B)僅乙、丙對 (C)僅甲、丙對 (D)甲、乙、丙皆對。 【101年第4次高業】

解答與解析

1 (B)。免疫法主要利用當資產存續期間＝負債到期期限時，可以讓價格利率風險與再投資風險抵銷，以保證一定期間內獲得固定報酬率。

2 (D)。債券免疫策略忽略了違約風險、贖回風險及殖利率曲線非平行移動。

二、馬凱爾（Malkiel）債券五大定理

(一) 債券價格與殖利率為反向關係

當票面利率時＞殖利率時，債券會溢價發行；當票面利率＜殖利率時，債券會折價發行。可見殖利率與債券價格呈反向關係。

(二) 到期期間愈長，債券價格對殖利率的敏感性愈大

其他條件相同下，當殖利率變動1%時，到期期間較長的債券價格波動幅度會較大，到期期間短的債券價格波動幅度較小。意即，長期債券的利率風險較高，短期債券較低。

(三) 債券價格對殖利率敏感性之增加程度，隨到期期間延長而遞減

到期期間越長，債券價格對殖利率變動的敏感性越高；但隨著到期期間的增長，其敏感性「增加的程度」卻會「遞減」。

(四) **殖利率下降使價格上漲的幅度「大於」殖利率上升使價格下跌的幅度**
因此，投資人在殖利率下跌前買入債券的獲利，會比殖利率同幅上升前放空債券的獲利更高。

(五) 票面利率低的債券，其殖利率敏感性高於票面利率高的債券。

牛刀小試

( ) **1** 其他條件相同時，當殖利率改變時，到期日較短之債券，其價格變動幅度會：
(A)較小 (B)較大 (C)一樣 (D)不一定。 【106年第2次高業】

( ) **2** 根據馬凱爾五大定理，一債券到期殖利率上升一碼與下跌一碼所產生之折價額與溢價額比較： (A)溢價額小於折價額 (B)折價額等於溢價額 (C)折價額小於溢價額 (D)無法比較。 【104年第3次高業】

( ) **3** 關於馬凱爾（Malkiel）債券五大定理的敘述，何者有誤？(A)債券價格與殖利率呈反向關係 (B)到期期間愈長，債券價格對殖利率之敏感性愈小 (C)債券價格對利率敏感性之增加程度隨到期時間延長而遞減 (D)低票面利率債券之利率敏感性高於高票面利率債券。 【106年第2次高業】

( ) **4** 在其他條件相同下，債券價格對殖利率敏感性之變化幅度會因到期期間愈長而： (A)遞增 (B)不變 (C)遞減 (D)無從得知。 【106年第2次高業】

解答與解析

1 (A)。當殖利率改變時，到期日較短之債券，其價格變動幅會較小。

2 (C)。根據馬凱爾的債券第四定理，殖利率下跌使債券價格上漲的幅度>殖利率上揚使債券價格下跌的幅度，故債券價格溢價額大於折價額。

3 (B)。根據馬凱爾的債券第二定理，到期期間愈長，債券價格對殖利率之敏感性愈大。

4 (C)。根據馬凱爾的債券第三定理債券價格對殖利率敏感性之變化幅度會因到期期間愈長而遞減。

三、利率期限結構

(一) **概念**：在金融市場中，即便是同一發行人所發行的債券，其殖利率仍會因為到期期限的不同而產生差異，而債券利率與到期期限的關係稱為「利率的期限結構」。

(二) **利率曲線的基本型態**

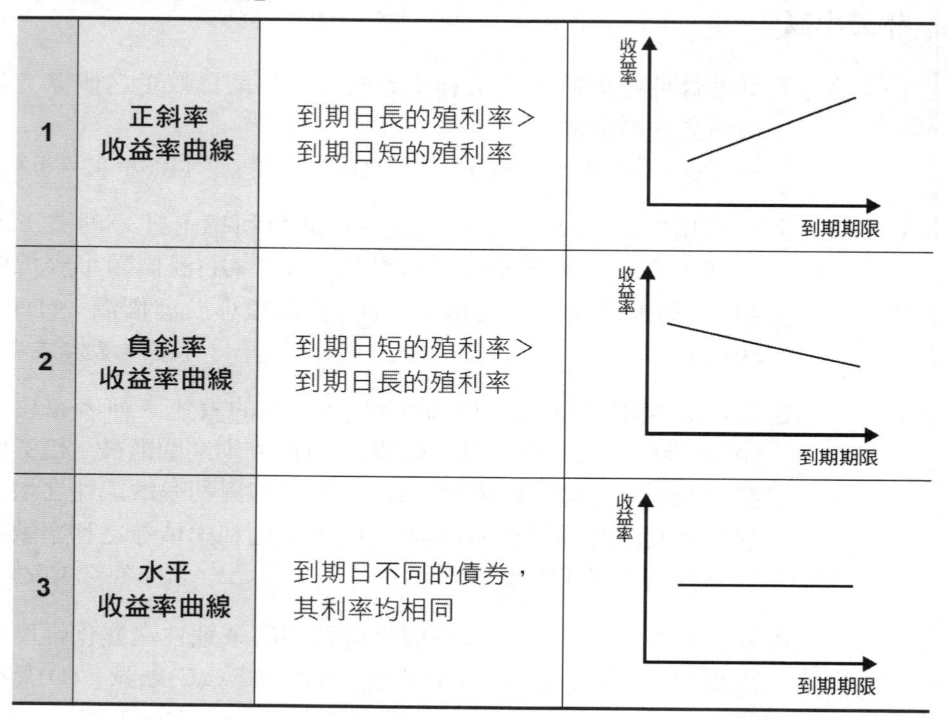

1	**正斜率收益率曲線**	到期日長的殖利率＞到期日短的殖利率	
2	**負斜率收益率曲線**	到期日短的殖利率＞到期日長的殖利率	
3	**水平收益率曲線**	到期日不同的債券，其利率均相同	

(三) **利率期限結構三大理論**

利率期限結構是要解釋收益曲線為何呈現不同型態，常見的理論有：預期理論、市場區隔理論、流動性偏好理論。

1. 預期理論假設不同到期日的債券可完全替代，且長期債券的利率是目前短期利率和預期未來各短期利率之幾何平均數。
2. **市場區隔理論**認為，金融市場存在不同期限之資金需求，故不同到期日的債券，無法相互取代。**而不同到期期限的債券各有其所屬的市場特性，互不影響**。若投資人對短期債券需求增加⇒短期債券價格上漲⇒短期債券殖利率下跌；**但不影響長期**債券的價格／殖利率走勢。

3. **流動性偏好理論**：投資人認為長期債券的流動性比短期債券的流動性差，故對長期債券要求較高的報酬率（流動性溢酬）。

牛刀小試

(　) **1** 在利率期限結構理論中，認為長期利率是目前短期利率和預期未來各短期利率之幾何平均數者為：
(A)平均理論
(B)預期理論
(C)流動性溢酬理論
(D)市場區隔理論。【103年第4次高業】

(　) **2** 主張不同到期日的債券難以相互取代，且不同到期日有不同的資金供給者與需求者、形成彼此區隔的債券市場為：
(A)流動性偏好理論　(B)預期理論
(C)市場區隔理論　(D)以上皆非。

(　) **3** 若殖利率曲線為正斜率，在利率期限結構（Term Structure）中的流動性偏好理論（the Liquidity Preference Theory）中，投資人認為：　(A)短期債券比長期債券有較高的報酬率　(B)長短期債券有相同的報酬率　(C)長期債券比短期債券有較高的報酬率　(D)以上皆有可能。【111年第1次高業】

解答與解析

1 (B)。預期理論假設不同到期日的債券可完全替代，且長期債券的利率是目前短期利率和預期未來各短期利率之幾何平均數。

2 (C)。市場區隔理論認為，金融市場存在不同期限之資金需求，而不同到期期限的債券各有其所屬的市場特性，互不影響。

3 (C)。到期時間愈長，投資風險通常愈高，而投資人卻不喜歡承擔風險，故若長、短期債券的報酬完全相同，投資人必然會選擇短期債券投資； 因此，若投資人投資長期債券勢必要給予相當的補償，稱為流動性風險溢酬。

重點 05

公司債

重要度★★★

一、可贖回公司債

(一) **「發行公司」有權**在到期前，依約定價格提前贖回公司債。

(二) 當利率下跌時，發行公司通常會贖回公司債，以減低利息負擔。

(三) 因為此條款對於發行公司有利、對投資人不利，故票面利率會較一般公司債高。

二、可賣回公司債

(一) **債券持有人有權**在到期前，依約定價格將債券提前賣回給發行公司。

(二) 賣回價格通常為債券面值。當市場利率較高時，債券價格低，此時投資人通常會將債券賣回。

(三) 因為此條款對投資人有利、對發行公司較不利，故投資人往往願意接受較低的票面利率。

三、可轉換公司債

(一) 是一種投資者可以在約定的時間內，將公司債券轉為該公司股票的產品（發行時會訂定轉換股票的價格）。與其它固定收益產品相比，可轉債具有債權和選擇權的雙重屬性。

(二) 轉換價格指投資者得將轉換公司債轉換為股票的每股價格。

(三) 轉換比率＝可轉換公司債面額／轉換價格
例如A可轉債的轉換價格為80元，則其轉換比率為100／80＝1.25。

(四) 轉換價值＝轉換比率×股票市價
例如A可轉債的轉換比率為5張，且A公司的股票價格目前市價40元，則可轉債價值為5張×40元＝200元。

四、附認股權證公司債

(一) 附認股權證公司債＝一般公司債＋認股權證

(二) 當發行公司之普通股價格上漲超過認股權證的認股價格時，投資人尚可以低價認股，獲取額外的資本利得。即便債券到期前股票市價未超過認股權約定價格，投資人能仍獲取一般債券的固定利息。

(三) 因為此條款對投資人有利，故投資人往往願意接受較低的票面利率。

知識補給站

可轉換公司債與附認股權證公司債的差異

可轉換公司債的換股權利為「內含權利」，須與公司債一起移轉。附認股權證公司債的認股權利為「外加權利」，即認股權證和公司債可以分離交易。

⇒故投資人行使可轉換公司債的選擇權後，可轉債債權會消失、轉換為普通股；但投資人行使附認股權證公司債的認股權後，該債券並未消失、投資人多持有普通股。

牛刀小試

( ) **1** 有關公司債的敘述，何者「不正確」？ (A)收益債券是指發行公司有盈餘才會支付利息給投資人 (B)指數債券是指其債券利率依通貨膨脹指數而定 (C)可轉換債券是指投資人可依轉換價格，將其轉換為其他債券 (D)信用債券是一種無擔保的債券。【111年第1次高業】

( ) **2** 在其他條件不變下，當標的股票市價愈低時，則可轉換公司債的價值會：
(A)愈低 (B)愈高
(C)不變 (D)不一定。【111年第3次高業】

( ) **3** 可賣回公司債（Putable Bond）之賣回權利是操之於： (A)發行公司 (B)債權人 (C)證券承銷商 (D)以上均有可能。

( ) **4** 附認股權證公司債之債權人於執行認股權利時，公司淨值總額會：
(A)減少 (B)增加
(C)不變 (D)增減不一定。【100年第1次高業】

( ) **5** 甲、可轉換公司債及附認股權證公司債，可使投資人同時享受固定收益與股票增值的好處；乙、可轉換公司債及附認股權證公司債一經轉換後即不存在。上述中： (A)僅甲對 (B)僅乙對 (C)甲、乙皆對 (D)甲、乙皆錯。【105年第4次高業】

解答與解析

1 (C)。可轉換債券是指可按一定規則轉換為債券發行公司的股票，是一種將債權轉換成所有權的方式。

2 (A)。可轉債價值＝轉換比率×股票市價，股票市價愈低，可轉換公司債價值愈低。

3 (B)。可賣回公司債的賣回權是由債權人行使。

4 (B)。債權人於執行認股權利時，公司淨值總額會增加。

5 (A)。投資人行使可轉換公司債的選擇權後，可轉債債權會消失、轉換為普通股；但投資人行使附認股權證公司債的認股權後，該債券並未消失、投資人多持有普通股。

重點回顧

信用評等表

投資等級	穆迪	惠譽	標準普爾	中華信評		
				長期債務	短期債務	債券基金
高	Aaa～Baa	AAA～BBB	AAA～BBB	同S&P	twA－1	twAAf～twCCf
低	Ba、B	BB、B	BB、B	同S&P	twA－2	
垃圾債券	Caa以下	CCC以下	CCC以下	同S&P	twA－3	

債券評價

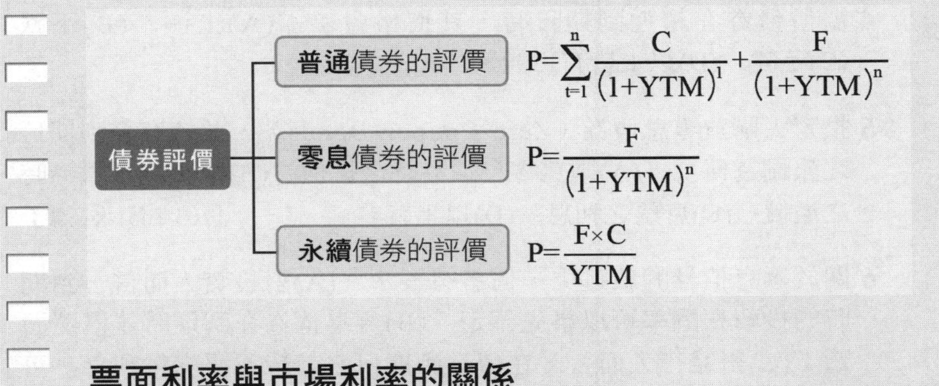

票面利率與市場利率的關係

- 當票面利率＝市場利率⇒發行價格＝債券面額，是為「平價發行」
- 當票面利率＞市場利率⇒發行價格＞債券面額，是為「溢價發行」
- 當票面利率＜市場利率⇒發行價格＜債券面額，是為「折價發行」

精選試題

( ) **1** 一般俗稱的債券殖利率是指下列何者？
(A)到期收益率 (B)當期收益率 (C)贖回收益率 (D)資本利得收益率。 【109年第3次高業】

( ) **2** 一般而言，債券到期殖利率（Yield To Maturity）大於票面利率，則該債券將有：
(A)折價（Discount） (B)溢價（Premium） (C)無折價也無溢價 (D)選項(A)(B)(C)皆是。 【105年第4次高業】

( ) **3** 甲、乙兩種具有相同票面利率，面額及到期殖利率之中央政府債券，目前均屬溢價債券，若甲債券尚餘四年到期，乙債券尚餘二年到期： (A)甲債券溢價額較乙債券溢價額大 (B)甲債券溢價額與乙債券溢價額相等 (C)甲債券溢價額較乙債券溢價額小 (D)無法比較。 【108年第3次高業】

( ) **4** 溢價債券在趨近到期日時，其價格會： (A)上漲 (B)下跌 (C)不變 (D)以上皆有可能。

( ) **5** 投資人購買零息債券（Zero-Coupon Bonds），並持有至到期日之報酬為何？ (A)購買零息債券時之折價 (B)購買零息債券時之溢價 (C)息票之利息 (D)以上皆非。 【103年第1次高業】

( ) **6** 關於零息債券的敘述中，何者有誤？ (A)對投資人而言，到期時的投資報酬率可以事先確定 (B)零息債券在到期時才償還面額 (C)對發行人而言，在債券到期日之前皆不需支付利息，可減輕到期前付息的財務壓力 (D)零息債券以票面價值發行。

( ) **7** 當公司發行浮動利率債券後，在什麼情形之下對其有利？
(A)利率上升 (B)股價上漲 (C)股價下跌 (D)利率下跌。

( ) **8** 若台積電在英國發行以美元計價之債券，則其屬於何種債券？
(A)外國債券 (B)歐洲債券 (C)洋基債券 (D)帝國債券。

( ) **9** 國人投資歐洲債券（Euro Bonds）會有何種風險？ 甲、違約風險；乙、匯兌風險；丙、通貨膨脹風險；丁、利率風險 (A)甲、乙、丙、丁均有 (B)僅有甲、乙、丙 (C)僅有甲、丙、丁 (D)僅有乙、丙、丁。 【104年第4次高業】

( ) **10** 在債券評等中，下列何者是Moody's所定義債券評等最高等級？ (A)AAA (B)Aaa (C)A (D)AA。 【102年第4次高業】

( ) **11** 有關信用評等之敘述，下列何者錯誤？ A.債券評等越低，投資人要求報酬率越高；B.債券評等越高，投資人要求報酬率越高；C.獲S&P. Fitch. Moody's評等為BBB以上者為投資等級 (A)僅A (B)僅AB (C)僅B (D)僅BC。

( ) **12** 一般而言，信用評等低的債券殖利率比信用評等高的債券殖利率？ (A)高 (B)低 (C)相同 (D)無法判定。

( ) **13** 下列有關中華信評之敘述何者錯誤？ (A)中華信評對受評發行人償還金融債務整體能力之評等主要係著重於評估發行人是否有準時履行其財務承諾之能力及意願，但並非反映任何發行人對各債務的優先償還順序或偏好 (B)按照中華信評現有信用評等準則，對所有發行的債務而言，極注重發行人之債務清償能力，而無須考量該債務的準時償還能力 (C)長期信用評等係針對債務發行人，在一年或以上的期限，其債務之總體履行能力的意見 (D)短期信用評等係針對債務發行人於一年以內的期限，其債務之總體履行能力的意見。

( ) **14** 已知一債券的票面利率為8%，面額為100元，5年後到期，每半年付息一次，且目前此債券的殖利率為5%，則此債券目前的價格約為： (A)93.372元 (B)97.523元 (C)100元 (D)113.128元。 【107年第3次高業】

( ) **15** 李先生投資100元，每半年複利一次，兩年後可拿回本利計117元，則其年投資報酬率約為？ (A)7% (B)8% (C)9% (D)9.50%。 【107年第3次高業】

( ) **16** 甲債券六個月的折現因子（Discount Factor）為0.98，在六個月後該債券之價格為10,500元，目前該債券之價格為多少？
(A)10,920元 (B)10,500元
(C)10,714元 (D)10,290元。【105年第4次高業】

( ) **17** 債券6個月的折現因子（Discount Factor）為0.97，在6個月後該債券之價格為15,000元，目前該債券之價格為多少？ (A)14,700元 (B)14,550元 (C)－15,000元 (D)－14,500元。【108年第1次高業】

( ) **18** 假設一零息債券面額1,000元，2年後到期，每年付息一次，現在債券價格為873元，則其到期收益率以近似公式求算約為：(A)4% (B)5% (C)6% (D)7%。

( ) **19** 甲公司發行一永續債券，票面利率為6%，每張面額10萬元，若目前同類型債券可提供10%，請問其發行價格應為：(A)166,667元 (B)94,000元 (C)80,000元 (D)60,000元。

( ) **20** 已知一永續債券每年付息一次，其殖利率為8%，則此永續債券之存續期間（Duration）為幾年？ (A)12.5年 (B)11年 (C)8年 (D)13.5年。【103年第2次高業】

( ) **21** 在其他條件相同下，以下何者的票面利率會最高？ (A)可轉換公司債 (B)可贖回公司債 (C)可賣回公司債 (D)附認股權證公司債。【106年第1次高業】

( ) **22** 附認股權證公司債之債權人於執行認股權利時，則持有人：甲、債權人身分消失；乙、需另外繳付現金予公司；丙、成為公司股東 (A)僅甲、乙對 (B)僅乙、丙對 (C)僅甲、丙對 (D)甲、乙、丙均對。

( ) **23** 下列有關公司債之敘述，何者正確？ (A)可贖回公司債賦予投資人可轉換一定數量的普通股股數 (B)公司債券屬於擔保債券 (C)可轉換公司債賦予投資人可轉換一定數量的普通股股數 (D)公司債持有人對該投資公司擁有選舉權。【106年第2次高業】

( ) **24** 在其他條件相同下，以下何者的票面利率會低於一般公司債？A.可轉換公司債；B.可贖回公司債；C.可賣回公司債；D.附認股權證公司債 (A)A、B、C、D (B)A、B、D (C)A、C、D (D)B。

( ) **25** 甲、乙兩種具有相同票面利率，面額及到期殖利率之中央政府債券，目前均屬溢價債券，若甲債券尚餘4年到期，乙債券尚餘2年到期，則： (A)甲債券溢價額較乙債券溢價額大 (B)甲債券溢價額與乙債券溢價額相等 (C)甲債券溢價額較乙債券溢價額小 (D)無法比較。 【109年第1次高業】

( ) **26** 甲債券之存續期間（Duration）為3年；乙債券之存續期間為4年；丙債券之存續期間為5年；當市場利率下跌0.1%時，對何種債券之價格影響幅度最大？ (A)甲 (B)乙 (C)丙 (D)三者皆同。 【107年第4次高業】

( ) **27** 在債券投資時，利用存續期間（Duration）之觀念，可規避：
(A)匯率風險 (B)通貨膨脹風險
(C)贖回風險 (D)利率風險。 【104年第1次高業】

( ) **28** 下列何者是影響債券存續期間（Duration）的因素？ 甲、到期期間；乙、票面利率；丙、到期收益率 (A)僅甲、乙對 (B)僅乙、丙對 (C)僅甲、丙對 (D)甲、乙、丙皆對。 【105年第3次高業】

( ) **29** 債券之免疫策略如何建構？ (A)盡量購買票面利率高的債券 (B)設法使債券投資組合之存續時間愈短 (C)盡量在投資組合中加入股票 (D)設法讓債券投資組合之存續期間，能與投資期限相等。

( ) **30** 債券組合管理中的免疫策略（Immunization Strategies）是規避： (A)利率風險 (B)流動性風險 (C)信用風險 (D)個別公司風險。 【105年第3次普業】

( ) **31** 有關馬凱爾（Malkiel）債券價格五大定理，下列何者為非？(A)債券價格和殖利率成反向關係 (B)到期期間越長，債券價格對殖利率的敏感性越大 (C)殖利率下降使價格上漲的幅度，低於殖利率同幅度上揚使價格下跌的幅度 (D)低票面利率債券之殖利率敏感性，高於高票面利率債券。

( ) **32** 其他條件相同時，當殖利率改變時，到期日較長之債券，其價格變動幅度會：
(A)較小 (B)較大
(C)一樣 (D)不一定。 【105年第3次普業】

( ) **33** 假設其他條件相同，長期債券對利率變動的敏感性比短期債券：
(A)高 (B)低 (C)不一定 (D)相等。 【103年第4次高業】

( ) **34** 假設其它條件不變，當市場利率上升時，持有存續期間（Duration）長的債券較存續期間短的債券： (A)獲利多 (B)損失多 (C)獲利少 (D)損失少。 【105年第1次高業】

( ) **35** 假設一債券的平均存續期間為5.5，當時的（YTM）為5.25%，請問當其到期收益率（YTM）變動1基點（bp）時，該債券價格變動的百分比為何？ (A)5.5% (B)5.23% (C)0.052% (D)0.06%。 【105年第1次高業】

( ) **36** 下列哪一種利率的期間結構理論，假設不同到期日的債券是可完全替代的？ (A)預期理論 (B)市場區隔理論 (C)流動性貼水理論 (D)習性偏好理論。

( ) **37** 在利率期限結構理論中，認為各種期限之利率決定於各長、短期資金供需情況者為： (A)平均理論 (B)預期理論 (C)市場區隔理論 (D)流動性溢酬理論。

( ) **38** 可轉換公司債的轉換價值等於： (A)轉換比率乘以轉換價格 (B)轉換比率乘以轉換價格＋現金股利 (C)股票市價乘以轉換比率 (D)股票市價乘以轉換比率＋現金股利。 【109年第1次高業】

( ) **39** B公司於其可轉換公司債的條款中訂定轉換比率為20，當時之股價為70元，請問轉換價值為何？ (A)500元 (B)1,000元 (C)1,400元 (D)2,000元。 【110年第2次高業】

解答與解析

1 **(A)**。一般俗稱的債券殖利率即為到期收益率。

2 **(A)**。當債券到期殖利率＞票面利率，債券通常會折價。

3 **(A)**。債券到期時的價格會等於面額，因債券甲的到期日比乙長，故其下跌程度較小、溢價幅度較大。

4 **(B)**。債券到期時的價格會等於面額，故溢價債券在趨近到期日時，其價格會下跌。

5 **(A)**。零息債券持有至到期日之報酬率為購買零息債券時之折價。

6 **(D)**。零息債券於發行時會以票面價值折價發行。

7 **(D)**。利率與債券價格成反比，故利率下跌時債券價格上漲，對投資人有利。

8 **(B)**。當債券的發行主體、發行國家、計價貨幣三個都不一樣→歐洲債券；債券發行主體是A國的公司，於B國發行債券並以B國貨幣計價→外國債券。
台積電發行是台灣公司，發行國在英國，債券計價貨幣為美元，三者均不同→歐洲債券。

9 **(A)**。國人投資歐洲債券會面臨違約風險、匯兌風險、通貨膨脹風險、利率風險。

10 **(B)**。Aaa是Moody's所定義債券評等最高等級。

11 **(D)**。債券評等越高，違約風險較低，投資人的要求報酬率越低。BBB－以上都是投資級。

12 **(A)**。信用評等低的債券違約風險較高，故要求的殖利率也會較高。

13 **(B)**。不論是發行人的清償能力、或準時還款能力，皆屬中華信評的重要判斷準則。

14 **(D)**。票面利率8%＞殖利率為5%，故為溢價發行，選項中僅(D)符合。

15 **(B)**。$FV=PV\times(1+i)^n$，每半年複利一次，共兩年，期數n＝4
$117=100\times(1+r)^4$，r＝4.003%（半年），年報酬率要×2，約8%

16 **(D)**。現值＝終值×折現因子
＝10,500×0.98＝10,290

17 **(B)**。現值＝終值×折現因子
＝15,000×0.97＝14,550

18 **(D)**。$873=1,000/(1+r)^2$
r＝7.026%

19 **(D)**。永續債券P＝F×C／r
＝100,000×6%／10%＝60,000

20 **(D)**。存續期間算法為（1＋r）／r＝1.08／0.08＝13.5年

21 **(B)**。可贖回公司債對於發行公司有利、對投資人不利，故票面利率會較一般公司債高。

22 **(B)**。債權人於執行認股權利後，債權人身分不會消失，而會同時擁有「債權人」及「股東」的身分。

23 **(C)**。可轉換公司債是賦予投資人可依約定價格來轉換普通股。

24 **(C)**。可轉換公司債、可賣回公司債、附認股權證公司債對投資人較有利，故票面利率低於一般公司債。

25 **(A)**。當兩公債僅到期日不同、其餘條件皆相同時；若為溢價債券，到期日較長的溢價額會較大；若為折價債券，到期日較長的折價額會較大。

26 **(C)**。存續期間愈長，債券價格受利率變動影響愈大。

27 **(D)**。存續期間用以衡量債券價格對利率變動的敏感度，即判斷債券的利率風險有多大。

28 **(D)**。選項甲乙丙皆影響存續期間：(1)到期期間越長，存續期間越長。(2)票面利率越高，存續期間越短。(3)到期收益率越高，存續期間越短。

29 **(D)**。債券利率風險免疫旨在建構一個「到期期限＝存續期間的債券投資組合」，使利率波動造成價格損益與再投資損益能互相抵消。

30 **(A)**。免疫策略是規避利率變動造成的價格損益及再投資損益。

31 **(C)**。殖利率下降使價格上漲的幅度，「高」於殖利率同幅度上揚使價格下跌的幅度。

32 **(B)**。根據馬凱爾的債券第二定理，當殖利率改變時，到期日較長之債券，其價格變動幅會較大。

33 **(A)**。長期債券對利率變動的敏感性比短期債券高。

34 **(B)**。市場利率上升，債券價格會下跌；又存續期間越長的債券其對利率波動反應較大，故存續期間越長，會跌得越多。

35 **(B)**。5.5／（1＋5.25％）＝5.2257，當YTM變動1bp時，債券價格變動5.2257%

36 **(A)**。預期理論假設不同到期日的債券是可完全替代的。

37 **(C)**。市場區隔理論認為，金融市場存在不同期限之資金需求，而不同到期期限的債券各有其所屬的市場特性，互不影響。

38 **(C)**。可轉換公司債的轉換價值＝股票市價×轉換比率

39 **(C)**。轉換價值＝轉換比例×股價＝20×70＝1,400。

第四章 經濟基本面分析

依據出題頻率區分，屬：**B** 頻率中

「大盤是海，個股是船」在投資臺股時，除了個別企業的成長潛力、整體大環境的經濟走勢亦影響股價表現甚大。

本章節將跳脫個股，以更宏觀的角度來認識影響金融市場的總體經濟指標。

重點 01 證券投資基本分析 重要度★★

一、概念

股票價格由公司的內在價值決定，儘管價格會隨受政治、經濟、市場心理等因素影響而變動，但大體上仍不離其價值太遠，故投資者應根據股票與企業的價值做出投資決策。

二、影響股價變動的因素

經濟因素	例如：利率及匯率的變化、整體產業的供需狀況、公司個別風險等。
政治因素	例如：政權更替、戰爭等。
技術因素	例如：股東會行情、除權息行情、政府政策（稅務問題）等。

三、基本分析法

(一) **由上而下分析法**（Top-Down Approach）：選股時，**首重總體經的影響**，故先比較各國的經濟狀況，**再選擇最具潛力的國家及其產業**，**方將範圍縮小至該產業中的潛力個股**。

(二) **由下而上分析法**（Bottom-Up Approach）：選股時，首重企業個別因素的影響，故首先鎖定具有潛力的公司，並將其與同產業競爭對手比較，同時檢視該公司所在國家之大環境的發展性，以決定是否投資該檔股票。

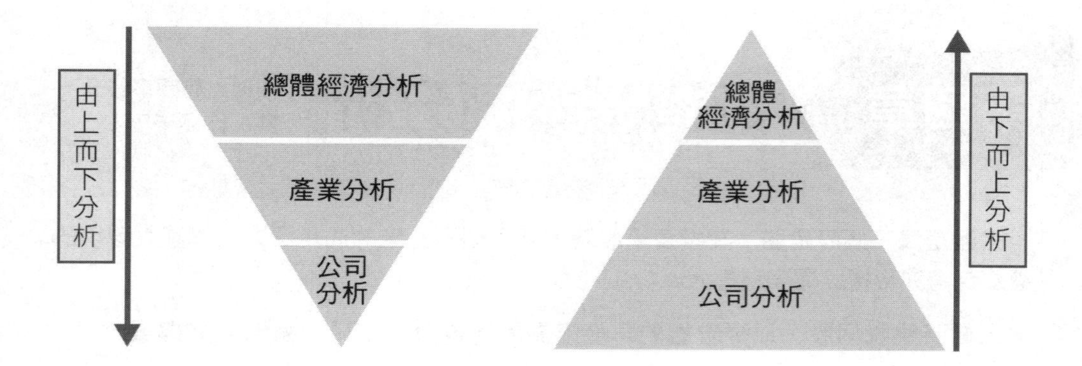

牛刀小試

( ) **1** 基本分析有所謂的由下而上（Bottom-up）分析法，此分析法認為選股應該最先考慮的因素是：
(A)產業因素 (B)總體因素
(C)公司因素 (D)市場交易制度。

( ) **2** 基本分析是包含：甲、產業分析；乙、市場分析；丙、公司分析
(A)僅甲、乙對
(B)僅甲、丙對
(C)僅乙、丙對
(D)甲、乙、丙對。 【104年第4次高業】

解答與解析

1 (C)。採由下而上分析法選股時，首重企業個別因素的影響；採由上而下分析法選股時，首重總體經濟的影響。

2 (D)。產業分析、市場分析、公司分析，皆屬於證券投資的基本分析。

重點 02
總體經濟分析
重要度★★★

一、財政政策與貨幣政策

(一) **財政政策**

指政府**透過控制支出與稅收手段來影響經濟的政策**。

1. **擴張性財政政策**：又稱為「寬鬆財政政策」，**指政府透過增加開支**（例：推動公共建設）**或減稅**的方式來刺激總體需求、增加產出。
2. **緊縮性財政政策**：**指政府透過增加財政收入**（例：增加稅負）**或減少財政支出**以抑制社會總需求增長的政策。

(二) **貨幣政策**

指央行**透過管理貨幣工具，來控制貨幣流通的數量、達到穩定經濟發展的目標**。**央行用以控制貨幣供給的工具有：公開市場操作、貼現窗口融通制度、準備金制度**。

1. **公開市場操作**：公開市場操作是控制貨幣供給工具中，最常被央行使用的管道。

操作流程與效果

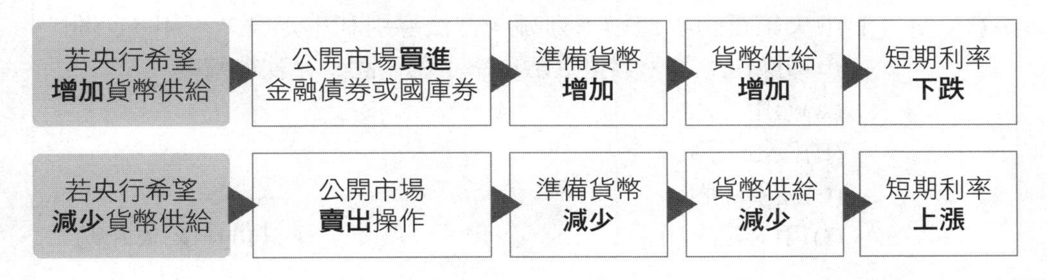

2. **調整重貼現率**：重貼現率指一般銀行向央行融資的貸款利率，若央行將重貼現率提高，則銀行向央行融資的意願降低，致使日後銀行可貸放至民間的資金額度也跟著降低，進而達到減少貨幣供給的目標；反之，若央行將重貼現率降低，則銀行向央行融資的意願大，最後會使貨幣供給增加。
3. **調整存款準備率**：存款準備率指銀行從所收的存款中，提撥至央行寄存的比率。又存款為銀行用以放款的來源，若央行將存款準備率提高，則銀行對外之可貸放金額會隨之減少，致使貨幣供給下降；反之，若央行

將存款準備率降低，則銀行對外之可貸放金額會隨之增加，最後會使貨幣供給增加。

知識補給站

貨幣供給

1.貨幣層次的劃分如下：

(1)M1a＝**通貨淨額＋支票存款＋活期存款**

(2)M1b＝M1a**＋活期儲蓄存款**

(3)M2＝M1b**＋準貨幣**（各類定存＋郵政儲金轉存款＋外幣存款＋附買回條件公債＋外國人持有之本國貨幣）

通貨淨額：目前流通在市面上（不含金融機構存款）的本國貨幣總額。

2.當M1b年增率向上超越M2時，代表**資金從定期性流向活期性存款**，稱為「黃金交叉」，**資金流向股市**；相反，當M1b年增率向下低於M2時，稱「死亡交叉」，代表資金從股市中流出。

牛刀小試

( ) **1** 中央銀行可以透過下列哪些方法導引利率走勢？ 甲、公開市場操作；乙、調整重貼現率；丙、調整存款準備率
(A)僅甲、乙
(B)僅乙、丙
(C)僅甲、丙
(D)甲、乙、丙。 【109年第1次高業】

( ) **2** 下列何者非我國狹義貨幣供給（M1a）所包含項目？ (A)通貨 (B)支票存款 (C)活期存款 (D)活期儲蓄存款。

( ) **3** 小明將一萬元的支票存款轉存為定期儲蓄存款，對於貨幣供給M1a和M2有何影響？ (A)M1A上升、M2上升 (B)M1A下降、M2下降 (C)M1A下降、M2上升 (D)M1A下降、M2不變。

( ) **4** 股市的交易熱絡會促使何種貨幣供給額增加率上升？ (A)M1a (B)M1b (C)M2 (D)M3。

( ) **5** 下列何種情況會造成貨幣供給增加？
(A)降低存款準備率 (B)提高重貼現率
(C)中央銀行標售國庫券 (D)出口減少。 【105年第1次高業】

解答與解析

1 (D)。央行可透過公開市場操作、調整重貼現率、存款準備率來導引利率走勢。

2 (D)。M1a＝通貨淨額＋支票存款＋活期存款。

3 (D)。M1a＝通貨淨額＋支票存款＋活期存款。M2＝M1b＋準貨幣。將支票存款轉存為定期儲蓄存款後，M1A下降、M2不變。

4 (B)。股市交易熱絡時，會促使資金從定期性流向活期性存款，使M1b增加上升。

5 (A)。存款準備率下降⇒貨幣供給上升。

二、利率與股價

(一) 關係：**利率上漲將使股價下跌；利率下降將使股價上漲**。

(二) 解釋：利率上升⇒企業借入資金成本上升⇒企業投資意願降低、營運獲利被利息支出壓縮而變小⇒投資人買進意願降低⇒股價下跌。

(三) 當利率變動時，通常率先反應的產業為金融保險業，以及營建業。

三、匯率與利率

當本國貨幣貶值時，以本國貨幣計價的出口商品相對便宜，故有利出口；當本國貨幣升值時，代表本國貨幣的購買力提高，故有利進口。

(一) 利率平價理論

1. **概念**：兩個國家的利率差距，將會影響兩國之間的匯率關係。舉例而言，A國家利率5%、B國家利率3%，投資人從B國家借錢、把錢存到A國；因為投資人欲藉此套利，故大量從B國借錢，即會造成B國貨幣升值。

2. **常考概念：**

利率低的國家，其遠期匯率會傾向「升值」。

利率高的國家，其遠期匯率會傾向「貶值」。

(二) **購買力平價理論**

常考概念：**通貨膨脹率高的國家，其物價水準高，貨幣購買力低，該國貨幣傾向「貶值」。**

牛刀小試

( ) **1** 當股市預測中央銀行會提高存款準備率時，股價通常就會：
(A)上漲 (B)無關
(C)下跌 (D)不一定。 【103年第2次高業】

( ) **2** 一家上市公司進口原物料占生產成本比重為50%，同時其產品出口比重亦為50%，當新臺幣升值時，該公司可能會出現：
(A)匯兌收益 (B)匯兌損失
(C)存貨利潤 (D)存貨損失。 【107年第1次高業】

( ) **3** 理論上，在其他條件不變下，若甲國之預期通貨膨脹高於乙國，則甲國的貨幣將： (A)升值 (B)貶值 (C)不變 (D)不一定。 【103年第4次高業】

解答與解析

1 (C)。存款準備率上升⇒利率上升⇒股價下跌。

2 (B)。若新臺幣升值，會因為進貨成本降低、有利進口商；但卻使出口業務在競價上不如它國之情況。惟產品售價是成本＋其他加成（如品牌商譽等溢價），故新臺幣升值雖有利於進貨成本之降低、但其產品銷售下滑造成的損失幅度會更大。故會面臨匯兌損失。

3 (B)。根據購買力平價理論，若甲國預期通貨膨脹高於乙國，甲國的購買力會降低、貨幣將趨向貶值。

四、通貨膨脹

(一) **通貨膨脹定義**：指一般物價的持續上漲。

(二) **通貨膨脹的肇因可分為**

1. **成本推升**：因為工資、原料等投入成本變動，進而反映於售價上，再影響到物價。
2. **需求拉動**：當市場上總需求大於總供給時，會推動物價上漲。

(三) **衡量通貨膨脹的指標**

1. **消費者物價指數**（Consumer Price Index , CPI）：
   用來衡量一個標準家庭所消費勞務和物品之零售價格平均變動倍數，以百分比變化為表達形式。根據國際貨幣基金IMF定義，消費者物價指數（CPI）為衡量通膨的主要指標之一，若CPI連續兩年呈現負成長，即為進入通縮期。
2. **生產者物價指數**（Producer Price Index , PPI）：
   指生產原材料價格的變化，生產商的成本會影響未來商品價格的變化，**可視為CPI的先行指標**。
3. **躉售物價指數**（Wholesale Price Index, WPI）：
   (1)用以衡量生產者採購物價的指標，即從生產者的角度來衡量物價。
   (2)包括在內的產品有**原料、中間產品、最終產品與進出口品**，但不包括各類勞務（CPI計算範圍則含勞務在內）。
   (3)臺灣地區躉售物價指數包含的項目有：國產內銷品、進口品、出口品。
   (4)由於其變動通常領先於消費者物價指數，是觀察消費者物價變動的領先指標，領先三到六個月。
4. **通貨膨脹率**（Inflation rate）：
   (1)指物價平均水準的上升幅度，為消費者物價指數（CPI）的年增率。
   (2)**公式**：通貨膨脹率＝（P_1-P_0）／P_0
   P_1：現今物價平均水準
   P_0：去年的物價水準
   (3)**例題**：去年六月的消費者物價指數120，今年六月的消費者物價指數150，則這一年的通貨膨脹率是（150－120）／120＝25%。

(四) **通膨和股價的關係**

在通貨膨脹情況下，政府會採取控制、減少財政支出，以實行緊縮貨幣政策，此時市場利率水平會升高，**從而使股票價格下降**。

牛刀小試

(　　) **1** 主計總處2020年10月公布，9月躉售物價指數（WPI）年增率為負2.19%。請問躉售物價指數會受到下列何種因素影響？(A)零售價　(B)批發價　(C)進口物價　(D)進口物價與批發價皆會。

(　　) **2** 通貨膨脹率是指何種經濟指標的年增率？　(A)躉售物價指數　(B)消費者物價指數　(C)國民生產毛額平減指數　(D)國民生產毛額成長率。　【105年第3次高業】

(　　) **3** 下列何種經濟指標是用來衡量一個標準家庭所消費勞務和物品之零售價格平均變動倍數？　(A)工業生產指數　(B)躉售物價指數　(C)消費者物價指數　(D)國民生產毛額平減指數。

(　　) **4** 以下何種經濟指標是用來衡量批發價格平均變動倍數？(A)工業生產指數　(B)躉售物價指數　(C)消費者物價指數　(D)國民生產毛額平減指數。　【109年第1次高業】

解答與解析

1 (D)。躉售物價指數會受進口物價與批發價影響。

2 (B)。通貨膨脹率是消費者物價指數（CPI）的年增率。

3 (C)。消費者物價指數用來衡量家庭所消費勞務和物品之零售價格平均變動倍數。

4 (B)。躉售物價指數是根據大宗物資批發價格的加權平均價格編製而得的物價指數，包括原料、中間產品、最終產品與進出口品，但不包括各類勞務。

五、景氣指標

景氣指標主要分成**「領先指標」**、**「同時指標」**及**「落後指標」**，由國家發展委員會編製，並每月發布。

(一) **領先指標**：包含1.外銷訂單動向指數、2.實質貨幣總計數M1B、3.股價指數、4.工業及服務業受僱員工淨進入率、5.建築物開工樓地板面積、6.實質半導體設備進口值，及7.製造業營業氣候測驗點，具領先景氣波動性質，可用以預測未來景氣之變動。

(二) **同時指標**：包含1.**工業生產指數**、2.電力（企業）總用電量、3.**製造業銷售量指數**、4.批發零售及餐飲業營業額、5.非農業部門就業人數、6.**實質海關出口值**、7.**實質機械及電機設備進口值**，代表當前景氣狀況，可以衡量當時景氣之波動。

(三) **落後指標**：包含1.失業率、2.製造業單位產出勞動成本指數、3.金融業隔夜拆款利率、4.全體金融機構放款與投資、5.製造業存貨價值，用以驗證過去之景氣波動。

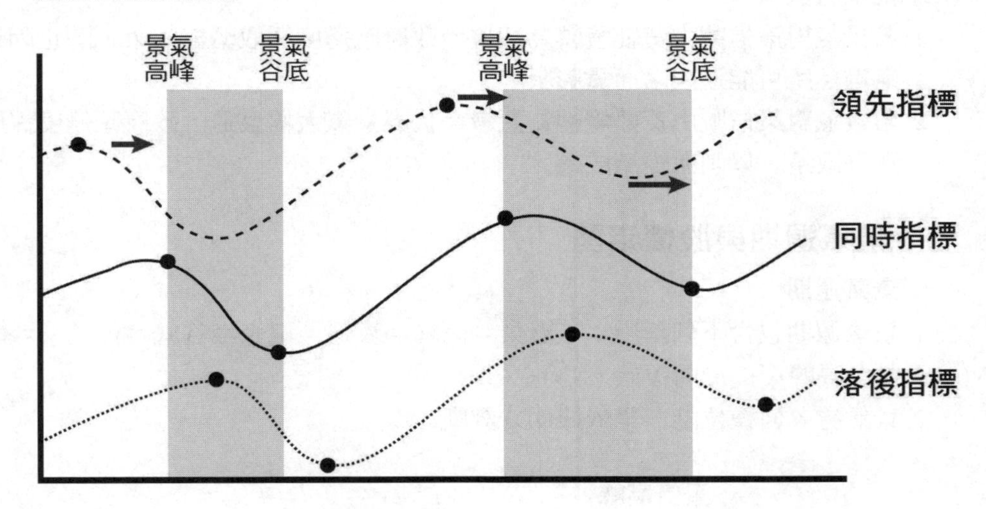

六、景氣對策信號

(一) **意義**：景氣對策信號是**以五種不同的信號燈表示目前景氣狀況**，不同的燈號反映出景氣是否轉向，可提示政府應採取相應對策，亦可利用對策信號變化做為判斷景氣榮枯參考。

(二) **組成**：對策信號由貨幣總計數M1B、股價指數、工業生產指數、非農業部門就業人數、海關出口值、機械及電機設備進口值、製造業銷售量指數、批發、零售及餐飲業營業額，及製造業營業氣候測驗點9項構成項目組成。

(三) 燈號

燈號	分數	代表意義
紅	38以上	景氣過熱
黃紅	32～38	景氣穩定成長
綠	23～32	景氣逐漸轉好
黃藍	17～23	景氣脫離谷底
藍	17以下	景氣蕭條

(四) 代表訊號

1. 若景氣對策信號由黃紅燈轉為紅燈⇒政府應適度採取緊縮政策，防止因景氣過熱所可能造成之通貨膨脹。
2. 若景氣對策信號由黃藍燈轉為藍燈⇒代表景氣大幅衰退，政府應適度採取寬鬆政策，以刺激經濟成長。

七、景氣週期與股價走勢

(一) 景氣週期

1. 景氣週期包含下列階段：「繁榮⇒高峰⇒衰退⇒蕭條⇒谷底⇒復甦」⇒繁榮⇒高峰……周而復始。
2. 景氣處於何種位階，是依據GDP評斷。

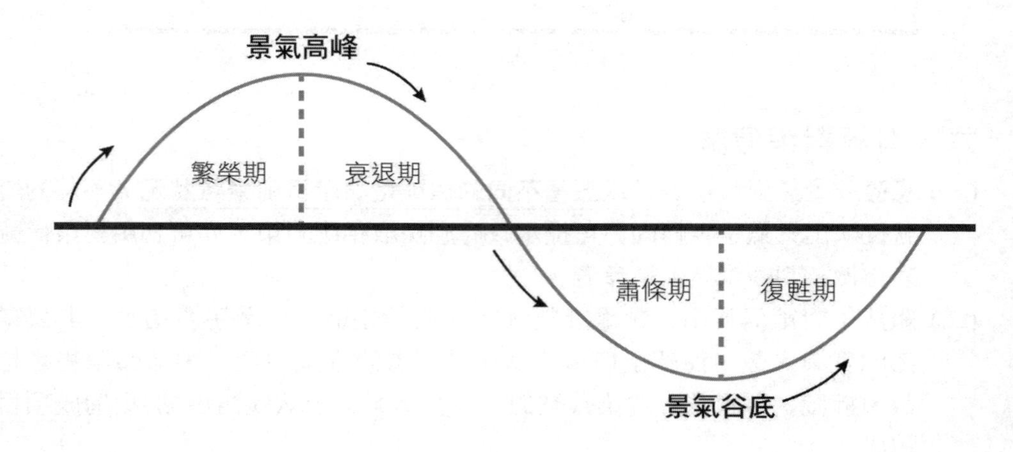

(二) 股價走勢

1. 股價指數為景氣的領先指標。當可感受到景氣衰退，股價指數早已開始下滑。當景氣由弱轉強時，股價指數亦早已走升。
2. 股價指數的編制：

簡單股價平均數（價格加權法）	發行公司的股價越高，其占指數的權重就越大。例如：道瓊工業指數、日經225指數。
加權股價指數（價值加權法）	發行公司的市值（＝股價×在外流通股數）越高，其占指數的權重就越大。例如：S&P 500指數、臺灣加權股價指數。
均等加權法	將所有納入採樣的股票賦予相同的權數。例如：英國金融時報指數。

牛刀小試

( ) **1** 下列何者不屬於景氣對策信號領先指標構成項目： (A)實質海關出口值 (B)外銷訂單指數 (C)實質貨幣總計數M1B (D)核發建照面積。

( ) **2** 下列何者不是我國國發會所編製之景氣同時指標的其中一項構成項目？ (A)核發建照面積（住宅、商辦、工業倉儲） (B)製造業銷售量指數 (C)實質海關出口值 (D)實質機械及電機設備進口值。 【105年第2次分析師】

( ) **3** 「景氣對策信號」由「黃紅燈」轉為「紅燈」時，政府財金政策應： (A)大幅放鬆 (B)繼續放鬆 (C)適度緊縮 (D)選項(A)、(B)、(C)皆非。

( ) **4** 下列何者代表景氣由綠燈轉為黃藍燈？
(A)32分⇒36分 (B)25分⇒32分 (C)31分⇒25分 (D)24分⇒22分。 【101年第4次高業】

( ) **5** 下列何種現象發生時，政府將會採取更寬鬆之財政政策？ (A)綠燈轉為黃藍燈 (B)黃紅燈轉為紅燈 (C)黃藍燈轉為綠燈 (D)黃藍燈轉黃紅燈。 【107年第1次高業】

( ) **6** 一般而言，股價循環的「谷底」發生於景氣循環的： (A)復甦期 (B)繁榮期 (C)衰退期 (D)蕭條期。【104年第2次高業】

( ) **7** 簡單股價平均指數受下列哪一類的股票價格變動之影響最大？ (A)股本大的股票 (B)總市值高的股票 (C)交易量大的股票 (D)股價高的股票。【100年第4次高業】

( ) **8** 市場價值加權股價指數受下列哪一類的股票價格變動之影響最大？ (A)股價高的股票 (B)交易量大的股票 (C)總市值高的股票 (D)股本大的股票。【104年第3次高業】

解答與解析

1 (A)。實質海關出口值是同時指標。

2 (A)。核發建照面積（住宅、商辦、工業倉儲）是領先指標。

3 (C)。若景氣對策信號由黃紅燈轉為紅燈⇒政府應適度採取緊縮政策，防止因景氣過熱所可能造成之通貨膨脹。

4 (D)。綠燈23～32分，黃藍17～23分，故選(D)。

5 (A)。綠燈：景氣穩定。黃藍燈：景氣欠佳。當綠燈轉為黃藍燈時，政府將釋放資金、故會採寬鬆政策。

6 (D)。因為股價指數是景氣的領先指標。故股價循環的谷底應發生於景氣循環的蕭條期。

7 (D)。若採簡單股價平均數，則股價越高的股票，其占指數的權重就越大。例如道瓊工業指數、日經225指數。

8 (C)。加權股價指數中，發行公司的市值越高，其占指數的權重就越大。故整體大盤指數容易受總市值高的股票影響。

八、國民所得

(一) 國內生產毛額（GDP）

1. 定義：指一國在特定期間內，所有生產的勞務及最終商品的市場價值，為反映國家經濟力的指標，數值越高、代表景氣越好。

2. 組成：GDP包含「消費、投資、政府支出、淨出口」四大項目。
3. GDP由跌轉升，景氣上揚，代表股市將多頭表現；GDP由升轉跌，景氣下滑，代表景氣將空頭格局。

(二) **國民生產毛額（GNP）**

定義：指一國全體國民（包含居住在國內與國外的本國國民）於特定期間內，生產出的所有勞務及最終財貨的市場價值總和。

知識補給站

GDP與GNP的差別

GDP是屬地主義，GNP是屬人主義。

1.GNP是以國民為計算標準，無論人在國內、國外皆被計算在內，例如：美國人及不在美國的美國人所產出的價值。

2.GDP是以國境為計算標準，只要是該國家內的所有生產毛額，皆會被計算在內，例如：美國人及非美國人在美國境內所產出的價值。

精選試題

( ) **1** 所謂由下而上（Bottom-up）分析法，認為影響股價變動最關鍵因素是： (A)總體因素 (B)產業消長 (C)公司營運 (D)成交量多寡。

( ) **2** 共同基金經理人採取由下而上（Bottom-up）管理方式，認為基金的超額報酬主要來自於： (A)大盤研判 (B)類股波段操作 (C)尋找價值低估的潛力股 (D)分散風險。

( ) **3** 當預期M1b（貨幣供給）年增率減緩，投資人將預期整體股價：
(A)下跌 (B)上漲
(C)不一定上漲或下跌 (D)先跌後漲。 【105年第1次高業】

( ) **4** 當預期M1b年增率減緩，投資人將預期整體股價：
(A)下跌 (B)上漲
(C)不一定上漲或下跌 (D)先跌後漲。 【105年第4次高業】

( ) **5** 股市呈多頭走勢時，銀行定期存款與活期儲蓄存款的變化大都呈：(A)前消後長 (B)前長後消 (C)消長難定 (D)以上皆非。

( ) **6** 下列何種情況會造成貨幣供給減少？
(A)降低存款準備率 (B)降低重貼現率 (C)銀行超額準備降低 (D)進口增加。 【100年第2次高業】

( ) **7** 在其他條件不變下，中央銀行賣出美元，回收新臺幣，對短期利率之影響為：
(A)上揚 (B)下跌 (C)沒有影響 (D)不一定。 【104年第2次高業】

( ) **8** 「工業生產指數」是景氣指標的： (A)落後指標 (B)同時指標 (C)領先指標 (D)綜合指標。

( ) **9** 臺灣地區躉售物價指數包含的項目有：甲、國產內銷品；乙、進口品；丙、出口品 (A)僅甲與乙 (B)僅甲與丙 (C)僅乙與丙 (D)甲、乙與丙皆包含在內。

( ) **10** 下列何種物價指數的變化，是一般人民購買物品時最能感覺到的？ (A)躉售物價指數 (B)消費者物價指數 (C)進口物價指數 (D)出口物價指數。 【105年第2次普業】

( ) **11** 我國景氣對策信號可用來表現景氣熱度，下列何者不是用以表達景氣對策信號？ (A)紅燈：景氣熱絡 (B)綠燈：景氣穩定 (C)藍燈：景氣衰退 (D)紫燈：景氣欠佳。

( ) **12** 「景氣對策信號」由「黃藍燈」轉為「綠燈」表示： (A)景氣轉好 (B)景氣轉壞 (C)景氣時好時壞 (D)選項(A)(B)(C)皆非。 【104年第4次高業】

( ) **13** 在景氣循環的繁榮期末期，股價指數一般呈： (A)上升走勢 (B)下跌走勢 (C)持平狀態 (D)不確定。

( ) **14** 臺灣發行量加權股價指數之編算方法，是以： (A)計算日採樣股票資本總額除以基值乘以100 (B)計算日採樣股票總市值除以基值乘以100 (C)計算日採樣股票資產總額除以基值乘以100 (D)計算日採樣股票成交量除以基值乘以100。

( ) **15** 欲影響臺灣股價指數期貨的漲跌，理論上對臺灣股市（現貨）的哪類股票，進行拉抬或損壓動作之效果最大？ (A)高股本股 (B)高股價股 (C)高市值股 (D)低股本股。

( ) **16** 道瓊股價平均數之編製方式與下列何指數相同？ (A)日經225股價平均數 (B)臺灣店頭市場股價指數 (C)S&P 500股價指數 (D)臺灣證券交易所發行量加權股價指數。

( ) **17** 一家上市公司進口原物料占生產成本比重為50%，同時其產品出口比重亦為50%，當新臺幣貶值時，該上市公司可能會出現：(A)匯兌收益 (B)匯兌損失 (C)存貨利潤 (D)存貨損失。

( ) **18** 其他因素不變下，利率上升對物價的穩定： (A)有害 (B)有利 (C)無關 (D)選項(A)(B)(C)皆非。 【103年第1次高業】

解答與解析

1 **(C)**。採由下而上分析法選股時，首重企業個別因素的影響。

2 **(C)**。採由下而上的管理，代表基金經理人認為可以藉由選股獲取超額報酬。

3 **(A)**。當預期M1b年增率減緩，代表資金從股市中流出，投資人將預期整體股價下跌。

4 **(A)**。當預期M1b年增率減緩，代表資金從股市中流出，投資人將預期整體股價下跌。

5 **(A)**。股市呈多頭走勢時，投資人會選擇將資金投到報酬率較高的地方、資金流入股市，故定期存款會下降，活期儲蓄存款增加。

6 **(D)**。進口增加⇒進口商買美元、賣新臺幣給央行，以取得美金來支付貨款⇒市場上新臺幣貨幣供給下降。

7 **(A)**。央行回收新臺幣⇒市場上臺幣的供給減少⇒短期利率上升。

8 **(B)**。工業生產指數是同時指標。

9 **(D)**。臺灣地區躉售物價指數包含國產內銷品、進口品、出口品。

10 **(B)**。消費者物價指數反映消費者支付商品和勞務的價格變化情況，是一般人民購買物品時最能感覺到的。

11 **(D)**。景氣對策信號只有紅、黃紅、綠、黃藍、藍，並無紫燈。

12 **(A)**。景氣對策信號由黃藍燈轉為綠燈，表示景氣轉好。

13 **(B)**。因為股價指數是景氣的領先指標。故當景氣由強轉弱時，股價指數亦早已下滑。

14 **(D)**。臺灣加權股價指數＝股票成交量／基值×100。

15 **(C)**。臺灣股價指數的編制方法是採加權股價算法，加權股價指數中，發行公司的市值越高，其占指數的權重就越大。故整體大盤指數容易受總市值高的股票影響。

16 **(A)**。道瓊工業指數與日經225指數，編制皆是採簡單股價平均數（價格加權法）。

17 **(A)**。若新臺幣貶值，會造成進貨成本升高、不利進口商；但會使出口業務在競價上較它國具優勢。因產品售價是成本＋其他加成（如品牌商譽等溢價），故新臺幣貶值雖會使進貨成本升高、但其產品出口銷售的增加幅度會更大。故會面臨匯兌收益。

18 **(B)**。各國央行常藉由提高利率來穩定物價。

第五章 技術分析

依據出題頻率區分，
屬：A 頻率高

「歷史會不斷重複，因為人性不變」，技術分析的根基即建立在此信仰上。故使用技術分析的投資人會研究金融市場的歷史資訊，並以其作為預測未來價格趨勢的依據。

常見的技術分析指標有K棒、移動平均線、MACD……，茲分別介紹之。

重點01 技術分析 重要度★★★

常見的技術分析指標

(一) K棒

1. **K棒的起源**

   K棒起源於日本十八世紀德川幕府時代，當時的米商透過記錄每日交易，用以計算米價每天的漲跌。因其畫法具有獨到之處，後來人們便把它引入價格走勢的分析中，經過幾百年的發展，現已廣泛應用於股市、期貨、外匯，期權等金融市場，成為操盤者不可或缺的工具之一。

2. **K棒的構造**

   K棒是由每日的**開盤價、收盤價、最高價、最低價**組成。

3. **K棒的種類**

   紅K：收盤價高於開盤價，以紅色表示，代表買氣強勁。

   黑K：收盤價低於開盤價，以黑色表示，代表賣壓沉重。

帶下影線的紅K		下影線愈長，表示下跌遇到的買盤支撐力道強。
帶上影線的紅K		上影線愈長，表示上漲後遇到的賣方壓力重。
帶下影線的黑K		下影線愈長，表示下跌遇到的買盤支撐力道強。

帶上影線的黑K		上影線愈長，表示遇到的賣方壓力重。
無上下影線的紅K		開盤價即最低價，收盤價即最高價，表示買盤的力道非常強勁。
無上下影線的黑K		開盤價即最高價，收盤價即低價，表示賣壓沉重。
十字線		開盤價等於收盤價，買賣雙方勢力相當，漲勢（或跌勢）短暫受阻，通常意味著股價將出現變盤訊號。
一字線		開盤價＝收盤價＝最高價＝最低價，僅在跳空漲停（或跌停）且一路鎖死時才會出現，代表著投資人極度看好或看壞。
T字線		開盤價不但是收盤價，亦是當天的最高價。代表股價雖然在盤中下跌，但買盤強勁，最後將股價推升至最高點。
倒T字線		股價一度上揚，但碰到沉重賣壓，最後股價跌過起點，後續下跌的機率大。

牛刀小試

(　　)　一支個股，當天最高價67元，最低價55元，收盤價58元，開盤價60元，其下影線為多少？　(A)3元　(B)5元　(C)7元　(D)9元。
【104年第1次高業】

解答與解析

(A)。收盤價58元－最低價55元＝3元。

(二) 道氏理論

1. 道氏理論由查理斯・道氏（Charles H. Dow）在19世紀末期所發展出來。
2. 道氏理論將市場的走勢分為「基本波動」、「次級波動」以及「日常波動」。在預測上，道氏理論可協助投資人高度判斷出基本波動的規律，但對於次級波動的判斷則帶有一定的欺騙性，而日常波動則因具極強的隨機性，故無法被掌握。
3. **道氏理論以指數來表示，告示投資人市場的趨勢以及方向，且應順著波段操作以獲取利潤（但無法指出應購買哪一檔股票）**。

	基本波動	次級波動	日常波動
意義	長期變動的趨勢，需一年以上方可改變。	**為基本波動的調整修正**，持續時間為數週至數月。	持續時間最小，通常僅數天；其隨機出現在次級波動與基本波動間。
重要性	大	中	小
細分	上漲趨勢、下跌趨勢	修正趨勢、反彈趨勢	隨機波動
關心者	長期投資人	短期投機者	交易者
比喻	潮汐（漲潮、退潮）	波浪	漣漪

(三) 艾略特波浪理論

「道氏理論告訴人們何謂大海，而波浪理論指導你如何在大海上衝浪。」

在拉爾夫・艾略特（Ralph N. Elliott）1938年的著書《波動原理》中指出：觀察道瓊工業指數，發現其趨勢如同海浪，一波接著一波，呈一定的基本韻律和型態。且不論趨勢的大小，**股價皆具「五波上升（1～5）、三波下降（a～c）」的基本規律，亦即共有八個波構成完整的週期**。

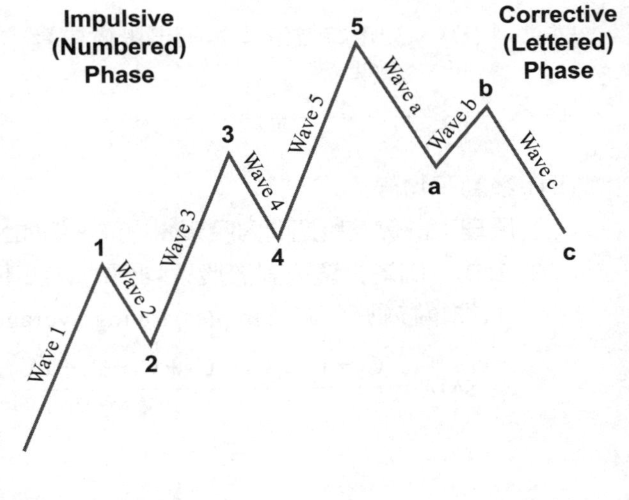

牛刀小試

( ) **1** 一般所謂的「盤整」是屬道氏理論中哪一種波動？ (A)基本波動 (B)次級波動 (C)日常波動 (D)選項(A)(B)(C)皆非。

( ) **2** 下列何者較不受道氏理論所重視? (A)基本波動 (B)次級波動 (C)日常波動 (D)選項(A)(B)(C)皆非。【104年第1次高業】

( ) **3** 下列何者不是艾略特（Elliott）波浪理論的專有基本原理？(A)波浪的結構型態 (B)完成一個波浪的時間 (C)回檔或上漲的比率分析 (D)股價反映所有的訊息。【102年第2次高業】

( ) **4** 下列有關艾略特波浪理論之敘述何者正確？ (A)上升趨勢有三波，下降趨勢有三波 (B)上升趨勢有三波，下降趨勢有五波 (C)上升趨勢有四波，下降趨勢有四波 (D)上升趨勢有五波，下降趨勢有三波。

解答與解析

1 (B)。盤整屬道氏理論的次級波動。

2 (C)。日常波動因具有強烈的隨機性、難以判斷，故較不受道氏理論所重視。

3 (D)。股價反映所有的訊息是強式效率市場的基本原理。

4 (D)。艾略特波浪理論指出股價皆具「五波上升、三波下降」的基本規律。

(四) 移動平均線

1. **原理**：計算某段期間內股票的均價，例如20日均線即代表20天的股票均價。
2. **公式**：因為投資人對於股票均價的算法不同，又可分為：

(1)簡單移動平均（Simple Moving average, SMA）

$$SMA=\frac{C_1+C_2+C_3+C_4+C_5+...+C_n}{n}$$

(2)加權移動平均（Weighted Moving Average, WMA）

$$WMA_{(t)}=\frac{Close_{(t)}\times W_{(1)}+(Close_{(t-1)}\times W_{(2)})+...(Close_{(t-n+1)}\times W_{(n)})}{W_{(1)}+W_{(2)}+...W_{(n)}}$$

$W_{(t)}$＝weight factor權重

(3)指數移動平均（Eexponential Moving Average, EMA）

3. **代表訊號**

(1)**當短天期均線由下而上突破長天期均線⇒為黃金交叉⇒建議買進**
當短天期均線自上而下跌越長天期均線⇒為死亡交叉⇒建議賣出

(2)當短、中、長天期均線由上而下排列⇒多頭行情
當短、中、長天期均線由下而上排列⇒空頭行情

4. **葛蘭碧八大法則**：葛蘭碧八大法則**利用價格與移動平均線的關係作為買進與賣出的依據**。其認為移動平均代表趨勢的方向，故當價格偏離趨勢時，未來股價將朝趨勢方向修正。

買進訊號	1.均線從跌勢中逐漸走平，股價向上突破平均線。 2.股價下挫但仍維持在均線上，當股價又再度上升。 3.均線上揚，股價回跌至接近均線或跌破平均線後再度站上時。
賣出訊號	4.均線持續上升，股價漲幅甚大使正乖離過大。 5.均線在上升趨勢中趨於平緩或逐漸下降，而股價跌破均線時。 6.均線持續下滑，股價反彈突破均線，但馬上跌回均線之下。 7.均線持續下滑，股價彈升未達平均線即回跌號。
反彈買進訊號	8.均線持續下滑，股價突然暴跌遠離平均線，使負乖離過大。

(五) **寶塔線**

1. 寶塔線圖繪製出的圖形，是利用紅色及黑色兩種線體來顯示行情中上揚與下挫的曲段。當投資者觀察到線體**由黑翻紅時買進**，而**由紅翻黑時賣出**即可。因此，寶塔線被形容是懶人的最佳分析工具。

2. 寶塔線的基本原理是，在下跌的曲段中，若某一日的行情上揚，且其上升力道足以彌補回先前三天的跌幅，而回歸到三日前的價位之上時，可視其為下跌行情翻轉的買進訊號，要不然面對其它的上揚行情，可將其視為是下跌曲段中，價格上小幅度的反彈波動而不予理會。

同理，在上升趨勢中，若某一日的行情下挫，且其下跌力道足以蓋過前三天的漲幅時，可視為行情開始翻轉而下的賣出訊號。

牛刀小試

( ) **1** 最近五日的收盤價依照時間序列分別為80、78、76、74、75（昨日），今日收盤價「至少」要超過到何者價位以上，原本下降的五日移動均線才會開始上揚？ (A)76.5 (B)77 (C)75 (D)80。 【109年第1次高業】

( ) **2** 葛蘭碧（Joseph Granville）八大法則是以何種指標來判斷買賣時機？ (A)乖離率 (B)MACD (C)價格移動平均線 (D)選項(A)(B)(C)皆非。

( ) **3** 根據葛蘭碧法則（J. Granville Rules），以下哪一選項是買進訊號？ (A)當價位線往下急跌，不僅跌破移動平均線，而且深深地遠離於移動平均線下，開始反彈上升又趨向於移動平均線 (B)當移動平均線從上升趨勢逐漸轉變成水平盤局或呈現下跌跡象時，若價位線從上方跌破移動平均線往下降 (C)當價位線的趨勢走在移動平均線之下，價位線上升但卻未能穿破移動平均線便再度反轉下跌 (D)雖然價位線往上升穿破移動平均線，但隨即又回跌到移動平均線之下，且此時移動平均線依然呈現下跌的走勢。 【106年第1次分析師】

( ) **4** 三日寶塔線翻黑，表示股價跌破以前三天內的最低點，表示應為何種投資時機？ (A)賣出時機 (B)買進時機 (C)觀望 (D)設停損失。 【107年第4次高業】

( ) **5** 三日寶塔線翻紅，表示以前三天內的最高價為上檔壓力，若股價突破此上檔壓力，為下列何種時機？ (A)賣出時機 (B)買進時機 (C)觀望 (D)設停損失。 【104年第1次高業】

解答與解析

1 (D)。扣抵值是80，則需要用收在80元以上，5MA才會上升。

2 (C)。葛蘭碧八大法則是以價格移動平均線來判斷買賣時機。

3 (A)。(A)為買進訊號，其他選項皆為賣出訊號。

4 (A)。寶塔線由黑翻紅時買進，而由紅翻黑時賣出。

5 (B)。若某一日的行情上揚，且其上升力道足以彌補回先前三天的跌幅，而回歸到三日前的價位之上時，可視其為下跌行情翻轉的買進訊號，故為買進時機。

(六) MACD

1. 原理：MACD是運用兩條不同速度的股價指數平滑移動平均線（EMA），來計算兩者間的差離狀態（DIF）後，再對 DIF 進行指數平滑移動平均。
2. (1) **指數平滑移動平均線（EMA）**：簡單移動平均線是直接將每日的股價平均，但實際上，越接近時間點所發生的資料應越重要，故EMA將較近日的股價以較大的權重計算。

   (2) **DIF線**：DIF是由2條不同天期的EMA相減。
   常見的DIF＝EMA（12）－EMA（26）

   (3) **MACD線**：計算出DIF後，再取DIF的移動平均，即為MACD線（一般用DIF的9日移動平均）。
   MACD＝EMA（DIF,9）

考點速攻

1.DIF（快）短期，判斷股價趨勢的變化。
2.MACD（慢）長期，判斷股價大趨勢。

3. 從上述公式可看出，在下跌行情時，DIF＜0、MACD＜0；在上升行情時，DIF＞0、MACD＞0。

代表訊號	1. 當快線（DIF）向上突破慢線（MACD）⇒買進訊號 2. 當快線（DIF）向下跌破慢線（MACD）⇒賣出訊號

牛刀小試

(　　) **1** 下列對MACD的描述，何者錯誤？ (A)以平均值測量趨勢 (B)指標計算過程中加以平滑化 (C)有二條平均線 (D)為成交量的技術指標。【105年第4次高業】

(　　) **2** 下列何者，為MACD的買進訊號？ (A)K線由下往上突破D線 (B)6日RSI值為20以下 (C)DIF線由下往上突破DEM線 (D)＋DI線由下往上突破－DI線。【106年第1次高業】

(　　) **3** 下列有關MACD（Moving Average Convergence and Divergence）之敘述何者不正確？ (A)MACD是收斂與發散的移動平均線 (B)其功能在於運用短期移動平均線和長期移動平均線二者間之關係，來研判買賣的時機 (C)其值大於零時表示熊市 (D)當市場行情有所轉折時，DIF（差離值）之絕對值均會縮小。【107年第3次高業】

(　　) **4** 在MACD中，計算差離值平均值DEM（或一般所稱MACD值），實務上採用幾天的指數平滑移動平均線？ (A)12 (B)26 (C)9 (D)14。

(　　) **5** 下列對於MACD的敘述，何者為非？ (A)MACD不適用於中長期研判 (B)其值大於零時，表示市場屬於牛市 (C)其值小於零時，表示市場屬於熊市 (D)其功能在於運用短期移動平均線和長期移動平均線兩者之關係，來判斷買賣的時機。【102年第3次高業】

解答與解析

1 (D)。MACD為指數平滑移動平均線EMA的延伸，未使用到成交量的概念。

2 (C)。當快線（DIF）向上突破慢線（MACD）⇒買進訊號。

3 (C)。其值大於零時表示牛市。

4 (C)。一般用DIF的9日移動平均。

5 (A)。MACD是利用快慢2條移動平均線的變化作為盤勢的研判指標，具有確認中長期波段走勢並找尋短線買賣點的功能，適用於中長期判斷。

(七) BIAS乖離率

1. **原理**：反應當日股價與移動平均線的偏離程度。
2. **公式**：

$$BIAS=\frac{當日股價-最近n日平均股價}{最近n日平均股價}$$

當收盤價＞移動平均線⇒稱為「正乖離」。

當收盤價＜移動平均線⇒稱為「負乖離」。

3. **代表訊號**

以趨勢而言，股價會向移動平均線靠攏。

當乖離率過大⇒代表股價在相對高檔，較大的機率會下跌。

當乖離率過小⇒代表股價在相對低點，較大的機率會上漲。

4. **注意**：因為乖離率是配合移動平均線和股價來進行比較，故需注意作為比較的「天數」要相同。若採用10日乖離率，則將股價和10日均線做比較。

(八) KD隨機指標

1. **原理**：牛市時，股票收盤價通常接近當日最高價；熊市時，股票收盤價通常接近當日最低價，KD指標反映近期收盤價在期間內價格區間的相對位置。KD指標由K線（快速平均值）與D線（慢速平均值）組成，K值和D值會在0到100間變動。
2. **公式**：

(1) **先計算RSV未成熟隨機值**

$$RSV=\frac{第n天收盤價-最近n天內最低價}{最近n天內最高價-最近n天內最低價}\times 100$$

(2) **再計算K值與D值。**

當日K值＝2／3 前一日 K值＋1／3 RSV

當日D值＝2／3 前一日 D值＋1／3 當日K值

3. **代表訊號**

(1) **當K值＞D值⇒代表上漲趨勢，故K線向上突破D線時⇒買進訊號。**

(2) **當K值＜D值⇒代表下跌趨勢，故K線向下跌破D線時⇒賣出訊號。**

(3) **當KD值＞80時⇒代表超買狀態；當KD值＜20時⇒代表超賣狀態。**

牛刀小試

( ) **1** 30日正乖離率為+10%，若收盤價為55元，其30日平均線為多少？ (A)50元 (B)55元 (C)60元 (D)65元。 【104年第2次高業】

( ) **2** 當加權指數為4,205點，30日平均加權指數為4,582點時，其30日的乖離率（BIAS）為下列何者？ (A)－8.23% (B)8.23% (C)8.97% (D)－8.97%。

( ) **3** KD中，對D值的描述下列何者正確？ (A)D值小於0 (B)D值大於100 (C)D值為20以下屬於超買區 (D)D值為80以上屬於超買區。

( ) **4** 未成熟隨機值RSV（Raw Stochastic Value）中，九日內最高價為70元，最低價為60元，第九天收盤為64元，求RSV值為多少？ (A)70 (B)60 (C)50 (D)40。

解答與解析

1 (A)。BIAS＝（當日股價－最近n日平均股價）／最近n日平均股價
⇒＋10%＝（55－MA30）／MA30⇒ MA30＝50

2 (A)。BIAS＝（當日股價－最近n日平均股價）／最近n日平均股價
＝（4,205－4,582）／4,582＝－8.23%

3 (D)。KD值介於0～100之間；當KD值＞80時⇒代表超買狀態；當KD值＜20時⇒代表超賣狀態。

4 (D)。RSV＝（第n天收盤價－最近n最低價）／（最近n天最高價－最近n天內最低價）×100＝（64－60）／（70－60）×100＝40

(九) **威廉指標（**Williams %R, WMS%R**）**

1. **原理**：利用「當日股價與移動平均線的偏離程度」去衡量「多空方向」，以判斷行情反轉的發生。

2. **公式**：

W%R＝[（NH－C）／（NH－NL）]×100%

NH：近N日最高價　　NL：近N日最低價　　C：當日收盤價

3. **代表訊號**：

(1) WMS%R介於0～20⇒超買區，可賣出。

(2) WMS%R介於80～100⇒超賣區，可買進。

(3) WMS%R為50時為多空分界線。

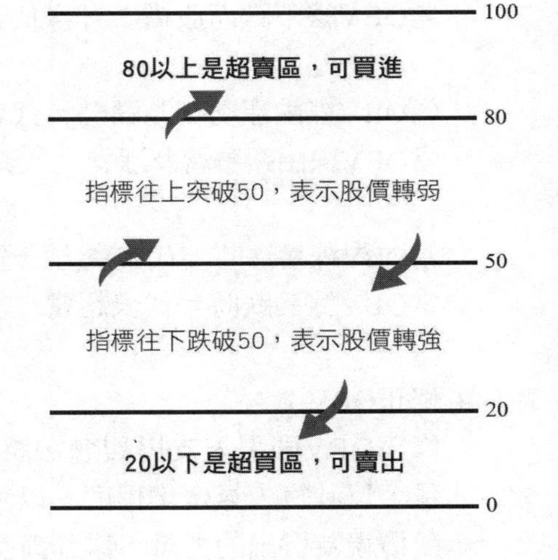

(十) RSI**相對強弱指標**

1. **原理**：計算某段期間內買賣雙方力量。

2. **公式**：

$$UP=\frac{過去n日內上漲點數總和}{n}$$

$$DN=\frac{過去n日內下跌點數收總和}{n}$$

$$RS=\frac{UP}{DN}\qquad n日RSI=100-\frac{100}{1+RS}$$

從公式可看出，RSI的振幅與時間呈反向關係。

3. **代表訊號**：

(1) RSI＞80為超買，＜20為超賣。

(2) 股價創新高，同時RSI也創新高時⇒代表後市仍強。

(3) 股價創新高，但RSI未創新高⇒賣出訊號。

(4) 股價創新低點，同時RSI也創新低⇒代表後市仍弱。

(5) 股價創新低點，但RSI未創新低⇒買進訊號。

(6) 當短天期RSI由下穿過長天期RSI而上時，可視為買點；反之短天期RSI由上摜破長天期RSI而下時，可視為賣點。

(十一) OBV**能量潮**

1. **原理**：OBV運用股價變動與成交量之間的關係，來判斷成交量能否推動股價持續上漲。

2. **公式：**

(1) **若今日收盤價高於前一交易日收盤價**

⇒今日OBV值＝前一交易日OBV值＋今日成交量

(2) **若今日收盤價低於前一交易日收盤價**

⇒今日OBV值＝前一交易日OBV值－今日成交量

3. **代表訊號：**

當OBV線上升而股價下跌⇒代表股價低、市場承接意願高⇒為買進訊號。
當OBV線下跌而股價上升⇒代表市場追高意願轉弱⇒為賣出訊號。

當OBV線由漲勢轉為跌勢⇒代表購買力道逐漸減弱⇒為賣出訊號。
當OBV線由跌勢轉為漲勢⇒代表購買方相對優勢逐漸加強⇒為買進訊號。

當OBV線暴漲時⇒代表買方已全力買進，後續恐無力再買⇒為賣出訊號。
當OBV線暴跌時⇒代表超賣，後續預期賣方回補⇒為買進訊號。

4. **修正**OBV**：**

修正OBV則引入支撐觀念，將當日收盤價減去最低價的部分視為買盤力量，以計算人氣聚集程度，以判斷多頭勢力的強弱。將當日最高價減去收盤價視為賣出的力量，以判斷空頭勢力的強弱。

(十二) PSY**心理線**

1. **原理：**PSY心理線反映某期間內投資人趨向於買方或賣方的心理，做為操作股票的依據。

2. **公式：**

$$n日PSY=\frac{n日內的上漲天數}{n}\times 100\%$$

3. **代表訊號：**PSY心理線的常態分布在25%～75%，當PSY＜25%代表超賣；當PSY＞75%代表超買。

牛刀小試

( ) **1** 在修正型的OBV公式中，以收盤價減去最低價，表示買方或賣方的力道何者較強？ (A)買方 (B)賣方 (C)買賣雙方持平 (D)無法判斷。 【107年第2次高業】

( ) **2** 在修正型的OBV公式中，以最高價減去收盤價，表示買方或賣方的力道何者較強？ (A)買方 (B)賣方 (C)買賣雙方持平 (D)無法判斷。 【106年第2次高業】

( ) **3** 心理線（PSY）是以下列何值，來測試股市投資人看漲或看跌心態，以研判股市是否呈現超買或超賣現象？ (A)股價的漲跌幅度 (B)股價的上漲天數多寡 (C)成交股數 (D)上漲的個股合計數。 【107年第3次高業】

( ) **4** 13日PSY中，下列何值屬於超賣區？ (A)－7.69% (B)7.69% (C)53.85% (D)92.31%。

解答與解析

1 (A)。以收盤價減去最低價，表示多頭買進的力量幅度；而最高價減去收盤價，表示空頭賣出的力量幅度。

2 (B)。以收盤價減去最低價，表示多頭買進的力量幅度；而最高價減去收盤價，表示空頭賣出的力量幅度。

3 (B)。股價的上漲天數多寡為PSY心理線公式的分子，用以測試股市投資人看漲或看跌心態，來協助判斷股市是否超買或超賣。

4 (B)。從公式中可得知0＜PSY＜100%，當PSY＜25%代表超賣；當PSY＞75%代表超買。

(十三) ADL**騰落指標**（Advance-Decline Line）

ADL騰落指標是**累算每日市場漲跌家數的差值**，來判斷整體市場行情、以及未來走勢可能的方向。

(十四) ADR**漲跌比率**(Advance Decline Ratio)

1. **原理**:ADR漲跌比率又稱為「迴歸式的騰落指標」,是ADL騰落指標的一種延伸,其藉由計算整體市場某特定期間內上漲家數和與下跌家數和的比率值,來反應整體市場行情漲升力道的強弱變化。
2. **公式**:

   ADR=n日內股票上漲家數/n日內股票下跌家數

   由公式可知,ADR不會出現負值。

牛刀小試

( ) **1** 14日內股票上漲累計家數120家,14日內股票下跌累計家數108家,其ADL為多少?
(A)120 (B)108 (C)12 (D)2。 【109年第1次高業】

( ) **2** 下列有關漲跌指標ADR之敘述,何者錯誤? (A)又稱為迴歸式的騰落指標(ADL, Advance Decline Line) (B)構成的理論基礎是鐘擺原理 (C)主要研判股市是否處於超買或超賣 (D)ADR愈大,顯示股市處於超賣,應考慮買進。

解答與解析

1 (C)。120-108=12

2 (D)。ADR愈大,顯示股市處於超買,應考慮賣出。

(十五) OBOS**超買超賣線**(Over Bought Over Sold)

1. **原理**:藉由計算一定期間內市場漲、跌股票家數間的差異,瞭解整個市場多空氣勢之強弱,以研判未來趨勢走向。
2. **公式**:$OBOS(N)=\Sigma N_A-\Sigma N_B$

   ΣN_A:N日內股票上漲家數之和;ΣN_B:N日內股票下跌家數之和
3. OBOS指標和ADR指標的公式十分相似。差異處在於OBOS指標是上漲和下跌家數總數的相減,而ADR指標是兩者相除。

OBOS值最簡單的計算方法見表：

日期	上漲的家數	下跌的家數	兩者之差	累計值
1	47	41	＋6	＋6
2	49	19	＋30	＋36
3	23	46	－23	＋13

牛刀小試

( ) **1** 有關OBOS（Over Buy／Over Sell）指標之敘述，何者不正確？
(A)為時間之技術指標
(B)OBOS是超買、超賣指標，運用在一段時間內股市漲跌家數的累積差，來測量大盤買賣氣勢的強弱及未來走向
(C)當大盤指數持續上漲，而OBOS卻出現反轉向下時，表示大盤可能作頭下跌，為賣出訊號
(D)大盤持續下探，但OBOS卻反轉向上，即為買進訊號。
【107年第3次高業】

( ) **2** 超買超賣指標（OBOS），一般採用10日OBOS，計算公式如下：10日OBOS值等於10日內股票上漲累計家數（UP），減去10日內股票下跌累計家數（DOWN）。已知UP＝1,489家，10日OBOS值＝－512家，求DOWN為多少？
(A)2,055家　(B)2,001家
(C)1,489家　(D)512家。【108年第1次高業】

解答與解析

1 (A)。OBOS為市場寬幅技術指標。

2 (B)。OBOS＝某段時間內股市上漲家數－下跌家數
⇒－512＝1,489－DOWN⇒DOWN＝2,001

(十六) 型態學

技術分析可分為採用數值分析的「指標法」，以及採圖形分析的「型態學」。屬於型態學派的投資人認為從價格走勢中，可以找出某些特別規律的圖型作為依據、協助操作，包括：頭肩頂、頭肩底、M頭（頭部M型）、W底（雙重底）等。

頭肩頂	由「左肩」、「頭部」、「右肩」組成，其中頭部位置必須高於左肩與右肩；而成交量則由左肩、頭部、右肩依序下降。	頭部 左肩 右肩 頸線
頭肩底	和頭肩頂一樣由「一個頭、兩個肩」組成，但頭部的位置「低於」兩肩。	頸線 左肩 右肩 頭部
頭部M型	有左右兩個高點，左邊（發生時間較早）的股價高點稱為「左肩」，右邊（發生時間較晚）的股價高點稱為「右肩」，左肩與右肩誰高誰低並無絕對。	左肩 右肩 頸線
W底（雙重底）	其形成是當股價跌了一波，反彈後又再度跌回前次低點，守穩後又再度反彈突破前高，股票價格在連續兩次下跌的低點大致相同。	頸線 右腳 左腳

重點02 效率市場假說 重要度★★★

(一) **什麼是效率市場**

1. **定義：指在一個資訊流通無障礙、證券價格皆能即時與充分反映的市場**；且在效率市場下，**任何交易策略皆無法使投資人取得超額報酬**。
2. **效率市場的假設：**
 (1) 資訊取得成本免費。
 (2) 資訊的產生為隨機且獨立事件。
 (3) 投資人均為理性。
 (4) 投資人皆能對最新資訊迅速且正確反應。

(二) **效率市場分類**

1. **弱式效率市場：**
 (1) 現在的證券價格已經完全反映過去歷史資訊。
 (2) 投資者利用各種方法對證券過去之價格從事分析與預測後，並不能提高其選取證券之能力。
 ⇒**意即「技術分析」無用**，投資者並不能因此而獲得超額利潤。
2. **半強式效率市場：**
 (1) 現在的證券價格已完全反映市場上所有已公開的資訊。
 (2) 投資者無法因分析這些情報而獲得超額報酬
 ⇒**意即「技術分析」與「基本分析」無用**。
3. **強式效率市場：**
 (1) 現在的證券價格已完全反映已公開及未公開的所有訊息。
 (2) 任何人無法藉由先一步取得消息而獲取超額報酬
 ⇒**意即「技術分析」、「基本分析」與「內線消息」無用**。

(三) **效率市場的檢定**

1. **弱式效率市場的檢定：**
 (1) **序列相關分析**：分析股票第t期與第t＋k期的價格，若之間無顯著相關，則代表弱式效率假說成立。經濟學家尤金．法馬（Eugene Fama）發現在弱式效率市場假說下，股價的走向接近「隨機漫步」，利用技術分析並無法獲取超額報酬。
 (2) **連檢定**：若資料不具隨機性，表示弱式效率假設不成立。

(3) **濾嘴法則**：當股價上漲超過一定比率後便買進股票，當股價下跌超過一定比率後便賣出股票。若投資者可以利用濾嘴法則獲得超額報酬，便表示股價的變動是有關連的，弱式效率市場假說不成立。

(4) **報酬趨勢**：包括元月效應、月效應、週效應、日效應等；若有上述趨勢，則代表不符合弱式效率市場假說。

元月效應	**元月份的投資報酬大於一年中的其他月份**。
月效應	一個月中的上半月投資報酬傾向高於下半個月。
週效應	一個星期中，週一的報酬率傾向低於其他天的報酬率。
日效應	股價在每日收盤前15分鐘有易上漲的情況。

(5) **小型公司效應**：小型公司的報酬率高於大型公司報酬率。若實際結果符合此效應，則代表市場不符合弱式效率假說。

2. **半強式效率市場的檢定**：

通常採**「事件研究法」**，觀察新資訊發布後股價的調整速度，股價反應越快表示越符合半強式效率市場，意即利用公開資訊並無法賺取超額報酬；常用的方法如下：

新上市股票	如果市場越有效率，則新上市的股票「蜜月期」越短。
宣布發放股利	如果利用股利發放的消息可為投資者帶來超額報酬，則代表市場不符合半強式效率的假說。
盈餘宣告	若市場符合半強式效率假說，則公司公布的財報資訊並無法使投資人獲取超額報酬。
鉅額交割	若股票發生鉅額交割，通常代表有特別的事件發生、股價傾向下跌；若股價能在鉅額交割一發生便予以反應，表示市場越有效率。

3. **強式效率市場的檢定**：若市場符合強式效率假說，此時所有已公開和未公開的資訊都能迅速地反應在股價上。因此，即使擁有內線消息的人士亦無法賺取超額報酬。故此檢定**主要在研究第一手得知內部消息人士**（如企業董監事、大股東與高階主管），**長期下來是否能獲得超額報酬**。若觀察結果為不能，則代表市場符合強式效率假說。

牛刀小試

( ) **1** 當技術分析（使用歷史資料預測股價）無效時，市場至少必須是： (A)弱式效率市場假說 (B)半強式效率市場假說 (C)強式效率市場假說 (D)非效率市場。 【103年第2次高業】

( ) **2** 若一市場符合強式效率市場假說，則下列何者成立？ (A)內線交易可獲超額報酬 (B)未公開資訊並未反應於股價 (C)市場未必符合弱式效率市場假說 (D)選項(A)(B)(C)皆非。

( ) **3** 在弱式效率市場中，以下何者是有用的資訊？ I.K線圖；II.P／E比率；III.KD值；IV.經濟成長率 (A)I、III (B)II、IV (C)I、IV (D)I、II、III。 【107年第4次高業】

( ) **4** 如果市場符合半強式效率假說，則下列何種分析會帶來超額報酬？ (A)技術分析 (B)財務報表分析 (C)基本分析 (D)以上皆非。

( ) **5** 濾嘴法則（Filter Rules）常用於滿足何種效率市場假說的檢定？ (A)無效率市場 (B)弱式效率市場 (C)半強式效率市場 (D)強式效率市場。 【104年第1次高業】

( ) **6** 下列何者並非強式效率市場檢定中，公司內部人員檢定之對象？ (A)董事 (B)總經理 (C)重要股東 (D)基金經理人。 【104年第1次普業】

( ) **7** 下列何者成立時，市場符合弱式效率市場假說？ (A)連檢定中的連數太少 (B)連檢定中的連數太多 (C)股價變動符合隨機漫步 (D)選項(A)(B)(C)皆非。

(　　) **8** 在檢定效率市場假說的方法中，若根據股價漲跌超過預定數字來決定交易的原則為：(A)連檢定　(B)濾嘴法則檢定　(C)隨機漫步檢定　(D)規模效應檢定。　【103年第4次高業】

解答與解析

1 (A)。(1)弱式：技術分析無效；基本分析和內線交易有效。
(2)半強式：技術、基本分析無效；內線交易有效。
(3)強式：技術、基本、內線消息均無效。

2 (D)。在強式效率市場下，即便是內線消息（未公開資訊）亦已經反映在股價上，故內線交易無法獲得超額報酬；符合強式效率市場則必符合弱式效率市場假說。

3 (B)。K線圖與KD值是技術分析；P／E比率與經濟成長率是基本分析；在弱式效率市場下，技術分析無用、基本分析有用。

4 (D)。在半強式效率市場下，僅內線消息才可以獲得超額報酬。

5 (B)。濾嘴法則常用於弱式效率市場假說的檢定。

6 (D)。選項中僅基金經理人並非公司內部人員。

7 (C)。股價變動符合隨機漫步，則代表技術分析並無法替投資人獲取超額報酬，即符合弱式效率市場假說。

8 (B)。濾嘴法則：當股價上漲超過一定比率後便買進股票，當股價下跌超過一定比率後便賣出股票。

精選試題

( ) **1** 在投資策略中，道氏理論告訴投資人採用下列何種投資策略？
(A)長期持有 (B)波段操作
(C)反金字塔 (D)定時定額。【108年第2次高業】

( ) **2** 道氏理論對下列何者的變動判斷或有極高的準確度？ (A)短期趨勢 (B)中期趨勢 (C)長期趨勢 (D)當日沖銷。【105年第3次高業】

( ) **3** 何種技術指標或理論認為股票市場中，有三種不同層次的波動存在？ (A)道氏理論 (B)乖離率 (C)移動平均線 (D)OBV分析法。

( ) **4** 何者為移動平均線之賣出訊號？ (A)股價在上升且位於平均線之上，突然暴漲，離平均線愈來愈遠，但很可能再趨向平均線 (B)平均線從下降轉為水平或上升，而股價從平均線下方穿破平均線時 (C)股價趨勢低於平均線突然暴跌，距平均線很遠，極有可能再趨向平均線 (D)股價趨勢走在平均線之上，股價突然下跌，但未跌破平均線，股價隨後又上升。

( ) **5** 對移動平均線（MA）的描述，何者錯誤？ (A)年線代表多空頭分界點 (B)可利用快慢速兩條移動平均線交叉點，研判買賣點 (C)短期平均線由下往上突破長期平均線，為賣出時機 (D)N日移動平均線為N日收盤價加總之和除以N日。【106年第3次高業】

( ) **6** 根據葛蘭碧之移動平均線八大買賣法則，平均線從________轉為水平或________，而股價從平均線________穿破平均線為買進訊號 (A)上升；下降；上方 (B)上升；下降；下方 (C)下降；上升；上方 (D)下降；上升；下方。

( ) **7** 三日寶塔線翻黑，表示以前三天內的最低價為下檔支撐區，若股價突破下檔支撐，則為下列何種時機？ (A)觀望 (B)買進 (C)設滿足點 (D)賣出。【103年第1次高業】

( ) **8** 對寶塔線（Tower）的描述，何者錯誤？ (A)收盤價高於最近三日陰K線的最高價，為買進訊號 (B)收盤價低於最近三日陽K線的最低價，為賣出訊號 (C)寶塔線主要在於線路翻紅或翻黑，來研判股價的漲跌趨勢 (D)寶塔線翻黑後，股價後市要延伸一段上漲行情。 【106年第1次高業】

( ) **9** 某股價指數包含甲、乙、丙三種股票，三種股票之發行股數分別為100股、200股、300股，昨日三種股票之收盤價分別為30元、20元、10元，股價指數為1,200，若今日三種股票之收盤價分別為32元、19元、11元，依簡單算術平均方式計算，則今日股價指數應為： (A)1,220 (B)1,236 (C)1,240 (D)1,260。

( ) **10** 承上題，如果採用市值加權法，則今日股價指數應為多少：(A)1,220 (B)1,236 (C)1,240 (D)1,256。

( ) **11** MACD中，其DIF線及MACD線在下列描述、比較中，何者錯誤？ (A)為0至100 (B)DIF線為快速線 (C)MACD線為慢速線 (D)DIF線由下往上突破MACD線為買進訊號。

( ) **12** 下列對MACD的描述，何者錯誤？ (A)以平均值測量趨勢 (B)指標計算過程中加以平滑化 (C)有二條平均線 (D)為成交量的技術指標。 【105年第4次高業】

( ) **13** 下列對於指數平滑移動平均線MACD的描述，何者錯誤？(A)由慢速及快速線所形成 (B)為0至100的指標 (C)用於中長期分析 (D)可形成交叉買賣訊號之用。

( ) **14** 計算MACD時，其12日及26日平均線，採用下列何種？ (A)簡單平均線 (B)指數平滑移動平均線 (C)算術平均線 (D)幾何平均線。 【104年第2次高業】

( ) **15** 30日BIAS等於72日BIAS，30日MA為50元，今日收盤價為60元，求72日MA為多少？ (A)50元 (B)60元 (C)70元 (D)80元。 【106年第4次高業】

( ) **16** 若今日股價指數為120，24日移動平均數為125，則其乖離率為何？
(A)6.25% (B)－6.25%
(C)－4% (D)4%。 【107年第2次高業】

( ) **17** 9日WMS%R中，下列何者屬於超賣區？ (A)105 (B)90 (C)20 (D)－20。

( ) **18** 有關KD值之敘述，何者錯誤？ (A)理論上，D值在80以上時，股市呈現超買現象，D值在20以下時，股市呈現超賣現象 (B)當K線傾斜角度趨於陡峭時，為警告訊號，表示行情可能回軟或止跌 (C)當股價走勢創新高或新低時，KD線未能創新高或新低時為背離現象，為股價走勢即將反轉徵兆 (D)KD線一般以短線投資為主，但仍可使用於中長線。

( ) **19** KD指標中，何者代表賣出訊號？ (A)K值＞D值 (B)K值＜D值 (C)K值＝D值 (D)K值小於20。 【106年第2次高業】

( ) **20** KD指標中，K線代表： (A)慢速隨機指標 (B)K值會大於100 (C)快速隨機指標 (D)K值會小於0。 【104年第3次高業】

( ) **21** 下列何者，為KD的賣出訊號？ (A)K值在20以下，由下往上突破D值 (B)K值在－10以下 (C)K值在＋110以上 (D)K值在80以上，由上向下跌破D值。 【104年第3次高業】

( ) **22** RSI分析中，下列敘述何者不正確？ (A)當RSI值長期在80以上，為多頭漲勢 (B)當RSI值長期在20以下，為空頭跌勢 (C)當RSI由上往下跌破RSI移動平均線時，為買進訊號 (D)快速RSI線由下往上突破慢速RSI線，為買進訊號。 【107年第4次高業】

( ) **23** 13日PSY中，下列何值屬於超買區？ (A)107.69% (B)92.5% (C)46.13% (D)－7.69%。 【102年第4次高業】

( ) **24** 在ADL中，下列描述何者錯誤？ (A)其下限0 (B)其上限則無限制 (C)ADR值越小呈現超賣現象 (D)ADR值最多為100。

(　　) **25** ADR中，下列描述何者正確？
(A)ADR可用以研判個股的強弱走勢
(B)在初升段、主升段、末升段中，ADR的值不須隨時調整大小
(C)ADR可用以研判大盤的超買區或超賣區的現象
(D)ADR可用交叉買賣訊號的功能。

(　　) **26** 14日內股票上漲累計家數80家，14日內股票下跌累計家數90家，則下列描述何者正確？　(A)ADR＝－10　(B)ADR＝2　(C)ADL＝0.5　(D)ADL＝－10。　【107年第2次高業】

(　　) **27** 有關騰落指標（ADL）的敘述，何者不正確？　(A)ADL是以股票漲跌家數累積差值研判大盤走勢　(B)ADL的計算公式，其取樣的漲跌家數與ADR相同　(C)ADL能全面真實的反映股市的走勢方向，而不被個別大戶所操縱　(D)ADL公式中，其下限為0，上限則無限制。　【107年第2次高業】

(　　) **28** 漲跌比率ADL一般採用10日ADR，其公式為10日內股票上漲累計家數（UP），除以10日內股票下跌累計家數（DOWN）。當ADR為0.54時，已知UP為1,593家時，求DOWN為多少家？(A)1,593家　(B)1,679家　(C)2,453家　(D)2,950家。

(　　) **29** 由於政經情勢不樂觀，最近十日內股票上漲家數240家，股票下跌家數80家，請問OBOS（Over Buy／Over Sell）為何？(A)0.3　(B)320　(C)3　(D)160。

(　　) **30** 在ADR、ADL、OBOS中，其計算樣本為下列何者？　(A)漲跌家數　(B)量　(C)時間　(D)價格。　【105年第3次高業】

(　　) **31** 頭肩頂的成交量在何處最大？　(A)左肩　(B)右肩　(C)頭部　(D)頸線。　【106年第4次高業】

(　　) **32** 下列對頭肩頂型態的描述，何者錯誤？　(A)左肩處成交量較大　(B)暫時回升至頸線處，會再下跌至新低點　(C)右肩處成交量較小　(D)會發生在下降趨勢中。

( ) **33** 所謂效率資本市場是指：
(A)資訊正確且迅速反應在價格上 (B)市場成交量大 (C)股票指數上漲 (D)股票指數下跌。 【100年第3次高業】

( ) **34** 當股票價格能反應公開資訊時，則股票市場至少滿足：甲、半強式效率市場假說；乙、強式效率市場假說 (A)僅甲 (B)僅乙 (C)甲、乙均對 (D)甲、乙均不對。 【106年第4次高業】

( ) **35** 如果市場符合半強式效率市場假說，則投資者利用下列何種分析將可獲取超額報酬？
(A)技術分析 (B)在宣告股利前買入股票
(C)分析已公布之財務報表 (D)選項(A)(B)(C)皆非。

( ) **36** 在弱式效率市場中，下列哪些分析工具可賺取超額報酬？ 甲、K線圖；乙、RSI指標；丙、公司的營收；丁、KD值；戊、P／E Ratio (A)甲、乙、丁 (B)丙、戊 (C)丁、戊 (D)丙、丁、戊。

( ) **37** 若目前之證券價格充分且正確反應所有公開及未公開資訊，則市場符合何種效率市場假說？ (A)強式 (B)半強式 (C)弱式 (D)超弱式。 【104年第4次高業】

( ) **38** 下列何者的報酬率可用來檢定市場是否符合強式效率市場：
(A)公司董事長 (B)公司大股東
(C)基金經理人 (D)(A)(B)(C)皆是。 【100年第2次高業】

( ) **39** 當投資人利用濾嘴法則買賣股票所賺取的報酬高於買進持有策略時，則此市場不符合何種效率市場？
(A)弱式效率市場 (B)半強式效率市場
(C)強式效率市場 (D)經濟效率市場。

( ) **40** 在檢定效率市場假說的方法中，若根據股價漲跌超過預定數字來決定交易的原則為：
(A)連檢定 (B)濾嘴法則檢定
(C)隨機漫步檢定 (D)規模效應檢定。

解答與解析

1 (B)。道氏理論告訴投資人市場的趨勢以及方向，且應順著波段操作以獲取利潤（但無法指出應購買哪一檔股票）。

2 (C)。道氏理論對長期趨勢有極高的準確度。

3 (A)。道氏理論將市場的走勢分為「基本波動」、「次級波動」以及「日常波動」。

4 (A)。其他選項皆為買進訊號。

5 (C)。短期平均線由下往上突破長期平均線，是黃金交叉，為買進時機。

6 (D)。平均線從下降轉為水平或上升，而股價從平均線下方穿破平均線為買進訊號。

7 (D)。寶塔線由黑翻紅時買進，而由紅翻黑時賣出。

8 (D)。寶塔線翻黑後，股價後市要延伸一段下跌行情。

9 (C)。$\frac{1}{3}\times(\frac{32}{30}+\frac{19}{20}+\frac{11}{10})\times 1{,}200=1{,}246.67$，取接近值1,240。

10 (B)。$(\frac{32\times 100+19\times 200+11\times 300}{30\times 100+20\times 200+10\times 300})\times 1200=1{,}236$

11 (A)。MACD與DIF亦可為負值。

12 (D)。MACD為指數平滑移動平均線EMA的延伸，未使用到成交量的概念。

13 (B)。MACD並無此限制。

14 (B)。計算MACD是採用EMA，即指數平滑移動平均線。

15 (A)。BIAS＝（當日股價－最近n日平均股價）／最近n日平均股價
題幹敘述72日BIAS＝30日BIAS，可因此得知72日MA亦等於30日MA＝50元。

16 (C)。BIAS＝（當日股價－最近n日平均股價）／最近n日平均股價
＝（120－125）／125＝－4%

17 (B)。WMS%R介於80～100為超賣區。

18 **(B)**。趨於平緩⇒代表行情可能回軟或止跌。

19 **(B)**。K值>D值為買入訊號;K值小於20代表市場超賣,為買進訊號。

20 **(C)**。K值代表快速隨機指標、D值代表慢速隨機指標,KD值介於0～100之間。

21 **(D)**。(A)(B)選項皆為買進訊號,K值介於0～100間,故(C)選項不會發生。

22 **(C)**。當RSI由上往下跌破RSI移動平均線時,為賣出訊號。

23 **(B)**。從公式中可得知0＜PSY＜100%,當PSY＜25%代表超賣;當PSY＞75%代表超買。

24 **(D)**。ADR＝n日內股票上漲家數／n日內股票下跌家數。故並無ADR最多100的上限。

25 **(C)**。ADR＝n日內股票上漲家數／n日內股票下跌家數。從公式中可見其為反映市場多空的指標。

26 **(D)**。ADR＝n日內股票上漲家數／n日內股票下跌家數＝80／90＝0.89

ADL＝UP－DOWN＝80－90＝－10

27 **(D)**。ADL即落指標是計算每日市場漲跌家數的差值,只要上漲家數＜下跌家數,ADL即為負值。

28 **(D)**。ADR＝UP／DOWN

⇒0.54＝1,593／DOWN

⇒DOWN＝2,950

29 **(D)**。OBOS＝某段時間內股市上漲家數－下跌家數＝240－80＝160

30 **(A)**。ADR、ADL、OBOS都利用漲跌家數計算。

31 **(A)**。頭肩頂的成交量為左肩＞頭部＞右肩。

32 **(D)**。頭肩頂型態會發生在上升趨勢中的最後一波漲幅。

33 **(A)**。效率資本市場是指資訊正確且迅速反應在價格上。

34 **(A)**。當股票價格能反應公開資訊時,則股票市場至少滿足弱式效率市場以及半強式效率市場。

35 **(D)**。在半強式效率市場下,技術分析及基本分析已經無用,僅透過內線消息方能取得超額報酬。

36 **(B)**。K線圖、KD值、RSI指標是技術分析;公司的營收與P／E Ratio是基本分析;在弱式效率市場下,技術分析無用、基本分析有用。

37 **(A)**。若目前的股價已充分反應公開及未公開資訊,強式效率市場假說。

38 **(D)**。是否符合強式效率市場的檢定方式主要在研究第一手得知內部消息人士，長期下來是否能獲得超額報酬。選項(A)(B)(C)皆為易得到公司內部訊息的人士。

39 **(A)**。濾嘴法則用以檢定弱式效率市場。

40 **(B)**。濾嘴法則是指當股價上漲超過一定比率後便買進股票，當股價下跌超過一定比率後便賣出股票。

第六章 投資組合分析

依據出題頻率區分，
屬：A 頻率高

實務上，投資人不會將全部資金投入至同一標的物，而是會採分散風險的方式，即建構自己的投資組合。先前章節已認識如何衡量單一股票的報酬率及風險，本章將介紹如何衡量「投資組合」的報酬率及風險。

重點 投資組合的報酬與風險

重要度★★★

一、投資組合的報酬

(一) 投資組合預期報酬率，相當於各資產報酬率的加權平均。

(二) **公式：**

投資組合預期報酬 $E(R_p)=\sum W_i\, E(R_i)$
$=W_1\times E(R_1)+W_2\times E(R_2)+W_3\times E(R_3)+\cdots\cdots+W_n\times E(R_n)$

※W_1：第一項資產佔總資產之權種、R_1：第一項資產的預期報酬率

(三) **例題**：王先生備有500萬投資於股票市場，其中250萬投資A股票，年報酬率為14%，150萬投資南亞股票，年報酬率為8%，100萬投資台塑股票，年報酬率為－2%，請問王先生股票投資組合的平均年報酬率為？

答 $E(R_p)=W_1\times R_1+W_2\times R_2+W_3\times R_3$
$=250／500\times 14\%+150／500\times 8\%+100／500\times(-2\%)$
$=9\%$

二、投資組合的風險

(一) **概念**

1. **投資組合的總風險＝系統風險＋非系統風險**
2. **系統風險（Systematic Risk）：**
又稱「市場風險」，會影響整個投資系內所有的企業、且**無法藉由分散投資而規避的風險**。例如：自然災害、戰爭、宏觀政策調整等。

3. **非系統風險（Unsystematic Risk）：**

又稱「可分散風險」，是指因為產業特性或企業本身事故（例如：工廠發生火災）而使報酬率變化的風險，此類風險可以藉由分散投資、建立投資組合的方式來降低或消除。

以股票投資為例，過去的投資學的相關文獻就提到，只要投資人分散投資到不同的20或25支以上的股票，就可以將非系統風險降到幾近等於零。

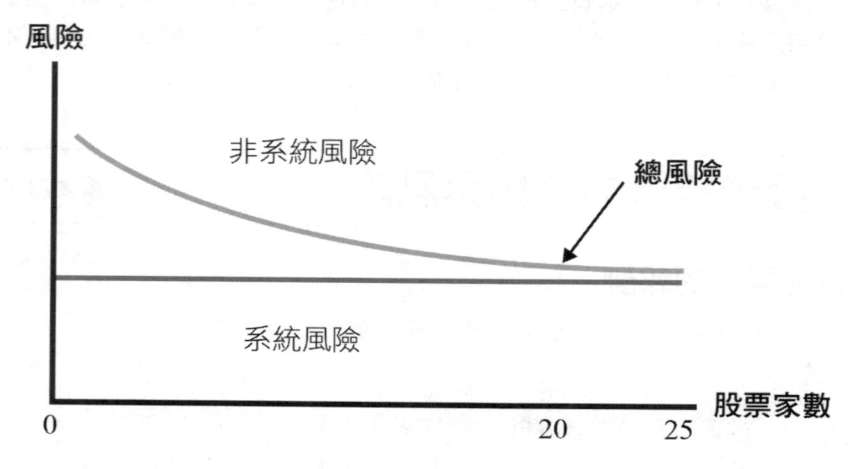

牛刀小試

( ) **1** 大雄投資400元買甲股票，甲股票期望報酬率為10%；投資200元買乙股票，乙股票的期望報酬率為15%；投資400元買丙股票，丙股票的報酬率為17%，則此投資組合的期望報酬率為：

(A)13.50%　(B)15%

(C)14%　(D)13.80%。

( ) **2** 一個風險分散良好的投資組合：

(A)可消除市場風險但無法消除公司特有風險

(B)可消除公司特有風險與市場風險

(C)可消除公司特有風險但無法消除市場風險

(D)選項(A)(B)(C)皆非。【103年第4次高業】

(　　) **3** 下列何種事件的發生是屬於非系統風險？
(A)中央銀行調降重貼現率
(B)政府宣佈調降經濟成長率預測值
(C)美國政府對臺灣某項產品課徵反傾銷稅
(D)通貨膨脹率驟升。 【105年第3次高業】

解答與解析

1 (D)。大雄總共投資400＋200＋400＝1,000元
投資組合期望報酬率＝10%×0.4＋15%×0.2＋17%×0.4＝13.8%

2 (C)。即便為風險分散良好的投資組合，仍不能消除市場風險。

3 (C)。美國政府對臺灣某項產品課徵反傾銷稅，是影響特定商品，故為公司的個別風險，即非系統風險。

(二) **風險的衡量單位**

1. **總風險的衡量單位：**標準差。

(1) **公式：** $\hat{\sigma}=\sqrt{\dfrac{\sum_{i=1}^{n}(R_i-\overline{R})^2}{n-1}}$。

標準差越大，代表報酬率的波動程度越大。

(2) **例題**

	1月	2月	3月	4月	5月	6月	7月	8月	9月	10月	11月	12月
甲股票	20%	7%	2%	−4%	10%	2%	30%	15%	3%	−6%	−2%	7%

甲股票的月平均報酬率＝（20%＋7%＋2%＋...＋7%）／12＝7%
甲股票的標準差＝

$$\hat{\sigma}=\sqrt{\frac{(20\%-7\%)^2+(7\%-7\%)^2+...+(-2\%-7\%)^2+(7\%-7\%)^2}{12-1}}$$

＝10.48%

2. **系統風險的衡量單位**（Beta coefficient）：

(1) **β係數用來衡量個別股票相對於市場投資組合的波動情況**。意即當市場投資組合報酬率變化1%時，個別資產報酬率的變化幅度；幅度越大、代表個別資產對市場報酬率變化的敏感度越大。

> **知識補給站**
>
> **市場投資組合（Market Portfolio）**
>
> 市場投資組合為一個涵蓋市場中所有可交易資產的投資組合。
>
> 市場投資組合的表現即代表了整體市場的表現，β係數為1。

(2) **相關係數：**

因β係數是衡量個股相對於市場投資組合的相關性，故須先理解其會運用到的「相關係數」。

A. $\rho_{i,j}$為i資產與j資產的相關係數，其值落在－1～1之間。

當$\rho_{i,j}=1$	代表i資產與j資產**完全正相關**。當i的價格上漲1%，j的價格亦會同步上漲1%。
當$0<\rho_{i,j}<1$	代表i資產與j資產**正相關**，兩者的價格會同向變動。當i價格上漲，j也會上漲；當i價格下跌，j亦下跌。
當$\rho_{i,j}=0$	代表i資產與j資產**無相關性**。i的資產價格變動與j的價格變化方向無關連。
當$-1<\rho_{i,j}<0$	代表i資產與j資產**負相關**，兩者的價格反向變動。當i價格上漲，j會下跌；當i價格下跌時，j會上漲。
當$\rho_{i,j}=-1$	代表i資產與j資產**完全負相關**。當i的價格上漲1%，j的價格會下跌1%。

B. β係數公式

$$\beta_i=\frac{Cov(R_i,R_m)}{\sigma_m^2}=\rho_{i,m}\times\frac{\sigma_i}{\sigma_m}$$

i：個別資產

m：市場投資組合（m for market）

σ_i：i資產的標準差

σ_m：市場投資組合的標準差

σ_m^2：市場投資組合的變異數

Cov（R_i,R_m）：i資產與市場投資組合的共變異數

$\rho_{i,m}$：i資產與市場投資組合的相關係數

考點速攻

1.相關係數為－1時，風險分散達到最佳。
2.無風險證券的報酬和任何資產的相關係數都是0。
3.只要相關係數＜1，皆有分散風險的效果。
4.市場投資組合的風險的貝它係數為1。
5.投資貝它係數為0的證券，投資人獲得的是無風險報酬率。

當β＞1 或 β＜－1	投資資產的波動度較市場變動更大。當市場大盤上漲10%（下跌10%），投資的資產價格上漲超過10%（下跌超過10%）。
當β＝1	投資資產的波動度與市場相等，市場大盤漲（跌）多少，投資資產也跟著變動多少。
當β＜1 （β＞－1）	投資資產的波動度比市場的波動小。

牛刀小試

(　) **1** 有關市場投資組合之敘述何者錯誤？ (A)包括市場上所有的資產或證券的投資組合 (B)通常以大盤股價指數衡量市場投資組合價格 (C)貝它係數為1之投資組合 (D)市場投資組合可以避免系統風險。【106年第3次高業】

(　) **2** 不可賣空下，各證券報酬率間關係為何時，最無法達到分散風險之效果？ (A)零相關 (B)負相關 (C)低相關 (D)高度正相關。

( ) **3** 當投資組合個別資產間之相關係數為－0.8時，投資人如何將投資組合之風險降為零？ (A)增加投資資產的種類 (B)減少資產的種類 (C)增加貝它係數為－1之資產 (D)選項(A)(B)(C)皆非。 【102年第4次高業】

( ) **4** X股票在大盤下跌時，表現相當強的抗跌性；相反地，在大盤上漲時，該股票卻上漲較少。請問X股票的特性是： (A)期望報酬率高於大盤平均報酬率 (B)期望報酬率等於大盤平均報酬率 (C)貝它（Beta）係數小於1 (D)貝它（Beta）係數小於0。 【104年第1次高業】

( ) **5** 投資組合經理預期未來股市上漲，將可能採何項行動？(A)持股比率調低 (B)集中持有傳統產業類股 (C)分散投資 (D)調高投資組合貝它係數。

解答與解析

1 (D)。市場投資組合指包括市場上所有的資產或證券的投資組合，雖然其可分散掉個別風險，但無法避免系統風險（市場風險）。

2 (D)。各證券間的相關係數越接近－1者，分散風險的效果越好；越接近1者，分散風險的效果越差。

3 (D)。只有相關係數為－1時，投資組合的風險才有可能為零，故題幹中的相關係數－0.8，無法達到此效果。

4 (C)。由題幹敘述可得知，X股票與大盤價格同方向，但未非完全正相關，故0＜Beta＜1。

5 (D)。若預期未來股市上漲，應調高投資組合貝它係數，貝它係數越大時，當市場大盤上漲，投資的資產價格上漲幅度會越大。

(三) 投資組合的風險

1. 投資組合的標準差：

藉由投資組合的標準差，我們可以衡量該投資組合的總風險。而標準差為變異數（Variance,σ^2）的開根號而得，茲介紹變異數公式如下：

AB兩資產組成一投資組合，其投資組合變異數為σ_p^2

$$\sigma_p^2 = (W_A^2 \times \sigma_A^2) + (W_B^2 \times \sigma_B^2) + 2 \times W_A \times W_B \times \sigma_{AB}$$

W_A：A資產的比重　　W_B：B資產的比重

σ_A：A資產之標準差　　σ_B：B資產之標準差

σ_{AB}：AB之共變異數＝$\rho_{AB} \times \sigma_A \times \sigma_B$　　ρ_{AB}：AB兩資產的相關係數

2. **例題**1：若甲股票的報酬率標準差為0.2，甲和乙股票的報酬率共變數是0.005，甲和乙股票的報酬率相關係數為0.5，則乙股票的報酬率標準差為？【102年第1次高業】

答 $\sigma_{甲} = 0.2$，$\sigma_{甲乙} = 0.005$，$\rho_{甲乙} = 0.5$

$\sigma_{甲乙} = \sigma_{甲} \times \sigma_{乙} \times \rho_{甲乙}$

$0.005 = 0.2 \times \sigma_{乙} \times 0.5$

$\Rightarrow \sigma_{乙} = 0.05$

例題2：若甲資產與乙資產的報酬率相關係數為＋1，且此兩項資產的風險值（指標準差）分別為0.09與0.16，若該投資組合投資於兩資產的比率皆為0.5，則投資組合的標準差為何？【101年第1次高業】

答 $\rho_{甲乙} = 1$，$\sigma_{甲} = 0.09$，$\sigma_{乙} = 0.16$，$W_{甲} = 0.5$，$W_{乙} = 0.5$

$\sigma_{甲}^2 = (W_{甲}^2 \times \sigma_{甲}^2) + (W_{乙}^2 \times \sigma_{乙}^2) + 2 \times W_{甲} \times W_{乙} \times \sigma_{甲乙}$

$\sigma_{甲} = 0.125$

3. **投資組合的β值：**

投資組合的β等於其組合中所有股票β值的加權平均

$\beta = \sum_{i=1}^{n} W_i \times \beta_i$

知識補給站

1. 當兩資產的相關係數＝1時，投資組合標準差公式可以簡化為
   $\sigma_{甲} = (W_{甲} \times \sigma_{甲}) + (W_{乙} \times \sigma_{乙})$
2. 當兩資產的相關係數＝0時，投資組合標準差公式可以簡化為
   $\sigma_{甲} = (W_{甲}^2 \times \sigma_{甲}^2) + (W_{乙}^2 \times \sigma_{乙}^2)$
3. 當兩資產的相關係數＝－1時，投資組合標準差公式可以簡化為
   $\sigma_{甲} = (W_{甲} \times \sigma_{甲}) - (W_{乙} \times \sigma_{乙})$

4. **例題**：您各投資60,000元在20種股票，同時現在之投資組合的貝它值為1.15。若您賣出其中一種貝它值為1.0之股票，同時將所得之60,000元投資在貝它值為2.0的股票，則您新的投資組合之貝它值為？【102年第1次高業】

答 $\beta=\sum_{i=1}^{n} W_i \times \beta_i$

原本$\beta 1.15 = 19/20 \times \beta_{\text{其他19種平均}} + 1/20 \times 1$

$\Rightarrow \beta_{\text{其他19種平均}} = 1.1 \times 20/19$

新$\beta_{\text{新}} = 19/20 \times \beta_{\text{其他19種平均}} + 1/20 \times 2$

$= 1.2$

牛刀小試

( ) **1** 若甲股票的報酬率標準差為0.3，乙股票的報酬率標準差為0.2，甲和乙股票的報酬率相關係數為0.5，則甲和乙股票的報酬率共變數為：
(A)0.04 (B)0.03 (C)0.02 (D)0.01。【102年第2次高業】

( ) **2** 假設一投資組合中有兩種資產，第一種資產占70%，其貝它（Beta）為1.2，另外一種資產的貝它為0.8，請問投資組合的貝它是多少？
(A)0.90 (B)0.92 (C)1.08 (D)1.70。【104年第1次高業】

( ) **3** 若新加入投資組合之證券，其貝它（Beta）係數比原投資組合貝它係數大，則新投資組合貝它係數會： (A)增加 (B)不變 (C)減少 (D)不一定。【105年第3次高業】

( ) **4** 若小明將其資金40%投資於國庫券、60%投資於市場投資組合，請問其投資組合之貝它係數為何？ (A)1 (B)0.4 (C)0.5 (D)0.6。【106年第4次高業】

解答與解析

1 (B)。$\sigma_{\text{甲}}=0.3$，$\sigma_{\text{乙}}=0.2$，$\rho_{\text{甲乙}}=0.5$

$\sigma_{\text{甲乙}}=\sigma_{\text{甲}}\times\sigma_{\text{乙}}\times\rho_{\text{甲乙}}$

$=0.3\times0.2\times0.5$

$=0.03$

2 (C)。$70\% \times 1.2 + 30\% \times 0.8 = 1.08$

3 (A)。若新加入投資組合的證券貝它（Beta）係數比原投資組合貝它係數大，則新投資組合貝它係數會增加。

4 (D)。國庫券貝它係數＝0，市場投資組合貝它係數＝1
投資組合之貝它係數＝$0.4 \times 0 + 0.6 \times 1 = 0.6$

重點回顧

投資組合預期報酬

$$E(R_p) = \sum W_i E(R_i)$$
$$= W_1 \times E(R_1) + W_2 \times E(R_2) + W_3 \times E(R_3) + ... + W_n \times E(R_n)$$

投資組合的總風險＝系統風險＋非系統風險

系統風險	非系統風險
市場風險	公司或產業特有風險
不可避免之風險	可避免之風險
不可分散之風險	可分散之風險

投資組合的標準差

AB兩資產組成一投資組合，其投資組合變異數為σ_p^2

$$\sigma_p^2 = (W_A^2 \times \sigma_A^2) + (W_B^2 \times \sigma_B^2) + 2 \times W_A \times W_B \times \sigma_{AB}$$

β係數公式

$$\beta_i = \frac{Cov(R_1, R_m)}{\sigma_m^2} = \rho_{i,m} \times \frac{\sigma_i}{\sigma_m}$$

i：個別資產

m：市場投資組合（m for market）

σ_i：i資產的標準差

σ_m：市場投資組合的標準差

σ_m^2：市場投資組合的變異數

Cov（R_i,R_m）：i資產與市場投資組合的共變異數

$\rho_{i,m}$：i資產與市場投資組合的相關係數

投資組合的β值

投資組合的β等於其組合中所有股票β值的加權平均

$$\beta = \sum_{i=1}^{n} W_i \times \beta_i$$

精選試題

( ) 1 張三主要投資三項工具，10%國庫券，40%債券與50%股票；報酬率分別為2%、4%與6%，請問張三投資組合的期望報酬率為何？ (A)2.4% (B)3.0% (C)3.6% (D)4.8%。

( ) 2 某一證券之報酬率標準差愈小，則其總風險： (A)愈大 (B)愈小 (C)不變 (D)不一定。 【109年第4次高業】

( ) 3 有關風險分散的敘述，何者正確？ (A)一個完全分散的投資組合，由於風險均已分散，其報酬率應等於無風險利率 (B)完全分散風險的投資組合，並未能將所有風險消除 (C)完全分散風險的投資組合，其報酬率應較無風險利率為低 (D)系統風險和非系統風險皆可經由投資組合完全分散。 【107年第2次高業】

( ) 4 下列何種事件為非系統風險？ (A)通貨膨脹率變動 (B)政府首長更替 (C)新產品研發 (D)新臺幣匯率波動。【104年第2次高業】

( ) 5 投資者持有一種股票，今為避險考量，售出適當數量之股價指數期貨以充分避險。請問避險後，該投資者： (A)即不會面臨任何風險 (B)僅會面臨市場風險 (C)僅會面臨個別風險 (D)仍面臨原股票之所有風險。

( ) 6 隨著投資組合中包含的證券種類數目增加，投資組合之非系統風險將： (A)先遞減，但證券種類數目超過某一數量後，即將遞增 (B)遞減至某一水準後即不再減少 (C)趨近於0 (D)等於個別證券非系統風險之加權平均。 【105年第1次高業】

( ) 7 市場投資組合的風險為何？ (A)僅有非系統風險 (B)貝它係數為1 (C)其標準差為0 (D)沒有風險。 【108年第3次高業】

( ) 8 理論上，充分分散風險之投資組合報酬率與市場投資組合報酬率相關係數等於： (A)1.0 (B)0.5 (C)0 (D)－0.5。【104年第4次高業】

( ) **9** 下列對市場投資組合之描述，何者正確？ 甲、其貝它係數等於1；乙、其期望報酬率較任何個別證券低；丙、其報酬率標準差較任何個別證券低；丁、其包含了市場上所有的證券 (A)甲、乙、丁 (B)甲、丙、丁 (C)甲、丁 (D)丙、丁。 【109年第2次高業】

( ) **10** 有關市場投資組合之敘述，何者有誤？ (A)市場投資組合應包含所有的資產 (B)市場投資組合之貝它係數為0 (C)資本市場線是由市場投資組合與無風險資產所組成 (D)一般以大盤股價指數代替。

( ) **11** 一般而言，我們會以何值來衡量個別證券報酬率相對於市場投資組合報酬率的變動程度？ (A)變異數 (B)標準差 (C)變異係數 (D)貝它值。

( ) **12** 當投資組合內個別資產間的相關係數為0時，代表： (A)無風險分散效果 (B)有風險分散效果 (C)風險分散達到最佳 (D)風險分散優於相關係數為－1之投資組合。 【108年第1次高業】

( ) **13** 某投資組合之貝它（Beta）係數大於0，但小於1，表示：(A)該投資組合之風險高於市場組合風險 (B)該投資組合期望報酬率應低於市場平均報酬率 (C)該投資組合期望報酬率應低於無風險利率 (D)該投資組合之總風險低於市場平均水準。

( ) **14** 當投資者判斷市場處於空頭行情時，應： 甲、增加固定收益證券之比重；乙、提高投資組合之貝它係數；丙、增加現金比重 (A)僅甲 (B)僅乙 (C)甲與丙 (D)乙與丙。 【107年第1次高業】

( ) **15** 甲股票之報酬率與市場報酬率之相關係數為1，其標準差為20%，若市場報酬率標準差為10%，請問該股票之貝它值為何？(A)2.00 (B)1.67 (C)1.33 (D)資料不足，無法計算。

( ) **16** 甲股票的報酬率標準差為0.1，乙股票的報酬率標準差也是0.1，甲和乙股票的報酬率共變數是0.005，則兩股票報酬率的相關係數為？ (A)0.1 (B)0.05 (C)0.5 (D)0.01。 【107年第2次高業】

( ) **17** 若發行量加權股價指數的變異數為0.09，某投資組合投資股價指數與無風險國庫券各50%，則此一投資組合的標準差為何？(A)0.3 (B)0.15 (C)0.25 (D)無法計算。【101年第4次高業】

( ) **18** 某投資組合包含二種投資標的，其權數及標準差分別為W_1、σ_1及W_2、σ_2，當投資組合的報酬率標準差為0時，代表： (A)不可賣空下，個別資產相關係數＝－1 (B)風險有效分散 (C)$W_1 \times \sigma_1 = W_2 \times \sigma_2$ (D)選項(A)(B)(C)皆是。

( ) **19** 兩證券之報酬率標準差各為20%與30%，其相關係數為－1。以此兩種證券建立之投資組合報酬率之標準差最低為多少？(A)30% (B)20% (C)10% (D)0%。

( ) **20** 若投資700元於貝它值為1.1之A股票，投資300元於貝它值為0.9之B股票，則投資組合之貝它值為： (A)1.02 (B)1.04 (C)1.08 (D)1.1。

( ) **21** 甲公司股票貝它係數為1.2，若現有500萬元，想投資在國庫券及甲公司股票，且希望投資組合之貝它係數為0.84，應投資多少元在甲公司股票上？ (A)500萬元 (B)420萬元 (C)350萬元 (D)300萬元。【106年第1次高業】

解答與解析

1 (D)。投資組合的期望報酬率＝10%×2%＋40%×4%＋50%×6%＝4.8%

2 (B)。標準差為衡量總風險的單位,故標準差愈小,其總風險愈小。

3 (B)。即便已完全分散風險的投資組合，仍不能消除系統風險。

4 (C)。新產品研發屬於個別公司的風險，為非系統風險。

5 (C)。投資者持有一種股票，承受了該股票的總風險＝系統風險＋非系統風險；現今售出指數期貨，即避免掉了市場風險（系統風險）。故現在投資者僅會面臨個別風險。

6 (C)。隨著投資組合中包含的證券種類數目增加，投資組合之非系統風險將趨近於0。

7 (B)。市場投資組合包括市場上所有的資產的投資組合，雖然其可分散掉個別風險，但無法避免系統風險（市場風險），故標準差（總風險）不會是0。貝它係數為衡量i資產與市場投資組合的變化程度，當i資產為市場投資組合本身，貝它係數為1。

8 **(A)**。充分分散風險之投資組合即可視為市場投資組合，故其與市場投資組合的相關係數＝1。

9 **(C)**。市場投資組合的期望報酬率以及標準差可能較個別證券報酬率高或低。

10 **(B)**。市場投資組合之貝它係數為1。

11 **(D)**。β係數用來衡量個別股票相對於市場投資組合的波動情況。意即當市場投資組合報酬率變化1%時，個別資產報酬率的變化幅度；幅度越大、代表個別資產對市場報酬率變化的敏感度越大。

12 **(B)**。相關係數為－1時，風險分散達到最佳；只要相關係數＜1，皆有分散風險的效果。

13 **(B)**。市場投資組合的β＝1，若0＜β＜1，則代表該投資組合期望報酬率應低於市場平均報酬率。

14 **(C)**。若市場處於空頭行情，表大盤股價呈現下跌狀態，此時若投資貝它係數高的組合，其波動及損失會比大盤更甚，故應盡量避免。

15 **(A)**。$\beta_i = \frac{Cov(R_i, R_m)}{\sigma_m^2} = \rho_{i,m} \times \frac{\sigma_i}{\sigma_m}$
$= 1 \times 0.2 / 0.1 = 2$

16 **(C)**。$\sigma_{甲} = 0.1$，$\sigma_{乙} = 0.1$，$\sigma_{甲乙} = 0.005$
$\sigma_{甲乙} = \sigma_{甲} \times \sigma_{乙} \times \rho_{甲乙}$
$0.005 = 0.1 \times 0.1 \times \rho_{甲乙}$
$\Rightarrow \sigma_{乙} = 0.5$

17 **(B)**。變異數為標準差之平方。
加權股價指數之標準差＝0.3，
國庫券標準差＝0，
投資組合的標準差＝0.3×0.5＋0×0.5＝0.15

18 **(D)**。上述選項皆正確。

19 **(D)**。當兩資產的相關係數＝－1時，可以組合出無風險的投資組合。

20 **(B)**。投資組合貝它＝0.7×1.1＋0.3×0.9＝1.04

21 **(C)**。設投資M萬元甲公司股票，
已知國庫券β係數為0
投資組合β＝0.84＝M／500×1.2＋（500－M）／500×0
⇒M＝350（萬元）

第七章 投資組合管理

依據出題頻率區分，屬：A 頻率高

並非每個人都有足夠時間可以研究企業的財務報表或時時盯盤操作金融商品，而無暇研究金融市場又希望將資金妥善運用的民眾，通常會將資金交由專業經理人代為操作，也就是所謂的共同基金。

本章介紹不同種類的共同基金與基金經理人操作的策略（主動式或被動式），以及衡量基金績效的指標如夏普比率、崔那指標等。

重點01 投資組合的管理流程

重要度★★★

一、設定投資目標

(一) 投資目標之設定，除了期望報酬率外，更**需考量投資者的風險承受度**。

(二) 風險承受度較高的投資人，其在資產配置上，可分配較多比重於高成長（同時也是高風險）的資產，例如股票上。

(三) 風險承受度較低的投資人，其投資目標多在獲取穩定收益，使其資產穩定成長。

設定投資目標
↓
訂定資產配置策略
↓
進場執行
↓
追蹤績效、修正

二、訂定資產配置策略

資產配置策略可分為「策略性資產配置」與「戰術性資產配置」。

(一) **策略性資產配置**（Strategic Asset Allocation, SAA）

1. **策略性資產配置屬於長期的規劃**，並不會因為短期市場的波動而改變。
2. 採用策略性資產配置的投資人，一般相信市場是有效率的。
3. 策略性資產配置通常會參考各資產的過去報酬、投資人的期望報酬、投資人的風險容忍程度來決定操作策略，和投資人對未來的預期無關。
4. 策略性消極資產配置決策的第一步是**算出效率前緣**。

(二) **戰術性資產配置**(Tactical Asset Allocation, TAA)

1. **戰術性資產配置屬於短期的規劃**,當基金經理人對資產的預期改變時,將立即改變資產配置,以追求更好的績效表現。
2. 戰術性資產配置會使用計量模組捕捉價格低估的股票,並隨時調整資產配置迴避股票市場大幅波動。
3. 戰術性資產配置是**建立在市場效率假說不成立的前提下**,其是賺取「選時決策」的利潤。

三、進場執行

選擇適當的時機進場,投資風險理財標的;而無風險理財標的的投資計劃,則是愈早開始愈好,因為可以創造時間的複利價值。

四、追蹤績效、修正

(一) 應隨時檢視投資績效,並適時依財務狀況修正資產配置計劃。

(二) 衡量基金績效表現時,不可只比較報酬率高低,而應站在同一類別的基準點上比較。例如,指數型基金應以其是否貼近追蹤標竿指數為評估依據,收益型基金應以其是否能提供水準之上的穩定報酬為準。

(三) 衡量投資組合績效的指標

1. **夏普比率**(Sharpe Ratio):

(1) 衡量投資組合每承受一單位的**「總風險」**,可獲得多少單位的風險溢酬。

(2) **公式**

Sharpe Ratio $=[E(R_p)-R_f]/\sigma_p$

$E(R_p)$:投資組合預期報酬率

R_f:無風險利率

σ_p:投資組合的標準差(總風險)

(3) **例題**:投資組合A之平均報酬率為13.6%、貝它係數為1.1、報酬率標準差為20%,假設無風險利率為6%,請問組合A之夏普(Sharpe)績效指標為多少?

答 Sharpe Ratio $=[E(R_p)-R_f]/\sigma_p$

$=(13.6\%-6\%)/20\%$

$=0.38$

2. **崔那指標(Treynor):**

(1)衡量投資組合每承受一單位的**「系統風險」**,可獲得多少單位的風險溢酬。

(2)**公式**

$Treynor = [E(R_p) - R_f] / \beta_P$

$E(R_p)$:投資組合預期報酬率

R_f:無風險利率

β_p:投資組合的系統性風險

(3)若非系統風險可完全分散,則總風險=系統風險、夏普指數=崔那指數。

(4)**例題**:一檔基金過去十年的平均年報酬率為12%,變異數為36%,無風險利率為4%,β係數為1.2,請問其崔納指標為多少?

答 $Treynor = (12\% - 4\%) / 1.2 = 6.6\%$

3. **詹森指數(Jensen):**

(1)詹森指數又稱「α值」,用以衡量實際投資績效與CAPM所算出預期報酬率的差距。

(2)**公式**

$E(R_P) = R_f + \beta_P \times [E(R_m) - R_f]$

$J_P(\alpha) = R_P - E(R_P) = R_P - \{R_f + \beta_P \times [E(R_m) - R_f]\}$

$E(R_p)$:投資組合預期報酬率

R_p:實際投資報酬率

(3)**例題**:投資組合A之平均報酬率為13.6%、貝它(Beta)係數為1.1、報酬率標準差為20%,假設市場投資組合平均報酬率為12%,無風險利率為6%,請問組合A之詹森指標(Jensen Index)為多少? 【101年第3次高業】

答 J_p=實際報酬率-CAPM=13.6%-{6%+1.1(12%-6%)}=0.01

牛刀小試

( ) **1** 採取戰術性資產配置(Tactical Asset Allocation)主要是建立在哪項假設下? (A)投資人是風險規避者 (B)CAPM是成立的 (C)投資人重視風險分散 (D)市場效率假說不成立。【104年第2次高業】

( ) **2** 針對個人投資人而言,風險容忍程度愈高的人,在資產配置上,股票比重應: (A)較高 (B)較低 (C)沒有影響 (D)無法判斷。

( ) **3** 下列有關策略性資產配置（Strategic Asset Allocation）的描述有誤？ (A)通常會參考各資產的過去報酬表現來決定 (B)通常須參考投資人的期望報酬來決定 (C)通常須參考投資人的風險容忍程度來決定 (D)通常須參考投資人對未來的預估來決定。

( ) **4** 某投資組合之報酬率為16%，報酬率標準差為15%，β係數為1.25，若無風險利率為7%，請問其夏普指標（Sharpe）為何？ (A)7.2% (B)60% (C)8.3% (D)53%。 【100年第1次高業】

( ) **5** 崔納指標（Treynor）之計算考慮何種風險？ (A)個別風險 (B)總風險 (C)系統風險 (D)報酬率標準差。

( ) **6** 下列有關證券組合績效評估的敘述中，何者不正確？ I.Sharpe指標越小，績效越好；II.Treynor's指標的定義為風險溢酬除以標準差；III.Sharpe指標與Treynor指標的評估結果不一定會相同；IV.Jensen's Alpha指標的結果必定大於等於0
(A)僅I、III (B)僅III、IV
(C)僅I、IV (D)僅I、II、IV。 【100年第4次分析師】

解答與解析

1 (D)。戰術性資產配置是建立在市場效率假說不成立的前提下。

2 (A)。股票屬於波動較大之資產，若投資人的風險容忍度高，則在資產配置中可布局較多於股票上。

3 (D)。策略性資產配置通常會參考各資產的過去報酬、投資人的期望報酬及投資人的風險容忍程度來決定操作策略，和投資人對未來的預估無關。

4 (B)。Sharpe Ratio＝$[E(R_p)-R_f]/\sigma_p$＝（16%－7%）／15%＝60%

5 (C)。Treynor＝$[E(R_p)-R_f]/\beta_P$，β_P是系統風險。

6 (D)。Sharpe指標越小，代表績效越差。Treynor's 指標的定義為風險溢酬除以貝它係數。當投資組合報酬率低於CAPM預期報酬率時，Jensen's Alpha指數會＜0。

重點02 主動投資與被動投資 重要度★★

目前投資領域中，大致上分成二大派別：主動投資與被動投資。

一、主動投資

(一) **中心思想**：認為基金經理人可以藉由鑽研股票市場，**利用「選時策略」或「選股策略」長期而言績效可以打敗大盤報酬率**。

(二) **選時策略**

1. 追求買在低點、賣在高點。
2. 基金經理人若採選時策略，**當市場處於牛市時，應買進貝它係數＞1的股票；當市場處於熊市時，應買進貝它係數＜1的股票**。
3. 若投資人不善選時，可採定期定額投資法，以規避風險。

(三) **選股策略**

1. 選擇具有上漲潛力，或目前被低估的個股。
2. 欲取得較高報酬率且能承擔風險之投資者，適合購買小型股；穩健型的投資人則適合購買大型股。

(四) **常見的主動式管理基金有**：一般的股票型基金、債券型基金、平衡型基金、組合型基金及保本型基金等。

> **小叮嚀**
> 主動式投資組合管理在選時能力方面有賴於「技術分析」，在選股能力方面則有賴於「基本分析」。

二、被動投資

(一) **中心思想**：認為投資人的績效長期而言無法打敗大盤，故被動投資不做研究個股的動作，而是**運用分散風險原理，選擇持有一籃子股票所構成的指數型股票基金，而期望獲取貼近市場的平均報酬**。

(二) 策略性消極資產配置決策的第一步是先求出效率前緣，再依投資人對風險的態度，選擇最適投資組合。

(三) 建構消極性投資組合時，應考慮交易成本與追蹤誤差（大盤表現與投資組合間的差距）。

(四) 常見的被動式管理基金有：指數基金。

牛刀小試

( ) **1** 一積極之基金經理人若預期股市將上升，應選擇下列何種投資組合？ (A)貝它（BETA）係數為0.8之投資組合 (B)貝它（BETA）係數為1之投資組合 (C)貝它（BETA）係數為1.4之投資組合 (D)貝它（BETA）係數為負值之投資組合。

( ) **2** 具有選時能力的共同基金經理人，在股市上漲期間，其持有投資組合的貝它係數應： (A)大於1 (B)等於1 (C)等於0 (D)小於0。

( ) **3** 被動式（Passive）投資組合管理目的在： (A)運用隨機選股策略，選取一種股票，獲取隨機報酬 (B)運用分散風險原理，找出效率投資組合，獲取正常報酬 (C)運用選股能力，找出價格偏低之股票，獲取最高報酬 (D)運用擇時能力，預測股價走勢，獲取超額報酬。 【107年第2次高業】

( ) **4** 指數型共同基金之投資目的為： (A)擊敗指數，獲取高報酬 (B)賺取市場平均報酬率，同時規避市場風險 (C)盯住指數，獲取市場平均報酬率 (D)追求高報酬率與低風險性。

解答與解析

1 (C)。基金經理人若採選時策略，當市場處於牛市時，應買進貝它係數＞1的股票；當市場處於熊市時，應買進貝它係數＜1的股票。

2 (A)。基金經理人若具有選時能力，當市場上漲時，應買進貝它係數＞1的股票，因為貝它係數越大，股票上漲幅度越大。

3 (B)。被動式投資組合管理目的在：運用分散風險原理，找出效率投資組合，獲取正常報酬。

4 (C)。指數型共同基金之投資目的在於盯住指數，獲取市場平均報酬率。選項(B)錯在於無法規避市場風險。

重點03 投資組合策略 重要度★★

一、投資組合保險策略

(一) **執行模式**：在將部分資金投資於無風險資產、保證資產組合的最低價值的前提下，將其餘資金投資於風險資產，並隨著市場的變動調整風險資產和無風險資產的比例。

(二) **投資組合保險是追漲殺跌的策略**，當風險資產收益率上升時，風險資產的投資比例隨之上升，如果風險資產收益繼續上升，投資組合保險策略將取得優於買入並持有策略的結果；而如果收益轉而下降，則投資組合保險策略的結果將因為風險資產比例的提高而受到更大的影響，從而劣於買入並持有策略的結果。

(三) 投資組合保險策略因要求經常調整資產結構，會導致較高的交易成本和機會成本。

二、動量生命週期（Momentum Life Cycle）

(一) 動量生命週期將股票交易分為投資者的追逐期和冷淡期。坐標軸左側是過去的贏家組合（即過去N個月存在獲益為正的股票），右側為輸家組合。

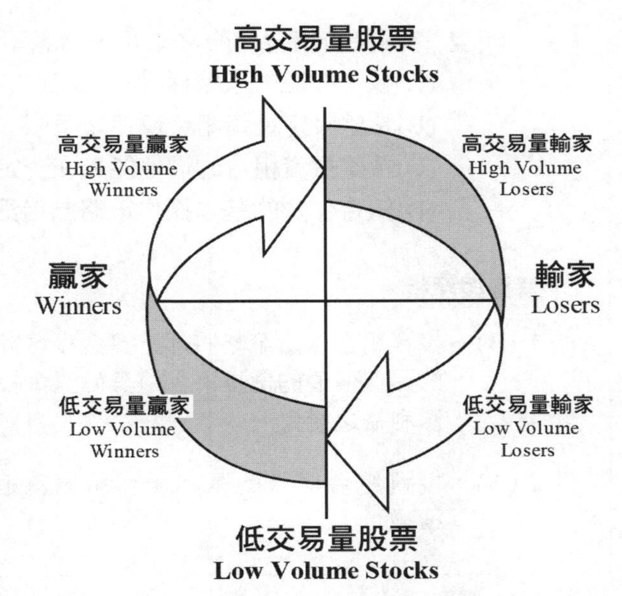

(二) 股票受到好消息的刺激，收益率會上升、受投資人追捧，此時股票位於左上角（高收益高交易量）；然而隨著股價上升到一定程度，市場會認為股票被高估了，此時股票報酬率會逐漸回落，市場不再熱捧，股票順時針轉到低回報低交易的狀態；而當價格下降到一定的程度時，市場又會開始新的循環。

(三) **動能投資策略**：屬於追漲殺跌的順勢操作，認為在**動能生命週期早期階段**，投資人對市場資訊反映不足，股價會呈現「強者恆強、弱者恆弱」的現象，此時應買進股價表現強勢的股票，並賣出股價表現弱勢的股票，以賺取超額報酬。

(四) **反向投資策略**：屬於買跌賣漲的逆勢操作，認為在**動能生命週期的晚期階段**，投資人對市場資訊過度反映，故應買進股價表現弱勢並賣出股價表現強勢的股票。

牛刀小試

( ) **1** 目的在消除投資組合價值下跌之風險，同時能保有上漲利益之操作策略，稱為：

(A)投資組合分散風險策略

(B)投資組合保險策略

(C)投資組合選股策略

(D)投資組合套利策略。【104年第1次高業】

( ) **2** 有關投資組合保險之敘述，何者不正確？

(A)較一般避險策略保守

(B)希望設定投資組合價值之下限

(C)希望投資組合的價值能夠在一定的風險程度下增加

(D)組合保險的基本操作策略為追漲、殺跌。【107年第3次高業】

解答與解析

1 (B)。投資組合保險策略將部分資金投資於無風險資產、保證資產組合的最低價值的前提下，將其餘資金投資於風險資產，保有參與上漲利益之機會。

2 (A)。投資組合保險的基本操作策略為追漲殺跌，較一般避險策略積極。

重點04 基金 重要度★★★

一、共同基金

(一) 共同基金為將眾多投資者的資金聚集，再交付專業機構投資、管理的一種理財方式，其基金的投資收益或風險則由全體投資人共同分擔。

(二) **優點**：一般民眾平常無暇注意市場行情，又金融市場標的種類繁多，無法一一深入研究，可藉由專業經理人來掌握投資的時機，以追求穩健獲利。

(三) **分類**

1. **依交易方式分類：**

(1) **開放式基金**：投資人直接向基金公司以「基金淨值」來買入或賣出，**開放式基金的規模會隨著投資人的買入或賣出而變動**。

(2) **封閉式基金**：**封閉式基金在募集完成之後，就不再由投資人直接或間接向基金公司購買，只能於股票市場上和其他基金持有者交易**，是故基金規模不會因為投資人的買賣而變動。此外，因為市場上的預期心理，實際買賣的價格可能會與基金淨值不同（此即為折價或溢價）。

(3) **股票交易所交易基金**：又稱為「ETF」，其原理與封閉式基金相似，但增加了可以基金與實物可交換（股票基金的話即股票）的機制，此機制使折溢價不會像封閉式基金那麼大。

2. **按操作策略分類：**

主動型基金	買進或賣出皆由基金經理人決定。
指數型基金	基金經理人不做買賣決策，而是利用追縱技術，使基金的表現與目標指數相近。

3. **依風險屬性分類：**

積極成長型	以承擔高風險、獲取高報酬資本利得為目標，常投資於新興市場或中小型企業股票。
成長型	以獲取長期資本利得為目標，主要投資於穩定的大型績優股。
收益型	以獲得穩定收益為目標，主要投資於債券及績優股、領取利息及股利。

保本型	以保本為目標，故投資策略保守，主要投資標的為可轉讓定期存單、短期商業本票，以及短期國庫券。**保本型基金保本比率，應達投資本金之90%**。

4. **依標的資產類別分類：**

(1) **股票型基金**：股票投資比重佔基金淨值的70%以上。

(2) **債券型基金**：以債券為投資標的。

(3) **平衡型基金：投資於股票與債券，且股票比重需介於基金淨值的30%～70%**。

(4) **組合型基金**：為特殊的**基金，此類基金以其他基金為投資標的，而非直接投資於股票、債券等有價證券**。

(5) **指數型基金**：投資標的為指數成分證券，以追蹤其績效表現。

(6) **指數股票型**（Excgange Traded Fund, ETF）：投資標的為組成標的指數之「一籃子股票」。ETF和一般基金最大的不同在於盤中隨時報價，一般基金需待每日收盤後才能計算淨值，故ETF可在盤中隨時交易。此外，ETF亦可信用交易，以下對ETF與對各類金融商品做比較。

A. ETF**與傳統共同基金**

交易特點	ETF	傳統共同基金
管理方式	被動管理，旨在追求與指數一致報酬	主動管理，旨在打敗大盤
交易方式	盤中可隨時交易	以每日收盤淨值定價及交易
信用交易	可	否
投組變動頻率	指數成分股變動時才變動	由經理人判斷是否更改
投組透明度	因為追蹤指數，故透明度高	由經理人操作，透明度低
管理費用	低	高

B. ETF**與一般股票**

交易特點	ETF	股票
標的指數	有	無

交易特點	ETF	股票
風險分散	有	無，除非一次買進大量股票
交易稅	較低（千分之一）	較高（千分之三）
信用交易	可	可，但有限制
平盤以下放空	可	不可
投資人是否須研究個股	不用	要

C. ETF與指數期貨

交易特點	ETF	指數期貨
股利	可以領取股利	無法參與股利分配
到期日	無	有
交易方式	同股票	保證金交易
轉倉風險	無	有
放空	可	可
商品種類	多	少

5. **依基金組織分類：**

(1) **契約型基金：**

A. 又稱「信託型基金」，一般由基金經理、基金保管人及投資者三方簽訂信託契約。基金經理作為發起人，透過發行受益憑證將募集之資金組成信託財產，並依據信託契約，由基金託管人負責保管；投資者為受益憑證的持有人，享有參與投資受益。

B. **臺灣的基金屬於契約型基金**。

(2) **公司型基金：**

A. 依公司法成立，組織形式類似股份有限公司。基金公司資產為投資者（股東）所擁有，由股東選舉董事會、董事會聘請基金經理、基金經理受託管理基金業務。

B. **美國的基金屬於公司型基金**。

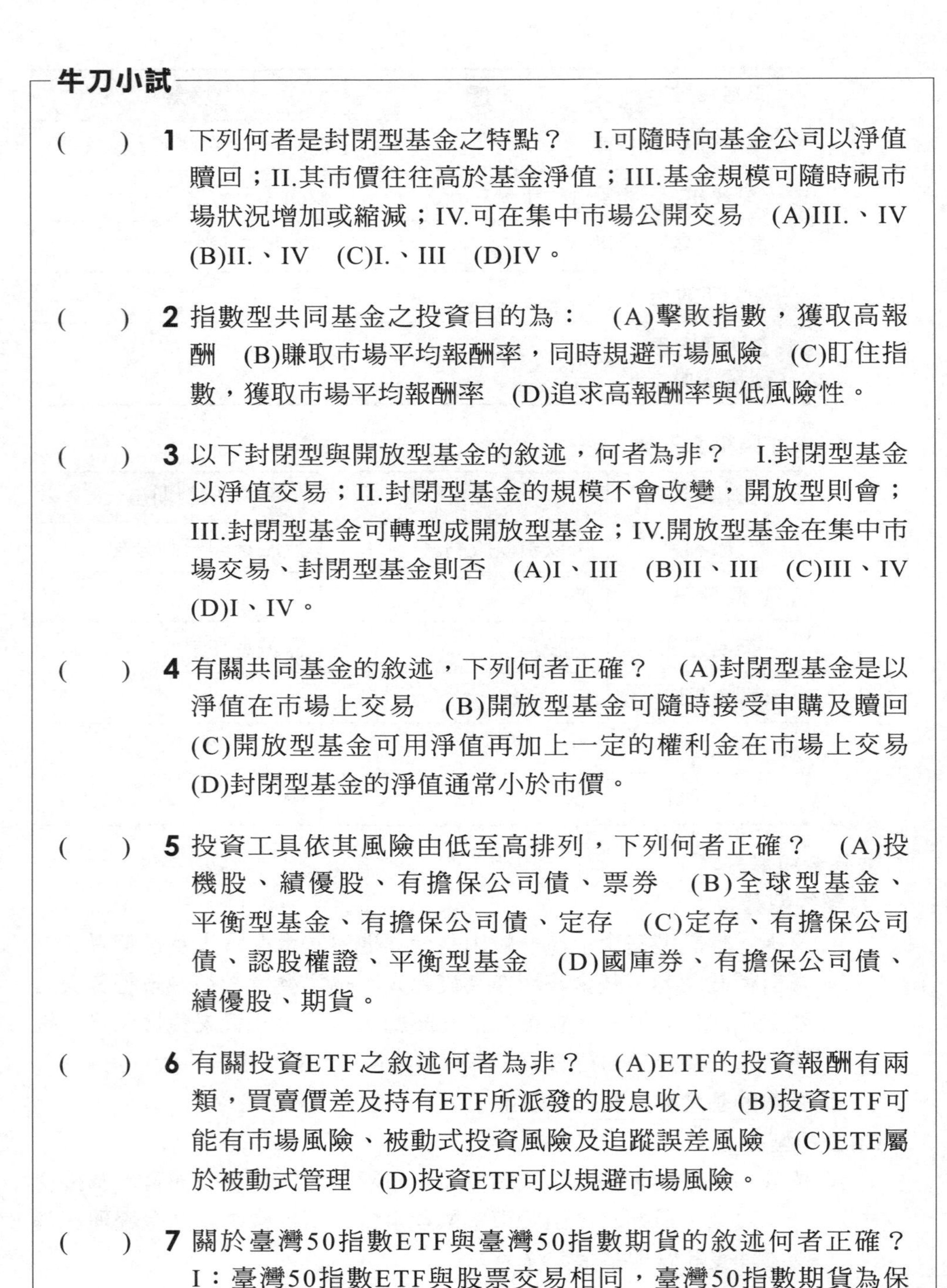

牛刀小試

( ) **1** 下列何者是封閉型基金之特點？ I.可隨時向基金公司以淨值贖回；II.其市價往往高於基金淨值；III.基金規模可隨時視市場狀況增加或縮減；IV.可在集中市場公開交易 (A)III.、IV (B)II.、IV (C)I.、III (D)IV。

( ) **2** 指數型共同基金之投資目的為： (A)擊敗指數，獲取高報酬 (B)賺取市場平均報酬率，同時規避市場風險 (C)盯住指數，獲取市場平均報酬率 (D)追求高報酬率與低風險性。

( ) **3** 以下封閉型與開放型基金的敘述，何者為非？ I.封閉型基金以淨值交易；II.封閉型基金的規模不會改變，開放型則會；III.封閉型基金可轉型成開放型基金；IV.開放型基金在集中市場交易、封閉型基金則否 (A)I、III (B)II、III (C)III、IV (D)I、IV。

( ) **4** 有關共同基金的敘述，下列何者正確？ (A)封閉型基金是以淨值在市場上交易 (B)開放型基金可隨時接受申購及贖回 (C)開放型基金可用淨值再加上一定的權利金在市場上交易 (D)封閉型基金的淨值通常小於市價。

( ) **5** 投資工具依其風險由低至高排列，下列何者正確？ (A)投機股、績優股、有擔保公司債、票券 (B)全球型基金、平衡型基金、有擔保公司債、定存 (C)定存、有擔保公司債、認股權證、平衡型基金 (D)國庫券、有擔保公司債、績優股、期貨。

( ) **6** 有關投資ETF之敘述何者為非？ (A)ETF的投資報酬有兩類，買賣價差及持有ETF所派發的股息收入 (B)投資ETF可能有市場風險、被動式投資風險及追蹤誤差風險 (C)ETF屬於被動式管理 (D)投資ETF可以規避市場風險。

( ) **7** 關於臺灣50指數ETF與臺灣50指數期貨的敘述何者正確？ I：臺灣50指數ETF與股票交易相同，臺灣50指數期貨為保證金交易 II：臺灣50指數ETF不可累積現金股利，臺灣50指數期貨也沒有股利之分派 III：臺灣50指數ETF可長期投資，臺灣50指數期貨則有期限限制 IV：兩者交易時間相同 (A)僅I、IV (B)僅II、III (C)僅I、III (D)僅II、IV。

解答與解析

1 (D)。封閉型基金流通在外的基金受益憑證數在一開始發行就固定，不能向基金公司贖回，只能在集中市場上找其他投資人交易；因為市場上的預期心理，封閉型基金的淨值可能大於或小於市價（折價或溢價）。

2 (C)。指數型共同基金以追蹤指數、獲取市場平均報酬為目標。

3 (D)。開放型基金以淨值向基金公司交易、封閉型基金以市價在集中市場交易。

4 (B)。封閉型基金以市價在集中市場交易。因為市場上的預期心理，封閉型基金的淨值可能大於或小於市價（折價或溢價）。

5 (D)。風險：國庫券（政府擔保）<有擔保公司債（公司擔保）<績優股（大型企業）<期貨。

6 (D)。ETF是投資一籃子股票，可以分散非系統風險（個別風險），但無法規避系統風險（市場風險）。

7 (C)。臺灣50指數ETF可以分派現金股利、臺灣50指數期貨則不行；臺灣50指數ETF交易時間同一般股票（上午9時～下午1時30分）、臺灣50指數期貨交易時間為上午8：45～下午1：45。

二、避險基金

(一) 避險基金又稱「對沖基金」或「套利基金」，基金經理人目標為追求「絕對報酬」，而非跟大盤相比。

(二) 避險基金相較於一般共同基金而言，其投資門檻較高、受法規限制較少、故經理人的投資工具較廣泛、但資訊透明度較低。

避險基金和共同基金的差異整理如下：

	共同基金	避險基金
操作目標	追求相對報酬 （目標戰勝大盤）	追求絕對報酬
操作策略	投資工具有限	投資策略彈性大，包含信用擴張、放空等避險策略
風格	大且複雜	小而精簡
行銷	行銷管道較自由	因法規限制，行銷管道有限

牛刀小試

(　　) **1** 何者為避險基金之特色？　甲、資訊透明度高；乙、可小額投資；丙、追求絕對報酬；丁、又稱對沖基金
(A)僅甲、乙　(B)僅乙、丙
(C)僅丙、丁　(D)甲、乙、丙與丁皆是。　【107年第4次高業】

(　　) **2** 以下有關避險基金（Hedge Fund）之敘述何者正確？　甲、通常以追求「絕對報酬」為操作目標；乙、通常為私募；丙、只運用買進標的之投資策略
(A)僅甲、丙　(B)僅乙、丙
(C)僅甲、乙　(D)甲、乙、丙皆是。

解答與解析

1 (C)。避險基金資訊透明度低、投資門檻較高，通常不接受小額投資。

2 (C)。避險基金通常為私募，其可使用之投資工具及策略較廣泛，可以放空或擴大信用交易；經理人以追求絕對報酬為目標。

重點回顧

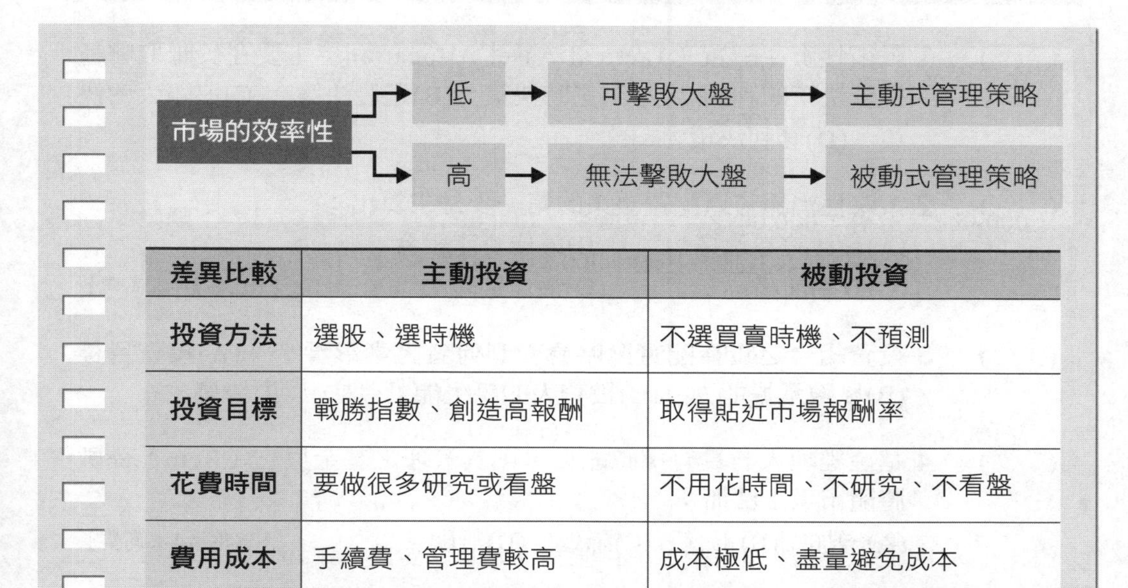

差異比較	主動投資	被動投資
投資方法	選股、選時機	不選買賣時機、不預測
投資目標	戰勝指數、創造高報酬	取得貼近市場報酬率
花費時間	要做很多研究或看盤	不用花時間、不研究、不看盤
費用成本	手續費、管理費較高	成本極低、盡量避免成本

精選試題

( ) **1** 戰術性資產配置（Tactical Asset Allocation）主要在於賺取哪種投資決策的利潤？ (A)選時決策 (B)選股決策 (C)追隨大盤決策 (D)套利決策。

( ) **2** 策略性消極資產配置決策的第一步是求算出：
(A)最佳證券選擇 (B)最佳資產組合
(C)效率前緣 (D)最佳選時決策。 【102年第1次高業】

( ) **3** 投資組合之資產配置策略會受到何者因素影響？ (A)投資目標 (B)風險承擔能力 (C)投資人的謀生能力 (D)以上皆是。

( ) **4** 基金經理人若具有擇時能力，則其管理之基金貝它（Beta）係數將隨市場上漲而：
(A)增加 (B)不變 (C)降低 (D)無關。 【108年第4次高業】

( ) **5** 主動式投資組合管理（Active Portfolio Management）在擇時能力方面有賴於何種分析？而在擇股能力方面則有賴於何種分析？
(A)技術、技術 (B)基本、技術
(C)技術、基本 (D)基本、基本。

( ) **6** 下列那個共同基金擁有選時能力（Timing Ability）？ (A)多頭行情時，貝它係數為1；空頭行情時，貝它係數為1 (B)多頭行情時，貝它係數為0.75；空頭行情時，貝它係數為1.25 (C)多頭行情時，貝它係數為−1.2；空頭行情時，貝它係數為1.25 (D)多頭行情時，貝它係數為1.5；空頭行情時，貝它係數為0.75。 【104年第1次高業】

( ) **7** 下列有關經理人擇時能力的敘述，何者正確？ I.根據所研究的個別股票資訊，找出股價被低估的股票並加碼投資；II.經理人根據對未來市場狀況的判斷，調整投資組合部位；III.經理人採取被動式的管理方式，而可以擊敗大盤表現的能力。 (A)僅I (B)僅II (C)僅III (D)I與II。

( ) **8** 投資管理中，所謂被動式管理（Passive Management）是指投資組合通常將資金投資於： (A)銀行定存 (B)國庫券 (C)市場投資組合 (D)β值大於1之證券。

( ) **9** 策略性消極資產配置決策的第一步是求算出：
(A)最佳證券選擇 (B)最佳資產組合 (C)效率前緣 (D)最佳選時決策。 【102年第1次高業】

( ) **10** 建構消極性投資組合時，應考慮： (A)交易成本 (B)追蹤誤差 (C)股價是否低估 (D)選項(A)與(B)皆須考慮。【109年第1次高業】

( ) **11** 在投資組合績效評估指標中，夏普指標（Sharpe Index）的計算方法是： (A)超額報酬／系統風險 (B)超額報酬／總風險 (C)超額報酬／非系統風險 (D)超額報酬／無風險利率。

( ) **12** 某基金之夏普（Sharpe）績效指標較其他基金均高，則該基金經理人之績效為何？ (A)高於平均水準 (B)與平均水準相當 (C)低於平均水準 (D)夏普指標無法判斷。 【104年第2次高業】

( ) **13** 下列何者適合尚未完全分散仍存有非系統風險投資組合績效之評估？ (A)夏普指標 (B)崔納指標 (C)詹森指標 (D)貝它係數。 【107年第3次高業】

( ) **14** 在投資組合績效評估中，崔納指標（Treynor Index）的計算方式為： (A)超額報酬／非系統風險 (B)超額報酬／總風險 (C)超額報酬／系統風險 (D)超額報酬／無風險利率。 【102年第1次高業】

( ) **15** 以詹森（Jensen）指標來衡量投資績效，忽略了哪項主要風險？(A)沒有忽略任何風險 (B)系統風險 (C)市場風險 (D)非系統風險。 【104年第2次高業】

( ) **16** 下列何指標係比較投資組合平均超額報酬與合理投資組合超額報酬的差異？ (A)夏普指標 (B)崔納指標 (C)詹森指標 (D)貝它係數。

( ) **17** 投資組合保險的目的：
(A)設定投資組合價值之上限
(B)鎖定投資組合之價值
(C)希望投資組合的價值能在一定的風險程度下增加
(D)選項(A)(B)(C)皆非。 【105年第1次高業】

( ) **18** 投資組合保險操作策略最為人詬病的是對股市： (A)造成助漲助跌 (B)助長投機風氣 (C)抑制股價上漲 (D)助長內線交易。 【103年第2次高業】

( ) **19** 位於動量生命週期（Momentum Life Cycle）早期指標時，應採取的投資策略為： (A)動能策略 (B)反向策略 (C)出清持股 (D)持股續抱。 【108年第2次高業】

( ) **20** 反向投資策略（Contrarian Investment Strategy）類似於下列何種操作策略？ (A)追漲殺跌 (B)買跌賣漲 (C)長期持有 (D)只買不賣。 【105年第1次高業】

( ) **21** 位於動量生命週期（Momentum Life Cycle）晚期指標時，應採取的投資策略為： (A)動能策略 (B)反向策略 (C)出清持股 (D)持股續抱。 【100年第1次高業】

( ) **22** 使用反向策略可以獲得超額報酬的假設原因為： (A)市場反應過度 (B)市場反應不足 (C)報酬不具可預測性 (D)投資人的不理性行為是隨機的。 【108年第3次分析師】

( ) **23** 下列何者為動量生命週期（Momentum Life Cycle）中的晚期動能指標？ I.贏家組合有高周轉率；II.輸家組合有高周轉率；III.贏家組合有低周轉率；IV.輸家組合有低周轉率 (A)I與II (B)II與III (C)I與IV (D)III與IV。

( ) **24** 下列哪一項關於封閉型基金的敘述是最正確的？ (A)基金的價格高於淨資產價值 (B)基金的價格等於淨資產價值 (C)流通在外的基金受益憑證數隨著持有人的申購及贖回而改變 (D)流通在外的基金受益憑證數在一開始發行就固定。 【102年第2次分析師】

( ) **25** 以下何者不是封閉型基金的特性？ (A)基金規模不會改變 (B)在集中交易市場交易 (C)以淨值的漲跌為基金買賣的價格 (D)投資者不能向基金公司要求贖回。 【102年第3次高業】

( ) **26** 追求高風險／高報酬的投資人，較適合哪類共同基金？ (A)債券基金 (B)平衡基金 (C)股票收益型基金 (D)小型股基金。 【104年第2次高業】

( ) **27** 所謂平衡型基金是指：
(A)基金之贖回與出售維持平衡，以確保基金規模保持一定
(B)基金投資組合中僅包含股票
(C)基金投資組合中僅包含各年期債券
(D)基金投資組合中包含股票與債券。 【102年第4次高業】

( ) **28** 一般而言，中小型股票基金相較於大型股票基金的貝它係數：
(A)較小 (B)較大 (C)相同 (D)無法比較。 【109年第2次高業】

( ) **29** 當ETF之市價大於淨值，存在套利機會時，套利者應如何操作？甲、買進一籃子股票；乙、賣出一籃子股票；丙、於市場上賣出ETF；丁、於市場上買進ETF (A)僅甲、丙 (B)僅乙、丁 (C)僅乙、丙 (D)僅甲、丁。 【107年第4次高業】

( ) **30** 下列有關於在集中市場買賣臺灣50指數ETF的規定，何者正確？甲、可零股交易；乙、無漲跌幅限制；丙、平盤以下可以放空 (A)僅甲 (B)甲、丙 (C)甲、乙 (D)乙、丙。 【101年第4次高業】

( ) **31** 下列何者為避險基金之特色？ 甲、投資門檻低；乙、流動性低；丙、資訊透明度低
(A)僅甲、丙 (B)僅甲、乙
(C)僅乙、丙 (D)甲、乙、丙皆是。

( ) **32** 下列敘述何者正確？ a.退休基金宜大幅投資對沖（避險）基金，因為對沖（避險）基金都是低風險的；b.一般之共同基金追逐的是相對報酬 (A)只有a正確 (B)只有b正確 (C)a、b都正確 (D)a、b都不正確。

(　　) **33** 投資避險基金之風險包括：甲、有大額損失的可能；乙、沒有註冊的避險基金無須公開其持股或表現；丙、非常倚重基金經理的專業知識　(A)僅甲、丙　(B)僅乙、丙　(C)僅甲、乙　(D)甲、乙、丙皆是。

解答與解析

1 **(A)**。戰術性資產配置主要在賺選時決策的利潤。

2 **(C)**。策略性消極資產配置決策的第一步是求算出效率前緣。

3 **(D)**。上述選項皆會影響資產配置策略。

4 **(A)**。基金經理人若具有擇時能力，當市場上漲時，應買進貝它係數高的股票，因為貝它越大，股票上漲幅度越大。

5 **(C)**。主動式投資組合管理在擇時能力方面有賴於「技術分析」，在擇股能力方面則有賴於「基本分析」。

6 **(D)**。基金經理人若採選時策略，當市場處於多頭時，應買進貝它係數＞1的股票；當市場處於空頭時，應買進貝它係數＜1的股票。

7 **(B)**。I為擇股能力的敘述；II為擇時能力的敘述；III為被動式投資方式的敘述。

8 **(C)**。被動式管理通常將資金投資於市場投資組合。

9 **(C)**。策略性消極資產配置決策的第一步是先求出效率前緣，再依投資人對風險的態度，選擇最適投資組合。

10 **(D)**。建構消極性投資組合時，應考慮交易成本與追蹤誤差。

11 **(B)**。Sharpe Ratio $=[E(R_p)-R_f]/\sigma_p$＝超額報酬／總風險。

12 **(A)**。某基金之夏普指標較其他基金高，代表該基金在承受同一風險下，所獲得的超額溢酬更高、基金經理人的績效高於平均水準。

13 **(A)**。Sharpe Ratio $=[E(R_p)-R_f]/\sigma_p$，其中σ_p是總風險，包含系統性風險＋非系統性風險。

14 **(C)**。Treynor $=[E(R_p)-R_f]/\beta_P$＝超額報酬／系統風險。

15 **(D)**。$J_P(\alpha)=R_P-E(R_P)$；$E(R_P)=R_f+\beta_P\times[E(R_m)-R_f]$。其中僅用到系統性風險$\beta_P$，忽略了非系統性風險。

16 **(C)**。詹森指數用以衡量實際投資績效與CAPM所算出預期報酬率的差距。

17 (C)。投資組合保險目的在消除投資組合價值下跌之風險，同時能保有上漲利益。

18 (A)。投資組合保險操作策略為追漲、殺跌，所以容易對股市產生助漲或助跌的情況。

19 (A)。動量生命週期早期的市場反應不足，股價會呈現「強者恆強、弱者恆弱」，故應採取買漲賣跌的動能投資策略。

20 (B)。反向投資策略為買跌賣漲。

21 (B)。動量生命週期晚期的市場反應過度，故應採取買跌賣漲的反向投資策略。

22 (A)。動量生命週期晚期的市場反應過度，故買超跌或賣超漲的股票（反向投資策略）可以獲得超額報酬。

23 (C)。動量生命週期的晚期中，贏家組合為高周轉率、而輸家組合為低周轉率。

24 (D)。因為市場上的預期心理，封閉型基金的淨值可能大於或小於市價（折價或溢價）。流通在外的基金受益憑證數在一開始發行就固定。

25 (C)。封閉型基金發行規模固定，在集中市場交易，買賣價格是在市場中依供需決定。

26 (D)。小型股基金的投資標的的風險高、期望報酬亦較高。

27 (D)。平衡型基金的投資標的包含股票與債券。

28 (B)。中小型股票基金的波動相較於大型股票的波動大，故貝它係數亦較大。

29 (A)。ETF投資標的為組成標的指數之「一籃子股票」。當ETF市價大於淨值時，可以「賣出」ETF、「買進」一籃子股票。

30 (B)。臺灣50指數ETF漲跌幅限制同股票。

31 (C)。避險基金投資門檻較高，通常不接受小額投資。

32 (B)。避險基金又稱「對沖基金」，其風險較一般共同基金大，故不適合退休基金投資。

33 (D)。避險基金倚重基金經理的操作表現，因其受法規限制較一般共同基金低，故無需公開其持股或績效、風險較大。

第八章 資本市場理論

依據出題頻率區分，屬：**A** 頻率高

資本資產乃是指股票、債券等有價證券；而本測驗最重要的考點之一「資本資產訂價模型」，即用以協助投資人決定資本資產的價格。

本章先認識資本資產定價模型（CAPM, Capital Asset Pricing Model），再介紹由其衍生出的證券市場線、資本市場線以及套利定價等理論。

重點01 資本資產定價模型與證券市場線 重要度★★★

一、資本資產定價模型（CAPM）

資本資產（capital asset）是指股票、債券等有價證券；而資本資產定價模型旨在協助投資人決定資本資產的價格。

(一) CAPM之假設

1. 投資人追求預期最終財富之效用極大化，並依據「平均值－變異數架構」來挑選投資組合。
2. 投資人為風險規避者。
3. 證券報酬率的分配為常態分配。
4. 證券市場的買賣人數眾多，不受個別投資人的控制。
5. 每位投資者對各投資標的之報酬率與風險預期相同。
6. 完美市場（沒有交易成本、稅）。
7. 證券可無限制分割。
8. 所有投資人可用無風險利率無限制借貸，且借款利率＝貸款利率＝無風險利率（R_f）。
9. 所有資產均可交易，包括人力資本（human capital）。
10. 無放空限制。

(二) CAPM公式

1. $E(R_i) = R_f + \beta_i \times [E(R_m) - R_f]$

   $E(R_i)$：i證券預期報酬率。

R_f：無風險利率（如銀行定存利率，國庫券利率）。

E（R_m）：市場投資組合報酬率。

β_i：i證券對系統風險之敏感度。

E（R_m）—R_f：市場投資之風險溢酬，亦為「SML之斜率」。

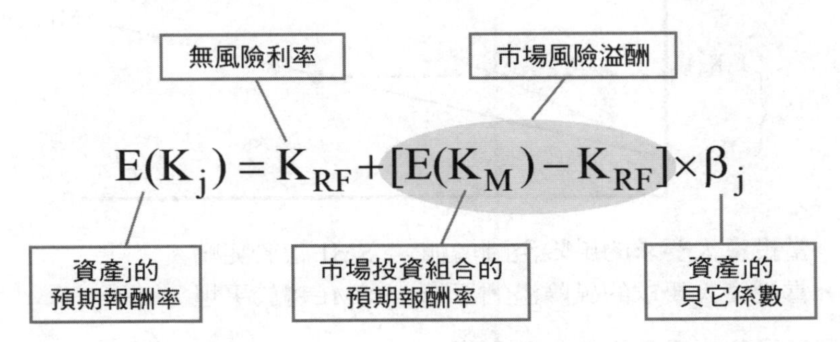

2. **CAPM主張系統風險是解釋資產預期報酬率的唯一因子、資產的預期報酬率取決於系統風險（貝它係數）**。

(三) **例題**：依據資本市場定價模式（CAPM），假設存放銀行之無風險利率為2%，A公司股票所處的證券市場之大盤期望報酬率為7%，A公司股票相較於大盤指數的系統風險係數β為0.8，試計算出購買A公司股票的期望報酬率為何？

答 根據CAPM公式，題幹敘述之證券市場線＝2%＋0.8×（7%－2%）＝6%。

二、證券市場線（Security Market Line, SML）

(一) **CAPM定價模型若以圖示呈現，則稱為「證券市場線（SML）」**，其描繪出資產的預期報酬率E（K），與系統風險β的線性關係；資產的β愈大，其預期報酬率就愈高。

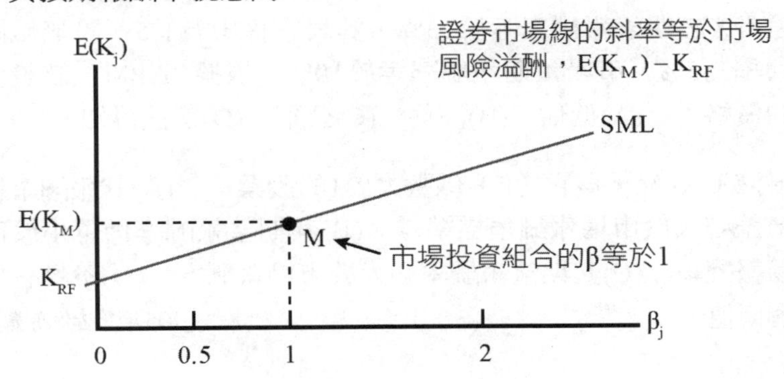

(二) 市場風險溢酬變動對SML的影響

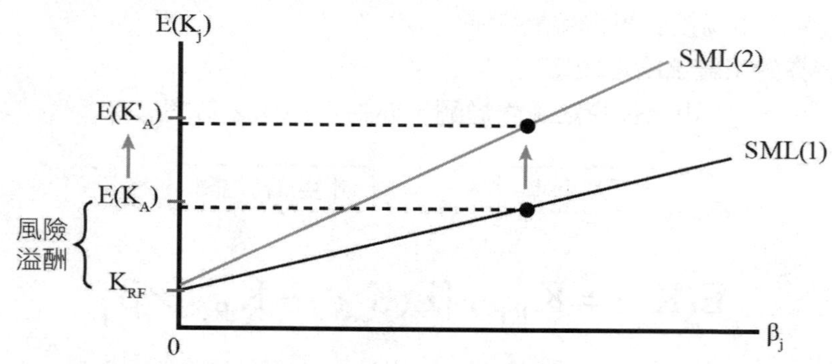

- 當投資人要求的風險溢酬增加 ⇒ SML趨於陡峭。
- 當投資人要求的風險溢酬下降 ⇒ SML趨於平坦。

(三) 預期通膨率變動對SML的影響

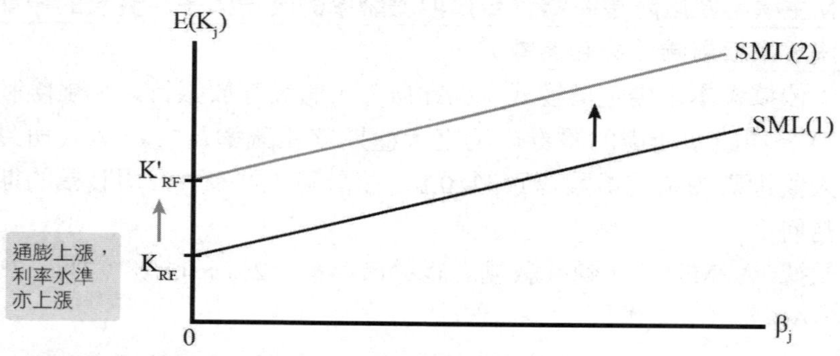

- 當預期通貨膨脹率上升 ⇒ SML平行上移。
- 當預期通貨膨脹率下降 ⇒ SML平行下移。

牛刀小試

( ) **1** 證券X之期望報酬率等於13%，其貝它係數為1.5。設無風險利率為5%，市場預期報酬率等於10%。根據CAPM，該證券的價格： (A)低估 (B)高估 (C)公平 (D)無法得知。

( ) **2** 根據 CAPM，貝它（β）係數大於1的股票： (A)其報酬率標準差必大於市場報酬率標準差 (B)其期望報酬率仍可小於市場報酬率 (C)其期望報酬率必大於市場報酬率 (D)不具有投資價值。 【105年第2次高業】

( ) **3** 根據CAPM，「高風險，高報酬」中之風險是指： (A)可分散風險 (B)不可分散風險 (C)總風險 (D)CAPM中無明確定義。 【101年第3次高業】

( ) **4** 假設某公司股價已達均衡，其預期報酬率為13%，報酬率標準差為30%，另設市場之風險溢酬為6%，無風險利率為4%，市場報酬率之標準差為15%，若CAPM成立，該公司股票報酬率與市場報酬率之相關係數為何？ (A)94% (B)85% (C)75% (D)71%。

( ) **5** 依 CAPM，若投資標的物之預期報酬率，大於市場投資組合之預期報酬率，則此投資標的物之貝它（Beta）係數為：(A)正 (B)負 (C)0 (D)不一定。 【105年第4次高業】

( ) **6** A、B二股票之預期報酬率分別為7%及11%，報酬率標準差分別為20%及30%，若無風險利率為5%，市場預期報酬率為10%，且A、B二股票報酬率之相關係數為0.5，請問A股票之β係數為多少？ (A)0.4 (B)0.6 (C)0.9 (D)1.5。 【109年第1次高業】

( ) **7** 證券市場線中，何者的變動將使SML斜率變平緩？ (A)β的減少 (B)通貨膨脹率下降 (C)R_m的減少 (D)R_f的減少。 【106年第1次高業】

解答與解析

1 (A)。CAPM公式為$E(R_i)=R_f+\beta_i\times[E(R_m)-R_f]$
$=5\%+1.5\times[10\%-5\%]=12.5\%$
理論報酬率12.5%，但期望報酬率13%，代表該股票目前被低估。

2 (C)。CAPM公式為$E(R_i)=R_f+\beta_i\times[E(R_m)-R_f]$，市場投資組合的Beta＝1；若Beta＞1則期望報酬率大於市場報酬率。

3 (B)。CAPM主張系統風險是解釋資產預期報酬率的唯一因子，故此處風險是指系統風險（不可分散風險）。

4 (C)。$13\%=4\%+\beta\times6\%\ \Rightarrow\beta=1.5$
$1.5=p\times30\%/15\%\ \Rightarrow p=0.75$

5 (A)。CAPM公式為$E(R_i)=R_f+\beta_i\times[E(R_m)-R_f]$，市場投資組合為Beta＝1；若投資標的物之預期報酬＞市場投資組合報酬，則Beta需＞1。

6 (A)。CAPM公式為$E(R_i)=R_f+\beta_i\times[E(R_m)-R_f]$，帶入A有的數值
$7\%=5\%+\beta\times[10\%-5\%]$
$\Rightarrow\beta=0.4$

7 (C)。$E(R_i)=R_f+\beta_i\times[E(R_m)-R_f]$，$[E(R_m)-R_f]$會影響證券市場線SML的斜率，故$R_m$減少會使SML斜率變緩。通貨膨脹率下降會使SML平行下移。

重點02 效率前緣及資本市場線　重要度★★★

在介紹證券市場線後（Y軸為個別報酬率，X軸為Beta），將繼續介紹資本市場線（Y軸為投資組合報酬率，X軸為總風險sigma），惟在此之前須先導入「效率前緣」之概念。

一、投資組合與效率前緣

(一) 投資人可以透過配置不同的權重，建構出無數組的投資組合。

(二) 下圖的縱軸為投資組合的預期報酬率，橫軸為投資組合的總風險。
當投資組合標的間的相關係數愈低（愈接近－1），其風險分散效果愈好。

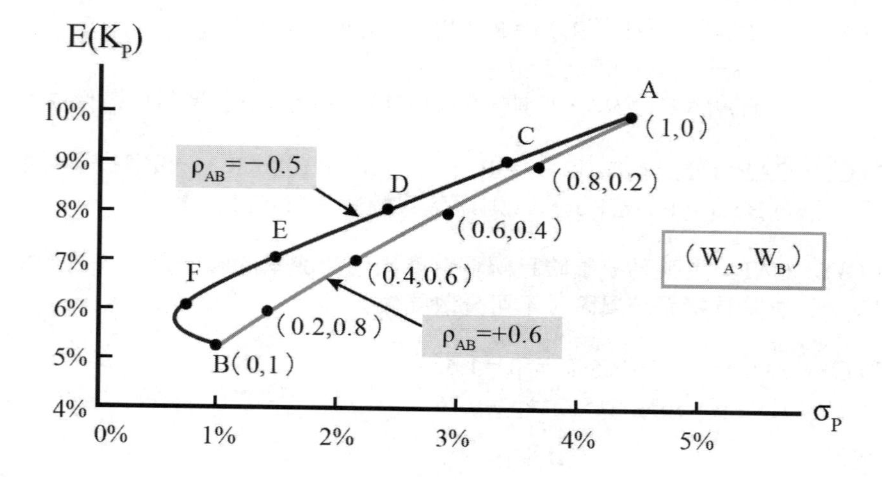

(三) **效率投資組合（Efficient Portfolio）**

1. **在相同風險的所有投資組合中，預期報酬率最高者。**
2. **在相同預期報酬率的所有投資組合之中，風險最低者。**

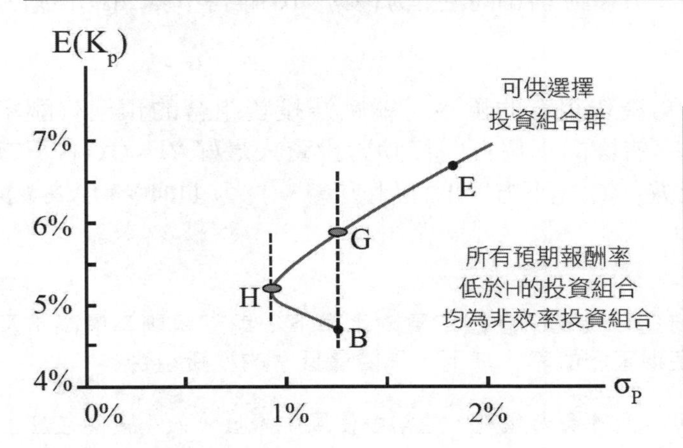

小叮嚀

左圖中可比較組合B與組合G，在相同風險（標準差）下，組合B的預期報酬率低於組合G的預期報酬率，故B為非效率組合。

(四) **效率前緣（Efficient Frontier）**

市場中所有效率投資組合共同形成**效率前緣上的任一投資組合皆是效率投資組合，因為已經充分分散，故「非系統性風險為0」，但系統性風險須視Beta值的大小而定**。

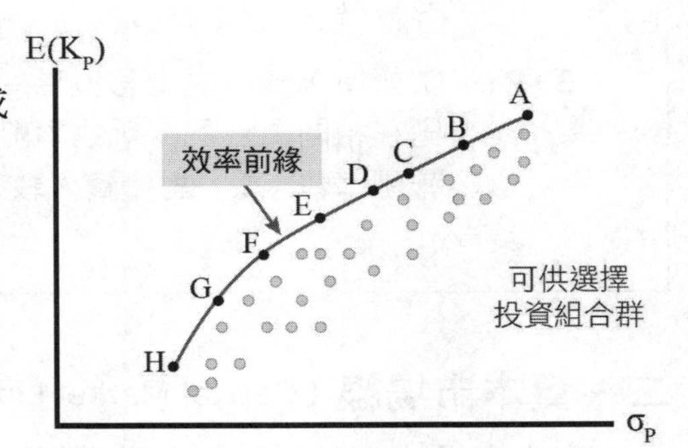

牛刀小試

(　　) **1** 所謂效率投資組合（Efficient Portfolio）是指：甲、在固定風險水準下，期望報酬率最高之投資組合；乙、在固定期望報酬率水準下，風險最高之投資組合；丙、在固定風險水準下，期望報酬率最低之投資組合；丁、在固定期望報酬率水準下，風險最低之投資組合　(A)甲與乙　(B)甲與丁　(C)乙與丙　(D)丙與丁。　【107年第2次高業】

(　　) **2** 在以風險為橫軸，預期報酬率為縱軸之平面上，將國外證券納入原國內證券之投資組合中，理論上可使原效率前緣：(A)向右下方移動 (B)向左上方移動 (C)維持不變 (D)移動方向不一定。

(　　) **3** 在橫軸為投資組合的風險、縱軸為投資組合的預期報酬率下，效率前緣向那個方向移動對投資人最好？ (A)右下方 (B)左上方 (C)左下方 (D)右上方。 【104年第1次高業】

解答與解析

1 (B)。效率投資組合是指「在固定風險水準下，期望報酬率最高」及「在固定期望報酬率水準下，風險最低」的投資組合。

2 (B)。當增加可投資的資產類別，通常會使風險降低，效率前緣往左上方移動。

3 (B)。當效率前緣往左上移動時（A⇒A'），則在相同風險下，新效率前緣A'的預期報酬率較A高，對投資人較有利。

二、資本市場線（Capital Market Line, CML）

(一) 資本市場線用以衡量效率投資組合「預期報酬率」與「總風險」的關係如右圖。

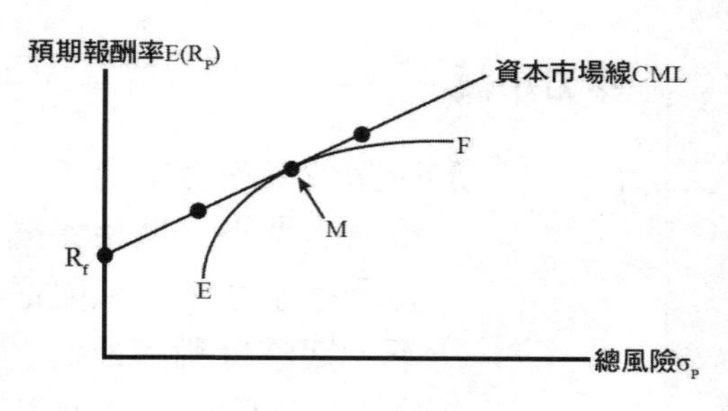

資本市場線公式：

$$E(R_p) = \frac{R_f + (R_m - R_f)}{\sigma_m \times \sigma_P}$$

R_p：效率投資組合P的期望報酬率

R_f：無風險報酬率

$(R_m - R_f) / \sigma_m$：資本市場線的斜率

σ_P：效率投資組合P的標準差

(二) 當投資標的只有風險性資產時，投資人只會考慮位於效率前緣（EF曲線）上的投資組合；但若市場上存在無風險資產時，新的效率前緣便成為直線，且該直線與效率前緣相切於一點（M），此即資本市場線。
承上所述，資本市場線上的投資組合均由「無風險資產」與「市場投資組合（效率投資組合）」所建構而成。

1. 在市場投資組合**左下方**間的投資組合，其投資於無風險資產和市場組合的權重相加＝1（故各自權重介於0%～100%）。
2. 在市場投資組合**右上方**的投資組合，其是放空無風險資產，配置在市場投資組合的權重大於100%。（但無風險資產和市場組合的權重相加仍等於1）

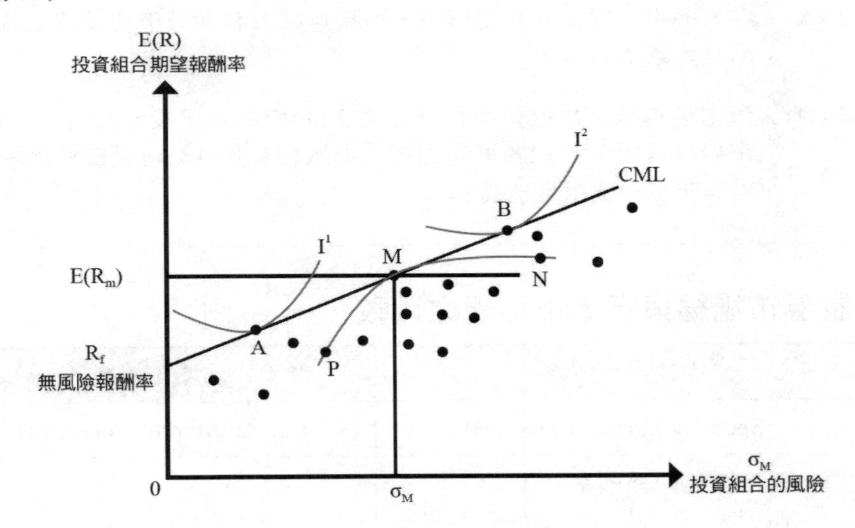

牛刀小試

( ) **1** 在市場投資組合右上方之投資組合，其市場投資組合與無風險資產權重可能為多少？ (A)0.7及0.3 (B)0.9及0.1 (C)－0.2及1.2 (D)1.3及－0.3。 【106年第2次高業】

( ) **2** 在報酬率－標準差的圖形中，連接無風險利率與市場投資組合的線是： (A)資本市場線 (B)無異曲線 (C)效用曲線 (D)證券市場線。 【109年第1次高業】

(　　) **3** 在資本市場線上之投資組合：　I.均為效率投資組合；II.和市場投資組合之報酬率間的相關係數均為1；III.均可由無風險證券與市場投資組合構成　(A)僅I、III對　(B)僅II、III對　(C)僅I、III對　(D)I、II、III均對。　【103年第2次分析師】

解答與解析

1 (D)。在市場投資組合右上方之投資組合，其是放空無風險資產，故權重<0；且市場投資組合權重>100%，符合上述條件之選項僅(D)。

2 (A)。在報酬率－標準差的圖形中，連接無風險利率與市場投資組合的線是資本市場線。

3 (D)。資本市場線上之投資組合之特性：(1)均為效率投資組合。(2)和市場投資組合之報酬率間的相關係數均為1。(3)均可由無風險證券與市場投資組合構成。

三、證券市場線與資本市場線之比較

	證券市場線 Security Market Line, SML	**資本市場線** Capital Market Line, CML
Y軸	報酬率 個別證券、效率投資組合、非效率投資組合報酬率皆可適用SML圖形。 **（效率or非效率）**	效率投資組合報酬率
X軸	系統風險	總風險
圖片	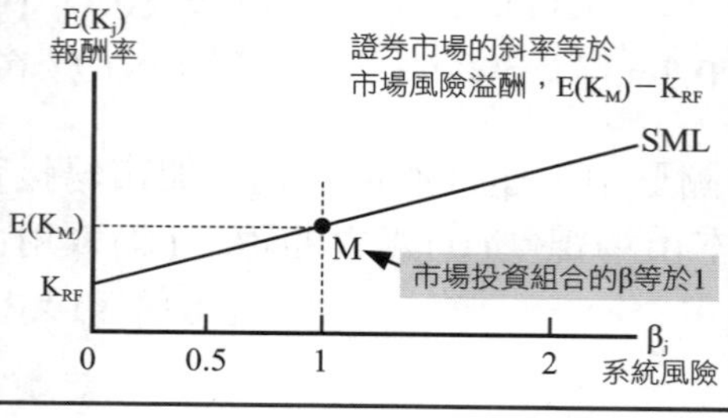 $E(K_j)$ 報酬率 證券市場的斜率等於市場風險溢酬，$E(K_M)-K_{RF}$ SML $E(K_M)$ K_{RF} M 市場投資組合的β等於1 0　0.5　1　2 β_j 系統風險	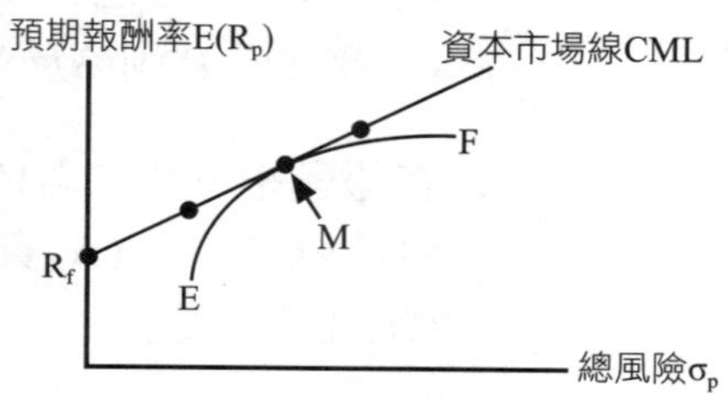 預期報酬率$E(R_p)$ 資本市場線CML F M R_f E 總風險σ_p

牛刀小試

( ) **1** 描述期望報酬率與β值之間關係的線，稱為： (A)資本市場線（Capital Market Line） (B)效率集合（Efficient Set） (C)證券市場線（Security Market Line） (D)等平均線（Iso-Mean Line）。 【107年第3次高業】

( ) **2** 下列有關資本市場線（CML）與證券市場線（SML）之敘述何者正確？ (A)二者均是效率前緣 (B)二者均不是效率前緣 (C)CML是效率前緣，SML不一定是 (D)SML是效率前緣，CML不一定是。 【100年第3次高業】

( ) **3** 下列敘述何者有誤？ (A)效率投資組合必落於SML上 (B)效率投資組合必落於CML上 (C)在SML上之投資組合皆為效率投資組合 (D)在CML上之投資組合皆為效率投資組合。 【106年第1次高業】

解答與解析

1 (C)。證券市場線的X軸為系統性風險β值、Y軸為期望報酬率。

2 (C)。資本市場線（CML）是效率前緣，但證券市場線（SML）不一定是效率前緣。

3 (C)。在證券市場線（SML）上的可以是效率或非效率投資組合。

重點03 CAPM之衍生 重要度★★★

一、套利定價理論

(一) 套利定價理論APT（Arbitrage Pricing Theory）是CAPM的延伸。CAPM模型假定所有證券的收益率都僅與市場證券組合的收益率存在著線性關係；**而APT模型認為證券的收益率是受多個因素而影響（但APT並無法明確定義各種決定因素）**。

(二) **公式**

CAPM：$E(R_i) = R_f + \beta_i \times [E(R_m) - R_f]$

APT：$E(R_i) = R_f + \beta_1 \times [E(R_m)_1 - R_f] + \beta_2 \times [E(R_m)_2 - R_f] + \beta_3 \times [E(R_m)_3 - R_f] \ldots$

(三) **例題**1：在二因素APT模式中，第一和第二因素之風險溢酬分別為6%及3%。若某股票相對應於此二因素之貝它係數分別為1.5及0.6，且其期望報酬率為17%。假設無套利機會，則無風險利率應為：

答 $E(R_i) = R_f + \beta_1 \times [E(R_m)_1 - R_f] + \beta_2 \times [E(R_m)_2 - R_f]$

$17\% = R_f + 1.5 \times 6\% + 0.6 \times 3\%$

$R_f = 6.2\%$

例題2：在二因子之APT理論中，假設投資組合對因子1之貝它係數為0.7，對因子2之貝它係數為1.5，因子1、因子2之風險溢酬分別為1.5%、4%，若無風險利率為6%，請問在無套利空間下，該投資組合之預期報酬率應為何？ 【108年第2次高業】

答 $E(R_i) = R_f + \beta_1 \times [E(R_m)_1 - R_f] + \beta_2 \times [E(R_m)_2 - R_f]$

$= 6\% + 0.7 \times 1.5\% + 1.5 \times 4\%$

$= 6\% + 1.05\% + 6\%$

$= 13.05\%$

二、其他常考的CAPM變化題型

證券市場線（SML）即為CAPM定價模型以圖示呈現，當

(一) **某證券的期望報酬率**＞**CAPM求出之報酬率時（如A點）**⇒**代表該證券的價格被低估**。

(二) **某證券的期望報酬率**＜**CAPM求出之報酬率時（如B點）**⇒**代表該證券的價格被高估**。

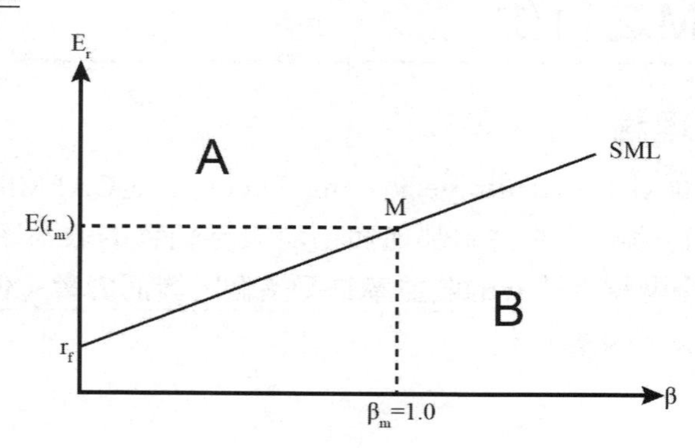

牛刀小試

( ) **1** 下列何者對資本資產定價理論（CAPM）與套利定價理論（APT）之敘述有誤？ (A)CAPM是APT的一個特例 (B)APT一般考慮較多的因素 (C)只有CAPM假定報酬率與影響因素呈線性關係，而APT則否 (D)都可用於資金成本的估計、資產的評價和資本預算。

( ) **2** 下列有關於套利定價理論（APT）之敘述何者為錯誤？ (A)在APT下，假設存在無限多種的證券，且投資者賣空無限制的情況下，在市場不存在套利機會時，期望報酬與因子風險（Factor Risk）之間應呈線性關係 (B)APT必須假設證券報酬與因子之間為線性關係 (C)在APT假設下，CAPM是單一因子APT模式的特例 (D)APT並未說明那些因子風險能決定股票期望報酬。 【104年第1次分析師】

( ) **3** 有關CAPM與APT之比較，何者有誤？ (A)兩者皆為單期模式 (B)在APT中須假設市場投資組合存在 (C)皆可用來衡量必要報酬率 (D)在CML上之投資組合皆為效率投資組合。

( ) **4** 在二因子APT模式中，第一及第二因素之風險貼水分別為5%及4%，若某股票相對應於此二因素之貝它值分別為1.2及0.6，且其期望報酬率為12%，假設市場上無套利機會，則無風險利率應為何？ (A)3.60% (B)3.20% (C)2.80% (D)2.50%。

( ) **5** A股票之期望報酬率等於13%，其貝它係數為1.2，設無風險利率為5%，市場預期報酬率等於10%。根據CAPM，該證券的價格為：
(A)低估 (B)高估 (C)公平 (D)無法得知。 【106年第1次高業】

解答與解析

1 (C)。APT模型亦假定報酬率與多個因子呈現線性相關。

2 (C)。CAPM是多因子APT模式的特例。

3 (B)。APT模型的假設如下：
假設一：無摩擦的市場。
假設二：無操縱市場。
假設三：無制度限制。
假設四：資產收益由因素模型決定。
假設五：同質預期。
假設六：市場上存在無風險資產。
假設七：滿足無套利原理。

4 (A)。$E(R_i)=R_f+\beta_1\times[E(R_m)_1-R_f]+\beta_2\times[E(R_m)_2-R_f]$
$12\%=R_f+1.2\times5\%+10.6\times4\%$
$R_f=3.6\%$

5 (A)。根據CAPM算出的理論報酬率為$E(R_i)=R_f+\beta\times[E(R_m)-R_f]$ $=5\%+1.2\times[10\%-5\%]=11\%$。但現在A股票之期望報酬率為13%，代表該股票目前價格被低估。

精選試題

( ) **1** A股票、B股票與C股票之貝它（Beta）係數均相同，但其報酬率標準差大小依序為A、B與C。根據CAPM理論，請問哪一個股票的期望報酬率最高？ (A)A (B)B (C)C (D)三者相同。

( ) **2** 根據資本市場理論，某投資組合與一個別股票的期望報酬率相同，則該投資組合與該股票共同之處在於： (A)有相同的貝它（Beta）係數 (B)有相同的報酬率標準差 (C)有相同的非系統風險 (D)選項(A)(B)(C)皆是。 【109年第1次高業】

( ) **3** 甲公司目前股價為100元，預期一年後可漲至110元，股利為0元。假設無風險利率為5%，該公司之股票貝它（β）係數為2.5，則該市場之預期報酬率應為？ (A)6% (B)7% (C)8% (D)9%。 【105年第3次高業】

( ) **4** CAPM理論的貝它係數是衡量： (A)不可分散的風險 (B)市場風險 (C)系統性風險 (D)以上皆是。

( ) **5** 在CAPM模式中，若已知無風險利率為6%，市場預期報酬為11%，則證券市場線的方程式為： (A)6%＋β×11% (B)6%＋β×5% (C)7%＋β×5% (D)5%＋β×11%。 【107年第4次高業】

( ) **6** 某股票的期望報酬率較無風險利率為低，根據CAPM，下列敘述何者正確？ (A)該股票為經營不善公司的股票 (B)該股票的價格太高 (C)該股票的貝它（Beta）係數為負 (D)該股票之風險趨近於0。

( ) **7** 假設目前市場之無風險利率為5%，市場投資組合預期報酬率為11%，若某家公司之β係數為1.25，且以目前的績效而言，預期未來可獲得每年9.5%的報酬，則該股票： (A)價格被低估 (B)價格被高估 (C)達均衡價格 (D)以上皆非。

( ) **8** 在CAPM模式中，若其他條件不變而市場預期報酬率減少，則整條證券市場線的斜率會： (A)愈陡峭 (B)愈平緩 (C)不變 (D)無從得知。 【104年第2次高業】

( ) **9** 所有風險相同而期望報酬率最高，且期望報酬率相同而風險最低之投資組合構成的集合稱為： (A)效率前緣 (B)最小風險集合 (C)最大報酬集合 (D)最小變異數集合。 【103年第4次高業】

( ) **10** 所謂「效率投資組合」（Efficient Portfolio），下列何者為其特性？ (A)必為風險最小之投資組合 (B)必為報酬率最高之投資組合 (C)必為已充分分散風險之投資組合 (D)必為貝它（Beta）值等於1之投資組合。 【109年第1次高業】

( ) **11** 資本市場線上，在市場投資組合與無風險資產之間的投資組合，其投資於市場投資組合之權重為： (A)大於100% (B)等於100% (C)在0與100%之間 (D)小於0。 【108年第4次高業】

( ) **12** 在報酬率－標準差的圖形中，連接無風險利率與市場投資組合的線是： (A)資本市場線 (B)無異曲線 (C)效用曲線 (D)證券市場線。 【107年第2次高業】

( ) **13** 下列有關證券市場線（SML）之敘述何者正確？ (A)僅用於個別證券，不適用於投資組合 (B)僅用於投資組合，不適用於個別證券 (C)個別證券與投資組合均適用 (D)個別證券與投資組合均不適用。 【101年第4次高業】

( ) **14** APT不同於CAPM，主要是因APT： (A)更強調市場風險 (B)不需強調分散風險 (C)包含多項非系統風險因素 (D)包含多項系統風險因素。 【106年第3次高業】

( ) **15** 在套利定價理論（APT）中，證券期望報酬率之決定因素，下列敘述何者正確？ (A)僅決定於市場投資組合報酬率 (B)僅決定於市場投資組合報酬率與GDP (C)僅決定於市場投資組合報酬率、GDP與CPI (D)APT並無法明確定義各種決定因素。

( ) **16** 在二因子APT模式中，第一及第二因素之風險貼水分別為5%及4%，若某股票相對應於此二因素之貝它值分別為1.2及0.6，且其期望報酬率為12%，假設市場上無套利機會，則無風險利率應為何？ (A)3.60% (B)3.20% (C)2.80% (D)2.50%。

(　　) **17** 在CAPM模式中，若甲股票位於證券市場線的上方，則下列何者為非？ (A)甲股票的預期報酬高於必要報酬 (B)甲股票的市價被低估 (C)甲股票未來預期報酬將上升 (D)投資人目前對其需求增加。 【102年第3次高業】

解答與解析

1 **(D)**。CAPM公式為E（R_i）＝R_f＋β_i×[E（R_m）－R_f]，若三檔股票的Beta都一樣，則期望報酬率皆相同。

2 **(A)**。CAPM公式為E（R_i）＝R_f＋β_i×[E（R_m）－R_f]，比較兩種標的物時，公式中只有β可能不同，若現在兩標的期望報酬率相同，則可反推兩標的的β亦相同。

3 **(B)**。甲公司股票預期報酬率＝（110－100）／100＝10%，代入CAPM公式E（R_i）＝R_f＋β_i×[E（R_m）－R_f]
10%＝5%＋2.5×[R_m－5%]⇒R_m＝7%

4 **(D)**。CAPM理論的貝它係數是衡量市場風險，市場風險又稱「系統性風險」，為不可藉由投資多檔股票而分散。

5 **(B)**。根據CAPM公式，題幹敘述之證券市場線為6%＋β×5%。

6 **(C)**。CAPM公式E（R_i）＝R_f＋β_i×[E（R_m）－R_f]，當β＜0時，E（R_i）才會＜R_f。

7 **(B)**。CAPM公式E（R_i）＝R_f＋β_i×[E（R_m）－R_f]＝5%＋1.25×[11%－5%]＝12.5%；理論報酬率12.5%，但期望報酬率9.5%，代表該股票目前被高估。

8 **(B)**。當市場預期報酬率減少時，SML的斜率會下降，故SML會變得愈平緩。

9 **(A)**。所有風險相同而期望報酬率最高，且期望報酬率相同而風險最低之投資組合構成的集合稱為「效率前緣」。

10 **(C)**。效率投資組合是指：風險相同下期望報酬率最高、期望報酬率相同風險最低的投資組合，且其已經充分分散非系統性風險。

11 **(C)**。資本市場線上，在市場投資組合與無風險資產之間的投資組合，其投資於市場投資組合之權重介於0%～100%。

12 **(A)**。連接無風險利率與市場投資組合的線是資本市場線。

13 **(C)**。證券市場線適用於「個別證券」、「非效率投資組合」、「效率投資組合」。

14 **(D)**。APT模型認為報酬率與多項因子呈現線性關係。

15 **(D)**。 APT模型認為證券的收益率是受多個因素而影響，但並無法明確定義各種決定因素。

16 **(A)**。$E(R_i)=R_f+\beta_1\times[E(R_m)_1-R_f]+\beta_2\times[E(R_m)_2-R_f]$

$12\%=R_f+1.2\times5\%+0.6\times4\%$

$R_f=3.6\%$

17 **(C)**。若甲股票位於證券市場線的上方，代表其報酬率高估、證券價格被低估，未來預期報酬率將下降。

第九章 衍生性金融商品

依據出題頻率區分，屬：**A** 頻率高

先前章節介紹了傳統的現貨金融商品（如股票與債券），本章將介紹由傳統現貨商品所衍生出的衍生性金融商品。而本章重點2的第三大項「權證」於歷年考題出現頻率偏高，請務必確實掌握此考點。

重點01 衍生性金融商品基本概念 重要度★★

一、傳統現貨金融商品

傳統現貨金融商品，主要分成股票、利率、外匯、大宗商品四大類。

二、衍生性金融商品

「衍生性」金融商品，即是指衍生自傳統現貨金融資產的商品。由現貨商品衍生出來的又可分為**期貨（Futures）、遠期（Forwards）、交換（Swap）、選擇權（Options）四大類**。

期貨	1.期貨是買賣雙方同意未來按指定的時間、價格、數量等其他交易條件，交收現貨的合約。 2.期貨合約的商品品種、質量、數量、交貨地點等條款都是標準化的，通常由期貨交易所設計。
遠期	1.遠期合約是買賣雙方同意未來按約定的時間、價格、數量等其他交易條件，購入或賣出資產的合約。 2.遠期合約和期貨合約有緊密的關聯，差異在於遠期合約非標準化、可根據買賣方的需求來定製；亦不在交易所進行交易，而是屬於場外交易合約。
交換	交易雙方同意在未來某一特定期間內，互換不同現金流量之合約。
選擇權	買方付出權利金後，有權利在未來特定期間，以事先商定之履約價格，向賣方買入或賣出資產的合約。

重點02 各類衍生性金融商品介紹 重要度★★★

一、期貨契約

目前可於臺灣期貨交易所交易之商品如下

	臺股期貨	電子期貨	金融期貨	小型臺指期貨	臺灣50期貨	櫃買期貨	非金電期貨
交易時間	營業日上午8：45～下午1：45						
契約價值	臺股期貨指數×200元	電子期貨指數×4,000元	金融期貨指數×1,000元	小型臺指期貨指數×50元	臺灣50期貨指數×100元	櫃買期貨指數×4,000元	非金電期貨指數×100元
契約到期交割月份	自交易當月起連續三個月份，另加上三月、六月、九月、十二月中三個接續的季月契約在市場交易						
漲跌幅限制	各交易時段最大漲跌幅限制為前一個一般交易時段每日結算價上下百分之十						
最小升降單位	指數1點（相當於新臺幣200元）	指數0.05點（相當於新臺幣200元）	指數0.2點（相當於新臺幣200元）	指數1點（相當於新臺幣50元）	指數1點（相當於新臺幣100元）	指數0.05點（相當於新臺幣200元）	指數1點（相當於新臺幣100元）
最後交易日	各契約的最後交易日為各該契約交割月份第三個星期三						

牛刀小試

( ) **1** 臺灣證券交易所電子類股價指數期貨之每一點相當於新臺幣：(A)1,000元 (B)2,000元 (C)3,000元 (D)4,000元。【104年第2次高業】

( ) **2** 以下為我國電子與金融保險類股價指數選擇權契約的比較，何者為真？甲、電子類契約乘數每點1,000元、金融保險類每點500元；乙、二者皆屬歐式選擇權 (A)甲、乙皆是 (B)僅甲 (C)僅乙 (D)甲、乙皆非。

( ) **3** 假設目前臺灣證券交易所金融保險類股價指數期貨為900點，則其一口契約價值為新臺幣： (A)3,600,000元 (B)1,600,000元 (C)900,000元 (D)450,000元。【106年第4次高業】

解答與解析

1 (D)。電子期貨指數的一點相當於新臺幣4,000元。

2 (C)。電子類契約乘數每點4,000元、金融保險類每點1,000元。

3 (C)。金融保險類每點1,000元，900×1,000＝900,000。

二、選擇權

(一) 定義

選擇權是一種契約，其買方有權利但沒有義務，在未來的特定日期或之前，以特定的價格購買或出售一定數量的標的物。選擇權之賣方，於買方要求履約時，有依選擇權約定履行契約之義務。

(二) 選擇權的類別

1. 未來購入現貨的權利，稱作「買權（CALL）」。
2. 未來售出現貨的權利，稱作「賣權（PUT）」。

(三) 選擇權的買方和賣方

1. **選擇權買方有權利但無義務履約，期初需先付出權利金**。
2. **選擇權賣方期初收取買方支付的權利金，當買方要求履約時，有義務依約履行**。**為防止有違約之虞，故賣方需繳交保證金**。

(四) 選擇權契約的主要內容

1. **標的物**：選擇權契約的標的物可以為股票、股價指數、貴金屬、農產品等。目前我國選擇權市場之標的物僅限金融商品。
2. **履約價格**：投資人可於未來特定期間，依「約定的價格」購買（執行買權）或出售（執行賣權）相關證券或商品。
3. **到期日**：買方權利行使的到期日或失效日。

知識補給站

1.選擇權到期日**當天才可**進行履約，稱為「**歐式選擇權（European Option）**」。
2.選擇權到期日**當天或之前皆可**履約，稱為「**美式選擇權（American Option）**」。
目前臺灣金融市場的選擇權屬於歐式選擇權。

4. **權利金**：<u>即選擇權的價格</u>。<u>買方在進場時即支付權利金予賣方以取得權利</u>。
5. **保證金**：權利金是買方期初要支付；相反的，選擇權保證金是由賣方繳交。

(五) 各要素對選擇權價格（權利金）的影響

1. **標的物價格**(S)：若現貨價格上漲，買權會水漲船高、賣權價格則降低。
2. **履約價格**(K)：履約價低代表買方能以較低價格買進標的物，故其權利金會高。
3. **無風險利率**(r)：無風險利率的影響。利率愈高，履約價格經折現後價值會愈低，因此對買權的影響是正向的，即價格變高；而對賣權是負向的影響。
4. **到期期間長短**(t)：權利期間愈長，買權和賣權可行使的期限皆加長，故對兩者皆為正向關係。
5. **標的物價格變動**(σ)：波動性愈大的商品其選擇權價格愈高。以向上波動而言，買權獲利無限而賣權損失有限；以向下波動來說，買權損失有限而賣權獲利無限。

因素	買權價格的變化	賣權價格的變化
標的物價格(S)	＋	－
履約價格(K)	－	＋
無風險利率(r)	＋	－
到期期間長短(t)	＋	＋
標的物價格變動(σ)	＋	＋

＋表示正相關；－表示負相關

(六) 權利金的結構

1. **權利金**＝內涵價值（Intrinsic Value）＋時間價值（Time Value）
2. **內涵價值**：投資人履行選擇權所能獲得的利益。
   (1) 買權的內涵價值＝標的物現價－履約價格
   賣權的內涵價值＝履約價格－標的物現價
   (2) 舉例：假設大盤指數目前10,000點，現有一買權履約價9,500，則投資人履約可獲利10,000－9,500＝500，內涵價值為500點（賣權則相反看待）
3. **時間價值**：選擇權價值超過其履約價的部分稱為「時間價值」。
   (1) 時間價值＝權利金－內含價值
   (2) 舉例：假設大盤指數目前10,000點，現有一買權履約價9,950的報價100點。則內涵價值為10,000－9,950＝50點；但時間價值為100－50＝50點。

(3)**選擇權的時間價值會隨著到期日的接近而遞減**。因時間價值富有「機會」的概念，當到期日越遠，市價達到有利投資人價位的機會越大；當到期日越逼近，機會就越渺茫。

(七) **履約價與市價的關係**：價內／價平／價外

1. **概念**

價內	In The Money, ITM	履約價優於市價，有內含價值。
價平	At The Money, ATM	履約價等於市價，無內含價值。
價外	Out of The Money, OTM	履約價劣於市價，無內含價值。

2. **買權**

(1)**價內**：履約價＜現貨價（低價買進）

(2)**價平**：履約價＝現貨價

(3)**價外**：履約價＞現貨價

3. **賣權**

(1)**價內**：履約價＞現貨價（高價賣出）

(2)**價平**：履約價＝現貨價

(3)**價外**：履約價＜現貨價

牛刀小試

(　　) **1** 下列何項變數的變化不會使買權的價值隨之增加？ (A)到期期間短 (B)無風險利率高 (C)標的物價格波動性高 (D)標的物價格高。 【104年第1次高業】

(　　) **2** 一般而言，風險性愈高之股票，不考慮其他因素時，其買權價格會： (A)愈高 (B)愈低 (C)不影響 (D)看市場利率而定。 【107年第4次高業】

(　　) **3** 投資人在選擇權履約日期到期前皆可行使認購權利，稱為何種選擇權？

(A)歐式　　(B)美式

(C)日式　　(D)法式。 【104年第4次高業】

解答與解析

1 (A)。到期期間愈短，買權的價值愈低。

2 (A)。標的物價格變動愈大的股票，買權價格愈高。

3 (B)。美式允許投資人在選擇權到期前的任一時點行使認購權利。

三、權證

(一) **定義**：賦予投資人在未來某期間或特定時點，依約定價格執行權利的金融商品。

(二) **權證的種類**

1. **依判斷標的漲跌區分**

認購權證	投資人可依事先約定價金，購買某檔股票的權利，其概念相當於選擇權的「買權」；適合看多的投資人購買。
認售權證	投資人可依事先約定價金，賣出某檔股票的權利，其概念相當於選擇權的「賣權」；適合看空的投資人購買。

2. **依履約時點區分**

美式權證	**投資人可於權證存續期間內任意時點要求履約**。
歐式權證	**投資人僅可在權證到期日當天要求履約**。

3. **依履約價值區分**

價內權證	標的市價＞認購權證的履約價，或標的市價＜認售權證的履約價。
價平權證	標的市價＝權證的履約價
價外權證	標的市價＜認購權證的履約價，或標的市價＞認售權證的履約價。

(三) **行使比例**

1. **定義**：行使比例指**當權證履約或到期結算時，每一張認購（售）權證可購買（出售）的標的股張數**。

2. **例子**：若投資人持有每張行使比例1：1的台積電認購權證，在履約或到期結算時，可用履約價購買1張的台積電現股或價差現金結算；若投資人持有行使比例1：0.1的認購權證，則可用履約價購買僅0.1張台積電現股或價差現金結算。

3. 雖然理論上權證價格應隨標的股票價格變動而變動，但造市者在計算權證價格時，除以股票市價亦將行使比例納為參數。若行使比例過小，將稀釋標的股價變動的幅度，致使算出的權證價格與標的股票價格的連動性不佳。

   例如：行使比例為1：1的甲權證，當股票漲5元，甲權證可能漲4.4元，但行使比例為1：0.01的乙權證，當股票漲5元，B權證可能只漲0.09元，漲幅落後於甲權證。

   是故，儘管行使比例低的權證價格便宜，但因其與標的股價的連動性不佳，亦會降低投資人的獲利空間。

(四) **權證漲跌幅限制**

1. **公式**：

   權證今日漲跌停價格＝權證昨日收盤價±（標的股今日漲跌停幅度×執行比例）

2. **例題**：標的股票昨日收盤價為100元，今日漲停價為100×（1＋10%）＝110，跌停價＝100×（1－10%）＝90，漲跌停幅度＝10元。

   權證昨日收盤價為1.68元，執行比例＝1：0.1。

   ⇒權證今日漲停價＝1.68＋10×0.1＝2.68

   　權證今日跌停價＝1.68－10×0.1＝0.68

(五) **各要素對權證權利金的影響，與選擇權的概念相同**。（另可參考本篇第9章重點2的第二項的第(五)點）

(六) **發行權證相關限制**

1. **認購（售）權證發行人的資格條件**：

   (1) 本國發行人資格認可之條件：

   A. **同時經營證券承銷、自行買賣及行紀或居間等三種業務之證券商**。

   B. 最近期經會計師查核簽證之財務報告淨值達新臺幣三十億元以上，且不低於實收資本額；財務狀況符合證券商管理規則之規定。

(2)外國發行人資格認可之條件：

A. 同時經營證券承銷、自行買賣及行紀或居間等三種業務之證券商。

B. 最近期經會計師查核簽證之財務報告淨值達新臺幣三十億元以上，且不低於實收資本額。

C. 符合經主管機關認可之信用評等機構評定達一定等級以上。

D. 具有國際認購（售）權證業務經驗。

E. 最近二年在其本國未曾受主管機關處分。

F. 其在中華民國境內之分支機構或直接間接持股百分之百之子公司在中華民國境內之分支機構淨值應達新臺幣一億伍千萬元以上，並符合下列條件。

2. **發行人申請發行之認購（售）權證，應符合下列條件**

項目	國內標的權證	國內標的黃金現貨權證	國外標的權證
連結標的	上櫃股票、指數、ETF、臺灣存託憑證、臺灣期貨交易所股份有限公司上市之非股票期貨之期貨契約	登錄櫃檯買賣之黃金現貨	外國股票、指數、ETF、海外存託憑證
發行單位	500萬～2,000萬單位	500萬～2,000萬單位	500萬～5,000萬單位
每一發行單位價格	不低於（含）0.6元（增額發行不適用）	同左	同左
行使比例	發行人自行訂定	同左	同左
存續期間	**6個月～2年（牛熊證及期貨型權證：3個月～2年）**	同左	6個月～2年
發行類型	美式、歐式、上下限型、牛熊證、展延型牛熊證	同左	(1)歐式 (2)不得為上（下）限型

牛刀小試

( ) **1** 有關認購權證與認售權證的比較，何者正確？ (A)買入認購權證意味對未來看多，買入認售權證則為看空 (B)認購權證為投資者所買賣之商品，認售權證則為發行商之間買賣商品 (C)同時買入認購權證以及認售權證，等於完全抵銷掉 (D)相同條件下，認購權證的價位應該與認售權證價位相同。

( ) **2** 理論上，其他條件不變下，當市場利率上升則認購權證價格會：(A)上漲 (B)下跌 (C)不變 (D)不一定。 【104年第4次高業】

( ) **3** 在其他發行條件相同下，若甲、權證存續期間為一年；乙、權證存續期間為一年六個月；丙、權證存續期間為二年，則權證權利金高低依序為： (A)甲＞乙＞丙 (B)丙＞乙＞甲 (C)乙＞丙＞甲 (D)權證權利金與權證存續期間無關。

( ) **4** 政府擴大公共投資，對下列那一類股票之影響最大？ (A)電子業 (B)金融業 (C)鋼鐵業 (D)百貨業。【109年第1次高業】

( ) **5** 假設現有一執行價八十元之聯電認購權證將於五月六日到期，若五月四日（不考慮假日）聯電普通股收盤價為七十元，你認為下列何者較可能為該認購權證於五月四日之合理價格？ (A)0元 (B)0.5元 (C)3.5元 (D)10.2元。

( ) **6** 依「臺灣證券交易所股份有限公司認購（售）權證上市審查準則」規定，上市認購權證之發行單位的最高上限為：(A)五百萬單位 (B)一千萬單位 (C)三千萬單位 (D)二千萬單位。 【105年第1次高業】

( ) **7** 目前我國認購權證之存續期間為： (A)三個月以上一年以下 (B)六個月以上二年以下 (C)九個月以上二年以下 (D)一年以上二年以下。

( ) **8** 證券商得為認購（售）權證發行人資格條件為？ (A)證券自營商 (B)證券承銷商 (C)證券經紀商 (D)經營前三項業務之綜合證券商。 【103年第4次高業】

解答與解析

1 (A)。認購權證／認售權證皆是投資者所買賣之商品；買入認購權證以及認售權證為權證的組合，無法完全抵銷；認購權證與認售權證評價方式不同，故價格不一定相同。

2 (A)。認購權證性質類似選擇權中的買權，市場利率上升時，權證價格會上漲。

3 (B)。存續期間越長，權利金越高；故權證權利金高低為丙>乙>甲。

4 (C)。公共投資多與基礎建設有關，選項中僅鋼鐵業符合。

5 (A)。僅剩兩天此認購權證就將到期，但卻遠在價外，故本認購權證合理價格應為零。

6 (D)。上市認購權證之發行單位的區間為500萬～2,000萬單位。

7 (B)。我國認購權證之存續期間為6個月～2年（若牛熊證及期貨型權證為3個月～2年）。

8 (D)。得為認購（售）權證發行人資格條件為綜合證券商。

重點回顧

選擇權的買方與賣方

	買方	賣方
權利與義務	買方有執行契約的權力、無義務	賣方只有義務無權利
權利金	買方支付	賣方收取
保證金	買方不需繳納	賣方需繳納
履行契約	決定權在買方	賣方無法要求買方履約
最大損失	權利金	損失可能無限

最大獲利	獲利可能無限	權利金
對市場的預期	預期多頭⇒買進買權 預期空頭⇒買進賣權	預期多頭⇒賣出賣權 預期空頭⇒賣出買權

各要素對選擇權價格（權利金）的影響

因素	買權價格的變化	賣權價格的變化
標的物價格(S)	+	−
履約價格(K)	−	+
到期期間長短(t)	+	+
無風險名目利率(r)	+	−
標的物價格變動(σ)	+	+

精選試題

( ) **1** 每一臺灣50指數期貨契約價值為臺灣50期貨指數乘上新臺幣________元，升降單位每指數一點之價值為新臺幣________元。(A)100；100 (B)100；200 (C)200；200 (D)200；100。

( ) **2** 假設某人以230點價位成交一口臺灣證券交易所電子類股價指數期貨契約，則此契約價值為新臺幣多少元？ (A)46,000元 (B)115,000元 (C)230,000元 (D)920,000元。

( ) **3** 下列何項變數的變化不會使買權的價值隨之增加？ (A)到期期間短 (B)無風險利率高 (C)標的物價格波動性高 (D)標的物價格高。 【105年第1次高業】

( ) **4** 下列敘述何者為真？ (A)選擇權的買方須繳交保證金 (B)選擇權的買方風險無限 (C)選擇權之賣方潛在獲利無限 (D)以上皆非。 【102年第1次高業】

( ) **5** 當股價大幅上漲時，下列何種部位獲利最大？
(A)買入認購權證 (B)賣出認購權證 (C)買入賣權 (D)賣出賣權。 【105年第1次高業】

( ) **6** 隱含波動率愈大時，則權證的價格： (A)愈高 (B)愈低 (C)不變 (D)不一定。

( ) **7** 所謂的「美式」及「歐式」認購（售）權證，係依何項為分類之依據？ (A)地理區域 (B)發行人 (C)標的證券 (D)履約期間。 【107年第2次高業】

( ) **8** 在其他相同發行條件下，下列何者之認購權證權利金最高？
(A)隱含波動率百分之五十五
(B)隱含波動率百分之五十
(C)隱含波動率百分之四十五
(D)股價波動率不影響權證價格。 【101年第3次高業】

( ) **9** 就認購權證的定價理論來看，下列何者是影響因子？
(A)發行機構的發行數量
(B)發行期間的利率波動
(C)發行機構選擇現金履約或以股票履約
(D)發行期間的外匯波動。

( ) **10** 某甲購買6月份到期，履約價格為28元之1口陽明買權。若於6月到期日當天陽明收盤價為36元，某甲可否提出履約申請？
(A)可以 (B)不可以 (C)視賣方而定 (D)視手中有無陽明現股而定。

( ) **11** 理論上，其他條件不變下，認購權證之市價與執行履約價格之關係為： (A)同向變動 (B)反向變動 (C)無關 (D)變動關係不一定。 【105年第3次高業】

( ) **12** 假設市場上現有四種臺泥之認售權證，其履約價格分別為：甲、二十五；乙、二十八；丙、二十六；丁、三十，若其他發行條件皆一致，則其權證合理價格由高至低依序應為：
(A)甲＞乙＞丙＞丁
(B)甲＜乙＜丙＜丁
(C)甲＜丙＜乙＜丁
(D)甲＞丙＞乙＞丁。 【101年第4次高業】

( ) **13** 目前我國發行牛熊證之存續期間為： (A)三個月以上二年以下 (B)六個月以上二年以下 (C)九個月以上二年以下 (D)一年以上二年以下。 【106年第4次高業】

( ) **14** 目前我國認購權證其發行人為：甲、標的證券發行公司；乙、標的證券發行公司以外之第三者。何者正確？ (A)甲 (B)乙 (C)甲、乙皆是 (D)甲、乙皆非。 【103年第4次高業】

( ) **15** 為符合認購（售）權證發行人資格之認可條件，依最近期經會計師查核簽證之個體或個別財務報告其權益應達新臺幣多少元？
(A)十億元 (B)二十億元
(C)三十億元 (D)四十億元。 【105年第3次高業】

解答與解析

1 (A)。臺灣50指數期貨契約價值為臺灣50期貨指數乘上新臺幣100元，升降單位每指數一點之價值為新臺幣100元。

2 (D)。電子期貨指數的一點相當於新臺幣4,000元，
230×4,000＝920,000。

3 (A)。到期期間越短，買權的價值越低。

4 (D)。選擇權的買方須繳交權利金；買方的獲利無限、風險有限；賣方的獲利有限、風險無限。

5 (A)。股價大幅上漲時，先前買入的認購權證以及賣出賣權都可獲利，為賣出賣權僅可收取固定權利金，而認購權證漲幅隨股價上漲而獲利空間無限。

6 (A)。隱含波動率愈大，會使認購權證或認售權證的價格上漲。

7 (D)。「美式」及「歐式」認購（售）權證係依履約時點區分：
(1)美式權證：投資人可於權證存續期間內任意時點要求履約。
(2)歐式權證：投資人僅可在權證到期日當天要求履約。

8 (A)。隱含波動率愈大，權證的價格會愈高。

9 (B)。認購權證的定價概念與選擇權的相同，會影響權利金的因子有：利率波動、標的股的價格、存續期間、履約價格。

10 (A)。市價（36元）高於履約價（28元），故提出履約申請有利可圖。

11 (B)。履約價格愈高，可以從中獲利的空間愈少，故認購權證的市價會比較低，屬反向變動。

12 (C)。若其他發行條件一致，對於認售權證而言，履約價愈高、對投資人愈有利、權證價格也愈高。

13 (A)。我國認購權證之存續期間為6個月～2年（若牛熊證及期貨型權證為3個月～2年）。

14 (B)。我國認購權證其發行人為標的證券發行公司以外之第三者。

15 (C)。綜合證券商為符合認購（售）權證發行人資格之認可條件，其最近期經會計師查核簽證之個體或個別財務報告之權益應達新臺幣30億元。

Part 3 財務分析

第一章 財報分析的基本概念

依據出題頻率區分，屬：B 頻率中

會計人員一年中最重要的產出就是「財務報表」，其反應了企業運營一整年的成果，而市場上常提到的四表一註，即是資產負債表、損益表、現金流量表、股東權益變動表，以及一個附註。本章將介紹各報表的概念與會計基本假設。

重點 財務報表的基本概念　重要度★★

一、四大報表

(一) **資產負債表**（Balance Sheet）：顯示企業在特定日期的財務狀況，屬靜態報表。

1. 資產負債表就像是公司的全身X光片，一張報表就可看出企業在不同時點的財務結構、流動性高低。
2. 基本概念為資產＝負債＋股東權益

Assest	Liability
	Equity

(二) **損益表**（Income Statement）：顯示企業在特定期間營業成果的報表，屬動態報表。

(三) **現金流量表**（Statement of Cash Flows）

顯示企業在特定期間從事營業、投資、融資活動下，現金流入與流出的情形，屬動態報表。

(四) **股東權益變動表**（Statement of Shareholder's Equity）

顯示在特定期間內，企業「淨值」的變動情形（「股東權益」即為公司的「淨值」），屬動態報表。

四大財務報表中，僅資產負債表為靜態報表，報表上所載為「特定某一日期」，而非某一期間，而損益表、現金流量表、股東權益變動表則相反，為某特定期間的動態報表。

二、財報使用者

(一) 內部使用者

董事	瞭解公司營運與財務狀況，以判定管理者的經營績效。
管理者	以財報資訊協助日常營運的決策判斷，以及長期目標規劃。
一般職員	企業財務績效多與員工分紅直接相關。

(二) 外部使用者

債權人	使債務人了解企業的償還能力。
投資人	使投資人確認公司經營效率、風險以及成長潛力。
會計師	確保報表之編製符合一般公認會計原則。
主管機關	使主管機關可稽核企業繳納稅賦之合理性。
交易對手	使供應商、客戶理解交易對手之財務狀況。

(三) 財務報表使用者風險

會計風險	會計紀錄錯誤之風險。
審計風險	審計後，財務報表仍可能隱含錯誤，而未被發現之風險。

財務報表經審計過後，其會計風險會下降。

牛刀小試

( ) **1** 企業之主要財務報表為綜合損益表、資產負債表、權益變動表及現金流量表，其中動態報表有幾種： (A)一種 (B)二種 (C)三種 (D)四種。 【106年第3次高業】

( ) **2** 下列哪些團體有可能要看公司的財務報表？ (A)股東及債權人 (B)員工 (C)學術界 (D)選項(A)(B)(C)皆是。【106年第1次高業】

( ) **3** 一般而言，企業的長期債權人所關心的，包括下列哪些項目？ I.企業短期財務狀況；II.企業長期之獲利能力及資金流量；III.企業的資本結構是否穩固 (A)僅II. (B)僅I.和III. (C)僅III. (D)I.、II.和III.。

解答與解析

1 (C)。綜合損益表、權益變動表、現金流量表為動態報表。

2 (D)。內部使用者（員工）及外部使用者（股東、債權人、學術界）皆可能藉由檢視公司財務報表，以了解企業之營運狀況。

3 (D)。企業債權人的收益來自於公司按時繳納之本息，故關心企業的財務狀況、資本結構、獲利能力及現金流。

三、財務會計基本假設與會計基本原則

在認識財務報表前，需先了解在會計上有四大基本環境假設及七大基本原則：

(一) 四大基本環境假設

企業個體假設	會計資訊所處理的是以企業個體為單位的經濟活動。例如，企業本身與業主或其他企業的交易記錄需獨立分開。
繼續經營假設	假設企業將永續經營，以實現其營業目標並履行各項應盡之義務。
貨幣評價假設	會計是以貨幣為衡量單位，凡是無法以貨幣記帳的資料即無法處理。故須假定衡量之貨幣價值相當穩定。
會計期間假設	為利於及時提供財務資訊，故將企業生命週期化分為等長時段，稱之為「會計期間」（通常以一年為一會計期間），定期結算期間的財報讓各類使用者作決策之用。

(二) **七大會計基本原則**

1. **歷史成本原則**：企業之資產、負債、股東權益及損益應以交易或事件發生時之價格為入帳依據，如此則客觀且具可驗證性。
2. **收益實現原則**：收入應符合已實現及已賺得兩條件後，方予以認定。
3. **配合原則**：**收益與為產生收益所付出的成本，應在同一會計時間予以認列，以正確結算出企業該期損益**。
4. **充分揭露原則**：財報應充分而完整表達接露，使決策者可從事理性決策所需之資訊。其揭露方式涵蓋編製財務報表、附註、附表等。
5. **穩健原則**：當某一交易有二種以上會計認列方式時，應以最不高估當期損益及淨資產的方式處理。
6. **行業特性原則**：會計原則雖屬普遍性規定，惟仍應視各行業特性、參酌實際狀況採用適當之會計方法。
7. **重要性原則**：**會計事項或金額，若金額過於為小，在不影響財務報表使用價值下，可以不必完全依照公認會計原則處理，以提高效率節省成本**。

四、會計資訊品質的特性

依據財務會計準則公報，財務報表之主要品質特性包括：

(一) **可了解性**

1. 財務資訊易被使用者瞭解。
2. 提供使用者作成決策所需的各項資訊。

(二) **攸關性**

1. 財務資訊須與使用者的需求攸關。
2. 具備攸關性的資訊可幫助使用者評估過去、現在或未來之事項。
3. 考量資訊的性質與重要性。

(三) **可靠性**

忠實表達	**財務報導與交易事項完全一致**。
實質重於形式	當交易事項之經濟實質與法律形式不一致時，會計上應依經濟實質處理。
中立性	財務報表的資訊應中立、避免偏差。

審慎性	對於不確定性的交易事項應審慎評估認列。
完整性	財務報表應具有完整性。

(四) **比較性**

「同一企業不同期間」與「不同企業同一期間」的財務報表，均應以相同的方法衡量及表達，以便使用者比較。

五、會計師查核報告

(一) 會計師查核報告乃會計師針對公司財務報表進行實際查核後，所出具財報是否遵循會計原則、是否有重大錯誤等意見。因會計師是以獨立專業立場為公司財務報告提高公信力，故其出具之報告內容，攸關後附財務報表之可信度，重要性不言可喻。

(二) 會計師查核意見分為五類，包括**「無保留意見」、「修正式無保留意見」、「保留意見」、「否定意見」、「無法表示意見」**。

1. **無保留意見：**
   (1)會計師已依照一般公認的審計準則查核工作，且未受限制。
   (2)財務報表已依照一般公認會計原則編製，並適當揭露。
2. **修正式無保留意見：**
   (1)會計師所表示之意見，部分係採用其他會計師之查核報告並欲區分查核責任對受查者之繼續經營假設存有重大疑慮。
   (2)受查者所採用之會計原則變更並對財務報表有重大影響。
   (3)對前期財務報表所表示之意見與原來所表示者不同。
   (4)欲強調某一重大事項。
3. **保留意見：**
   (1)查核範圍受限制。
   (2)會計師對管理階層在會計政策之選擇或財務報表之揭露認為有不當。
4. **否定意見：**會計師與管理階層間存有意見，且情節極為重大，致財務報表無法允當表達財務狀況、經營成果或現金流量。
5. **無法表示意見：**查核範圍受到限制，致使會計師無法獲取足夠的查核證據，且情節極為重大。

知識補給站

以「蘋果西打」聞名的老牌飲料大廠—大飲（1213），其2018年的財報遭會計師出具無法表示意見的查核報告。

據會計師查核意見內容，主因2018年Q3的三筆不動產交易相關的合理性未能釐清，故出具無法表示意見。

大西洋飲料股份有限公司在2019年4月8日即遭證交所停牌，金融監督管理委員會發函要求大西洋飲料股份有限公司在2019年4月20日內重新申報並公告，然而其後申請展延，終訂於當年7月25日為重編財報補上傳公告的最後期限，屆時如果大西洋飲料股份有限公司仍無法交出財報，最快當年11月就可能面臨下市。

大西洋飲料股份有限公司　公鑒：

無法表示意見及無保留意見

對民國107年度合併財務報表無法表示意見

本會計師受委任查核大西洋飲料股份有限公司及其子公司(以下簡稱大西洋集團)民國107年12月31日之合併資產負債表，暨民國107年1月1日至12月31日之合併綜合損益表、合併權益變動表、合併現金流量表，以及合併財務報表附註(包括重大會計政策彙總)。

本會計師對上開合併財務報表無法表示意見。由於無法表示意見之基礎段所述事項之可能影響重大，本會計師無法取得足夠及適切之查核證據，以作為表示查核意見之基礎。

牛刀小試

(　　) **1** 龍太公司於壞帳實際發生時，借記壞帳費用，貸記應收帳款，此做法違反何種原則？　(A)配合原則　(B)穩健原則　(C)重要性原則　(D)並無違反任何原則。

( ) **2** 將一定金額以下的資本支出視為收益支出處理，是合乎：(A)比例性原則 (B)成本原則 (C)客觀性原則 (D)重大性原則。【109年第3次高業】

( ) **3** 為發布年度報告，大王公司將其經濟活動分割為以12個月為一期，此符合下列何種會計假設？
(A)繼續經營假設 (B)經濟個體假設 (C)貨幣單位假設 (D)會計期間假設。【106年第3次高業】

( ) **4** 「財務報導與交易事項完全一致或吻合」是財務資訊的哪一項品質特性？ (A)忠實表述 (B)攸關性 (C)重大性 (D)可瞭解性。【107年第2次高業】

解答與解析

1 (A)。依配合原則，收入應與費用於同一會計期間認列，故壞帳費用（現更為：預期信用減損損失）應於銷貨時就認列完成，而不應於實際發生才認列。（註：接軌國際會計制度IFRS9實施，我國會計科目更改名詞如下。）

原會計科目	修正會計科目
備抵呆帳	備抵損失
呆帳損失	預期信用減損損失

2 (D)。重大性原則：指當交易的經濟效益不重要，則會計處理方法，可以從權，不必完全按照正確之會計原則。

3 (D)。會計期間假設指：為利於及時提供財務資訊，故將企業生命週期化分為等長時段（通常以一年為一會計期間），定期結算期間的財報讓各類使用者作決策之用。

4 (A)。忠實表述指財務報導與交易事項完全一致或吻合。

六、財務報表分析之方法

進行財務報表分析時，若僅檢視單獨的數字，其實並無太大意義，必須與其它數字比較才能發揮效益。

通常比較之標的有：(一)同公司、不同期間的比較。(二)同產業、不同公司、相同期間的比較。(三)與同業平均比較。

(一) **橫向分析**（horizontal analysis）：對同項目作不同時期的比較分析。其中又包含「比較分析」及「趨勢分析」

1. **比較分析：**

(1)將兩個以上的期間報表併列比較，藉以瞭解經營情況之變動，屬「動態分析」。

(2)比較方法有絕對數字比較法、絕對數字增減變動法、增減百分比法。

2. **趨勢分析：**

(1)對多期報表上不同年度的相同科目進行分析，以表示時間過程中之變化趨勢，屬於「動態分析」。

(2)趨勢分析會設定某一時點為基期，用以計算財務報表各期有關項目與基期之百分比關係。

(3)例子：

下表為甲公司五年的稅後純益

年度	2014	2015	2016	2017	2018
稅後純益	93,575,035	127,009,731	109,177,093	99,933,168	89,217,836

若以2014年為基期，則各年之趨勢百分比如下

年度	2014	2015	2016	2017	2018
稅後純益	1	1.3573	1.1667	1.0679	0.9534

(二) **縱向分析**（vertical analysis）

同一期間財務報表的各項目比較與分析，因所選取的資料均同期，故為靜態分析。一般常用的縱向分析法包含「共同比分析」及「比率分析」。

1. **共同比分析：**

(1)共同比分析是從報表中選定具有代表性的項目作為共同基準，以100%表示，再將報表內的各科目反除該基準，顯示出各科目所佔的百分比。因為基準是同樣的科目，故稱為「共同比分析」。

(2)資產負債表的共同比分析，應以資產總額作100%；損益表的共同比分析，應以銷貨淨額為100%。

2. **比率分析**：比率分析可顯示出財務報表中兩個科目的關係。
常見的比率分析可分為(1)流動性比率、(2)獲利能力比率、(3)償債能力比率，相關內容與公式會於後續章節詳述。

牛刀小試

( ) **1** 連續多年或多期財務報表間，相同項目或科目增減變化之比較分析，稱為： (A)水平分析 (B)垂直分析 (C)比率分析 (D)共同比分析。 【108年第4次高業】

( ) **2** 以下關於共同比分析（common-size analysis）的敘述何者為非？ (A)在財務報表中，列示各項項目所佔總額之百分比 (B)亦稱為縱的分析（vertical analysis） (C)在共同比資產負債表中，通常以資產總額做為共同基數 (D)在共同比損益表中，通常以銷貨毛額做為共同基數。

( ) **3** 共同比（Common-size）分析是屬於何種分析？ I.趨勢分析；II.結構分析；III.靜態分析；IV.動態分析 (A)II和III (B)I和IV (C)I和III (D)II和IV。 【106年第3次高業】

( ) **4** 下列哪一報表通常不作共同比分析？
(A)資產負債表 (B)現金流量表 (C)綜合損益表 (D)選項(A)(B)(C)皆非。 【109年第1次高業】

( ) **5** 以財務比率評估企業之績效，哪一種較為全面？ (A)與同業在同一年度作比較 (B)與本身過去歷史資料作比較 (C)與同業作該比率之趨勢之分析比較 (D)與整體市場之同一比率在同一年度作比較。 【107年第4次高業】

解答與解析

1 (A)。對同項目作不同時期的比較分析，是為水平分析，又稱為「橫向分析（horizontal analysis）」。

2 (D)。在共同比損益表中，通常以銷貨淨額做為共同基數。

3 (A)。共同比（Common-size）分析是結構分析與靜態分析。

4 (B)。實務上較常以資產負債表及綜合損益表做共同比分析。

5 (C)。進行評估企業績效時，應考量同業狀況，另應避免絕對數值差異帶來的誤判，應比較同一比率。

重點回顧

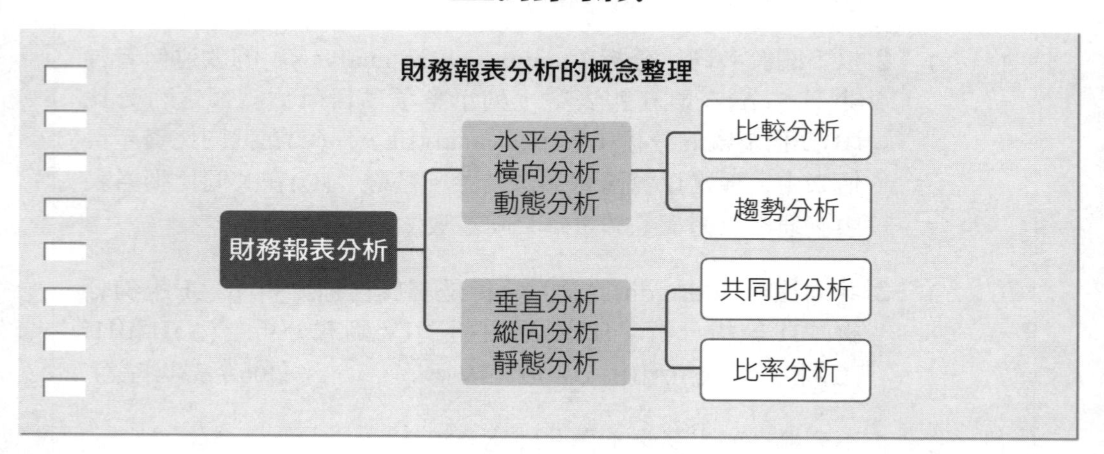

精選試題

( ) **1** 表示企業某一特定時日之財務狀況的報表是： (A)盈餘預估表 (B)股東權益變動表 (C)資產負債表 (D)以上皆是。

( ) **2** 企業之主要財務報表為資產負債表、綜合損益表、權益變動表及現金流量表，其中靜態報表有幾種？ (A)一種 (B)二種 (C)三種 (D)四種。 【105年第2次高業】

( ) **3** 在分析財務報表時，債權人主要目的為： (A)瞭解企業未來的獲利能力 (B)瞭解企業的資本結構 (C)瞭解債務人是否有能力償還本息 (D)瞭解企業過去的財務狀況。 【101年第2次高業】

( ) **4** 下列對財務報表使用者之風險描述，何者為非？
(A)有會計風險與審計風險
(B)審計風險是指經審計人員審計後，財務報表仍可能隱含錯誤、不適當，而未被發現之風險
(C)財務報表無論是否經過審計，其會計風險均相同
(D)風險性高的行業其審計風險也會偏高。 【103年第3次高業】

( ) **5** 所謂「配合原則」是指： (A)費用應與收入配合 (B)負債應與資產配合 (C)資產應與收入配合 (D)收入應與現金配合。

( ) **6** 鐵路局之鐵軌枕木採汰舊法或重置法計提折舊，此係依據： (A)成本原則 (B)客觀原則 (C)行業特性原則 (D)經濟個體假設。

( ) **7** 大方公司之會計政策中規定凡是$500以下之資本支出均作為收益支出處理，此合乎？ (A)重要性原則 (B)穩健原則 (C)配合原則 (D)收益實現原則。

( ) **8** 「相同企業不同期間或不同企業相同期間的類似資訊能夠互相比較對資訊使用者才有意義」，係指會計資訊的品質特性之：
(A)忠實表述 (B)攸關性
(C)可行性 (D)可比性。 【104年第4次普業】

( ) **9** 會計師查核報告的意見種類不包括： (A)無保留意見 (B)修正式無保留意見 (C)否定意見 (D)同意意見。 【105年第4次普業】

( ) **10** 企業財務報表中的「會計師查核報告」，主要的意義為：
(A)由會計師證明財務報表內容正確無誤
(B)由會計師針對「財務報表是否允當表達」一事表示意見
(C)會計師對企業財務狀況進行分析，並提供改進的建議
(D)選項(A)(B)(C)皆正確。 【107年第3次普業】

( ) **11** 比較兩家營業規模相差數倍的公司時，下列何種方法最佳？ (A)共同比財務報表分析 (B)比較分析 (C)水平分析 (D)趨勢分析。 【101年第2次高業】

( ) **12** 下列哪一報表通常不作共同比分析？ (A)資產負債表 (B)綜合損益表 (C)現金流量表 (D)選項(A)(B)(C)皆非。【103年第4次高業】

( ) **13** 對共同比財務報表分析的敘述，下列何者為非？
(A)共同比資產負債表係以權益總額為總數 (B)綜合損益表以銷貨淨額為總數 (C)有助於瞭解企業之資本結構 (D)適用於不同企業之比較。 【106年第3次高業】

( ) **14** 趨勢分析最常用的基期是： (A)固定基期 (B)變動基期 (C)最大基期 (D)平均基期。 【107年第2次高業】

( ) **15** 動態分析係將兩年以上的財務報表並列，分析相同項目各年度之增減變動，故稱為？ (A)靜態分析 (B)垂直分析 (C)橫向分析 (D)縱向分析。

( ) **16** 將損益表中之銷貨淨額設為100%，其餘各損益項目均以其占銷貨淨額的百分比列示，請問是屬於何種財務分析的表達方法？ (A)動態分析 (B)趨勢分析 (C)水平分析 (D)靜態分析。

( ) **17** 下列何項是屬於動態分析？ (A)計算某一財務報表項目不同期間的金額變動 (B)計算某一資產項目占資產總額的百分比 (C)計算某一期間的總資產週轉率 (D)將某一財務比率與當年度同業平均水準比較。 【109年第1次高業】

( ) **18** 編製共同比財務報表係屬下列何種分析？ (A)趨勢分析 (B)比率分析 (C)靜態分析 (D)比較分析。 【106年第4次高業】

( ) **19** 在比率分析中，與同業平均比率比較時，應注意： (A)產業平均值內是否有多角化經營公司 (B)產業平均值是否包括不具代表性，情況異常之公司 (C)產業平均值內各個公司會計制度 (D)選項(A)(B)(C)皆是。 【109年第1次高業】

( ) **20** 對共同比財務報表分析的敘述，下列何者為非？ (A)共同比資產負債表係以權益總額為總數 (B)綜合損益表以銷貨淨額為總數 (C)有助於瞭解企業之資本結構 (D)適用於不同企業之比較。 【109年第4次高業】

( ) **21** 在比率分析中，與同業平均比率比較時，應注意： (A)產業平均值內是否有多角化經營公司 (B)產業平均值是否包括不具代表性、情況異常之公司 (C)產業平均值內各個公司會計制度 (D)選項(A)(B)(C)皆是。 【107年第1次高業】

解答與解析

1 (C)。資產負債表顯示企業某一特定時點，股東權益變動表反映企業一段時間的財務狀況。

2 (A)。僅資產負債表為靜態報表。

3 (C)。債權人並無權參與公司的盈餘分配，故其應關心企業是否能按時繳納本息。

4 (C)。財務報表經過審計後，其會計風險會下降。

5 (A)。配合原則係指，費用應與收入配合於同一會計期間認列。

6 (C)。題幹描述之鐵軌枕木採汰舊法或重置法計提折舊，係該行業特有之會計方法，故依據為行業特性原則。

7 (A)。將金額微小之支出從簡處理，是為重要性原則。

8 (D)。相同企業不同期間、或不同企業相同期間的類似資訊，能夠互相比較是指會計資訊的品質特性之可比性。

9 (D)。會計師查核意見分為五類，包括「無保留意見」、「修正式無保留意見」、「保留意見」、「否定意見」、「無法表示意見」。

10 **(B)**。「會計師查核報告」，主要的意義為由會計師針對「財務報表是否允當表達」一事表示意見。

11 **(A)**。共同比分析是各項科目／代表性總務之百分比，以此方法可以避免絕對數值差異造成的判斷錯誤。

12 **(C)**。因現金流量表無法選定某代表性科目為100%的基礎，故不作共同比之分析。

13 **(A)**。共同比資產負債表係以資產總額為總數。

14 **(A)**。趨勢分析會設定某一固定時點為基期，用以計算財務報表各期有關項目與基期之百分比關係。

15 **(C)**。題幹敘述比較同科目，不同年度的分析，故可以先刪去(B)(D)，剩餘選項中，橫向分析指對同項目作不同時期的比較分析。

16 **(D)**。題幹所述為共同比分析，其亦為靜態分析。

17 **(A)**。動態分析的特點是跨期間、可看出趨勢，故計算某一財務報表項目不同期間的金額變動是為動態分析。

18 **(C)**。共同比財務報表為同一期間內，財務報表的結構分析，是為靜態分析。

19 **(D)**。在比率分析中，與同業平均比率比較時，應注意產業平均值內是否有多角化經營公司、產業平均值是否包括不具代表性或情況異常之公司、產業平均值內各個公司會計制度。

20 **(A)**。共同比分析，在資產負債表中以資產總額為分母；在損益表中以銷貨淨額為分母。

21 **(D)**。在檢視產業平均值時，應刪除不具代表性、財務比率偏差（例如因多角化經營）的公司。

第二章

流動資產、流動負債以及流動性分析

依據出題頻率區分，屬：**A** 頻率高

舉凡企業的資產或負債，皆可分為流動或非流動性。本章將依序介紹流動資產、流動負債，再進而介紹重要的流動性比率，使於檢視企業財報時，可看出該公司短期營運上是否面臨風險。

重點01 流動資產

重要度★★★

一、流動資產定義

(一) 一年內可以變成現金的資產。

(二) 資產負債表，會按資產的流動性排序（越上方的流動性越高）。

(三) 流動資產和公司，就像是汽油與汽車的關係；需有流動資產帶給公司動力，公司才能夠順利的運營。

二、流動資產包括項目

資產負債表中，各資產是依流動性之高低而編列會計科目之先後，茲依序說明如下。

(一) **現金及約當現金**

1. **現金**：公司持有的庫存現金、週轉金、即期支票、本票、匯票、活期與定期存款等。
2. **約當現金**：通常指**到期日在三個月內之短期票券**，如國庫券、商業本票、銀行承兌匯票、可轉讓定存單等，因變現能力幾乎與現金相當，故稱「約當現金」。
3. **若使用用途受到限制，則須剔除於現金科目之外。例如：**
   (1) 用途限為債務擔保質押時，須依所擔保債務為流動負債／長期負債而列為其他流動資產／或其他資產項下。
   (2) 用途限為存出保證金時，依其長短期性質列入流動資產或其他資產項下之「存出保證金」科目。

牛刀小試

( ) **1** 在資產負債表中的各項資產是依何種順序排列？ (A)取得之時間先後 (B)金額之大小 (C)流動性之高低 (D)重大性之大小。 【109年第4次高業】

( ) **2** 下列何項在資產負債表中屬於「現金及約當現金」之一部分？ (A)存於供應商之押金 (B)遠期支票 (C)定期存單 (D)指定用途之現金。 【105年第4次高業】

解答與解析

1 (C)。在資產負債表中的各項資產是依流動性之高低排列。

2 (C)。非三個月內到期（定期存單）、限定用途（存於供應商之押金、指定用途之現金）者，不可認列為現金及約當現金。

(二) **應收帳款**

應收帳款是伴隨企業的銷售行為發生而形成的債權。

1. **應收帳款的評價：**

(1) **商業折扣**：企業為鼓勵客戶購買更多商品，而給予定價某一百分比的商業折扣，會計上應以折扣後之價格入帳。

(2) **現金折扣**：企業為鼓勵客戶提早付款（降低呆帳發生可能性）而給予的折扣，表示方法若為「1／10，n／30」，意指「若顧客於成交日起10天內付款，給予1%之現金折扣優惠；若超過10天則不給折扣；顧客最遲須於成交日起的30天內完成付款。」

2. **呆帳**：然而，企業在收回應收帳款時，難免遭遇無法追回之情事；對於被拖欠的帳款應落實催收；但在確認無法收回後（稱之為「呆帳」或「壞帳」），則應取得有關證明並按規定程序作呆帳損失處理。

(1) **會計科目的修改：**

為接軌國際會計制度IFRS9實施，我國會計科目更改名詞如下：

原會計科目	修正會計科目
備抵呆帳	備抵損失
呆帳損失	預期信用減損損失

(2) **呆帳的估計方法：**

A. **銷貨淨額百分比法：**

a. 若企業沒有銷售，就不會有應收帳款也不會衍生出呆帳，故呆帳與銷售有正相關。

b. 例如：甲公司本期銷貨總額為100,000，估計呆帳為2%，則呆帳費用為2,000。

B. **應收帳款餘額百分比法：**

a. 可用應收帳款的餘額作為估計呆帳之基礎。

b. 例如：甲公司本期期末應收帳款為400,000，估計呆帳為其1%，即4,000。

c. 應收帳款餘額百分比法的優點是應用簡單，缺點是其並未考慮每筆應收帳款已賒欠的時間。

例如甲公司有A、B兩位客戶，A客戶的帳款已積欠七個月，B客戶帳款僅欠三天，可顯示出A客戶發生呆帳的可能性較大。

若要改善此方法，可使用應收帳款帳齡分析法。

C. **帳齡分析法：**

a. 根據每筆應收帳款賒欠的時間長短，進行估計呆帳的方法，稱為「帳齡分析法」。

b. 企業可根據過去經驗，設定每組可能的呆帳率，再將各組可能備抵損失金額相加，即得到備抵損失的估計金額。呆帳估計表如下：

SUM 1,4561.5

已賒欠時間	應收帳款金額	呆帳率	備抵損失餘額
1～30天	60,000	1.5%	900
31～60天	21,000	2%	420
61～90天	40,050	3%	1,201.5
91～120天	6,500	12%	780
121～150天	7,500	26%	1,950
151～158天	19,000	49%	9,310

(3) **呆帳的會計處理：**

A. **直接沖銷法：**

a. 當呆帳實際發生時，才直接借記預期信用減損損失、貸記應收帳款。

b. 優點：應用簡易，省下評估呆帳之作業流程。

c. 缺點：此方法不符配合原則，（故臺灣的財務會計準則公報規定，呆帳之會計處理應採備抵法），且期末之應收帳款會高估。

例子：某公司的帳款30,000無法收回時，直接沖銷法應作分錄如下：

預期信用減損損失	30,000	
應收帳款		30,000

若上述帳款沖銷後，款項又收回，應製作分錄如下：

應收帳款	30,000	
預期信用減損損失		30,000
現金	30,000	
應收帳款		30,000

B. **備抵法：**

a. 預估調整時的會計分錄

預期信用減損損失	30,000	
備抵損失－應收帳款		30,000

b. 實際發生時的會計分錄

備抵損失－應收帳款	30,000	
應收帳款		30,000

知識補給站

備抵呆帳為應收帳款的減項。

例如甲公司有應收帳款50,000及備抵呆帳3,000，其表達方式如下：

應收帳款	50,000	
（減）備抵損失	3,000	47,000

加入備抵呆帳的表達，既可維護應收帳款的債權，又能顯示應收帳款的價值或帳面金額。

牛刀小試

( ) **1** 賒銷$1,000並代顧客支付運費$40，付款條件2／10，n／30，若顧客於10天內將貨款與運費一併支付，則應收現金若干？

(A)$1,020 (B)$1,019.2

(C)$940 (D)$940.8。 【106年第1次高業】

( ) **2** 仁愛公司2018年底應收帳款餘額為$265,000，調整前備抵壞帳餘額為貸餘$2,500，仁愛公司的會計政策中壞帳是採應收帳款餘額百分比法提列，本年度按應收帳款餘額的4%提列壞帳，則調整後備抵壞帳為：

(A)貸餘$8,100 (B)貸餘$10,600

(C)貸餘$13,100 (D)貸餘$15,100。

( ) **3** 千葉公司X6年初應收帳款餘額$360,000，備抵損失貸餘$10,800，X6年中賒銷淨額$780,000，帳款收現$640,000，應收帳款實際發生減損損失$20,000，該公司每年採用相等之備抵損失率按應收帳款餘額百分比法提列。千葉公司X6年底應提列減損損失為：

(A)$5,200 (B)$5,800

(C)$23,600 (D)$24,200。 【109年第4次高業】

( ) **4** 某公司96年底調整前部分帳戶金額如下：應收帳款$250,000、銷貨$5,000,000、備抵壞帳$1,000（貸餘）、銷貨退回$220,000、銷貨運費$20,000，若估計壞帳為銷貨淨額的0.5%，則96年之壞帳費用為：

(A)$23,900 (B)$25,000

(C)$15,000 (D)$24,000。

解答與解析

1 (A)。2／10，指顧客於成交日起10天內付款，給予2%之現金折扣。故應收現金為1,000×（100%－2%）＋40＝1,020。

2 (B)。265,000×4%＝10,600。

3 (C)。先算呆帳發生率：10,800／360,000＝3%
再算期末應收帳款：360,000＋780,000－640,000－20,000＝480,000
而年初已經有提列10,800的備抵損失餘額（但實際損失是20,000），
所以還有20,000－10,800＝9,200尚未提列，
期末的應提列為480,000×3%＝14,400
14,400＋9,200（尚未提列）＝23,600

4 (A)。壞帳＝（5,000,000－220,000）×0.5%＝23,900

(三) 應收票據

1. **定義**：指企業所持有之未到期票據。
2. **應收票據之貼現**：
   (1) **概念**：企業若在應收票據到期前，需要用到資金，可將票據轉讓予銀行以提前取得現金。惟因銀行需要承擔風險，故會向申請人收取費用，即反應在貼現率上。
   (2) **公式**：
   A. 到期值＝票面金額＋票據利息
   B. 貼現金額＝到期值－貼現息
   C. 到期值×貼現率＝（到期值－貼現金額）／貼現期間
   (3) **例子**：雷虎公司將二個月期，年利率8%，面額$480,000的應收票據一紙，持往台星銀行申請貼現，該票據在貼現時，尚有一個月到期。貼現持收到現金$481,536則其貼現率應為？【104年第4次高業】
   到期值＝$480,000×（1＋8%×2／12）＝$486,400
   貼現息＝到期值－貼現金額
   　　　＝$486,400－$481,536＝$4,864
   貼現率＝$4,864÷$486,400÷（1／12）＝12%

(四) 存貨

1. **定義**：公司製造中、或已製造完成但尚未售出的資產。
2. **存貨的評價**：評價需用到：
   (1) **數量**：定期盤存制、永續盤存制。
   (2) **單價**：成本基礎（成本流動假設）。

3. **存貨數量之認定**：決定存貨數量應包括判斷存貨所有權之歸屬和盤點庫存存貨：

(1) **判斷存貨所有權之歸屬**：

列入公司的存貨，需確認商品的所有權係屬該企業擁有。

A. **在途商品**（Goods in transit）：

當會計期間結束時，已從賣方輸出而尚未送達買方的商品，稱之為「在途商品」。在途商品是屬於賣方或買方的存貨，需視商品交易條件而認定所有權。

> **小叮嚀**
>
> 對存貨進行評價時，需注意是在何種盤存制度下，採用何種成本流動假設，不同盤存制度搭配不同成本流動假設，就會算出不同的銷貨成本與期末存貨。

起運點交貨 FOB shipping point	起運點交貨之在途商品為買方的在途存貨
目的地交貨 FOB destination	目的地交貨之在途商品為賣方的在途存貨

B. **寄銷品**（Consigned goods）：

a. 將商品寄存他人，委託其代為銷售是故稱為「寄銷」。

b. 委託寄銷商品者稱「寄銷人」、受委託者稱「承銷人」。

c. 尚未售出的商品存貨，雖存放在承銷人處，但其實際所有權屬於寄銷人，故仍應列為寄銷人的存貨。

C. **售後買回**：甲公司將商品賣給乙公司，並簽訂合約，敘明於未來一定期間後將尚未售出之存貨買回，在法律形式上，該存貨之所有權已由甲公司移轉至乙公司。

D. **分期付款銷貨**：在客戶尚未結清貨款前，商品所有權仍屬賣方；但實務上並不預期買方接下來會拒絕付款、致使賣方收回商品，故會計上已不列為賣方之存貨。

(2) **盤點庫存存貨**：

A. **定期盤存制**：

a. 平時銷貨不記錄銷貨成本，銷售時僅記錄銷貨收入，等到會計年度期末時，始對存貨進行一次性盤點，銷貨成本於年終一次認列。

b. 銷貨成本＝期初存貨＋本期進貨－期末存貨。

c. 進貨與存貨兩段式計帳，容易發生計帳錯誤。

B. **永續盤存制：**

a. 每次進貨都計算銷貨成本，不等到期末時才以平均加權方式計算。

b. 存貨餘額隨時可以反映尚未銷售商品之成本。

4. **成本流動假設：**

假設商品的流入（進貨）與流出（銷貨）有某種先後順序，以利成本之計算，此即為成本流動假設，通常有以下方法：

(1) **個別認定法：**

A. **意義：**個別商品出售時，按其所購入的價格作為銷貨成本。

B. **適用：**數量少、單價高的商品，如鑽石。

C. **優點：**流程最合乎配合原則。

D. **缺點：**易受到人為操縱損益。

(2) **先進先出法：**

A. **意義：**先買入的商品優先賣出、轉列為銷貨成本，而較晚購入商品作為期末存貨成本。

B. 在定期盤存制與永續盤存制下，所求得的期末存貨金額均相等。

C. **優點：**期末存貨金額較接近市價。

D. **缺點：**物價上漲期期間，若以早期的低成本與現下的高收入配合，易致使成本偏低、毛利偏高。

(3) **零售價法：**

A. **意義：**利用本期實際成本率與期末存貨零售價，來估計期末存貨成本。

B. **例題：**

	成本	**零售價**
期初存貨	100,000	150,000
本期進貨	350,000	450,000
可供銷售的存貨總額	450,000	600,000
減：本期銷售額		500,000
按零售價計算的期末存貨		100,000
成本比率（450000÷600000）×100%		75%
期末存貨的估計成本＝期末存貨零售價×**成本率**		75,000

(4) **成本與淨變現價值孰低法：**

期末存貨按照「成本」與「淨變現價值」中較低的計價方法。即當成本低於淨變現價值時，期末存貨按成本計價；當淨變現價值低於成本時，期末存貨按淨變現價值計價。

考點速攻

存貨的淨變現價值＝預期售價－完成製造及銷售所需的支出。

5. **存貨錯誤對財報產生的影響：**

※運用公式：銷貨成本＝期初存貨＋本期進貨－期末存貨

(1) 期初存貨與本期淨利成反方向變動

⇒若期初存貨多計，則造成本期淨利少計

⇒若期初存貨少計，則造成本期淨利多計

期末存貨與本期淨利成同方向變動

⇒若期末存貨多計，則造成本期淨利多計

⇒若期末存貨少計，則造成本期淨利少計

(2) **例題**：採用定期盤存制的萬吉公司，在去年度盤點時存貨少記100萬元，假設該公司的適用稅率為17%，這項錯誤將如何影響財報？

答 銷貨成本＝期初存貨＋本期進貨－期末存貨

銷貨收入－銷貨成本＝銷貨淨利

期末存貨被低估⇒銷貨成本被高估⇒淨利被低估

淨利虛減100萬×（1－17%）＝83萬元

牛刀小試

( ) **1** 道奇公司於1月1日收到票額$15,000，利率8%之2個月期票據，1月16日持往銀行貼現，貼現率10%，則貼現可得現金若干（假設一年為36天）？ (A)$15,000 (B)$15,012.60 (C)$15,250 (D)$15,478.75。 【109年第2次高業】

( ) **2** 在定期盤存制下，計算鎖貨成本的方式為： (A)期初存貨＋本期進貨 (B)期初存貨＋期末存貨＋本期進貨 (C)期初存貨一期末存貨＋本期進貨 (D)期末存貨一期初存貨＋本期進貨。 【104年第2次高業】

( ) **3** 甲公司期末盤點存貨時，並未將寄銷於乙公司的存貨列入，下列何者正確？ (A)銷貨成本將被低估 (B)銷貨收入將被高估 (C)銷貨毛利將被低估 (D)銷貨收入與成本都不受影響。 【106年第4次高業】

( ) **4** 在永續盤存制下以平均法計算存貨成本，下列何項正確？ (A)應在期末計算本期存貨的加權平均單位成本 (B)每次銷貨後就需重新計算存貨單位成本 (C)每次進貨後就需重新計算存貨單位成本 (D)以前一期平均進貨單位成本作為評價基礎。

( ) **5** 關山公司存貨之成本為$3,200、售價$3,400、估計銷售費用$50、正常毛利$350、重置成本為$2,800。按成本與淨變現價值孰低法則，所決定之存貨價值為： (A)$2,800 (B)$2,850 (C)$3,000 (D)$3,200。 【105年第4次高業】

( ) **6** 當我們去統一超商買牛奶的時候，許多人總是習慣拿放置在冷凍櫃較後面的牛奶，而不願拿取置於前列的牛奶，這是因為我們會假設超市的存貨管理方式為： (A)後進先出法 (B)先進先出法 (C)個別認定法 (D)加權平均法。 【106年第4次高業】

( ) **7** 若某企業採用定期盤存制，若在X1年的期末存貨被高估$8,000，若該公司當年度所適用的稅率為17%，請問其對該公司當年度的銷貨毛利影響為何？ (A)毛利被高估$8,000 (B)毛利被低估$8,000 (C)毛利被高估$9,700 (D)毛利被低估$9,700。 【109年第3次高業】

解答與解析

1 (B)。15,000＋15,000×0.08×2／12＝15,200
15,200×0.1×45／365＝187.4
貼現可得：15,200－187.4＝15,012.6

2 (C)。在定期盤存制下，銷貨成本＝期初存貨一期末存貨＋本期進貨。

3 (C)。寄銷的商品仍應算甲公司的存貨，若漏列則會使甲公司期末存貨低估、銷貨成本高估、銷貨毛利低估。

4 (C)。在永續盤存制下，每次進貨後就需重新計算存貨單位成本。

5 (D)。淨變現價值＝售價－估計銷售費用＝3,400－50＝3,350
存貨之成本為$3,200，存貨價值取其低者為3,200。

6 (B)。消費者假設超市的存貨管理方式為先進先出法時，會認為擺在前面的牛奶已到貨比較久，擺在後面的牛奶較新鮮，故會偏好拿放置在後方的牛奶。

7 (A)。期末存貨被高估$8,000，銷貨成本被低估$8,000，故銷貨毛利被高估$8,000。

重點02 流動負債 重要度★★

一、定義

(一) 流動負債指**一年「內」所需償還的債務**。

(二) 資產負債表中，流動負債極少依到期日進行順排序（因為特定負債之到期日各不相同）。實務上通常將流動負債依金額排序。

二、分類

可**依流動負債是否發生，分為確定負債及或有負債**。

(一) **確定負債**：負債事實已確實發生；可再細分為應付金額已確定者（例如：應付帳款、應付票據），以及金額不確定但可合理估計者（例如：估計售後服務保證負債等）。

(二) **或有負債**：負債是否已經存在尚未確定。若極可能發生且金額可合理估計者，該負債應以估計金額認列入帳；若極可能發生，但金額無法合理估計者，僅須於財務報表的附註中揭露；若發生可能極低者，則無需記錄或揭露。

牛刀小試

( ) **1** 流動負債通常表示公司應在未來多久期間內需償付的債務？ (A)視債務內容及項目而定 (B)九個月 (C)三個月 (D)十二個月。 【104年第4次高業】

( ) **2** 下列何者於資產負債表上應列為流動負債？ (A)須於報導期間結束日後13個月清償者 (B)因違反借款合約特定條件，致使長期負債依約須即期予以清償，且債權人並不同意不予追究 (C)因設備帳面金額與課稅基礎差異所產生之遞延所得稅負債 (D)5年後到期之應付公司債。 【106年第2次高業】

解答與解析

1 (D)。流動負債指公司未來一年內須給付的債務。

2 (B)。選項中僅(B)約須「即期」清償，是為流動負債。

重點03 流動性分析 重要度★★★

一、流動比率（Current Ratio）

(一) **定義**：流動比率用以衡量公司在未來一年內是否能夠償還其債務的財務比率，反映企業的償債能力。

(二) **公式**：流動比率＝流動資產／流動負債

(三) 流動比率因不同產業而異，若流動比率小於1（流動負債超過流動資產），則該公司將面臨短期償債的問題。但若流動比率過高，則可能代表該公司無法有效運用資金或現有資產。

二、速動比率（Quick Ratio）

(一) **定義**：速動比率為速動資產對流動負債的比率，其是衡量企業流動資產中**可以立即變現、用以償還短期債務的能力**。

(二) **公式**：速動比率＝速動資產／流動負債

知識補給站

速動資產＝流動資產－存貨－預付費用

因存貨的變現能力較低，預付費用則是無變現能力（其僅減少公司未來的現金流出）；故在計算速動資產時，會將這兩個科目從流動資產中剔除。

(三) **例題**：年底流動資產為$200,000，流動負債為$100,000，存貨為$50,000，預付款為$30,000，有價證券為$10,000，則其速動比率為？

答 速動資產＝流動資產－存貨－預付款

＝200,000－50,000－30,000＝120,000

速動比率＝速動資產／流動負債

＝120,000／100,000＝1.2

三、流動性指數（liquidity index）

(一) **定義**：用以衡量企業現金以外的流動資產，轉換成現金的流動性大小，指數數值越低，流動性越高。

(二) **公式**：

$$流動指數＝\frac{（應收帳款×應收帳款回收天數＋存貨×存貨周轉天數）}{總流動資產}$$

四、短期涵蓋比率（Short-term Coverage Ratio）

(一) **定義**：衡量速動資產與每日營業支出的比值。

$$短期涵蓋比率＝\frac{速動資產}{平均每日營業支出}$$

(二) **公式**：

$$平均每日營業支出＝\frac{營業成本＋管銷費用＋利息費用＋所得稅費用－非現金費用}{365天}$$

(三) **例題**：若桃花源公司每年銷貨成本為$285,000，營業費用為$100,000（非現金費用為$20,000），其速動資產為$7,000，試問該公司短期涵蓋比率為何？（假設一年為365天）。【106年第1次高業】

答 每日營業支出＝（銷貨成本＋營業費用－非現金費用）／實際營業日數

＝（285,000＋100,000－20,000）／365＝1,000

短期涵蓋比率＝速動資產／每日營業支出＝7,000／1,000＝7

牛刀小試

( ) **1** 戴斯企業償還進貨帳款時獲得20%之折扣，將使流動比率：(A)增加 (B)減少 (C)無影響 (D)不一定。【106年第1次高業】

( ) **2** 流動比率愈高，則流動性指數：（以天數表示） (A)愈高 (B)愈低 (C)流動比率和流動性指數無直接關係 (D)視流動負債金額大小而定。【104年第1次高業】

( ) **3** 鄰家公司的流動比率為1，若鄰家公司的流動負債為$10,000、平均庫存存貨值為$1,000、預付費用為$0，則其酸性比率（速動比率）應為何？ (A)0.8 (B)1.2 (C)1 (D)0.9。【109年第1次高業】

( ) **4** 博多公司速動比率為1.5，存貨占流動資產的1／5，無預付費用及其他流動資產，流動負債為$600,000，則該公司之流動資產為若干？ (A)$1,125,000 (B)$900,000 (C)$875,000 (D)$750,000。【106年第1次高業】

( ) **5** 流動性指數愈高，表示： (A)流動比率愈高 (B)應收帳款週轉率愈高 (C)流動資產轉換成現金所需的時間愈長 (D)選項(A)(B)(C)敘述皆正確。【102年第3次高業】

解答與解析

1 (D)。獲得折扣後，流動資產和流動負債兩者將同時減少，若戴斯企業原流動比率大於1，將使此比率增加；若戴斯企業原流動比率小於1，將使本比率減少。

2 (C)。流動比率＝流動資產／流動負債；而流動性指數是指企業流動資產變現所需的平均天數；兩者無直接相關。

3 (D)。流動比率＝流動資產／流動負債
1＝流動資產／10,000→流動資產＝10,000
速動資產＝流動資產－存貨－預付費用＝10,000－1,000＝9,000
速動比率＝速動資產／流動負債＝9,000／10,000＝0.9

4 (A)。速動比率＝速動資產／流動負債

1.5＝（流動資產－存貨）／600,000

1.5＝（流動資產×4／5）／600,000

流動資產＝1,125,000

5 (C)。流動性指數愈高，表示流動資產變現所需的平均天數愈多，流動性越差。流動性指數與流動比率、應收帳款週轉率無直接相關性。

重點回顧

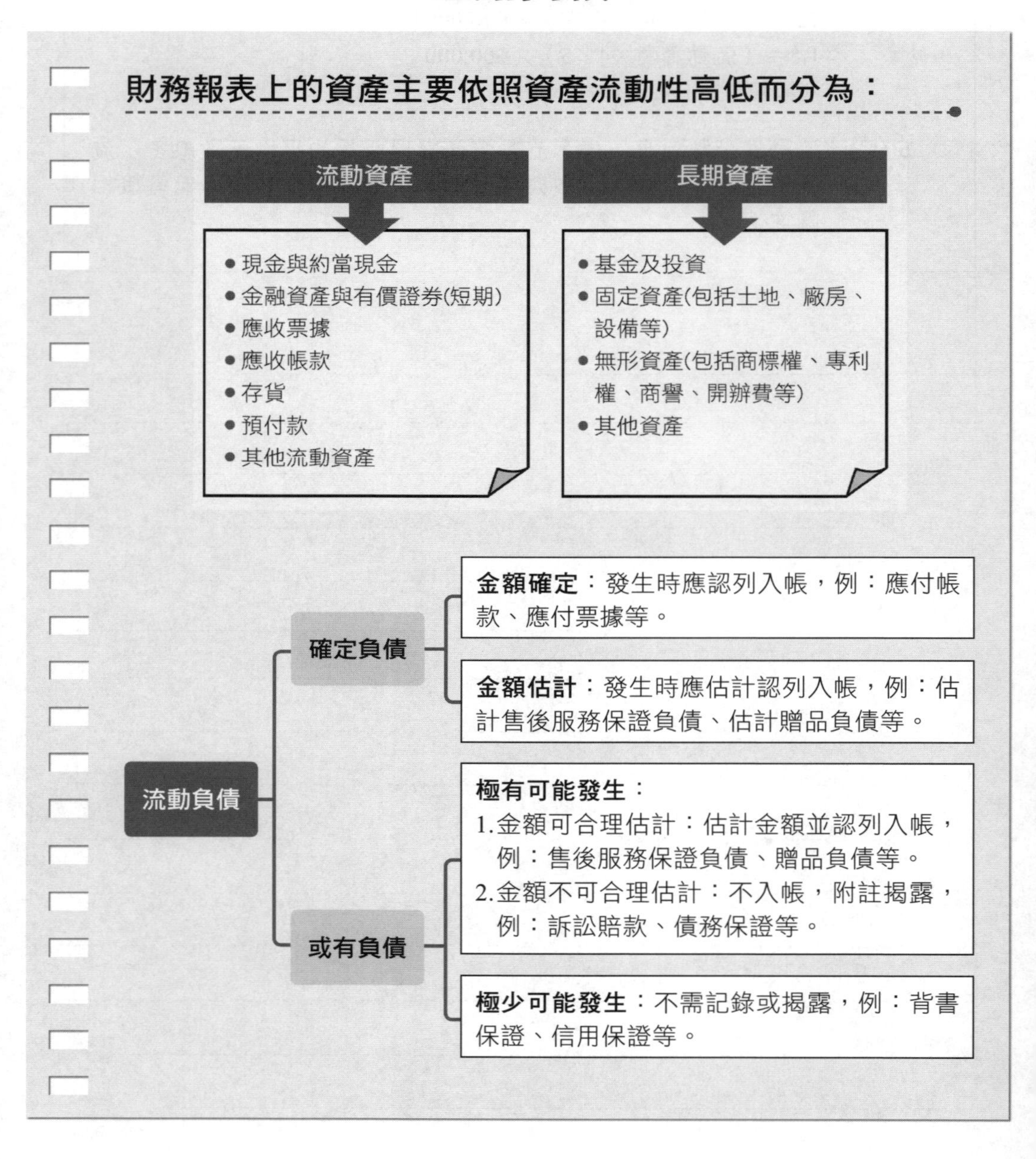
財務報表上的資產主要依照資產流動性高低而分為：
流動資產
長期資產
• 現金與約當現金
• 金融資產與有價證券(短期)
• 應收票據
• 應收帳款
• 存貨
• 預付款
• 其他流動資產
• 基金及投資
• 固定資產(包括土地、廠房、設備等)
• 無形資產(包括商標權、專利權、商譽、開辦費等)
• 其他資產
流動負債
確定負債
金額確定：發生時應認列入帳，例：應付帳款、應付票據等。
金額估計：發生時應估計認列入帳，例：估計售後服務保證負債、估計贈品負債等。
或有負債
極有可能發生：
1.金額可合理估計：估計金額並認列入帳，例：售後服務保證負債、贈品負債等。
2.金額不可合理估計：不入帳，附註揭露，例：訴訟賠款、債務保證等。
極少可能發生：不需記錄或揭露，例：背書保證、信用保證等。

精選試題

( ) **1** 在資產負債表中的各項資產是依何種順序排列？ (A)壽命之長短 (B)金額之大小 (C)流動性之高低 (D)重大性之大小。

( ) **2** 下列哪一項不能列為流動資產？ (A)正常分期付款銷貨所收到之應收票據，到期日在12個月以內者 (B)預付財產稅 (C)以交易為目的之金融資產 (D)人壽保險之解約現金價值，總經理為受益人。 【108年第4次高業】

( ) **3** 賒銷$3,000並代顧客支付運費$60，付款條件1／10，n／30，若顧客於10天內將貨款與運費一併支付，則應收現金若干？ (A)$3,030 (B)$3,029.4 (C)$2,940 (D)$2,700。 【109年第1次高業】

( ) **4** 若建明公司每年銷貨成本為$285,000，營業費用為$100,000（非現金費用為$20,000），其速動資產為$7,000，試問該公司短期涵蓋比率為何（假設一年為365天）？ (A)5 (B)6 (C)7 (D)8。

( ) **5** 下列何項不是決定壞帳費用時可以採用的方法？ (A)銷貨淨額百分比法 (B)應收帳款餘額百分比法 (C)備抵壞帳餘額百分比法 (D)應收帳款帳齡分析法。

( ) **6** 春暉公司採用應收帳款餘額百分比法估計壞帳。97年底應收帳款餘額為$400,000，年底調整分錄前之備抵壞帳有貸方餘額$6,000，若估計97年底應收帳款中有5%無法收回，請問97年壞帳費用為何？ (A)$14,000 (B)$19,700 (C)$20,000 (D)$26,000。

( ) **7** 下列何種呆帳費用認列方法最能達到收入與費用配合的原則？ (A)直接沖銷法 (B)銷貨收入百分比法 (C)應收帳款餘額百分比法 (D)帳齡分析法。 【105年第1次高業】

( ) **8** 信義公司於20×1年10月1日因銷貨收到一張面額$90,000，年息5%，三個月後到期之票據一紙，20×1年11月1日持票向銀行貼現，貼現率6%，則貼現收到金額為： (A)$89,089 (B)$90,214 (C)$90,225 (D)$91,125。

( ) **9** 以應收票據向銀行貼現，貼現息的計算是根據貼現率、票據到期值以及哪一項目？ (A)票據面值 (B)貼現期間 (C)票據面值加已賺得的利息 (D)實際貼現取得金額。 【106年第3次高業】

( ) **10** 丁公司持有$180,000之承兌匯票，承兌日期為×1年4月15日，承兌後60日付款，年利率為8%。公司於×1年5月15日，將此票據向銀行辦理貼現，貼現年率為10%，則貼現金額應為？（一年以360天為基礎計算） (A)$183,865 (B)$182,395 (C)$180,985 (D)$180,880。 【107年第4次分析師】

( ) **11** 某企業的銷貨總收入為310萬元，期初存貨為80萬元，期末存貨為120萬元，本期進貨為240萬元，銷管費用為42萬元，請問其銷貨毛利為多少？ (A)120萬元 (B)152萬元 (C)110萬元 (D)68萬元。

( ) **12** 存貨的淨變現價值是指：
(A)購買的成本加上完成製造及銷售所需的支出 (B)預期售價 (C)預期售價加上完成製造及銷售所需的支出 (D)預期售價減去完成製造及銷售所需的支出。 【104年第1次高業】

( ) **13** 白光公司採用定期盤存制，在去年度盤點時存貨少記100萬元，假設該公司的適用稅率為17%，這項錯誤將使： (A)去年度銷貨成本減少100萬元 (B)去年度淨利虛增100萬元 (C)今年度淨利虛增50萬元 (D)去年度淨利虛減83萬元。 【104年第1次高業】

( ) **14** 群馬公司速動比率為1.5，存貨占流動資產的1/5，無預付費用及其他流動資產，流動負債為$600,000，則該公司之流動資產為若干？ (A)$1,125,000 (B)$900,000 (C)$875,000 (D)$750,000。 【110年第1次高業】

( ) **15** 企業償還進貨應付帳款時，將使流動比率： (A)增加 (B)減少 (C)無影響 (D)不一定。 【105年第2次高業】

( ) **16** 假設流動比率原為1.50，下列何種作法可使其增加？ (A)以發行長期負債所得金額償還短期負債 (B)應收款項收現 (C)以現金購買存貨 (D)賒購存貨。 【107年第1次高業】

( ) **17** 出售長期投資，成本$30,000，售價$35,000，對營運資金及流動比率有何影響？
(A)營運資金增加，流動比率不變
(B)營運資金不變，流動比率增加
(C)二者均增加
(D)二者均不變。 【105年第3次高業】

( ) **18** 設流動比率為2：1，速動比率為1：1，如以部分現金償還應付帳款，則： (A)流動比率下降 (B)流動比率不變 (C)速動比率上升 (D)速動比率不變。 【105年第3次高業】

( ) **19** 下列何者不適合作為短期償債能力分析的指標？ (A)現金比率 (B)流動比率 (C)速動比率 (D)負債比率。

( ) **20** 政府允許企業報稅時採用加速折舊法，其目的在於： (A)鼓勵企業從事投資 (B)收較多的稅 (C)讓企業儘量不要投資於長期性資產 (D)讓企業資產在使用期間裡所提列折舊的總數增加。 【109年第4次高業】

( ) **21** 設流動比率為3：1，速動比率為1：1，如以部分現金償還應付帳款，則： (A)流動比率下降 (B)流動比率不變 (C)速動比率下降 (D)速動比率不變。 【110年第1次高業】

( ) **22** 新竹公司X9年帳列銷貨收入$2,400,000，銷貨成本$1,400,000，期末存貨比期初存貨增加$20,000，期末應收帳款比期初應收帳款減少$18,000，期末應付帳款比期初應付帳款餘額增加$16,000，則新竹公司X9年支付貨款的現金為何？ (A)$1,364,000 (B)$1,396,000 (C)$1,404,000 (D)$1,576,000。 【110年第1次高業】

( ) **23** 某公司的流動比率高，但速動比率比流動比率低很多，則下列敘述何者正確？ (A)公司的現金比率相當高 (B)公司有很大的應收帳款部位 (C)公司的短期償債能力不錯 (D)公司的存貨及預付款過高。 【106年第1次高業】

( ) **24** 下列有關流動性指數的敘述何者正確？
(A)指數值愈大代表資產流動性愈高 (B)計算指數時假設現金的週轉天數為0 (C)計算指數時現金不需要列入分母中 (D)選項(B)(C)都是正確的。 【105年第2次高業】

( ) **25** 下列哪一項目，在計算時會將相關資產轉換成現金所需時間的長短列入考量？ (A)營業活動現金流量對流動負債比率 (B)總資產週轉率 (C)財務槓桿指數 (D)流動性指數。【107年第2次高業】

( ) **26** 短期涵蓋比率（Short-term Coverage Ratio）是指： (A)流動資產除以每日營業支出 (B)速動資產除以每日營業支出 (C)流動負債除以平均每日淨利 (D)流動負債除以平均每日收入。

解答與解析

1 **(C)**。資產負債表是按照各資產的流動性來排序（越上方的科目其流動性越高）。

2 **(D)**。應列在非流動資產—基金與投資科目項下。

3 **(A)**。「1／10，n／30」，意指「若顧客於成交日起10天內付款，給予1%之現金折扣優惠；若超過10天則不給折扣；顧客最遲須於成交日起的30天內完成付款。」故應收現金為3,000×（100%－1%）＋60＝3,030。

4 **(C)**。每日營業支出
＝（銷貨成本＋營業費用－非現金費用）／實際營業日數
＝（285,000＋100,000－20,000）／365＝1,000
短期涵蓋比率＝速動資產／每日營業支出＝7,000／1,000＝7

5 **(C)**。評估呆帳（壞帳）金額時，可採用的評估方法有：應收帳款餘額百分比法、帳齡分析法、銷貨淨額百分比法。

6 **(A)**。97年底的備抵損失為400,000×5%＝20,000，
6,000＋X＝20,000
X＝14,000

備抵損失－應收帳款	
	6,000（期初）
	X（壞帳費用）

7 **(B)**。若企業沒有銷售，就不會有應收帳款、也不會衍生出呆帳，若企業採用銷貨收入百分比法，會於認列銷貨總額時，同時認列呆帳費用。

8 **(B)**。到期值－貼現息＝貼現金額
到期值＝90,000＋90,000×5%×3／12＝91,125

貼現值＝91,125×6%×2／12＝911
貼現金額＝91,125－911＝90,214

9 **(B)**。貼現金額＝到期值－貼現息（到期值＝票面金額＋票據利息｜貼現息＝到期值×貼現率×貼現期間）

10 **(D)**。到期值＝180,000×（1＋8%×60／360）＝182,400
貼現息＝到期值×貼現率×貼現期間＝182,400×10%×30／360＝1,520
貼現金額＝到期值－貼現息＝182,400－1,520＝180,880

11 **(C)**。銷貨成本＝期初存貨一期末存貨＋本期進貨＝80萬－120萬＋240萬＝200萬
銷貨毛利＝銷貨總收入－銷貨成本＝310萬－200萬＝110萬

12 **(D)**。存貨的淨變現價值＝預期售價減去完成製造及銷售所需的支出。

13 **(D)**。銷貨成本＝期初存貨＋本期進貨－期末存貨
銷貨收入－銷貨成本＝銷貨淨利
期末存貨被低估⇒銷貨成本被高估⇒淨利被低估
淨利虛減100萬×（1－17%）＝83萬元

14 **(A)**。設流動資產為x，速動比率＝速動資產／流動資產＝（流動資產－存貨）／流動負債
1.5＝（x－0.2x）／60w
⇒x＝1125w

15 **(D)**。原始的流動比率若＜1，流動負債和流動資產同額減少，會使流動比率減少。原始的流動比率若＞1，流動負債和流動資產同額減少，會使流動比率增加。

16 **(A)**。以發行長期負債所得金額償還短期負債，則會使流動比率的分母（流動負債）變小、流動比率上升。

17 **(C)**。營運資金＝流動資產－流動負債，流動比率＝流動資產／流動負債，出售長期投資使流動資產上升（取得現金），故兩者比率皆增加。

18 **(D)**。以部分現金償還應付帳款後，流動資產與流動負債會等額下降，又原流動比率為＞1，分子分母同減同數值，比率會上升。
以部分現金償還應付帳款後，速動資產與流動負債會等額下降，又原速動比率為＝1，分子分母同減同數值，比率不變。

19 **(D)**。負債比率＝負債總額÷資產總額，並未細分長期或短期負債，故無法用以分析短期償債能力。

20 **(A)**。加速折舊法早期折舊增加→因為稅盾的關係。

21 **(D)**。以部分現金償還應付帳款後，流動資產與流動負債會等額下降，又原流動比率為＞1，分子分母同減同數值，比率會上升。

以部分現金償還應付帳款後，速動資產與流動負債會等額下降，又原速動比率為＝1，分子分母同減同數值，比率不變。

22 **(C)**。令1／1存貨＝X；12／31存貨＝（X＋20）
令1／1AP＝Y；12／31AP＝（Y＋16）
令本期進貨＝Z
先計算本期進貨Z：Z＋1420－（X＋20）＝1400，Z＝1420。
可得本期支付現金：Y＋1420－（16＋Y）＝1404。

23 **(D)**。速動資產＝流動資產－存貨－預付款項，故若同一公司的速動比率比流動比率低很多，即顯示公司的存貨及預付款過高。

24 **(B)**。流動性指數指數值愈大，代表流動資產平均變現所需天數愈多，流動性愈低。

25 **(D)**。流動性指數＝Σ（各項流動資產×各項資產變現所需天數）／總流動資產。用以衡量企業將流動資產變現所需的平均天數，指數數值越低越短，流動性越高。

26 **(B)**。短期涵蓋比率＝速動資產／每日營業支出。

第三章 非流動資產

依據出題頻率區分，
屬：B 頻率中

資產負債表中，凡流動資產之外，具長期性的有形、無形資產皆屬非流動資產（Non-current Assets）。本章將介紹非流動性資產於取得、折舊、取處分時的會計評價。

非流動資產之分類架構

<table>
<tr><th></th><th colspan="2">分類</th><th>科目</th><th>說明</th></tr>
<tr><td rowspan="4">非流動性資產</td><td rowspan="3">固定資產</td><td>永久性資產</td><td>土地</td><td>可無限期使用之資產</td></tr>
<tr><td>折舊性資產</td><td>建築物、生財器具、機器設備等</td><td>實體不因使用而改變，但有其使用年限，故取得成本需以折舊分攤於使用年限內。</td></tr>
<tr><td>遞耗資產</td><td>森林、石油、礦產等</td><td>天然資源之實體因開採而改變，必須將成本依合理方法分攤提列。</td></tr>
<tr><td colspan="2">無形資產</td><td>專利權、商標權、商譽等</td><td>不具形體但可產生長期效益的資產，須將成本分年提列攤銷。</td></tr>
</table>

重點01 固定資產的取得

重要度★★★

一、固定資產的取得成本

(一) **土地**：取得成本包含：

(1)買價、佣金、代書費用、過戶費用、賣方逾期稅捐等。

(2)若土地上有建物需拆除重建，則：

A. 拆除費用為土地成本之加項。

B. 拆除後廢料再販售所得為土地成本之減項。

(二) 土地改良物

1. 土地是固定資產中唯一不須折舊的科目（因其沒有新舊的問題），但土地上有些新增的設施，其有耐用年限、會折舊，但又不屬於建築物，此類設施的會計科目即為「土地改良物」，如：圍牆、人行道、停車場等。
2. 會計分錄舉例：

購買一塊土地$250,000，在土地上建一圍牆花費$80,000

借：土地　　　　250,000
　　土地改良物　80,000
　　貸：現金　　　　　330,000

知識補給站

土地改良

1.若具永久性⇒應做土地成本。
2.若非永久性⇒應另設「土地改良物」科目入帳，並逐漸攤提折舊。

(三) 建築物

1. 購買（**非自建**）之成本包含：
   (1) 買價、佣金、代書費用、登記費、契稅等。
   (2) 使其達到可用狀態的整修支出，例如：安裝電線、水管、裝潢等。
2. 自行**建造**之成本包含：
   (1) 建築師費、營建商工程款、工寮、鷹架、保險費等。
   (2) 其他與房屋興建直接有關之成本。

小叮嚀

運送途中不慎損壞之修理費用、或運送中發生的違規罰款，不得列入成本。

(四) 機器及其他設備

1. 取得成本包含：
   (1) 買價。
   (2) 使其達到可用狀態及地點的必要支出，例如：運費、運送期間的保費、關稅、裝置測試等。
2. **例題**：某機器設備定價$1,000,000，購入時現金折扣為$40,000，支付運費$40,000，安裝費$80,000，搬運不慎發生損壞而付出修理費$20,000，則該機器設備之帳面成本應為：

答 運送途中不慎損壞之修理費用，不得列入成本
故成本為1,000,000－40,000＋40,000＋80,000＝1,080,000

二、不同購買方式的成本衡量

(一) **現購**：依成本原則，以付現總數額入帳。

(二) **分期付款購買**

1. 以購買日的現值入帳。
2. 分期付款總額與資產現購的差額，屬於財務費用、非購入資產的成本。

(三) **整批購買**：以各資產之公平市價為基礎，將總成本依各資產公平市價比例分攤至各資產中。

(四) **發行證券換入資產**：以取得資產之公平市價與公司證券之公平市價，兩者中較客觀者作為成本衡量之基準。

(五) **自建或自製**

1. 企業自行建造固定資產時所發生的成本。
2. 若企業自建資產的資金是由貸款而來，需計算自建期間的利息，並計入資產成本。
3. 依成本與外購價格兩者孰低者為入帳基礎，若有自建損失，應立即認列。

(六) **受贈取得**：以受贈資產的公平市價為入帳基礎。

重點02 固定資產的折舊 重要度★★★

(一) **折舊的意義**

因固定資產終有使用年限，隨期服務壽命的遞減，會計會根據成本收益配合原則，將資產的成本分攤於預計耐用年限內，即將資產成本逐期轉為費用，稱為「折舊」。

(二) **折舊的方法**

常用的折舊方法，可分為三大類：

1. **直線折舊法**：
   (1) **意義**：又稱「平均年限法」，在各使用年限中，每一期間的折舊費用相等。
   (2) **公式**：每期折舊費用＝（資產成本－殘值）／估計使用年限

(3) **例題**：設備成本為$2,700,000，估計殘值$200,000，估計耐用年限為10年，預計總產量為5,000,000單位，工作時間為100,000小時；求每年的折舊費用為多少？

答 每期的折舊費用＝（資產成本－估計殘值）／估計耐用年限
＝（$2,700,000－$200,000）／10
＝$250,000

2. **工作數量法**：

(1) **公式**：

$$單位產品的折舊費用=\frac{（固定資產原始價值+預計清理費用-預計殘值）}{應計折舊資產的估計總產量}$$

固定資產年折舊額＝當年產量×單位產品的折舊費用

(2) 工作數量法能較客觀地反映折舊和產出的配比情況。

3. **遞減法（包含定率餘額遞減法、倍數餘額遞減法、年數合計法）**：

(1) **定率遞減法**：

A. **公式**

a. $折舊率=1-\sqrt[使用年限]{殘值／成本}$

b. 每期折舊金額＝期初資產的帳面價值×折舊率

※採定率遞減法時，必須要有適當的殘值，不得為0。

B. **例題**：設備成本為$2,700,000，估計殘值$200,000，估計耐用年限為10年，預計總產量為5,000,000單位，工作時間為100,000小時；求每年的折舊費用為多少？

答 $折舊率=1-\sqrt[10]{200{,}000／2{,}700{,}000}=1-\sqrt[10]{2／27}=1-\sqrt[10]{0.0741}$
（以計算機按算）
＝1－0.771
＝0.23
＝23%

第1年折舊費用＝2,700,000×23%＝621,000

第2年折舊費用＝（2,700,000－621,000）×23%＝478,170

...

往後年度以此類推。

(2) **倍數餘額遞減法：**

A. **公式：**折舊率＝$\frac{1}{\text{估計使用年數}}$×倍數

每期折舊金額＝期初資產的帳面價值×折舊率

> **小叮嚀**
>
> 採倍數餘額遞減法可以不考慮殘值，但最後一年度的折舊只能折到殘值為止，不可再按固定比率提列折舊。若不如此設計，折舊後的帳面價值將會小於殘值（過度折舊）。

B. **例題：**博明公司採雙倍餘額遞減法提列折舊。2014年初購置一組機器設備，帳列金額$1,000,000、估計耐用年數10年、殘值$100,000，則2016年底應提列折舊費用為何？

答 折舊率＝1／10×2（倍）＝1／5

	期初帳面價值	折舊費用	期末帳面價值
2014年	1,000,000	1,000,000×1／5＝200,000	800,000
2015年	800,000	800,000×1／5＝160,000	640,000
2016年	640,000	640,000×1／5＝128,000	512,000

應提列折舊費用為128,000

(3) **年數合計法：**

公式：年折舊率＝（n－i＋1）／[n（n＋1）／2]

n：可使用年數

i：已使用年數

年折舊額＝（固定資產原值－預計殘值）×年折舊率

牛刀小試

(　) **1** 永鈞公司以$15,000,000購入房地，房屋估計可用20年無殘值，購入時土地與房屋之公允價值分別為$12,000,000及$6,000,000，若採直線法提列折舊，則每年之折舊費用為：
(A)$250,000　(B)$300,000
(C)$750,000　(D)$150,000。【107年第4次高業】

( ) **2** 下列何種折舊方法所計算之第一年之折舊費用最大？ (A)直線法 (B)年數合計法 (C)雙倍數餘額遞減法 (D)不一定，視耐用年限而有不同。 【106年第4次高業】

( ) **3** 在不動產、廠房及設備使用之初期，採用年數合計法提列折舊所得淨利應較使用直線法： (A)低 (B)高 (C)相等 (D)不一定。 【109年第4次高業】

( ) **4** 辦理折舊性資產重估價時，將使： (A)資產不變，折舊費用增加 (B)資產及折舊費用增加 (C)資產增加，折舊費用不變 (D)資產及折舊費用均不變。 【105年第4次高業】

( ) **5** 強尼公司最近由國外進口自動化機器一台，發票金額為\$500,000，進口關稅\$100,000，強尼公司並支付了貨櫃運費\$70,000，此機器估計耐用年限為8年、殘值為\$20,000，請問此機器的可折舊成本為多少？ (A)\$650,000 (B)\$670,000 (C)\$480,000 (D)\$81,250。 【106年第4次高業】

解答與解析

1 (A)。房屋的取得成本應按公允價值來分攤總價款。
15,000,000×〔6,000,000／（6,000,000＋12,000,000）〕＝5,000,000
每年提列折舊5,000,000／20＝250,000

2 (C)。雙倍數餘額遞減法計算之第一年之折舊費用最大。

3 (A)。年數合計提列的折舊費用，初期會比直線法高，故折舊費用會高於直線法，相同獲利下，淨利自然較低。

4 (B)。辦理折舊性資產重估價將使資產及折舊費用增加。

5 (A)。機器成本＝500,000＋100,000＋70,000＝670,000
可折舊成本＝機器成本－殘值
＝670,000－20,000
＝650,000

重點03 固定資產的處分　重要度★★★

固定資產的處分，包括報廢、交換、出售等。

一、報廢

(一) 由於長期使用產生有形磨損，且達到規定使用年限，不能修復而須以新的固定資產替換，故對原固定資產按規定進行報廢。

(二) **例題**：假設有機器設備一部，其原始成本為$700,000，累計折舊$620,000，因設備功能已不適用，必須提早報廢，估計其殘值$42,500，則報廢時其「處分損益」之部分，應：

(A)借記：固定資產報廢損失$37,500

(B)借記：固定資產報廢損失$42,500

(C)貸記：固定資產報廢利益$37,500

(D)貸記：固定資產報廢利益$42,500　　【100年第3次高業】

答 報廢時點的帳面價值＝700,000－620,000＝80,000

然因殘值僅42,500，故差額為報廢損失＝42,500－80,000＝37,500

會計分錄如下：

	借	貸
借：現金	42,500	
累計折舊	620,000	
報廢損失	37,500	
貸：機器		700,000

故本題選(A)

二、交換

(一) 資產之交換，應以其公允價值入帳。

(二) 但當資產交換**缺乏商業實質**，或**其公允價值無法可靠衡量時**，應按**換出資產之帳面價值＋支付的現金（－收到的現金）**，作為換入資產成本入帳，並認列資產交換利益或損失。

(三) **例題**：公司於96年初以成本$4,000,000，累計折舊$2,500,000之機器交換汽車，並收到現金$500,000，換入之汽車公平市價為$1,800,000，則換入汽車之成本為何？

答 交換交易具商業實質時，應以公允價值入帳，故換入汽車之成本為1,800,000。

三、出售

(一) 若有利益（出售價格>帳面價值），貸記「出售資產利益」。

(二) 若有損失（出售價格<帳面價值），借記「出售資產損失」。

重點 04 其他非流動性資產 重要度★★

一、無形資產

(一) **定義**：指企業擁有的非實物形態之可辨認非貨幣性資產。

(二) **主要包括**：專利權、商標權、著作權、土地使用權、特許權等。

(三) 有限耐用年限者，依可使用年限攤銷；非確定耐用年限者不得攤銷，應每年定期測試減損。

二、其他資產（Other Assets）

如遞延所得稅資產、償債基金、存出保證金等。

三、採權益法之長期股權投資

(一) 當一公司投資另一公司的股票時，可依其會計處理方式可分為「成本法」與「權益法」。其依循標準如下：

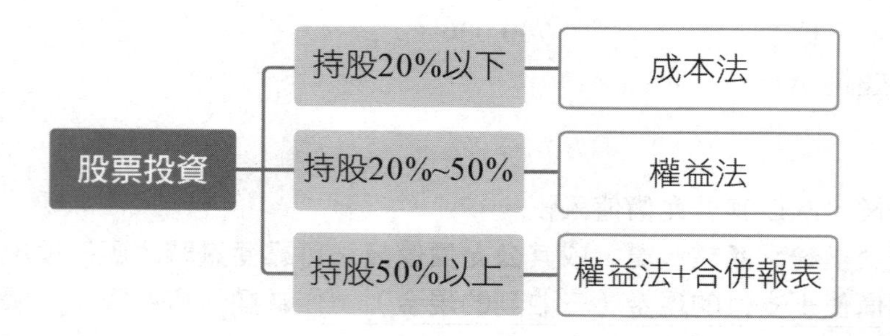

(二) 當股票採權益法評價時，意義上即視被投資公司為投資公司的一部分。

(三) **權益法的會計處理**

交易事項	採權益法 之長期股權投資	分錄
原始認列	原始成本＝成交價格＋交易成本	採權益法之長期股權投資 XXX 　現金 XXX
收到 現金股利	被投資公司發放現金股利，視為長期股權投資的減少	現金 XXX 　採權益法之長期股權投資 XXX
收到 股票股利	**收到股票股利，不作分錄，僅記錄收到的股數**	
被投資 公司發生 盈餘	投資公司應按持股比例認列投資收益	採權益法之長期股權投資 XXX 　投資收益 XXX
被投資 公司發生 虧損	投資公司應按約當持股比例認列投資損失	投資損失 XXX 　採權益法之長期股權投資 XXX
出售	出售損益＝售價－帳面餘額	現金 XXX 　採權益法之長期股權投資 XXX 　處分投資收益 XXX

(四) **非控制權益**

若母公司對子公司具有控制能力，但未100%持有子公司股權。此時子公司的股東權益多數屬於母公司所有，稱之「控制權益」。但剩餘股權仍屬其他股東所有，稱之為「非控制權益」。

牛刀小試

( ) **1** 被投資公司發放股票股利時，投資公司之會計處理為：
(A)一律貸記「投資收入」 (B)一律借記「長期投資」
(C)不做任何分錄，僅註記增加之股數 (D)成本法下貸記「投資收入」，權益法下則貸記「長期投資」。【105年第4次高業】

( ) **2** 採權益法評價之股權投資，若收到現金股利，則應貸記：
(A)保留盈餘 (B)投資收益
(C)長期投資 (D)營業收入。【104年第1次高業】

( ) **3** 非控制權益為： (A)母公司未持有的子公司股票之市價 (B)母公司之投資成本超過取得股權帳面金額之部分 (C)母公司之權益未被子公司擁有之部分 (D)子公司之權益未被母公司擁有之部分。【109年第1次高業】

解答與解析

1 (C)。當被投資公司發放股票股利時，投資公司不做任何分錄，僅註記增加之股數。

2 (C)。採權益法評價之股權投資，若收到現金股利，視為長期股權投資的減少，應貸記長期投資。

3 (D)。非控制權益為子公司之權益未被母公司擁有之部分。

重點回顧

非流動性資產之整理

	分類		科目	說明
非流動性資產	固定資產	永久性資產	土地	可無限期使用之資產
		折舊性資產	建築物、生財器具、機器設備等	實體不因使用而改變，但有其使用年限，故取得成本需以折舊分攤於使用年限內
		遞耗資產	森林、石油、礦產等	天然資源之實體因開採而改變，必須將成本依合理方法分攤提列
	無形資產		專利權、商標權、商譽等	不具形體但可產生長期效益的資產，須將成本分年提列攤銷

權益法的會計處理

交易事項	採權益法之長期股權投資	分錄		
原始認列	原始成本＝成交價格＋交易成本	採權益法之長期股權投資	XXX	
		現金		XXX
收到現金股利	被投資公司發放現金股利，視為長期股權投資的減少	現金	XXX	
		採權益法之長期股權投資		XXX
收到股票股利	**收到股票股利，不作分錄，僅記錄收到的股數**			
被投資公司發生盈餘	投資公司應按持股比例認列投資收益	採權益法之長期股權投資	XXX	
		投資收益		XXX
被投資公司發生虧損	投資公司應按約當持股比例認列投資損失	投資損失	XXX	
		採權益法之長期股權投資		XXX
出售	出售損益＝售價－帳面餘額	現金	XXX	
		採權益法之長期股權投資		XXX
		處分投資收益		XXX

精選試題

(　　) **1** 下列那一項應被視為非流動資產？　(A)建設公司所蓋的別墅　(B)學校所擁有的教室　(C)豐田剛推出的新型轎車　(D)土地開發公司所購買的土地。【105年第3次高業】

(　　) **2** 大創公司以帳面金額$4,500之舊機器，加付現金$10,500，換得新機器，該項交易具商業實質，交換日舊、新機器之公允價值分別為$2,500及$13,000，則新機器之入帳成本應為：　(A)$13,000　(B)$14,700　(C)$16,000　(D)$15,300。【106年第3次高業】

(　　) **3** 在成本模式下，不動產、廠房及設備之帳面金額係指不動產、廠房及設備之：　(A)重置成本　(B)成本減累計折舊及累積減損之餘額　(C)清算價值　(D)淨變現價值。【106年第3次高業】

(　　) **4** 龍義公司購買汽車一部，付現$100,000並開立一年期無息票據面額$500,000。若一般銀行貸款利率為10%，則龍義公司所購汽車之成本應為：　(A)$600,000　(B)$650,000　(C)$545,545　(D)$554,545。【105年第3次高業】

(　　) **5** 土地改良物若具永久性，則其成本應列為：　(A)費用　(B)土地成本之增加　(C)列入單獨設立之「土地改良物」帳戶，並提列折舊　(D)損失。【107年第1次高業】

(　　) **6** 永鈞公司以$21,000,000購入房地，房屋估計可用20年無殘值，購入時土地與房屋之公允價值分別為$12,000,000及$6,000,000，若採直線法提列折舊，則每年之折舊費用為：　(A)$250,000　(B)$300,000　(C)$350,000　(D)$150,000。【109年第1次高業】

(　　) **7** 下列何種方法在資產年限的早期計算折舊時，不考慮估計的殘值？　(A)直線法　(B)生產數量法　(C)倍數餘額遞減法　(D)年數合計法。【104年第2次高業】

( ) **8** 為樂公司於106年初支出$180,000購入機器一部，誤將成本記為修理費，若該機器估計可使用6年，殘值0，採直線法提列折舊，則該公司之記錄錯誤將使106年底之權益（假設不考慮所得稅的影響）： (A)低估$148,000 (B)低估$180,000 (C)高估$30,000 (D)低估$150,000。

( ) **9** 太原公司最近由國外進口自動化機器一台，發票金額為$500,000，進口關稅$100,000，太原公司並支付了貨櫃運費$70,000，此機器估計耐用年限為8年、殘值為$20,000，請問此機器的可折舊成本為多少？ (A)$650,000 (B)$670,000 (C)$480,000 (D)$81,250。 【109年第2次高業】

( ) **10** 公司於106年初以成本$4,000,000，累計折舊$2,500,000之機器交換汽車，並收到現金$500,000，該項交易具商業實質，換入之汽車公允價值為$1,800,000，則換入汽車之成本為何？ (A)$1,000,000 (B)$1,200,000 (C)$1,500,000 (D)$1,800,000。 【109年第3次高業】

( ) **11** 雨彤公司以帳面金額$4,500之舊機器，加付現金$10,500，換得新機器，該項交易具商業實質，交換日舊、新機器之公允價值分別為$2,500及$13,000，則新機器之入帳成本應為： (A)$13,000 (B)$14,700 (C)$16,000 (D)$15,300。 【107年第2次高業】

( ) **12** 弘力公司於101年12月1日以成本$3,600,000，累計折舊$2,000,000之機器一台交換新設備，交換時並取得現金$500,000，此項交換不具商業實質。已知新設備公允價值為$1,500,000，則新機器入帳成本為： (A)$600,000 (B)$1,100,000 (C)$1,200,000 (D)$1,500,000。 【105年第1次高業】

( ) **13** 公司採權益法評價之長期股權投資若獲配發現金股利，則對認列該現金股利之當年度報表，下列敘述何者正確？
(A)流動比率增加 (B)流動比率減少
(C)流動比率不變 (D)無法判斷。 【101年第3次高業】

(　　) **14** 投資公司收到被投資公司所發放的股票股利時，應：　(A)貸記股利收入　(B)不作分錄、僅作備忘記錄　(C)貸記投資收益　(D)貸記股本。 【110年第1次高業】

(　　) **15** 以權益法處理長期股權投資時，所取得之股權淨值係指：　(A)相當於投資時被投資公司淨資產之公平價值乘上本批投資之持股比例　(B)相當於投資時被投資公司淨資產之帳面價值乘上本批投資之持股比例　(C)為長期股權投資之入帳金額　(D)與投資成本之差額將於投資公司帳上認列為商譽或負商譽。 【101年第2次高業】

(　　) **16** 合併資產負債表上的「非控制權益」係指：　(A)母公司之股東中，持股比例小於50%者之權益　(B)母公司對子公司所享有之權益　(C)子公司應付公司債之利息費用　(D)母公司以外股東對子公司淨資產所享有之權益。 【107年第3次高業】

解答與解析

1 **(B)**。建設公司所蓋的別墅、豐田剛推出的新型轎車、土地開發公司所購買的土地均屬於「存貨」，為流動資產。

2 **(A)**。新機器入帳成本＝交換日舊機器之公允價值＋加付現金
＝2,500＋10,500＝13,000

3 **(B)**。不動產、廠房及設備之帳面金額係指不動產、廠房及設備之成本減累計折舊及累積減損之餘額。

4 **(D)**。一年期無息票據其現值為500,000／（1＋10%）＝454,545
購車成本＝100,000＋454,545＝554,545

5 **(B)**。土地改良支出若具永久性，應列為土地成本；若不具永久性者，則應以「土地改良物」入帳，並逐年提列折舊。

6 **(C)**。25,000,000×[6,000,000／（6,000,000＋12,000,000）]／20＝350,000

7 **(C)**。採倍數餘額遞減法可以不考慮殘值，但最後一年度的折舊只能折到殘值為止，不可再按固定比率提列折舊。

8 (D)。買入時

借：機器（資產） 180,000

貸：現金 180,000

年底調整折舊：（180,000－0殘值）÷6＝30,000

⇒每年折舊要提撥30,000

12／31時，借：折舊費用（費用）30,000、貸：累計折舊－機器（資產）30,000

寫錯分錄時

借：修理費（費用） 180,000

貸：現金 180,000

原本只需認列折舊費用30,000，但現在全認列修理費18萬，

所以費用多認列了15萬，導致權益低估了15萬。

9 (A)。可折舊成本＝成本－殘值＝500,000＋100,000＋70,000－20,000＝650,000

10 (D)。交換交易具商業實質時，應以公允價值入帳，故換入汽車之成本為1,800,000。

11 (A)。交換交易具商業實質時，應以公允價值入帳，題幹敘明新機器公允價值為13,000，故選(A)。

12 (B)。因題幹敘述此項交換不具商業實質，新機器入帳成本＝舊資產帳面價值加所付現金（或減所收現金）

3,600,000－2,000,000－500,000＝1,100,000

13 (A)。若被投資公司發現金股利，會借記：現金、貸記：採權益法之長期股權投資，故流動比率（＝流動資產／流動負債）增加。

14 (B)。投資公司收到被投資公司所發放的股票股利時，應不作分錄、僅作備忘記錄。

15 (B)。以權益法處理長期股權投資時，則取得的股權淨值指：被投資公司淨資產之帳面價值×投資公司的持股比例。

16 (D)。若母公司對子公司具有控制能力，但未100%持有子公司股權。此時子公司的股東權益多數屬於母公司所有，稱之「控制權益」。但剩餘股權仍屬其他股東所有，稱之為「非控制權益」。

第四章 非流動負債

依據出題頻率區分，
屬：C 頻率低

非流動負債是指超過一年以上才到期的債務，本章節於歷屆試題出現頻率不高，僅需於考前複習負債準備與或有負債之概念，即可掌握本節考點。

重點 非流動負債 重要度★★

一、定義

到期日在一年以上，或將在一年內到期而無須動用流動資產或產生新流動負債以償還的負債。

二、非流動負債通常包括

應付公司債、長期應付票據、應付抵押借款等。

(一) **應付公司債**

1. 公司以發行債券方式，舉借款項的一種債務。
2. 發行公司債的優點：

發行成本較低	公司債的發行作業較發行股票簡單。
節省所得稅	**公司債的利息為「費用」，可以減少淨利，降低所得稅**。
避免股權分散	公司債持有者為債權人，並無權參與公司經營。
通貨膨脹時舉債有利	當通膨升溫時，因購買力下降會致使幣值下跌，但此時公司債依舊照書面約定，支付固定的本金及利息，故發行公司於通膨時期會享有優勢。

3. 公司債的平價、溢價、折價：
   (1) **平價發行**：票面利率＝有效利率，發行價格＝債券面額。
   (2) **溢價發行**：票面利率＞有效利率，發行價格＞債券面額。
   (3) **折價發行**：票面利率＜有效利率，發行價格＜債券面額。

4. 公司債溢折價攤銷：

(1) 若公司債溢價或折價發行，應按「有效利息法」攤銷，並認列利息費用

(2) 公司債帳面金額變動

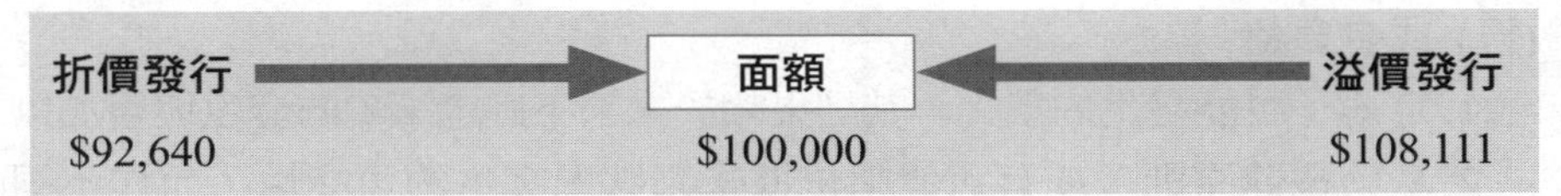

公司債的帳面金額會隨著到期日的接近，而靠近面額。

(3) 有效利息法：

A. **結論：**

	溢價	折價
帳面金額	遞減至面額	遞增至面額
利息費用	**遞減**	**遞增**
攤銷額	**遞增**	**遞增**

B. **推導：**

a. 溢價發行：

溢價攤銷＝應付利息－利息費用

應付利息＝票面金額×票面利率×期間

利息費用＝年初帳面價值×市場利率×期間

應付利息每年為固定值；而利息費用會因「年初帳面價值」逐年變低，所以利息費用會越來越少。

b. 折價發行：

折價攤銷＝應付利息－利息費用

應付利息＝票面金額×票面利率×期間

利息費用＝年初帳面價值×市場利率×期間

應付利息每年為固定值；而利息費用會因「年初帳面價值」逐年增加，所以利息費用會越來越高。

(二) **長期應付票據**：長期應付票據的到期日通常在一年以上；但如將在一年以內到期，須以流動資產或產生流動負債償還時，即應轉列為流動負債。

(三) **應付抵押借款**：應付抵押借款係企業以不動產作為擔保品，並須向地政機關辦理抵押設定登記的借款。

(四) **估計負債**

1. **定義**：指負債已經發生，但金額尚無法確定者。
2. **常見的估計負債**：如公司的應付所得稅。

(五) **或有負債**

1. 定義：可能發生的損失，其結果賴於未來不確定事項的發生與否加以證實。
2. 基於穩健原則，或有負債須依據未來狀況發生的可能性，而作不同的會計處理。

可能性	金額	處理方式	常見的或有負債
很有可能	可以合理估計	預計入帳	產品售後服務保證、贈品、兌換卷。
	無法合理估計	附註揭露	訴訟賠償、債務保證、票據背書及貼現、銀行開發的信用狀。
有可能	可以合理估計	附註揭露	
	無法合理估計		
極少可能	可以合理估計	得附註揭露	
	無法合理估計		

3. 常見的或有負債：應收款項無法全部收回而產生呆帳、產品附有售後服務保證而發生的服務費用、意外事故超出投保金額或範圍造成之損失、因爭訟而可能造成損失。

重點回顧

不確定負債	負債準備	或有負債
發生機率、金額估計	負債發生機率＞50% 而且金額能可靠估計	負債發生機率＜50% 或金額無法可靠估計
會計處理	認列為負債，要入帳。	不能認列為負債，僅需揭露。 發生的可能性甚低時，則無需揭露。
常見例子	發生機率50%（很有可能發生）且金額能可靠估計的事項：產品保固、汙染整治、除役成本、訴訟賠償、債務保證	1.積欠累積特別股的股利 2.發生機率＜50%的事項： 訴訟賠償、債務保證……

精選試題

( ) **1** 若公司債之票面利率高於市場利率，則該公司債應： (A)平價發行 (B)溢價發行 (C)折價發行 (D)發行價格不受利率影響。 【109年第1次高業】

( ) **2** 若以有效利率法（Effective Interest Method）攤銷公司債之折價，則每期所攤銷之折價金額為： (A)遞增 (B)遞減 (C)不變 (D)不一定。 【107年第3次高業】

( ) **3** 應付公司債折價攤銷為：
(A)利息費用之減少 (B)利息費用之增加 (C)公司債到期日應償還金額之增加 (D)負債之減少。 【107年第2次高業】

( ) **4** 下列何者屬於負債準備？ (A)公司債發行溢價部分 (B)可轉換公司債 (C)產品售後服務保證負債 (D)應付租賃款。 【106年第1次高業】

( ) **5** 嘉欣公司為辦公傢俱製造商，該公司品管部門發現96年度出售的一批傢俱有缺陷，可能會有顧客要求賠償，但機率不是非常大，而賠償金額可合理估計。該公司應如何處理？ (A)因可能性不是很大，故不必預計入帳，亦不須揭露 (B)為符合穩健原則，雖然可能性不是很大，亦應預計入帳，並在附註中揭露 (C)不必預計入帳，但在附註中揭露 (D)預計入帳即可，不須再做附註揭露。 【100年第4次高業】

解答與解析

1 (B)。公司債票面利率＞市場利率，則投資人會偏好購買公司債，故公司債的市場價格會＞票面價值發行，是為溢價發行。

2 (A)。折價發行代表票面利率＜市場利率，攤銷＝利息費用－應付利息，每期應付利息是固定的、利息費用＝期初帳面金額×市場利率，期初帳面金額每期會越來越大，故攤銷的金額也會越來越大。

3 (B)。應付公司債折價攤銷為利息費用之增加。

4 (C)。負債準備指不確定要償付時間點、不確定金額的「負債」，但先為其預留資金準備，例如：商品售後保固費用。

5 (C)。若賠償機率不大，則不必預計入帳，但在附註中揭露。

第五章 現金流量分析

依據出題頻率區分，
屬：C 頻率低

現金流量分析可用以檢視企業於特定期間現金流入及流出的狀況。又藉由本章介紹的現金流量相關比率，可使投資人輔助評估損益表的盈餘品質、評估企業產生現金的能力、評估企業有無能力發放股息以及評估企業投資的趨勢。

重點01 現金流量的分類

重要度★★★

一、現金

本章節所稱之「現金」，是指公司的庫存現金，以及具高變現性的資產，包括銀行存款和其他貨幣資金。

二、現金流量

指企業一定期間內的現金流出、流入紀錄。

(一) 現金流量之分類

1. **營業活動現金流量：**

(1)企業透過生產、銷售商品所取得的金流，為企業現金的主要來源。

(2)營業活動現金流通常包括：

現金流入	1.商品銷售、應收帳款產生的收現。 2.投資有價證券所得之利息或及股利。 3.收到其他非因投資活動所產生之現金收入，如：訴訟受償、保險理賠等。
現金流出	1.商品購買、償還供應商帳款。 2.支付營業成本。 3.收到其他非因投資活動所產生之現金收入，如：訴訟賠償、顧客退貨款等。

2. **投資活動現金流量：**

(1)企業透過承做投資、放款等所取得的現金流。

(2)投資活動現金流通常包括：

現金流入	1.收回貸款。 2.處分權益證券之價款。 3.處分固定資產之價款。 4.處分無形資產和其他長期資產之價款。
現金流出	1.承做放款。 2.取得權益證券。 3.取得固定資產。 4.取得無形資產和其他長期資產所支付之價款。

3. **籌資活動現金流量：**

(1)透過使企業資本結構（負債、股東權益）發生變化，所取得的現金流。

(2)籌資活動現金流通常包括：

現金流入	1.現金增資發行新股。 2.舉債所收到的現金。 3.出售庫藏股。
現金流出	1.發上現金股利。 2.償還債務之本息。 3.購買庫藏股。

考點速攻

國際會計準則第7號的彈性規定

1.收取利息或現金股利，得分類為營業活動或投資活動。

2.支付利息或現金股利得分類為營業活動或籌資活動。

4. **不影響現金流之活動：**

(1)以融資租賃方式取得資產。

(2)以發行權益方式收購企業。

(3)債務轉換為權益。

(4)用發行股票來交換固定資產。

(5)具商業實質之非貨幣性資產交換。

(二) 現金淨流量

1. 現金淨流量為現金流入與現金流出之差額。
2. 若現金淨流量＞0，則為淨流入；若現金淨流量＜0，則為淨流出。

牛刀小試

( ) **1** 下列何種情況較可能出現在一個新成立且急速擴充的企業之現金流量表？ (A)投資活動現金流量淨額大於0；籌資活動現金流量淨額小於0 (B)投資活動現金流量淨額小於0；籌資活動現金流量淨額大於0 (C)投資活動現金流量淨額小於0；籌資活動現金流量淨額小於0 (D)投資活動現金流量淨額大於0；籌資活動現金流量淨額大於0。 【105年第3次高業】

( ) **2** 吉祥公司以$5,000,000發行公司債，由如意公司購入，上述交易在各公司現金流量表中應列為： (A)吉祥公司：投資活動；如意公司：投資活動 (B)吉祥公司：投資活動；如意公司：籌資活動 (C)吉祥公司：籌資活動；如意公司：投資活動 (D)吉祥公司：籌資活動；如意公司：籌資活動。 【105年第3次高業】

( ) **3** 依IAS7之彈性規定，利息費用付現得列於現金流量表中之何項活動？ (A)營業活動或投資活動 (B)投資活動或籌資活動 (C)營業活動或籌資活動 (D)不影響現金流量之投資及籌資活動。 【106年第3次高業】

( ) **4** 依我國企業實務慣用分類方式編製現金流量表時，以現金償付貸款之本金及利息，於現金流量表上應如何表達？ (A)全部作為營業活動 (B)全部作為籌資活動 (C)本金部分屬於營業活動，利息部分屬於籌資活動 (D)本金部分屬於籌資活動，利息部分屬於營業活動。 【105年第4次高業】

解答與解析

1 (B)。現金淨流量＝現金流入－現金流出，若公司為新創，則投資活動現金流量淨額小於0（例如因取得固定資產致使現金流入）、籌資活動現金流量淨額大於0（例如因發新股、發債致使有現金流入）。

2 (C)。吉祥公司發行公司債，改變了企業的資本結構，為籌資活動；如意公司購買公司債屬於投資活動。

3 (C)。利息費用付現得列於營業活動或籌資活動。

4 (D)。本金部分屬於籌資活動現金流出，利息部分屬於營業活動現金流出。

重點 02

現金流量的編制

重要度★★★

一、現金流量表

現金流量表有兩種編製方法，分別為「直接法」與「間接法」。**兩者間的差異主要在於「營業活動現金流」的表達方式不同**（投資活動現金流與籌資活動現金流的表達皆相同）。

(一) **直接法**

國際會計準則第七號鼓勵採直接法編制現金流量表，其編制方式為將綜合損益表中的各項收入與各項費用，二者間互減後的淨現金即為營業活動淨現金流量。

營業活動之現金流量	
各項收入收現	$X,XXX
減：各項費用付現	X,XXX
營業活動之淨現金流入（流出）	$X,XXX

(二) **間接法**

從損益表中之「本期損益」調整當期不影響現金之損益項目、與損益有關之流動資產及流動負債項目之變動金額、資產處分及債務清償之損益項目，以求算當期由營業產生之淨現金流入或流出。

簡而言之，**營業活動現金流量基本上是本期淨利加／減與現金無關之損益科目（例如折舊、攤銷及投資收益），再加／減營運資金項目之變動（例如應收帳款、存貨及應付帳款）**。

(三) **例題1**：貝安公司X1年度淨利$150,000、折舊費用$40,000、專利權攤銷費用$15,000、存貨減少數$18,000、應收帳款增加數$45,000、應付帳款減少數$20,000、出售設備損失$10,000（帳面金額$30,000，減現金收入$20,000），則X1年度來自營運活動的淨現金流量為：【107年第2次高業】

答 **折舊費用：並未真的支出現金，要加回**

專利權攤銷費用：並未真的支出現金，要加回

存貨減少數：賣出存貨領到現金，要加回

應收帳款增加數：賣出存貨但未領現，要扣除

應付帳款減少數：負債變少表示有以現金支出，要扣除

出售設備損失：並未真的支出現金，要加回

淨現金流量＝150,000＋40,000＋15,000＋18,000－45,000－20,000＋10,000
＝$168,000

例題2：艾倫公司100年度淨利為$20,000、呆帳損失為$6,000、應付債券溢價攤銷$1,000、折舊費用$2,000、應收帳款增加數$10,000、備抵呆帳減少數$4,000，則100年度來自營業活動之淨現金流入為：【103年第3次高業】

答 應收帳款增加數＝10,000＋6,000＋4,000＝20,000
來自營業活動之淨現金流
＝淨利＋折舊＋呆帳損失－應付債券溢價攤銷－應收帳款增加數
＝20,000＋2,000＋6,000－1,000－20,000
＝7,000

例題3：乾隆公司本年度稅後淨利為$20,000，本年度損益表中列有折舊費用$5,000、出售不動產、廠房及設備損失$4,000及所得稅$4,500等，試計算該公司本年度由營業活動所產生之現金為：【106年第2次高業】

答 來自營業活動之淨現金流＝淨利＋折舊費用＋設備損失
＝20,000＋5,000＋4,000＝29,000

例題4：晉強公司100年度淨現金流入$25,000，其100年間售出舊機器得款$30,000無損益、不動產、廠房及設備折舊為$1,000、發放股利$5,000、投資廠房$35,000，假設無其他與計算純益相關的資料，則該公司100年純益為何？

答 淨現金流入＝純益＋售出舊機器得款＋設備折舊－發放股利－投資廠房
25,000＝純益＋30,000＋1,000－5,000－35,000
純益＝34,000

重點03 現金流量比率分析 重要度★★

一、現金流量比率

(一) **定義**：衡量企業來自營業活動現金流量，是否足以支付一年內須償還的流動負債。

(二) **公式**：$現金流量比率=\frac{營業活動淨現金流量}{流動負債}$

(三) **例題**：已知紹興公司100年度自由現金流量為$25,000，當年度資本支出共$25,000，無任何現金股利，當年度平均流動負債$100,000、平均流動資產$80,000，請問該公司當年度現金流量比率為何？

【106年第1次高業】

答 自由現金流＝營業活動現金流量＋收入－費用－投資
25,000＝營業活動現金流量－25,000
⇒營業活動現金流量＝50,000
現金流量比率＝營業活動現金流量／流動負債
＝50,000／100,000
＝0.5

二、淨現金流量允當比率

(一) **定義**：衡量營業活動產生的現金流是否足以支應公司擴張所需的資本支出與存貨增加，以及是否足以回饋股東、支付現金股利。

(二) **公式**

$$淨現金流量允當比率=\frac{最近五年度營業活動淨現金流量}{最近五年度（資本支出+存貨增加額+現金股利）}$$

三、現金再投資比率

(一) **定義**：衡量一家公司營業活動現金流量占目前營業資產的比率。該比率越高，表明企業可用於再投資各項資產的現金越多，企業再投資能力強。

(二) **公式**

$$現金再投資比率=\frac{（營業活動淨現金流量-現金股利）}{（固定資產+長期投資+其他資產+營運資金）}$$

(三) **例題**：高傑公司固定資產毛額$10,000、長期投資$20,000、其他資產$5,000、營運資金$3,000、長期負債$60,000、營業之淨現金流入$35,000及現金股利$15,000，則現金再投資比率為何？ 【101年第3次高業】

答 現金再投資比率＝$\frac{(35,000-15,000)}{(10,000+20,000+5,000+3,000)}=0.53$

四、每股現金流量

(一) **定義**：公式概念類似每股盈餘，惟以此比率與應計基礎的每股盈餘比較，可看出盈餘品質的好壞。

(二) **公式**

$$每股現金流量=\frac{(營業活動淨現金流量-特別股股利)}{流通在外普通股股數}$$

五、營業活動現金流量佔稅後淨利比

(一) **定義**：用以檢視盈餘品質，舉例而言，若一間企業宣稱其稅後淨利高、賺許多錢，但實際上營業活動現金流量很少或為負數，即表示公司的盈餘品質恐不佳。

(二) **公式**

$$營業活動現金流量佔稅後淨利比=\frac{營業活動現金流量}{稅後淨利}$$

牛刀小試

( ) **1** 華陀公司X2年度營業活動現金流量為$480,000，當年度資本支出$150,000、現金股利$30,000，當年底流動負債$120,000、流動資產$300,000（內含現金$60,000）、不動產、廠房及設備總額$150,000、長期投資$100,000、其他資產$50,000，則該公司之現金流量比率為：

(A)160% (B)267%
(C)400% (D)800%。 【106年第3次分析師】

( ) **2** 營業活動現金流量／（投資之資本支出＋存貨投資之增加＋現金股利）稱為：
(A)現金流量比率
(B)現金流量允當比率
(C)現金再投資比率
(D)每股現金流量。 【106年第1次分析師】

( ) **3** 下列何者財務比率較適合用以衡量企業來自營業活動的資金是否足以支應資產的汰舊換新及營運成長的需要？
(A)每股現金流量
(B)現金再投資比率
(C)現金流量比率
(D)現金流量允當比率。 【105年第4次普業】

( ) **4** 「每股現金流量」衡量的是：
(A)（現金收入－現金支出）÷流通在外股數
(B)企業由內部產生現金的能力
(C)企業的獲利能力
(D)選項(A)(B)(C)皆是。

解答與解析

1 (C)。現金流量比率＝營業活動淨現金流量／流動負債
＝$480,000／$120,000＝400%

2 (B)。題幹之公式為現金流量允當比率，該比率衡量營業活動產生的現金流是否足以支應公司擴張所需的資本支出與存貨增加。

3 (B)。現金再投資比率用以衡量企業來自營業活動的資金是否足以支應資產的汰舊換新及營運成長的需要。

4 (B)。每股現金流量＝（營業活動淨現金流量–特別股股利）／流通在外普通股股數。此比率用以衡量企業由內部產生現金的能力。

精選試題

( ) **1** 償還短期借款，應列為何種活動之現金流出？ (A)投資活動 (B)營業活動 (C)籌資活動 (D)其他活動。 【110年第1次高業】

( ) **2** 依IAS7之彈性規定，利息費用付現得列於現金流量表中之何項活動？
(A)營業活動或投資活動
(B)投資活動或籌資活動
(C)營業活動或籌資活動
(D)不影響現金流量之投資及籌資活動。 【106年第3次高業】

( ) **3** 下列何者不屬於現金流量表上的籌資活動？
(A)企業發行公司債借款 (B)現金增資 (C)購買庫藏股票 (D)收到現金股利。 【105年第2次高業】

( ) **4** 下列何者係不影響現金之投資與籌資活動？
(A)發行普通股交換土地 (B)支付股利給股東 (C)購買設備 (D)宣告現金股利。 【103年第4次高業】

( ) **5** 下列事項是否應在現金流量表中報導？ (A)可轉換公司債轉換為普通股：是；可轉換特別股轉換為普通股：否 (B)可轉換公司債轉換為普通股：是；可轉換特別股轉換為普通股：是 (C)可轉換公司債轉換為普通股：否；可轉換特別股轉換為普通股：否 (D)可轉換公司債轉換為普通股：否；可轉換特別股轉換為普通股：是。 【104年第1次高業】

( ) **6** 立宇公司於X6年底購買土地一筆，價格為$1,000,000，該公司支付現金$400,000，餘款則開立附息票據支應。此項交易在當期現金流量表的揭露方式為： (A)投資活動：－$400,000；籌資活動：－$600,000 (B)投資活動：－$1,000,000；籌資活動：0 (C)投資活動：－$1,000,000；籌資活動：＋$600,000 (D)投資活動：－$400,000；籌資活動：0。 【109年第2次高業】

( ) **7** 當不動產、廠房及設備以低於帳面金額之金額出售，對現金流量表的影響為： (A)在間接法之下，處分損失應列為營業活動現金流量的減項調整 (B)在直接法之下，處分損失不需列入現金流量表 (C)處分不動產、廠房及設備損失應列為投資活動現金流量的減項 (D)處分不動產、廠房及設備損失應於投資活動現金流量中加回。 【109年第4次高業】

( ) **8** 下列何者為來自籌資活動的現金流量？ (A)購買不動產、廠房及設備 (B)應計費用增加 (C)借入長期負債 (D)選項(A)(B)(C)皆非。 【107年第3次高業】

( ) **9** 下列何者在現金流量表中，若以間接法編製營業活動的現金流量，當由淨利調整為從營業而來之現金時，應列為減項？ (A)應付公司債折價攤銷 (B)依權益法認列之投資收益 (C)應付利息增加 (D)遞延所得稅負債增加。

( ) **10** 下列哪一項說明了折舊費用如何顯示在現金流量表上？
(A)直接法：加在淨利之上；間接法：並未顯示
(B)直接法：並未顯示；間接法：加在淨利上
(C)直接法：並未顯示；間接法：並未顯示
(D)直接法：並未顯示；間接法：自淨利處扣除。 【109年第3次高業】

( ) **11** 三芳公司94年度淨利$150,000，折舊費用$40,000，專利權攤銷費用$15,000，存貨減少數$18,000，應收帳款增加數$45,000，應付帳款減少數$20,000，出售設備損失$10,000（帳面價值$30,000，減現金收入$20,000），則94年度來自營運活動的淨現金流量為： (A)$158,000 (B)$222,000 (C)$168,000 (D)$136,000。

( ) **12** 甲公司X1年度的資料：折舊費用$10,000，應收帳款減少$12,000，預付費用增加$2,000，應付帳款減少$4,000，出售設備損失$20,000，當年淨利$120,000，則該公司X1年來自營業活動的現金流量為： (A)$124,000 (B)$136,000 (C)$144,000 (D)$156,000。

(　　) **13** 嘉樺公司本年度稅後淨利為$20,000，本年度損益表中列有折舊費用$5,000、出售固定資產損失$4,000及所得稅$4,500等，試計算該公司本年度由營業活動所產生之現金為：　(A)$31,000　(B)$24,000　(C)$25,000　(D)$29,000。

(　　) **14** 計算營業活動淨現金流量時，下列項目何者不可列入？　(A)合約負債的減少　(B)遞延所得稅負債的變動　(C)應付銀行票據變動　(D)存出保證金變動。　【107年第4次高業】

解答與解析

1 **(C)**。償還短期借款，應列為籌資活動之現金流出。

2 **(C)**。利息費用付現得列於現金流量表中之營業活動或籌資活動。

3 **(D)**。收到現金股利認列為營業活動現金流。

4 **(A)**。用發行股票來交換固定資產方式，並無涉及現金之收入、支出，故為不影響現金流之活動。

5 **(C)**。「可轉換公司債轉換為普通股」為債轉股，「可轉換特別股轉換為普通股」為特別股轉普通股；兩者都不涉及現金流入或流出，故無需在現金流量表中報導。

6 **(D)**。購買土地屬於投資活動，而其中以現金流動的只有$400,000，餘款則開立票據；本題沒有籌資活動的項目。

7 **(B)**。當不動產、廠房及設備以低於帳面金額之金額出售，在直接法之下，處分損失不需列入現金流量表。

8 **(C)**。購買不動產、廠房及設備為投資活動；應計費用為營業活動、借入長期負債為籌資活動。

9 **(B)**。依權益法認列之投資收益雖然使淨利增加，但實際上並未獲得現金，故在計算現金流量時，應列為減項。

10 **(B)**。採取直接法，折舊費用不會顯示在現金流量表；採取間接法，折舊費用會加在淨利上。

11 **(C)**。應收帳款增加數：賣出存貨但未領現，要扣除
應付帳款減少數：負債變少表示有以現金支出，要扣除
出售設備損失：並未真的支出現金，要加回
折舊費用：並未真的支出現金，要加回
專利權攤銷費用：並未真的支出現金，要加回

存貨減少數：賣出存貨領到現金，要加回

淨現金流量＝150,000＋40,000＋15,000＋18,000－45,000－20,000＋10,000＝$168,000

12 **(D)**。營業活動現金流量採間接法編列，以本期淨利為調整基礎，再調整：

(1)營業活動資產之增減數：存貨、應收帳款等資產。

(2)投資、籌措活動之損益：處分土地利益、出售設備利（損）。

(3)不影響現金流量之損益：折舊費用。

因此：

(1)本期淨利＝$120,000

(2)營業活動資產之增減數

應收帳款減少$12,000，加回

預付費用增加$2,000，減除

應付帳款減少$4,000，減除

(3)投資活動之損益

出售設備損失$20,000，加回

(4)不影響現金流量之損益

折舊費用 $10,000，加回

最後：

本期營業活動現金流量

＝120,000＋12,000－2,000－4,000＋20,000＋10,000＝$156,000

13 **(D)**。營業活動產生之現金＝淨利＋折舊費用＋設備損失

＝20,000＋5,000＋4,000＝29,000

14 **(C)**。應付銀行票據變動屬於籌資活動，故不計入營業活動淨現金流。

第六章 股東權益

依據出題頻率區分，
屬：**B** 頻率中

股東權益為公司的總資產減去總負債所餘的部分，又稱為「淨資產」或「淨值」。白話而言，股東權益為公司的自有資本。當公司的總資產小於總負債時，公司即面臨資不抵債的狀態，一旦破產清算，股東將一無所得。相反地，若股東權益越大，代表公司的實力越雄厚。

重點 股東權益項下的會計科目

重要度★★★

股東權益的組成

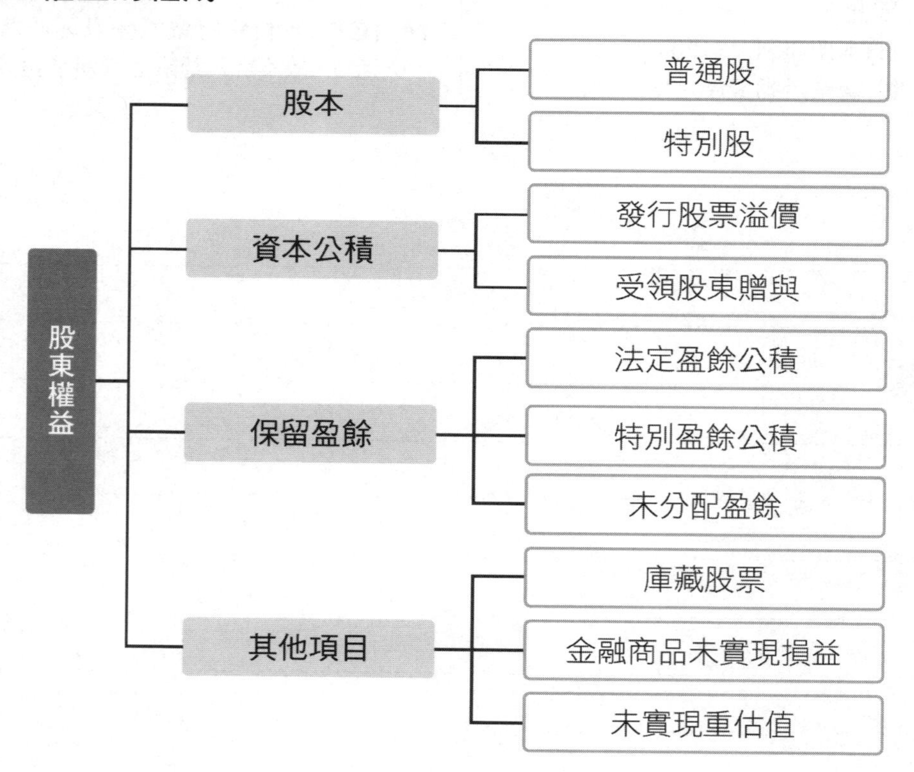

(一) **股本**

1. **定義**：公司的法定資本

2. **股本＝股票面值×股份總額**

3. 實務上，公司發行股票取得的資金與股本往往不一致。發行股票所得資金＞股本總額者，稱為「溢價發行」；發行股票所得資金＜股本總額者，稱為「折價發行」；發行股票所得資金＝股本總額者，稱為「面值發行」。

4. **若溢價發行，公司除記「股本」此會計科目外，應將超出股票面值的部分記入「資本公積」科目。**

(二) **資本公積**

1. **定義**：公司與股東間之股本交易所產生的溢價。

2. **包括**：

(1) 超過票面金額發行股票所得之溢價

A. 超過面額發行的溢價。

B. 公司因併購而發行股票所產生的股本溢價。

C. 庫藏股票交易溢價。

(2) 受領股東贈與公司已發行之股票。

3. **用途**：**資本公積得用以彌補虧損、撥充資本**。

(三) **保留盈餘**

1. **定義**：公司歷年累積純益，未分配給股東且未轉為資本公積、仍保留於公司的餘額。若餘額為正（貸餘），則稱為「保留盈餘」；若餘額為正（借餘），則稱為「累積虧損」。

2. **保留盈餘組成項目**：

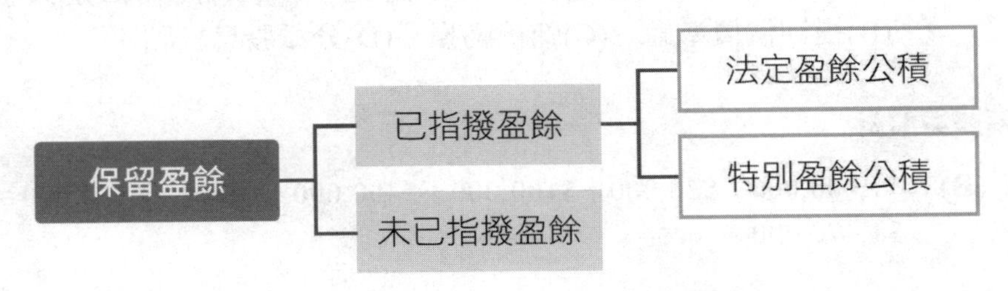

3. **公司盈餘分配順序**：

(1) **彌補虧損。**

(2) **提撥法定盈餘公積。**

(3) **提撥特別盈餘公積。**

(4) **分配股利。**

4. **公司法第232條**：公司非彌補虧損及依本法規定提出法定盈餘公積後，不得分派股息及紅利。公司無盈餘時，不得分派股息及紅利。
5. **公司法第237條**：公司於完納一切稅捐後，分派盈餘時，應先提出百分之十為法定盈餘公積。但法定盈餘公積，已達實收資本額時，不在此限。
6. **彌補虧損順序為**：**法定盈餘公積**⇒**資本公積**

牛刀小試

(　　) **1** 某公司年底科目如下：普通股股本$1,000,000、資本公積—普通股發行溢價$20,000、法定盈餘公積$100,000、未分配盈餘$400,000、庫藏股票$50,000。則股東權益總額為多少？
(A)$1,000,000　(B)$1,470,000
(C)$1,520,000　(D)$1,570,000。

(　　) **2** 下列何者非為權益項目？ (A)庫藏股 (B)特別盈餘公積 (C)償債基金 (D)保留盈餘。 【106年第4次高業】

(　　) **3** 普通股發行股數與每股面額之乘積為：
(A)保留盈餘
(B)投入資本
(C)普通股股本
(D)股東權益總數。 【105年第1次高業】

(　　) **4** 公司每屆年終，分配盈餘時，應先？ (A)提列法定公積 (B)提列償債準備 (C)彌補虧損 (D)分派股息紅利。

解答與解析

1 (B)。$1,000,000＋$20,000＋$100,000＋$400,000－庫藏股票$50,000＝$1,470,000

2 (C)。償債基金為非流動資產項目（基金與投資項目）。

3 (C)。股本＝發行股數×每股面額。

4 (C)。公司每分配盈餘時，應先彌補虧損。

(四) **股利**

1. 股利發放的相關日期：

 (1) **宣告日**：股東常會決議通過股利分配之日。

 (2) **除息（權）日**：當日以前持有股票有權分配股利。

 (3) **停止過戶日**：股利基準日的前五日停止股票過戶。

 (4) **基準日**：當日記載於股東名簿的股東才有權利分配股利。

 (5) **發放日**：發放股利之日。

2. 發放股利的會計處理：

股利種類	宣告日	發放日
現金股利	保留盈餘 　應付現金股利	應付現金股利 　現金
股票股利	保留盈餘（市價入帳） 　應付股票股利 　資本公積－股票股利	應付股票股利 　普通股股本

3. 發放股票股利，是在會計科目上將「股東權益」中的「保留盈餘」，移轉部分至同屬於股東權益的「股本」科目。
 是故，發放股票股利將使公司的保留盈餘將減少、股本增加。又發放股票股利會使公司流通在外股數增加，導致每股帳面金額降低，但對於公司的資產、負債及股東權益總額並無影響。

4. 例如，A公司有1,000股普通股流通在外，每股面額$10。若A公司宣告10%股票股利，即代表該公司將發放總共100股，因此，A公司的保留盈餘將減少$1000（即100股×每股面額$10），而股本則相對增加$1,000，公司的股東權益總額並未改變。而因為公司的股東權益總額不變，但流通在外股數增加100股，故股東權益之每股帳面金額將降低。

牛刀小試

(　　) **1** 下列敘述何者錯誤？ (A)發放普通股股票股利會降低普通股每股帳面金額 (B)股票股利發放後，企業現金會減少 (C)積欠累積優先股股利不須入帳，僅附註揭露 (D)股票分割會降低普通股每股帳面金額。 【109年第1次高業】

( ) **2** 下列有關公司股票股利之敘述，何者為真？ (A)宣告股票股利後將使負債增加 (B)宣告且發放股票股利，在帳上不需作任何分錄 (C)發放股票股利，對於股票之每股帳面金額並不受影響 (D)發放股票股利，對每股盈餘之影響，需作追溯之調整。 【102年第4次高業】

( ) **3** 下列何者不會影響公司流通在外普通股之股數？ (A)宣告並發放現金股利 (B)宣告並發放盈餘轉增資股票股利 (C)宣告並發放資本公積轉增資股票股利 (D)股票分割。 【105年第1次高業】

解答與解析

1 (B)。發放股票股利，不會使企業現金減少。

2 (D)。宣告股票股利並不影響負債或權益總額，但會使在外流通股數增加、每股帳面金額降低；另宣告股票股利時應（借）保留盈餘（貸）應付股票股利。

3 (A)。發放現金股利並不會使在外流通股數異動。

(五) **庫藏股**

1. **定義**：指公司已發行股份，經收回且尚未註銷者。（庫藏股並非公司之資產，應作為股東權益之減項）
2. **收回庫藏股的原因**：
   (1) 收回庫藏股可減少在外流通股數，進而提高每股盈餘或股東權益報酬率。
   (2) 避免公司遭併購之風險，或減少股東人數。
   (3) 收購異議股東之股票。
3. 庫藏股並無投票權、無盈餘分配權、無剩餘財產請求權。
4. **會計處理**：
   (1) **買回庫藏股**：
   （借）庫藏股票
   　　（貸）現金

(2)**股票再出售：**

A. **出售價格高於買回成本：**

（借）現金

　（貸）資本公積－庫藏股票交易

　（貸）庫藏股票

B. **出售價格低於買回成本：**

（借）現金

（借）保留盈餘

（借）資本公積

　（貸）庫藏股票

牛刀小試

(　　) **1** 公司買回庫藏股採成本法處理時，有關庫藏股之入帳金額，以下敘述何者正確？ (A)若以市價購回，則應以購入之市價入帳 (B)若以市價購回，則仍應以面額入帳，差額為資本公積 (C)若以市價購回，則仍應以面額入帳，差額為票券買賣損益 (D)若以市價購回，購買價格與面額的差價應認列其他收入。 【105年第2次高業】

(　　) **2** 買回庫藏股後，交易採用成本法處理，若買回價格高於面額，將使權益總數？ (A)增加 (B)減少 (C)不變 (D)或增或減視情況而定。 【109年第3次高業】

(　　) **3** 以下有關庫藏股的敘述，何者有誤？ (A)買入庫藏股沒有盈餘分配權 (B)買入庫藏股沒有投票權 (C)買入庫藏股不會影響公司的總資產 (D)買入庫藏股沒有剩餘財產清算權。 【100年第2次高業】

解答與解析

1 (A)。以成本法處理，應用購入之股票的市價借記庫藏股，貸現金，不影響其他科目。

2 (B)。成本法：將收回庫藏股與重新發行庫藏股視為單一交易，故收回庫藏股，按成本借記庫藏股，不沖銷原投入資本。

分錄如下：

借：庫藏股票　　XXXX

　　貸：現金　　　　XXXX

權益總數會因買回庫藏股減少XXXX

3 (C)。買入庫藏股需支出現金、使公司的現金減少、資產降低。

精選試題

( ) 1 下列何者不屬於股東權益項目？ (A)股本 (B)應付股利 (C)保留盈餘 (D)資本公積。 【105年第3次高業】

( ) 2 下列何者非為股東權益項目？ (A)已認股本 (B)償債準備 (C)償債基金 (D)庫藏股。

( ) 3 股票發行溢價列為： (A)資產之減項 (B)負債 (C)股東權益 (D)利益。 【100年第4次高業】

( ) 4 以下「股本與資本」的觀念何者正確？ (A)額定股本（Authorized Stock），是公司章程中規定公司可發行的股本總額 (B)資本公積（Additional Paid-In Capital），包括公司因捐贈或庫藏股票交易所增加資源的金額 (C)我國法律所規定的最低法定資本，通常指已發行股份的面值 (D)以上皆對。

( ) 5 公司增資發行新股，每股面額10元，每股發行價格70元，則應列股票發行溢價金額若干？ (A)0元 (B)10元 (C)70元 (D)60元。 【105年第3次普業】

( ) 6 法定盈餘公積之性質屬於： (A)營運資金之一部分 (B)特別準備負債之一部分 (C)保留盈餘之一部分 (D)資本公積之一部分。 【107年第2次高業】

( ) 7 欲彌補虧損時，下列何項目應優先使用之？ (A)資本公積 (B)法定盈餘公積 (C)股本 (D)負債。 【104年第3次高業】

( ) 8 某企業每股面額為10元，今年宣布發放10元股票股利，下列敘述何者為真？ (A)公司的核定股本會增加一倍 (B)股票的面額會等比例往下調整 (C)除權後每股市價不會改變 (D)全體股東持有的總股數會增加一倍。 【104年第1次高業】

( ) 9 宣告股票股利對負債及權益之影響為： (A)負債：增加；權益：減少 (B)負債：增加；權益：無影響 (C)負債：無影響；權益：減少 (D)負債：無影響；權益：無影響。 【107年第2次高業】

( ) **10** 下列何項交易會使流通在外股數發生變動，惟不影響權益總金額？ (A)收回庫藏股 (B)發放股票股利 (C)發行特別股 (D)員工行使認股權。 【105年第1次高業】

( ) **11** 企業買回流通在外股票並再發行，如果買回價高於再發行價，下列何者帳面金額會下降？ (A)當期稅後淨利 (B)庫藏股每股帳面金額 (C)權益 (D)普通股發行溢價。 【105年第1次高業】

( ) **12** 庫藏股在財務報表中係列為： (A)短期投資 (B)長期投資 (C)股東權益減項 (D)負債。 【104年第1次高業】

( ) **13** 保安公司權益的帳面金額資料如下：普通股股本（面額為$10）$100,000、資本公積$104,000、保留盈餘$200,000、庫藏股（成本法）$50,000，合計$354,000，假設公司再以每股$15的價錢出售庫藏股5,000股，則股本的金額將為： (A)$50,000 (B)$75,000 (C)$100,000 (D)$175,000。 【109年第3次高業】

解答與解析

1 **(B)**。應付股利屬於負債項目。

2 **(C)**。償債基金為非流動資產項目（基金與投資項目）。

3 **(C)**。股票發行時，面額部分列為股本、溢價部分列為資本公積，屬於股東權益項下之會計科目。

4 **(D)**。選項敘述皆正確。

5 **(D)**。超出面額部分＝70－10＝60為溢價發行金額。

6 **(C)**。法定盈餘公積在保留盈餘會科項下。

7 **(B)**。若公司欲彌補虧損，應先以法定盈餘公積彌補，不足時再使用資本公積。

8 **(D)**。股票的面額不會因發放股票股利變動；除權後每股市價會下降。

9 **(D)**。發放股票股利並不影響資產、負債或股東權益總額。

10 **(B)**。發放股票股利會使流通在外股數發生增加，但不影響權益總額。

11 **(C)**。當庫藏股再出售價格低於原買回成本，應（借）現金、（借）保留盈餘、（借）資本公積、（貸）庫藏股票，故會使權益項目下降。

12 **(C)**。庫藏股是股東權益的減項。

13 **(C)**。出售庫藏股之分錄為

現金	75,000	
庫藏股票		50,000
資本公積－庫藏股票交易		25,000

故得知該交易不影響普通股股本，故股本金額仍為100,000

第七章 資本結構與償債能力分析

依據出題頻率區分，
屬：A 頻率高

許多投資人於選股時首重企業的獲利能力，然而，若沒有事先瞭解該企業的財務體質及償債能力，即便得知該公司其有極大的成長潛力，也可能潛藏短期周轉不靈、倒閉的風險。相信投資人都不希望將資金投入於體質不佳的地雷股上，故本章將藉由資本結構分析與償債能力分析，協助檢視企業結構的穩定性及財務風險之高低。

重點01 資本結構分析

重要度★★★

資本結構即為**一間公司長期資金來源的結構**，常見的公司資金來源有：長期負債、混合式證券、普通股等。由於不同的資金來源會有不同的成本存在（例如舉債所應負的利息、普通股的每年股利等），故從一企業的資本結構，可檢視其資本穩定性，以及是否面臨過高的財務風險。

(一) **負債比率**

1. **公式：負債比率＝總負債／總資產**
2. 若企業以舉債的方式籌資，其需付出的利息費用可以抵稅，故享有稅務上的好處；但當舉債過高時，企業面臨的財務槓桿風險也升高。
3. **例題**：某公司之負債比率為40%，若其資產總額為180億元，請問該公司的負債金額為多少？

   答 負債比率＝總負債／總資產＝40%，資產總額為180億，則
   總負債＝負債比率×總資產＝40%×180億＝72億。

(二) **權益比率**

1. **公式：權益比率＝總權益／總資產**
2. 權益比率**亦稱「淨資產比率」、「自有資金比率」**，反映企業所持有的資產中有多少是所有者投入的。若權益比率過小，表示企業過度舉債，易削弱抵禦外部衝擊的能力；若權益比率過大，則表示企業未善用財務槓桿以擴大經營規模。

3. **例題**：假設甲公司之淨利率為4%，資產週轉率為4，自有資金比率為40%，請問目前該公司之股東權益報酬率為何？【104年第3次高業】

答 淨利率＝稅後淨利／銷貨淨額＝0.04
資產週轉率＝銷貨淨額／總資產＝4
自有資金比率＝總股東權益／總資產＝0.4
股東權益報酬率＝淨利／總權益
＝（0.04×銷貨淨額）／（0.4×總資產）
＝0.04×4／0.4 ＝0.4

牛刀小試

( ) **1** 企業所有各項融資資金來源，佔資金來源總額的結構為：(A)資本結構 (B)股權結構 (C)營運結構 (D)利率期間結構。【105年第4次高業】

( ) **2** 林田公司的相關資料如下：流動負債3,000億元、流動資產5,000億元、不動產、廠房及設備7,000億元、自有資金比率為60%，假設除這些資料外，無其他資產或負債項目，求公司的長期負債？ (A)4,000億元 (B)6,000億元 (C)8,000億元 (D)1,800億元。【106年第1次高業】

( ) **3** 某公司僅發行一種股票，96年每股盈餘$10，每股股利$5，除淨利與發放股利之結果使保留盈餘增加$200,000外，股東權益無其他變動。若96年底每股帳面價值$30，負債總額$1,200,000，則負債比率為若干？ (A)60% (B)57.14% (C)75% (D)50%。

解答與解析

1 (A)。企業所有各項融資資金來源，佔資金來源總額的結構為資本結構。

2 (D)。總資產＝流動資產＋非流動資產＝5,000＋7,000＝12,000億。
自有資金比率＝股東權益／總資產
60%＝股東權益／12,000億，股東權益＝7,200億

總資產＝總負債＋股東權益，總負債＝總資產－股東權益
＝12,000－7,200＝4,800億
總負債＝流動負債＋長期負債，長期負債＝4,800億－3,000億
＝1,800億

3 (D)。每股盈餘10，發了5元當股利、剩餘5元成為公司的保留盈餘。
而每股盈餘$200,000，可得總股數40000，每股帳面價值$30
則總股東權益＝1,200,000，已知總負債＝1,200,000，
負債比率＝負債總額÷資產總額＝50%

重點 02 償債能力分析 重要度★★★

投資人在追求選到一間獲利的企業之前，應至少先追求選到一間「不倒」的公司，而站在此觀點看，企業的償債能力即甚為重要，以下將介紹三個相關比率。

(一) 利息保障倍數

1. **公式**：利息保障倍數＝稅前息前淨利／利息費用
2. 倍數愈高，支付利息能力愈強，對債權人的保障愈大。
3. **例題**：某公司107年12月31日負債及股東權益資料如下，若該年度稅前淨利20萬、所得稅費用6萬，求利息保障倍數？

流動負債總數（不附息）	30萬
應付公司債（5%）	50萬
普通股（面額10元）	75萬
特別股（面額10元，累積，5%）	30萬
保留盈餘	60萬

答　利息費用＝50萬×5%＝2.5萬
利息保障倍數＝稅前息前淨利／利息費用
＝（20萬＋2.5萬）／2.5萬＝9倍

(二) 固定支出保障倍數

1. **公式：**
   固定支出保障倍數＝（息前稅前淨利＋當期固定支出）／當期固定支出
2. 固定支出保障倍數考慮到企業除了利息費用之外，還有一些固定的支出（例如租金），不論企業當年是否賺錢都必須要付的。故本比率除了利息外，還將所有長期債務（包含租賃等固定費用支出）都考慮了進去。此指標數值越高，說明企業償債能力越強。
3. **例題：**夙興公司96年度稅後純益$30,000，所得稅率25%，債券利息費用$5,000，營運租金費用$9,000（其中1／3為隱含利息），請問該公司固定支出保障倍數為何？【100年第4次高業】

   答 稅前淨利＝30,000／（1－25%）＝40,000
   租賃隱含利息費用＝9000×1／3＝3,000
   稅前息前淨利＝40,000+5,000+3,000
   ＝48,000
   固定資出保障倍數=稅前息前淨利÷利息費用
   ＝48,000／(5,000＋3,000)
   ＝6倍

(三) 長期資金對不動產、廠房及設備比率

1. **公式：**長期資金對不動產、廠房及設備比率
   ＝（長期負債＋股東權益）／不動產、廠房及設備淨額
2. 在證券商高級業務員測驗中，此比率於考題稱「長期資金對不動產、廠房及設備比率」，而實務上較常稱此比率為「長期資金佔固定資產比率」。
3. **此比率用以衡量企業長期穩定資金用來支應固定投資需求的狀況**。因投資固定資產的金額通常龐大，若以短期資金支應，在較短的還款期限下，企業的償債壓力將上升，使得財務結構不穩定。**故長期資金佔固定資產比率越高，財務結構越穩定；反之，若此比率低於100%，代表企業有以短支長的現象、財務風險較高**。

牛刀小試

( ) **1** 假設A公司之利息費用為$6,000，稅前淨利為$42,000，所得稅費用為$12,000，則該公司之利息保障倍數為： (A)5.5倍 (B)8倍 (C)5.8倍 (D)7倍。

( ) **2** 應付公司債之持有者最關心下列那一比率？
(A)速動比率 (B)利息保障倍數 (C)應收帳款週轉率 (D)營業週期天數。 【109年第1次高業】

( ) **3** 負債比率、利息保障倍數、固定支出保障倍數等都是作為：(A)負債管理比率 (B)流動性比率 (C)經營效率比率 (D)獲利能力比率。

( ) **4** 長期資金對不動產、廠房及設備的比率，可衡量企業以長期資金購買不動產、廠房及設備的能力。這裡所稱的長期資金是指： (A)長期負債 (B)權益 (C)長期負債加權益 (D)權益減流動負債。 【106年第1次高業】

解答與解析

1 (B)。利息保障倍數＝（6000＋42000）／6000＝8倍。

2 (B)。利息保障倍數愈高，支付利息能力愈強，對債權人的保障愈大；故應付公司債的持有者應注意此比率。

3 (A)。負債比率、利息保障倍數、固定支出保障倍數都用以衡量企業的償債能力，故是作為負債管理比率。

4 (C)。長期資金對不動產、廠房及設備比率
＝（長期負債＋股東權益）／不動產、廠房及設備淨額
故這裡所稱的長期資金是指長期負債加權益。

精選試題

(　　) **1** 假設甲公司之淨利率為6%、資產週轉率1.5、自有資金比率50%，請問目前該公司之股東權益報酬率為何？　(A)4.5%　(B)18%　(C)20%　(D)25.5%。　【105年第1次高業】

(　　) **2** 發行股票交換專利權對負債比率之影響為（假設股東權益帳面金額原來即為正）：
(A)提高　(B)降低　(C)不一定　(D)不變。　【105年第3次高業】

(　　) **3** 下列敘述何者正確？　(A)長期負債對權益比率愈高，債權保障愈高　(B)利息保障倍數旨在衡量盈餘支付債務本息之能力　(C)負債比率與權益比率合計通常大於1　(D)不動產、廠房及設備對長期資金比率小於1，表示長期資金足夠支應不動產、廠房及設備投資之所需。　【109年第2次高業】

(　　) **4** 某公司僅發行一種股票，X6年每股盈餘$10，每股股利$5，除淨利與發放股利之結果使保留盈餘增加$200,000外，權益無其他變動。若X6年底每股帳面金額$30，負債總額$1,200,000，則負債比率為何？
(A)60%　(B)57.14%　(C)75%　(D)50%。　【109年第2次高業】

(　　) **5** 山口公司X6年相關資料如下：淨利$300,000、所得稅費用$150,000、利息費用$150,000、流動負債$250,000、非流動負債$500,000、資產總額$1,500,000、不動產、廠房及設備$750,000、特別股股利$80,000，該公司之負債比率為若干？
(A)60%　(B)50%　(C)40%　(D)42.86%。　【107年第4次高業】

(　　) **6** 公司所得稅率提高（只考慮其立即影響），則：　(A)負債比率不變　(B)長期負債總額對權益比率不變　(C)固定支出保障倍數不變　(D)現金流量為固定支出之倍數下降。

(　　) **7** 已知某公司的稅後淨利為$5,395,000，所得稅率為17%，當期的利息費用50萬元，則其利息保障倍數為：　(A)13.5倍　(B)9.24倍　(C)10倍　(D)14倍。　【109年第3次高業】

(　) **8** 可轉換公司債轉換成普通股（只考慮其立即影響），則：(A)負債總額對權益比率不變 (B)長期負債總額對權益比率不變 (C)盈餘對固定支出的保障倍數下降 (D)現金對固定支出的保障倍數不變。
【109年第3次高業】

解答與解析

1 **(B)**。淨利率＝淨利／銷售總額＝0.06
資產週轉率＝銷售總額／總資產＝1.5
自有資金比率＝總權益／總資產＝0.5
股東權益報酬率＝淨利／總權益＝（0.06×銷售總額）／（0.5×總資產）＝0.06×1.5／0.5＝0.18

2 **(B)**。借記：專利權、貸記：普通股股本。因資產及股東權益都增加，故負債比率（負債／資產）下降。

3 **(D)**。(A)長期負債對權益比率愈高，債權保障愈低。(B)利息保障倍數：目前的獲利能力是利息的幾倍（不是本息），倍數愈高、長期償債能力愈強。(C)負債比率與權益比率合計通常等於1。

4 **(D)**。總發行股數＝200,000／5＝40,000
總資產＝30×40,000＝1,200,000
負債比率＝1,200,000／（1,200,000＋1,200,000）＝50%

5 **(B)**。負債比率＝總負債／總資產＝（流動負債＋非流動負債）／總資產
＝（$250,000＋$500,000）／1,500,000＝50%

6 **(C)**。因固定支出保障倍數的分子是「稅前」息前淨利，故公司所得稅率的調整對其不造成影響。

7 **(D)**。利息保障倍數＝（稅前淨利＋利息費用）／利息費用
稅前淨利＝5,395,000／（1－17%）＝6,500,000
利息保障倍數＝（6,500,000＋500,000）／500,000＝14

8 **(D)**。可轉換公司債＝公司債＋買權，轉換成普通股，只是行使買權，並不會影響公司債本身，故要付的利息不變、現金對固定支出的保障倍數不變。

第八章 經營能力及獲利能力分析

依據出題頻率區分，屬：B 頻率高

本章將介紹衡量企業經營能力與獲利能力的相關比率指標，並介紹杜邦分析。杜邦分析是將股東權益報酬率拆解為不同公式組成的比率，為本章較常出現的變化型考題。

重點01 經營能力分析 重要度★★★

一、應收帳款週轉率

(一) **定義**：用以衡量企業回收應收款項的能力。此比率愈高代表收款成效愈好，愈低則代表資金滯留在外愈久，成為呆帳的機會愈大。

(二) **公式**：應收帳款週轉率＝銷貨淨額／應收帳款

(三) **例題**：銷貨成本40萬元，毛利率20%，平均應收帳款為10萬，求應收帳款週轉率？

答 應收帳款週轉率＝銷貨收入÷平均應收帳款
銷貨成本比率＝1－毛利率＝1－20%＝80%
銷貨收入＝銷貨成本÷銷貨成本比率＝40萬÷80%＝50萬
應收帳款週轉率＝50萬÷10萬＝5

二、應收帳款週轉天數

(一) **定義**：企業收回應收款項、轉為現金所需的時間。天數越短，代表收款能力或業績上升。

(二) **公式**：應收帳款週轉天數＝365天／應收帳款週轉率

三、存貨週轉率

(一) **定義**：存貨週轉率越高，代表存貨越低、資本運用效率越高，但比率過高時，也有可能表示公司缺貨，致使喪失銷貨機會。

(二) **公式**：存貨週轉率＝銷貨成本／平均存貨成本

(三) **例題**1：甲企業的銷貨成本為3000萬元，賒銷金額為5000萬元，平均存貨為200萬元，求存貨週轉率（次）？

答 存貨週轉率＝銷貨成本／平均存貨

＝3000萬／200萬＝15次

例題2：伯文公司的應收帳款週轉率15，營業循環為40天，請問存貨週轉率為何（一年以365天計算）？ 【103年第4次高業】

答 設存貨週轉率為X，

營業循環＝應收帳款週轉天數＋存貨週轉天數，40＝365／15＋365／X，X＝23.3

考點速攻

營業循環天數＝存貨週轉天數＋應收帳款收回天數

四、總資產週轉率

(一) **定義**：衡量公司每一元的資產，能產生多大的銷貨收入。週轉率越高表示資產使用的效能越高。

(二) **公式**：總資產週轉率＝銷貨收入淨額÷平均資產總額

(三) **例題**：公司107年度平均股東權益20萬元，平均負債20萬元，銷貨50萬元，其淨利5萬元，負債利息1萬元，稅率10%，稅後純益率10%，求公司的總資產週轉率？

答 資產＝負債＋權益＝20萬＋20萬＝40萬

總資產週轉率＝銷貨收入淨額÷平均資產總額＝50萬÷40萬＝1.25

五、流動資產週轉率

(一) **定義**：反映流動資產的利用效率；流動資產週轉的快，可以節約資金，提高資金的利用效率。

(二) **公式**：流動資產週轉率＝銷貨淨額÷平均流動資產

(三) **例題**：依山公司96年度銷貨總額為$4,000,000、銷貨退回為$200,000，銷貨成本為$2,400,000、平均流動資產為$1,900,000，則其流動資產週轉率為：

答 銷貨淨額＝銷貨總額－銷貨退回＝4,000,000－200,000＝3,800,000

流動資產週轉率＝銷貨淨額÷平均流動資產

＝3,800,000÷1,900,000＝2

六、營運資金週轉率

(一) **定義**：年銷貨淨額與營運資金的比值，若此數值過低，代表營運資本使用率太低，相對營運資本而言銷售不足；若此數值過高，代表資本不足。

(二) **公式**：營運資金週轉率＝銷貨淨額÷平均營運資金

(三) **例題**：仁杰公司的應收帳款週轉率3、平均應收帳款$50,000、流動資產$200,000、流動負債$150,000、期初營運資金$70,000，試問營運資金週轉率為何（假設該公司全為賒銷）？　【100年第3次高業】

答　期末營運資金：200,000－150,000＝50,000

平均營運資金＝（70,000＋50,000）／2

＝60,000

應收帳款週轉率＝銷貨淨額÷應收帳款

＝銷貨淨額÷50,000＝3

銷貨淨額＝3×50,000＝150,000

營運資金週轉率＝銷貨淨額÷平均營運資金

＝150,000／60,000＝2.5

考點速攻

公司營運資金（Working Capital）＝流動資產－流動負債

七、現金週轉率

(一) **定義**：衡量企業運用現金效率的高低；若比率太高，代表公司可能現金短缺，若比率太低，代表公司有過多閒置資金。

(二) **公式**：現金週轉率＝銷貨淨額÷平均現金

八、股東權益週轉率

(一) **定義**：衡量企業運用股東投入資本的效率。

(二) **公式**：現金週轉率＝銷貨淨額÷平均股東權益

牛刀小試

(　　) **1** 倫飛公司的應收帳款週轉率10，營業循環為60天，請問存貨週轉率為何（一年365天計算）？　(A)16.53　(B)15.53　(C)14.53　(D)13.53。

( ) **2** 在公司營業呈穩定狀況下，應收帳款週轉天數的減少表示：(A)公司實施降價促銷措施 (B)公司給予客戶較長的折扣期間及賒欠期限 (C)公司之營業額減少 (D)公司授信政策轉嚴。【110年第1次高業】

( ) **3** 淨銷貨為$200, 000，期初總資產為$60,000，資產週轉率為4，請問期末總資產為： (A)$40,000 (B)S35,000 (C)$30,000 (D)$20,000。【103年第4次高業】

解答與解析

1 (B)。設存貨週轉率為X
營業循環＝應收帳款週轉天數＋存貨週轉天數
60＝365／10＋365／X
X＝15.53

2 (D)。應收帳款週轉天數＝365天／應收帳款週轉率；在公司營業呈穩定狀況下，應收帳款週轉天數的減少表示應收帳款週轉率提高→應收帳款週轉率愈高代表收款成效愈好→公司授信政策轉嚴。

3 (A)。總資產週轉率＝銷貨收入淨額÷平均資產總額
4＝200,000÷平均資產總額
⇒平均資產總額＝50,000
（60,000＋期末總資產）÷2＝50,000
⇒期末總資產＝40,000

重點02 獲利能力分析　重要度★★★

一、總資產報酬率（Return on Assets, ROA）

(一) **定義**：指企業息前稅前利潤與平均總資產間的比率，用以衡量公司其資產是否充分利用。

(二) **公式**：總資產報酬率＝[稅後淨利＋利息費用（1－稅率）]÷平均資產總額

(三) **例題**：公司本期淨利為30萬元，利息費用5萬元，所得稅率25%。假設期初及期末總資產分別為420萬與440萬元，求公司本年度之總資產報酬率？

答 總資產報酬率＝[稅後淨利＋利息（1－稅率）]÷平均資產
＝[30萬＋5萬×（1－25%）]÷[（420萬＋440萬）÷2]
＝7.85%

二、股東權益報酬率（Return on Equity, ROE）

(一) **定義**：反映每一元股東權益可創造多少稅後純益，衡量公司為股東創造稅後純益的能力。

(二) **公式**：股東權益報酬率＝稅後淨利／平均股東權益

(三) **例題**1：甲公司資料如下，求107年度的股東權益報酬率？

	107年12月31日	107年1月1日	107年度
資產總額	12萬元	10萬元	銷貨收入40萬元
			利息費用6千元
負債總額	6萬元	5萬元	稅前淨利8千元
			所得稅率25%

答 股東權益報酬率＝稅後淨利÷平均股東權益
＝8千×（1－25%）÷[（12萬－6萬）＋（10萬－5萬）]÷2
＝10.91%

例題2：某公司資產總額$2,500,000，負債總額$900,000，平均借款利率10%，若所得稅率17%，總資產報酬率為12%，則權益報酬率為何？

答 總資產報酬率＝[稅後淨利＋利息（1－稅率）]÷平均資產
12%＝[稅後淨利＋90萬×10%×（1－17%）]÷250萬
⇒稅後淨利＝225,300
250萬＝90萬＋股東權益⇒股東權益＝160萬
股東權益報酬率＝稅後淨利÷平均股東權益
＝225,300÷160萬＝14.08%

三、淨利率（profitmargin）

(一) **定義**：又稱「純益率」，反映公司每銷貨一元，其中可賺取多少稅後純益。

(二) **公式**：淨利率＝稅後淨利÷銷貨淨額

(三) **例題**：華山公司107年度部分財務資料如下：銷貨收入$42,000、稅前淨利$8,740、平均流動負債$500、平均長期負債$4,000、平均權益$6,000、所得稅稅率25%。求華山公司107年的淨利率？

答 淨利率＝稅後淨利÷銷貨淨額

＝[8,740×（1－25%）]÷42,000＝15.61%

重點03 杜邦分析

重要度★★★

一、杜邦分析是一種分析企業財務狀況的方法。

二、杜邦分析認為探討股東權益報酬率（ROE）可由三個要素著手：稅後淨利、銷貨收入及資產總額，其分別代表著管理績效、銷售績效及資本運用效率。

三、**公式**

$$\text{股東權益報酬率（ROE）}=\frac{\text{稅後淨利}}{\text{銷貨收入}}\times\frac{\text{銷貨收入}}{\text{資產總額}}\times\frac{\text{資產總額}}{\text{股東權益}}$$

＝**淨利率**×**總資產周轉率**×**平均財務槓桿比率**

＝**總資產報酬率**×**平均財務槓桿比率**

＝**淨利**／**平均股東權益**

四、**例題**1：某公司的股東權益報酬率為15%，負債／權益比為0.8，則總資產報酬率為：【105年第4次高業】

答 負債／權益比＝0.8，財務槓桿比率＝（1＋0.8）／1＝1.8

股東權益報酬率＝總資產報酬率×平均財務槓桿比率

15%＝總資產報酬率×1.8

⇒總資產報酬率＝8.33%

例題2：某公司的負債比率為0.6，總資產週轉率為3.5。若公司的股東權益報酬率為14%，公司的淨利率為何？【104年第1次高業】

答 ROE＝淨利率×總資產周轉率×平均財務槓桿比率

14%＝淨利率×3.5×（1／0.4）

⇒淨利率＝1.6%

精選試題

( ) **1** 將信用條件由2／10，n／30改為2／15，n／30，假設其他因素不變，則應收帳款週轉率將： (A)增加 (B)不變 (C)減少 (D)先增後減。 【104年第1次高業】

( ) **2** 本期進貨$280,000、銷貨$400,000、銷貨成本$300,000、期末存貨$30,000，則存貨週轉率為若干？ (A)3.5 (B)5 (C)6.67 (D)7.5。 【106年第2次高業】

( ) **3** 存貨週轉率愈高，則： (A)缺貨的風險愈低 (B)有過時存貨的機會愈小 (C)毛利率愈高 (D)流動比率愈高。

( ) **4** 全智公司購買商品存貨均以現金付款，銷貨則採賒銷方式，該公司本年度之存貨週轉率為10，應收帳款週轉率為15，則其營業循環約為：（假設一年以365天計） (A)16.6天 (B)60.8天 (C)36.5天 (D)24.3天。 【109年第4次高業】

( ) **5** 玉山公司101年度平均股東權益$200,000，平均負債$200,000，銷貨$1,000,000，其淨利$50,000，負債利息$10,000，稅率10%，稅後純益率10%，則101年該公司總資產週轉率為何？
(A)1.25 (B)2.5 (C)3 (D)5。 【105年第4次高業】

( ) **6** 下列那一種行業的總資產週轉率通常會較高？ (A)生化製藥業 (B)電子業 (C)石油化學工業 (D)連鎖速食店。【104年第1次高業】

( ) **7** 紅襪公司101年度銷貨總額為$4,000,000、銷貨退回為$200,000，銷貨成本為$2,400,000、平均流動資產為$1,900,000，則其流動資產週轉率為：
(A)2.50 (B)2 (C)1.50 (D)0.94。 【106年第3次高業】

( ) **8** 傑克遜公司X6年期初存貨$200,000、期末存貨$800,000、X6年度存貨週轉率5.2次。該公司X6年度之銷貨淨額為$4,000,000、X6年初應付帳款為$120,000、X6年底應付帳款為$280,000，則X6年度支付供應商之現金數若干？ (A)$4,160,000 (B)$3,840,000 (C)$3,360,000 (D)$3,040,000。 【109年第2次高業】

( ) **9** 下列敘述何者不正確？ (A)現金週轉率高可能有現金短缺之虞 (B)現金週轉率低表示營業所需現金充裕 (C)現金是收益能力較高之資產 (D)現金是流動性較高之資產。

( ) **10** 現金週轉率係指下列何項比率？ (A)現金對資產總額比率 (B)銷貨對現金比率 (C)現金對銷貨比率 (D)流動資產總額對現金比率。 【104年第2次高業】

( ) **11** 採用損益兩平（Breakeven）分析時，所隱含的假設之一是在攸關區間內： (A)總成本保持不變 (B)單位變動成本不變 (C)單位固定成本不變 (D)變動成本和生產單位數間並非直線的關係。 【109年第2次高業】

解答與解析

1 **(C)**。信用期間拉長會使應收帳款增加、應收帳款週轉率減少。

2 **(D)**。銷貨成本＝期初存貨＋本期進貨－期末存貨
300,000＝期初存貨＋280,000－30,000⇒期初存貨＝50,000
平均存貨＝（期初存貨＋期末存貨）／2＝（50,000＋30,000）／2＝40,000
存貨週轉率＝銷貨成本／平均存貨＝300,000／40,000＝7.5

3 **(B)**。存貨週轉率愈高，代表存貨的占用水平愈低，流動性愈強、有過時存貨的機會愈小。

4 **(B)**。365／10＝36.5
365／15＝24.3
36.5＋24.3＝60.8

5 **(B)**。資產＝負債＋權益
＝200,000＋200,000＝400,000
總資產週轉率＝銷貨收入淨額÷平均資產總額
＝1,000,000÷400,000＝2.5

6 **(D)**。總資產週轉率＝銷貨收入淨額÷平均資產總額。若此比率要高，可能原因是分子大或分母小，而連鎖速食店所需的總資產較低。

7 **(B)**。銷貨淨額＝4,000,000－200,000＝3,800,000
流動資產報酬率＝銷貨淨額／平均流動資產＝380萬／190萬＝2

8 **(D)**。A存貨週轉率＝銷貨成本／平均存貨
平均存貨＝（200,000＋800,000）／2＝500,000

銷貨成本＝5.2×500,000＝2,600,000
銷貨成本＝期初存貨＋本期進貨－期末存貨
2,600,000＝200,000＋本期進貨－800,000
本期進貨＝2,600,000－200,000＋800,000＝3,200,000
期初應付帳款＝120,000，期末應付帳款＝280,000
故收進應付帳款的部分為160,000
所以給供應商現金數為3,200,000－160,000＝3,040,000

9 **(C)**。現金是收益能力較低的資產。

10 **(B)**。現金週轉率＝銷貨淨額÷平均現金

11 **(B)**。採用損益兩平分析時，所隱含的假設之一是在攸關區間內單位變動成本不變。

第九章 損益表

依據出題頻率區分，
屬：**A** 頻率高

從損益表可看出一間公司在過去一年內經營成果，其內容主要包含營業收入、營業成本、營業毛利、營業費用等等。

損益表在四大報表中相對易懂，但其重要性甚高。因為一間公司是否能永續經營，其獲利能力至關重要，若學會看懂損益表，則可判斷一企業是否可以長久穩健經營。

重點 綜合損益表的基本概念 重要度★★★

一、綜合損益表

	綜合損益表
1.營業收入	
2.（減）營業成本	
3.營業毛利	
4.（減）營業費用	
5.營業利益	
6.營業外收入及支出	
7.稅前淨利	
8.（減）所得稅費用	
9.繼續營業單位本期淨利	
10.停業單位損益	
11.本期淨利	
12.其他綜合損益	
13.本期綜合損益總額	
14 每股盈餘	

二、綜合損益表之科目說明

(一) **營業收入**

又稱為「銷貨收入」，為公司銷售貨物或提供服務所得到的收入。

1. 在本表中，營業收入其實隱含「淨額」的概念。
2. 本科目中其實已包含銷貨收入的減項：「銷貨退回與折讓」，說明如下：

銷貨收入

（減）銷貨退回與折讓

銷貨收入淨額

（即：銷貨收入淨額＝銷貨收入－銷貨退回與折讓）

(二) **營業成本**

1. 又稱為「銷貨成本」，是指企業於製造商品的支出，又稱為「直接成本」；包含「商品成本」、「勞務成本」。
2. 銷貨成本＝商品總額－期末存貨＝期初存貨＋進貨成本－期末存貨

(三) **營業毛利**：等於營業收入－營業成本。

(四) **營業費用**：為減項科目，是指企業於銷售商品或提供服務中的支出，又稱為「間接成本」；營業費用包括「推銷費用」、「管理費用」、「研發費用」、「其他費用」。

(五) **營業利益**：若為正數，即為營業利益；若為負數，即為營業損失。

(六) **營業外收入及支出**

1. **營業外收入**：企業主要業務以「外」所產生的收益，包含：

(1)利息收入。 (2)處分固定資產利益。

(3)其他收入。

2. **營業外支出**：指不屬於企業生產經營費用，但應從企業淨利中扣除的支出，包含：

(1)按權益法認列的投資淨損。 (2)利息費用。

(3)處分固定資產損失。 (4)匯兌淨損。

(5)災害損失淨額。

(七) **稅前淨利**：數值若為正，稱「稅前利益」；數值若為負，稱「稅前損失」。此科目包含經營本業與非本業的損益，可視為企業的經營績效指標。

(八) **所得稅費用**：公司應支付的稅賦。

(九) **繼續營業單位本期淨利**

(十) **停業單位損益**：財報所載期間，已停業或確定將停業之部門所產生之損益。

(十一) **本期淨利**：企業在會計期間一切營運活動的損益總和。

(十二) **其他綜合損益**

(十三) **本期綜合損益總額**：等於本期淨利＋其他綜合損益。

(十四) **每股盈餘**：為本期綜合損益除以在外流通股數。

牛刀小試

( ) **1** 損益表之主要組成分子如（甲＝每股盈餘；乙＝繼續營業單位損益；丙＝停業單位損益）：其正常順序如何？
(A)甲→乙→丙 (B)丙→乙→甲
(C)乙→丙→甲 (D)乙→甲→丙。 【106年第4次高業】

( ) **2** 來旺食品財務報表的營業費用包含銷售費用與一般管理費用兩大項，以下那一個部門的費用最有可能被列在銷售費用項下？
(A)媒體廣告課 (B)股務室
(C)總務課 (D)法務室。 【109年第4次高業】

( ) **3** 偉特公司因泰銖貶值發生未實現匯兌利得（Unrealized Foreign Exchange Gains）5,000萬元，其影響為： (A)銷貨毛利會增加 (B)營業費用會減少 (C)營業外收入會增加 (D)選項(A)(B)(C)皆非。 【109年第4次高業】

( ) **4** 將一項營業收入誤列為利息收入，將使當期淨利： (A)虛增 (B)虛減 (C)不變 (D)選項(A)(B)(C)皆非。 【106年第4次高業】

解答與解析

1 (C)。損益表主要組成的順序為：繼續營業單位損益⇒停業單位損益⇒每股盈餘。

2 (A)。銷售費用是指企業於銷售商品或提供服務中的支出，包括推銷費用、管理費用、研發費用、其他費用。故媒體廣告課的費用最有可能被列在銷售費用項下。

3 (C)。公司發生未實現匯兌利得，故營業外收入會增加。

4 (C)。營業收入與利息收入位置都在損益表中當期淨利的上方，故兩者誤認列並不影響當期淨利。

三、綜合損益表之計算題

例題1：威尼斯企業本期的營業收入是21億元，進貨成本是18億元，營業費用是7億元，銷貨毛利是12億元，則其營業利益的金額應該是：

答 營業利益＝營業毛利－營業費用＝12－7＝5億元。

例題2：公司去年度進貨成本為280萬元，期末存貨比期初存貨少了40萬元，該公司的銷貨毛利為銷貨的20%，銷售費用為20萬元，一般管理費用為20萬元，利息費用為20萬元，利息收入為10萬元，請問去年度該公司的營業利益為多少？

答 銷貨成本＝進貨成本－期末存貨＋期初存貨＝280＋40＝320

銷貨毛利率＝（銷貨收入－銷貨成本）／銷貨收入

⇒20%＝（銷貨收入－320）／銷貨收入

⇒銷貨收入＝400

銷貨毛利＝銷貨收入×銷貨毛利率＝400×20%＝80

營業利益＝銷貨毛利－管理費用－銷售費用

＝80－20－20＝40萬元

精選試題

( ) **1** 下列何者在綜合損益表上係以稅後金額表達？
(A)銷貨收入
(B)營業利益
(C)停業單位損益
(D)研究發展費用。【107年第2次高業】

( ) **2** 以下幾項魯班建設公司的會計處理實務中，哪一項最有可能違反一般公認會計原則？
(A)魯班將其租賃收入，列入其營業收入
(B)魯班將其利息收入，列入其營業收入
(C)魯班將其違約金收入，列入其營業外收入
(D)魯班將其營建成本，列入營業成本。【100年第3次高業】

( ) **3** 下列那些屬於綜合損益表上營業外費用的一種？ (A)會計政策變動影響數 (B)銷貨折讓 (C)促銷期間的贈品費用 (D)利息費用。【107年第2次高業】

( ) **4** 製造業公司發行10年期公司債所產生的利息費用在財務報表上應列為哪個項目之下？ (A)銷售費用 (B)管理費用 (C)長期負債 (D)營業外費用。【108年第1次高業】

( ) **5** 凌波電腦財務報表的營業費用包含銷售費用與一般管理費用兩大項，以下那一個部門的費用最不可能被列在營業費用項下？
(A)會計室
(B)經濟研究組
(C)資金調度課
(D)機器設定組。【106年第3次高業】

( ) **6** 以下那一種資訊不會在損益表上揭露 (A)停業單位損益 (B)股本溢價 (C)每股盈餘 (D)所得稅費用。【105年第3次高業】

( ) **7** 因市政府要徵收土地興建公共停車場，某企業出售土地給市政府所得之利益應歸於其財務報表上的哪一個項目下？
(A)停業單位損益
(B)營業外損益
(C)營業毛利
(D)選項(A)(B)(C)皆非。 【107年第3次高業】

( ) **8** 將一項利息收入誤列為營業收入，將使當期淨利： (A)虛增 (B)虛減 (C)不變 (D)選項(A)(B)(C)皆非。 【105年第4次高業】

( ) **9** 卡麥隆工業財務報表的營業費用包含銷售費用與一般管理費用兩大項，以下哪一個部門的費用最有可能被列在一般管理費用項下？ (A)打光工程組 (B)出納科 (C)工程品管課 (D)工業工程課。 【110年第1次高業】

( ) **10** 弱心企業本期的營業收入是21億元，進貨成本是19億元，營業費用是7億元，銷貨毛利是12億元，則其營業利益的金額應該是： (A)5億元 (B)3億元 (C)24億元 (D)35億元。

( ) **11** 某公司去年度淨進貨200萬元，進貨運費60萬元，期末存貨比期初存貨多出50萬元，該公司的銷貨毛利為銷貨的25%，營業費用有20萬元，請問去年度該公司的銷貨收入為多少？ (A)200萬元 (B)250萬元 (C)280萬元 (D)300萬元。 【106年第4次高業】

解答與解析

1 (C)。銷貨收入、營業利益、研究發展費用皆以稅前金額表達。

2 (B)。利息收入應列在營業外收入。

3 (D)。營業外費用包含：(1)按權益法認列的投資淨損；(2)利息費用；(3)處分固定資產損失；(4)匯兌淨損；(5)災害損失淨額。

4 (D)。營業外費用：指不屬於企業生產經營費用，但應從企業淨利中扣除的支出，包含(1)按權益法認列的投資淨損；(2)利息費用；(3)處分固定資產損失；(4)匯兌淨損；(5)災害損失淨額。

5 (D)。營業費用包含銷售費用與一般管理費，機器設定組屬於生產部門，故不應包含在內。機器設定組部門的費用應列為營業成本。

6 **(B)**。股本溢價應計入資本公積，屬於資產負債表中的權益項下。

7 **(B)**。出售土地所得的利益並非主要業務，故應列在為營業外損益。

8 **(C)**。營業收入與利息收入位置都在損益表中當期淨利的上方，故兩者誤認列並不影響當期淨利。

9 **(B)**。銷售費用是指企業於銷售商品或提供服務中的支出，包括推銷費用、研發費用、其他費用。故打光工程組、工程品管課、工業工程課的支出應列在銷售費用項下。而出納科的支出應列在一般管理費用項下。

10 **(A)**。營業利益＝銷貨毛利－營業費用＝12－7＝5億元。

11 **(C)**。進貨成本＝200＋60＝260
銷貨成本＝商品總額－期末存貨＝期初存貨＋進貨成本－期末存貨
＝260－50＝210
銷貨毛利率＝（銷貨收入－銷貨成本）／銷貨收入
⇒25%＝（銷貨收入－210）／銷貨收入
⇒銷貨收入＝280

Part 4

近年試題與解析

111年 第3次證券商高級業務員

證券交易相關法規與實務

( ) 1 股份有限公司於彌補虧損完納一切稅捐後，分派盈餘時，除了法定盈餘公積，已達實收資本額時外，依法應提出多少法定盈餘公積？ (A)百分之十 (B)百分之二十 (C)百分之三十 (D)百分之五十。

( ) 2 依公司法規定，下列何者股份有限公司人員，於執行職務範圍內，亦為負責人？ 甲、檢查人；乙、重整人；丙、發起人；丁、發言人 (A)甲、乙、丙 (B)乙、丙、丁 (C)甲、丙、丁 (D)甲、乙、丁。

( ) 3 依「公司法」規定，董事之股份設定或解除質權者，應即通知公司，公司應於質權設定或解除後幾日內，將其質權變動情形，向主管機關申報並公告之？ (A)五日 (B)十日 (C)十五日 (D)三十日。

( ) 4 金融監督管理委員會審核有價證券之募集與發行、補辦公開發行、無償配發新股時係採？ (A)申報生效制 (B)申請核准制 (C)備查制 (D)許可制。

( ) 5 證券商若未如期提出主管機關命令所需提供之帳簿，可處多少元之罰鍰？ (A)12萬元以上240萬元以下 (B)24萬元以上120萬元以下 (C)24萬元以上240萬元以下 (D)24萬元以上480萬元以下。

( ) **6** 公司發行新股時，除經目的事業中央主管機關專案核定者外，原則上應保留原發行新股總額百分之多少由公司員工承購？(A)5~10% (B)10~15% (C)15~20% (D)20~25%。

( ) **7** 董事、監察人發生短線交易之情事，得為公司請求其將所得利益歸入公司者，可為下列何者： (A)董事會 (B)股東 (C)監察人 (D)選項(A)(B)(C)皆是。

( ) **8** 我國現行交割結算基金係採何種制度？ (A)個別責任制 (B)共同責任制 (C)折衷制 (D)兼採個別責任與共同責任制。

( ) **9** 證券商受託買賣有價證券，對客戶應建立下列何項資料？ 甲、姓名、住所及通訊處所；乙、資產之狀況；丙、投資經驗；丁、客戶學經歷 (A)甲、乙、丙 (B)甲、乙、丁 (C)乙、丙、丁 (D)甲、丙、丁。

( ) **10** 有價證券在集中交易市場委託買賣或申報買賣，不履行交割足以影響市場秩序者，應受何種處罰？ (A)處一年以上七年以下有期徒刑，得併科新臺幣二千萬元以下罰金 (B)處二年以下有期徒刑，得併科新臺幣二百四十萬元以下罰金 (C)處三年以下有期徒刑，得併科新臺幣三萬元以下罰金 (D)處三年以上十年以下有期徒刑，得併科新臺幣一千萬元以上二億元以下罰金。

( ) **11** 下列何者非為證券商申請經營信用交易業務所必須具備之條件？(A)證券商淨值達新臺幣二億元 (B)每股淨值不低於票面金額，且財務狀況符合證券商管理規則之規定 (C)申請日前半年自有資本適足比率未低於百分之一百五十者 (D)必須為綜合證券商。

( ) **12** 甲保險公司欲擔任某證券投資信託公司之專業發起人，甲公司應成立滿幾年，且須多久未曾因資金管理業務接受主管機關之處分？(A)3年；1年 (B)3年；3年 (C)1年；3年 (D)1年；1年。

( ) **13** 證券投資信託事業應於何時公告基金每受益權單位之淨資產價值？(A)依證券投資信託事業與投資人雙方契約約定 (B)每一營業日公告前一營業日 (C)每一周公告前一周 (D)每一月公告前一月。

( ) **14** 存託機構受外國發行人委託發放臺灣存託憑證所表彰之有價證券之股息、紅利、利息或其他收益，以何種幣別給付？ (A)美元 (B)日圓 (C)新臺幣 (D)外國發行人所屬國家之幣別。

( ) **15** 關於公司監察人之監察權行使，下列何者為正確？ (A)監察人認為必要時，應先以書面敘明理由後，始能調查公司業務及財務狀況 (B)監察人調查公司財務狀況，應經公司同意，始能委託會計師審核 (C)監察人有二人以上時，應共同行使監察權 (D)監察人於董事不能召集股東會時，得為公司利益召集股東會。

( ) **16** 下列何者為證券交易法所稱之有價證券？ 甲、政府債券；乙、新股認購權利證書；丙、公司股票；丁、商業本票 (A)甲、乙、丙 (B)乙、丙、丁 (C)甲、丙、丁 (D)甲、乙、丁。

( ) **17** 上櫃公司應於第二季終了後多久公告並申報經會計師核閱之季財務報告？ (A)20日內 (B)1個月內 (C)45日內 (D)3個月內。

( ) **18** 公開發行公司與他公司無業務往來，亦無相互投資關係，但有短期融通資金之必要，其融資限額為？ (A)貸與公司淨值之百分之十 (B)貸與公司淨值之百分之二十 (C)貸與公司淨值之百分之四十 (D)貸與公司淨值之百分之六十。

( ) **19** 會計師辦理財務報告之查核簽證時，若發生錯誤或疏漏之缺失，主管機關得為下列哪一處分？ 甲、警告；乙、科新臺幣二十萬元以下罰金；丙、撤銷簽證之核准；丁、停止其二年以內辦理「證券交易法」所定之簽證 (A)甲、乙、丙、丁 (B)甲、乙、丙 (C)甲、乙、丁 (D)甲、丙、丁。

( ) **20** 下列有關內部人交易規範之敘述何者正確？ (A)可能包括公司內部人之短線交易及利用內部消息買賣圖利之情形 (B)短線交易所獲利益所有權直接屬於公司，不須另由他人請求 (C)所規範之行為主體僅限於公司內部人 (D)只有利用內部消息獲利之人須負刑事責任。

( ) **21** 證券商提存之營業保證金，可用下列何者繳交之？ 甲、現金；乙、金融債券；丙、商業本票；丁、政府債券 (A)甲、乙、丙 (B)乙、丙、丁 (C)甲、丙、丁 (D)甲、乙、丁。

( ) **22** 意圖抬高或壓低集中交易市場某種有價證券之交易價格，與他人通謀，以約定價格於自己出售，或購買有價證券時，使約定人同時為購買或出售之相對行為者，稱之為： (A)違約交割 (B)相對委託 (C)沖洗買賣 (D)連續交易操縱行為。

( ) **23** 經營證券投資信託業務或基金保管業務，對公眾或受益人有虛偽、詐欺或其他足致他人誤信之行為者，其有期徒刑之刑度為何？ (A)1年以下有期徒刑 (B)1年以上7年以下有期徒刑 (C)3年以下有期徒刑 (D)3年以上10年以下有期徒刑。

( ) **24** 證券投資信託事業、證券投資顧問事業、基金保管機構或全權委託保管機構，不為製作、申報、公告、備置或保存帳簿、表冊、傳票、財務報告或其他有關業務之文件或事項，所負之行政責任為？ (A)新臺幣四萬元以上，二十萬元以下罰鍰 (B)新臺幣六萬元以上，二十五萬元以下罰鍰 (C)新臺幣十二萬元以上，六十萬元以下罰鍰 (D)新臺幣八萬元以上，三十萬元以下罰鍰。

( ) **25** 證券商對仲裁之判斷延不履行時，得如何處理之？ (A)主管機關得訂一期限要求履行，未履行者廢止其營業之許可 (B)主管機關得聲請強制執行 (C)主管機關得以命令停止業務 (D)相對人得另行請求仲裁。

( ) **26** 下列哪種證券漲跌幅限制與其他證券不同？ (A)上櫃股票 (B)興櫃股票 (C)中央登錄公債 (D)外國債券。

( ) **27** 下列何者不是金管會訂定證券投資信託契約記載之各項費用及所受報酬計算上限之項目？ (A)購買受益憑證之費用 (B)受益人請求買回受益憑證之費用 (C)基金保管機構收取保管費之上限 (D)證券投資信託收益分配。

( ) **28** 上市認購（售）權證履約請求，須由持有人在往來證券商填具「認購（售）權證履約申請委託書」，在星期一至星期五間之行使時間為何時？ (A)早上九時至十二時 (B)下午一時以前 (C)下午二時三十分以前 (D)下午三時以前。

( ) **29** 依「證交所認購（售）權證上市審查準則」規定，經證交所同意上市之認購（售）權證，自上市買賣日起算，其存續期間應為：(A)三個月以上二年以下 (B)六個月以上二年以下 (C)九個月以上二年以下 (D)一年以上二年以下。

( ) **30** 下列何者非為證券投資信託契約應記載事項？ (A)證券投資信託基金之名稱及其存續期間 (B)基金及受益權單位淨資產價值之計算 (C)基金保管機構之義務與責任 (D)基金成立以來報酬率。

( ) **31** 建設公司發行人申報現金發行新股，因變更發行價格，於申報生效前檢齊修正後相關資料，向證券主管機關申報者，其申報生效期間如何計算？ (A)自完成補正日起重新起算 (B)原申報生效之期間由7個營業日改成12個營業日 (C)原申報生效之期間不受影響 (D)選項(A)(B)(C)皆非。

( ) **32** 發行人申報募集與發行有價證券，至申報生效前，發生證券交易法§36第3項第2款規定對股東權益或證券價格有重大影響之事項，應依規定於事實發生日起幾日內公告並申報？ (A)七日 (B)五日 (C)三日 (D)二日。

( ) **33** 企業申請股票在櫃檯買賣，公司內部人及該等內部人持股逾50%之法人以外之記名股東人數不少於300人外，其所持股份總額應符合 (A)占發行股份總額20%以上或逾1,000萬股 (B)占發行股份總額10%以上或逾1,000萬股 (C)占發行股份總額30%以上或逾1,500萬股 (D)選項(A)(B)(C)皆非。

( ) **34** 證交所於每日收盤後，即分析有價證券之交易，發現有異常情形，即公告其下列何種交易資訊？ (A)漲跌幅度、本益比 (B)成交量、集中度 (C)週轉率、溢折價百分比 (D)選項(A)(B)(C)皆是。

( ) **35** 推薦證券商之變更應依下列何種方式申請？ (A)僅由新推薦證券商以書面向證券櫃買中心申報 (B)須由新舊推薦證券商聯名檢附發行公司同意書及新推薦證券商義務承諾書向櫃買中心申報 (C)推薦證券商不得變更 (D)選項(A)(B)(C)皆是。

( ) **36** 上市公司之董事如欲經由集中交易市場轉讓其持股，若每一交易日轉讓股數未超過多少股，得免予申報？ (A)一萬股 (B)十萬股 (C)二十萬股 (D)一百萬股。

( ) **37** 上市櫃公司執行庫藏股於市場買回股份，下列何者非為法律所允許之買回目的？
(A)轉讓股份給員工
(B)配合可轉讓公司債之發行，作為股權轉換之用
(C)為維護公司信用及股東權益，並辦理銷除股份者
(D)預計日後公司營運需求做抵押用。

( ) **38** 融券交易的成本不包括下列何者？ (A)融券手續費 (B)交易手續費 (C)交易稅 (D)融券利息。

( ) **39** 創新板上市公司轉列上市、上櫃公司前辦理對外公開承銷，應提撥對外公開銷售股數之多少百分比辦理公開申購配售？ (A)20% (B)30% (C)50% (D)60%。

( ) **40** 理論上，在其他情況相同之條件下，到期日越短，認購權證價格： (A)越高 (B)越低 (C)不變 (D)不一定。

( ) **41** 一般而言，投資信託基金之存續期間為何？ (A)由受益人會議決定 (B)依證券投資信託契約約定 (C)由投信投顧公會擬訂 (D)由主管機關指定。

( ) **42** 受公開發行公司委託代辦股務之機構，其主管至少一人須有幾年以上之股務作業實務經驗？ (A)二年 (B)三年 (C)五年 (D)七年。

( ) **43** 股票市價五十元至未滿一百元者，其升降單位為： (A)五分 (B)一角 (C)五角 (D)一元。

( ) **44** 股票已在櫃檯買賣之發行人，再發行同種類之新股者，其新股股票何時可在櫃檯買賣？ (A)金管會核准或申報生效之日 (B)櫃買中心核准之日 (C)發行股票之日 (D)向股東交付之日。

( ) **45** 依「公開發行公司出席股東會使用委託書規則」規定，持有已發行股份總數10%以上之股東，且繼續持有多少期間以上，得委託信託事業擔任委託書徵求人？ (A)半年 (B)一年 (C)二年 (D)三年。

( ) **46** 投資人新申購開放式基金，可能會立即產生哪項費用？ (A)銷售費用 (B)轉換費用 (C)證券手續費 (D)管理費。

( ) **47** 有關於REITs的敘述，下列何者正確？ (A)投資人無須開立集保帳戶 (B)採實體發行 (C)REITs基金是開放型基金 (D)辦理REITs之信託業者需設立滿三年。

( ) **48** 上櫃公司計畫被收購而申請終止有價證券櫃檯買賣，若股東會決議日當天股價50元、董事會決議日前一個月平均收盤價46元，而財報淨值為每股45元，收購價不得低於？ (A)50元 (B)47元 (C)46元 (D)45元。

( ) **49** 上市（櫃）公司股票發行人依規定申請現金發行新股時，原則上係於金融監督管理委員會受理申報書之日起屆滿多少營業日始生效力？ (A)7個 (B)10個 (C)12個 (D)15個。

( ) **50** 下列有關證券零股交易買賣之敘述何者錯誤？ (A)委託人需開立集保帳戶始得買賣 (B)申報時間僅可於13：40~14：30 (C)以集合競價撮合成交 (D)申報截止前會揭示未成交最高買進及最低賣出之價格。

解答與解析（答案標示為#者，表官方曾公告更正該題答案。）

1 (A)。「公司法」第112條：公司於彌補虧損完納一切稅捐後，分派盈餘時，應先提出**百分之十**為法定盈餘公積。但法定盈餘公積已達資本總額時，不在此限。

2 (A)。「公司法」第8條第2項：公司之經理人、清算人或臨時管理人，股份有限公司之**發起人**、監察人、**檢查人**、**重整人**或重整監督人，在執行職務範圍內，亦為公司負責人。故選(A)。

3 (C)。「公司法」第197-1條第1項：董事之股份設定或解除質權者，應即通知公司，公司應於質權設定或解除後**十五日**內，將其質權變動情形，向主管機關申報並公告之。但公開發行股票之公司，證券管理機關另有規定者，不在此限。

4 (A)。「發行人募集與發行有價證券處理準則」第3條：金融監督管理委員會審核有價證券之募集與發行、公開招募、補辦公開發行、無償配發新股與減少資本採**申報生效制**。

5 (D)。根據「證券交易法」第178條，證券商若未如期提出主管機關命令所需提供之帳簿，可處**24萬元以上480萬元以下**之罰鍰。

6 (B)。「公司法」第267條第1項：公司發行新股時，除經目的事業中央主管機關專案核定者外，應保留發行新股總數**百分之十至十五**之股份由公司員工承購。

7 (D)。「證券交易法」第157條第1項：發行股票公司**董事、監察人**、經理人或持有公司股份超過百分之十之**股東**，對公司之上市股票，於取得後六個月內再行賣出，或於賣出後六個月內再行買進，因而獲得利益者，公司應請求將其利益歸於公司。

8 (B)。「證券商管理規則」第10條第5項：證券商繳存之交割結算基金為**共同責任制**，並設置基金特別管理委員會；其管理辦法由證券交易所洽商證券商業同業公會擬訂，函報本會核定；修正時亦同。

9 (A)。「證券商管理規則」第34條：證券商受託買賣有價證券，對客戶應建立下列之資料：**一、姓名、住所及通訊處所**。二、職業及年齡。**三、資產之狀況。四、投資經驗。**五、開戶原因。六、其他必要之事項。故選(A)。

10 (D)。根據「證券交易法」第171條，違反第一百五十五條第一項，**處三年以上十年以下有期徒刑，得併科新臺幣一千萬元以上二億元以下罰金。**「證券交易法」第155條第1項：在集中交易市場委託買賣或申報買賣，業經成交而不履行交割，足以影響市場秩序。

11 (D)。根據「證券商辦理有價證券買賣融資融券管理辦法」第3條，**必須為綜合證券商**非為證券商申請經營信用交易業務所必須具備之條件。

12 (B)。根據「信託業設立標準」第5條，保險公司欲擔任某證券投資信託公司之專業發起人，**公司應成立滿三年，且最近三年未曾因資產管理業務受其本國主管機關處分**。

13 (B)。「證券投資信託基金管理辦法」第73條：證券投資信託事業應於**每一營業日公告前一營業日**基金每受益權單位之淨資產價值。

14 (C)。根據「外國發行人募集與發行有價證券處理準則」第37條，存託機構受外國發行人委託發放臺灣存託憑證所表彰之有價證券之股息、紅利、利息或其他收益，應均以**新臺幣**給付。

15 (D)。「公司法」第220條：**監察人除董事會不為召集或不能召集股東會外，得為公司利益，於必要時，召集股東會**。

16 (A)。「證券交易法」第6條：本法所稱有價證券，指**政府債券、公司股票**、公司債券及經主管機關核定之其他有價證券。**新股認購權利證書**、新股權利證書及前項各種有價證券之價款繳納憑證或表明其權利之證書，視為有價證券。故選(A)。

17 (C)。「證券交易法」第36條，於每會計年度第一季、第二季及第三季終了後**四十五日**內，公告並申報由董事長、經理人及會計主管簽名或蓋章，並經會計師核閱及提報董事會之財務報告。

18 (C)。根據「公司法」第15條第1項，公司間或與行號間有短期融通資金之必要者。融資金額不得超過貸與企業淨值的**百分之四十**。

19 (D)。「證券交易法」第37條：會計師辦理第一項簽證，發生錯誤或疏漏者，主管機關得視情節之輕重，為左列處分：**一、警告。二、停止其二年以內辦理本法所定之簽證。三、撤銷簽證之核准**。

20 (A)。根據「證券交易法」第157條、第157-1條：(B)發行股票公司董事、監察人、經理人或持有公司股份超過百分之十之股東，對公司之上市股票，於取得後六個月內再行賣出，或於賣出後六個月內再行買進，因而獲得利益者，公司應請求將其利益歸於公司。**發行股票公司董事會或監察人不為公司行使前項請求權時，股東得以三十日之限期，請求董事或監察人行使之；逾期不行使時，請求之股東得為公司行使前項請求權**。(C)所規範之行為主體**也包含從內部人**獲悉消息之人。(D)**提供消息之人**，也須負連帶賠償責任。故選(A)。

21 (D)。根據「證券商管理規則」第9條，證券商之營業保證金，應以**現金、政府債券或金融債券**提存。

22 (B)。意圖抬高或壓低集中交易市場某種有價證券之交易價格，與他人通謀，以約定價格於自己出售，或購買有價證券時，使約定人同時為購買或出售之相對行為者，稱之為**相對委託**。

23 (D)。根據「證券投資信託及顧問法」第105條，經營證券投資信託業務或基金保管業務，對公眾或受益人有虛偽、詐欺或其他足致他人誤信之行為者，處**三年以上十年以下有期徒刑**，得併科新臺幣一千萬元以上二億元以下罰金。

24 (C)。根據「證券投資信託及顧問法」第113條，證券投資信託事業、證券投資顧問事業、基金保管機構或全權委託保管機構，不為製作、申報、公告、備置或保存帳簿、表冊、傳票、財務報告或其他有關業務之文件或事項，處新**臺幣十二萬元以上六十萬元以下罰鍰**。

25 (C)。「證券交易法」第169條：證券商對於仲裁之判斷，或依仲裁法第四十四條成立之和解，延不履行時，除有仲裁法第四十條情形，經提起撤銷判斷之訴者外，在其未履行前，**主管機關得以命令停止其業務**。

26 (A)。**上櫃股票漲跌幅限制**10%，興櫃股票、中央登錄公債、外國債券皆無漲跌幅限制。

27 (D)。「證券投資信託及顧問法」第13條：**受益人購買或請求買回受益憑證之費用與證券投資信託事業、基金保管機構所收取經理或保管費用之上限**及證券投資信託基金應負擔費用之項目，主管機關得視市場狀況限制之。

28 (C)。根據「臺灣證券交易所股份有限公司辦理認購（售）權證履約應注意事項」第1條，有關認購（售）權證履約相關事宜，本公司已委由集保公司辦理，集保公司接受證券商輸入申請履約截止時間為**下午二時三十分**。

29 (B)。依「證交所認購（售）權證上市審查準則」第11條規定，經證交所同意上市之認購（售）權證，自上市買賣日起算，其存續期間應為**六個月以上二年以下**。

30 (D)。根據「證券投資信託事業募集證券投資信託基金公開說明書應行記載事項準則」第21條，**基金成立以來報酬率**非為證券投資信託契約應記載事項。

31 (C)。根據「發行人募集與發行有價證券處理準則」第12條，建設公司發行人申報現金發行新股，因變更發行價格於申報生效前檢齊修正後相關資料，向證券主管機關申報者，其**申報生效期間不受影響**。

32 (D)。根據「發行人募集與發行有價證券處理準則」第5條，發行人申報募集與發行有價證券，至申報生效前，發生「證券交易法」§36第3項第2款規定對股東權益或證券價格有重大影響之事項，應依規定於事實發生日起**二日**內公告並申報。

33 (A)。根據「財團法人中華民國證券櫃檯買賣中心證券商營業處所買賣有價證券審查準則」第3條，公司內部人及該等內部人持股逾百分之五十之法人以外之記名股東人數不少於三百人，且其所持股份總額合計**占發行股份總額百分之二十以上或逾一千萬股**。

34 (D)。根據「臺灣證券交易所股份有限公司公布或通知注意交易資訊暨處置作業要點」第4條，本公司於每日收盤後，即分析上市有價證券（不含外國債券、政府債券、普通公司債）之交易，發現有異常情形時，公告其交易資訊（**漲跌幅度、成交量、週轉率、集中度、本益比、股價淨值比、券資比、溢折價百分比、借券賣出數量、當日沖銷百分比等**）。

35 (B)。「財團法人中華民國證券櫃檯買賣中心證券商營業處所買賣有價證券業務規則」第32條：推薦證券商自其所推薦之股票開始櫃檯買賣之日起一年內，不得辭任。推薦證券商擬改由其他證券商擔任時，應由**新舊推薦證券商聯名，檢附發行公司同意書及新推薦證券商願負推薦證券商義務之承諾書**，併同新推薦證券商所持有被推薦公開發行公司股數及比率之資料，以書面向本中心申請核准。

36 (A)。根據「證券交易法」第22-2條，上市公司之董事如欲經由集中交易市場轉讓其持股，若每一交易日轉讓股數未超過**一萬股**者，免予申報。

37 (D)。「證券交易法」第28-2條：股票已在證券交易所上市或於證券商營業處所買賣之公司，有下列情事之一者，得經董事會三分之二以上董事之出席及出席董事超過二分之一同意，於有價證券集中交易市場或證券商營業處所或依第四十三條之一第二項規定買回其股份，不受「公司法」第一百六十七條第一項規定之限制：**一、轉讓股份予員工。二、配合附認股權公司債、附認股權特別股、可轉換公司債、可轉換特別股或認股權憑證之發行，作為股權轉換之用。三、為維護公司信用及股東權益所必要而買回，並辦理銷除股份**。

38 (D)。**融券利息**為融券之交易收入。

39 (D)。「中華民國證券商業同業公會證券商承銷或再行銷售有價證券處理辦法」第7條：創新板上市公司轉列上市、上櫃公司前辦理對外公開承銷，應提撥對外公開銷售股數之**百分之六十**辦理公開申購配售。

40 (B)。權證含有時間價值，到期日越短時間價值越少，權證價格**越低**。

41 (B)。「證券投資信託基金管理辦法」第79條第1項：基金之存續期間**依證券投資信託契約之約定**。

42 (C)。根據「公開發行股票公司股務處理準則」第4條，受公開發行公司委託代辦股務之機構，其主管至少一人須有**五年**以上之股務作業實務經驗。

43 (B)。「財團法人中華民國證券櫃檯買賣中心證券商營業處所買賣有價證券業務規則」第55條：申報買賣價格之最低單位每股市價未滿十元者為一分，十元至未滿五十元者為五分，**五十元至未滿一百元者為一角**，一百元至未滿五百元者為五角，五百元至未滿一千元者為一元，一千元以上者為五元。

44 (D)。根據「財團法人中華民國證券櫃檯買賣中心證券商營業處所買賣興櫃股票審查準則」第22條，股票已在櫃檯買賣之發行人，再發行同種類之新股者，其新股股票**向股東交付之日**起在櫃檯買賣。

45 (B)。依「公開發行公司出席股東會使用委託書規則」第6條第1項規定，持有已發行股份總數10%以上之股東，且繼續持有**一年**以上，得委託信託事業擔任委託書徵求人。

46 (A)。投資人新申購開放式基金，會立即產生**銷售費用**。

47 (D)。REITs在集中市場掛牌交易，交易方式與股票相同。根據「不動產證券化條例」第16條：不動產投資信託基金，以封閉型基金為限。根據「不動產證券化條例」第4條，**辦理REITs之信託業者需設立滿三年**。故選(D)。

48 (A)。根據「財團法人中華民國證券櫃檯買賣中心上櫃公司申請終止有價證券櫃檯買賣處理程序」第3條，上櫃公司計畫被收購而申請終止有價證券櫃檯買賣，收購價格不得低於股東會決議日或董事會決議日前一個月股票收盤價之簡單算術平均數之孰高者，且**不得低於該公司最近期經會計師查核或核閱財務報告之每股淨值**。故選(A)。

49 (C)。根據「發行人募集與發行有價證券處理準則」第13條，上市（櫃）公司股票發行人依規定申請現金發行新股時，原則上係於金融監督管理委員會受理申報書之日起屆滿**十二個**營業日始生效力。

50 (B)。證券交易所實施盤中零股交易，可於普通交易時段買賣零股，**9：00～13：30亦可申報買賣**，故選(B)。

投資學

( ) **1** 國內某上市可轉換公司債的轉換價格若為50元，則每張債券可轉換為普通股多少股？ (A)2,000股 (B)2,500股 (C)4,000股 (D)10,000股。

( ) **2** 自美國進口物品之公司，可如何操作金融商品以規避匯率風險？ 甲、買美元期貨；乙、買美元買權；丙、賣美元買權；丁、買遠期美元 (A)僅甲、乙、丙 (B)僅甲、乙、丁 (C)僅丙、丁 (D)僅乙、丙。

( ) **3** 何者「不是」用來衡量投資風險的方法？ (A)全距（Range） (B)β係數 (C)變異數 (D)算術平均數。

( ) **4** 公司的營運槓桿越大，表示何種資產所占的比重越大？ (A)固定資產 (B)流動資產 (C)長期負債 (D)短期負債。

( ) **5** 下列何者為「貨幣市場」的工具？ (A)公司債 (B)政府債券 (C)可轉讓定期存單 (D)存託憑證。

( ) **6** 下列敘述何者「不正確」？
(A)短期利率波動幅度會大於長期利率
(B)當市場利率高於債券票面利率時，債券將折價發行
(C)當市場利率高於票面利率時，公司較不可能將債券贖回
(D)短期債券對利率變動之敏感度高於長期債券。

( ) **7** 在其他條件不變下，轉換期間愈長之可轉換公司債，其價值會：(A)愈低 (B)愈高 (C)不變 (D)無從得知。

( ) **8** 在其他條件不變下，當標的股票市價愈低時，則可轉換公司債的價值會： (A)愈低 (B)愈高 (C)不變 (D)不一定。

( ) **9** 債權人為防止債務公司之財務結構惡化，可以訂立何種保護條款？ (A)可轉換成普通股 (B)限制公司再舉債 (C)限制公司現金增資 (D)以上皆非。

( ) **10** 一年期的利率為4.8%，二年期的利率為5.13%。請問一年後之預期一年期利率為何？（假設利率為實質年利率） (A)5.02% (B)5.23% (C)5.46% (D)5.51%。

( ) **11** 何者「不是」持有某公司債券的系統風險？ (A)央行調高存款準備率 (B)央行調升利率 (C)發行公司的財務風險 (D)能源危機導致通貨膨脹。

( ) **12** 假設某公司合理本益比為16.5倍，其現金股利發放率為30%，且預期現金股利成長率為10%，若高登模式（Gordon Model）成立，請問該公司股票之必要報酬率為何？ (A)10% (B)11% (C)12% (D)13%。

( ) **13** 何者屬於價的技術指標？ (A)漲跌比率ADR (B)心理線PSY (C)VR (D)RSI相對強弱分析。

( ) **14** 鬍鬚王食品公司每年發放一次股利，已知今年已發放現金股利2,500萬元，股利每年成長率固定為8%，市場對該股票的必要報酬率為12%。試問：該公司之股東權益總值應為多少？ (A)62,500萬元 (B)31,250萬元 (C)22,500萬元 (D)67,500萬元。

( ) **15** 在預估未來股市時，下列哪項指標的增加最可能造成整體股市預估本益比的增加？ (A)實質無風險利率 (B)財務槓桿 (C)預期股利成長率 (D)要求報酬率。

( ) **16** KD分析中，對K值的描述何者「正確」？ (A)K值＞100 (B)K值＜0 (C)K值有鈍化現象 (D)K值為20以下屬於超買區。

( ) **17** 計算KD值時，須用到下列何組資料？ (A)開盤價、最高價、最低價 (B)最高價、最低價、成交量 (C)最高價、最低價、漲跌家數 (D)最高價、最低價、收盤價。

( ) **18** 在RSI中，下列何者「不是」使用RSI的限制？ (A)RSI有鈍化現象 (B)RSI值僅考慮到收盤價，若有很長上下影線，無法真正反映大盤走勢 (C)RSI在股價行情暴跌時，一般反應遲緩 (D)期數愈短愈不具敏感性。

( ) **19** KD分析中，KD值為50附近時，下列何者描述較「正確」？ (A)超買區 (B)超賣區 (C)多、空頭力道平衡 (D)呈現鈍化現象。

( ) **20** 何種經濟指標是用來衡量一個標準家庭所消費勞務和物品之零售價格平均變動倍數？ (A)工業生產指數 (B)躉售物價指數 (C)消費者物價指數 (D)國民生產毛額平減指數。

( ) **21** 估計股票之盈餘成長率，較不可能用到下列哪一比率？ (A)流動性比率 (B)財務槓桿比率 (C)資產營運能力比率 (D)獲利能力比率。

( ) **22** 何者「不是」外匯供給增加的原因？ (A)本國物品出口 (B)對外長期投資增加 (C)外國觀光客在我國之開支 (D)外國政府對我國之援助。

( ) **23** 甲公司之股利殖利率3%，股利支付率為25%，若甲公司目前股價為50元，則其每股盈餘為： (A)6元 (B)8元 (C)11.25元 (D)12.8元。

( ) **24** 假設H公司之淨利率為5%、資產週轉率2.2、自有資金比率50%，請問目前該公司之股東權益報酬率為何？ (A)4.50% (B)18% (C)12% (D)22%。

( ) **25** 當中央銀行覺得通貨膨脹率太高時，央行最「不」可能會採取哪項措施？ (A)緊縮貨幣供給 (B)放寬貨幣供給 (C)調高存款準備率 (D)調高重貼現率。

( ) **26** 保守的投資人應該投資下列哪一種股票？ (A)高市價淨值比股票 (B)成長型（Growth）股票 (C)價值型（Value）股票 (D)高市價現金流量比股票。

( ) **27** 下列何者「不」屬於領先指標？ (A)核發建照面積 (B)外銷訂單指數 (C)失業率 (D)實質貨幣總計數。

( ) **28** 投資總風險中，只影響特定資產價值部分之風險為： (A)系統風險 (B)非系統風險 (C)技術風險 (D)非技術風險。

(　) **29** 於風險分散的敘述中，何者為「不正確」？ (A)投資組合內，個別資產相關係數為0時，有風險分散的效果 (B)透過投資組合的方式可以避免風險過度集中於單一投資標的 (C)不可賣空下，相關係數愈大，分散的效果愈佳 (D)分散的效果視組合內個別資產間的相關係數而定。

(　) **30** 下列何者最「不可能」是兩檔股票報酬率之間的相關係數（coefficient of correlation）？ (A)0.84 (B)1.27 (C)0 (D)－0.46。

(　) **31** 某投資組合有60%的機率，其報酬率為10%；40%的機率，其報酬率為5%。如目前國庫券的票面利率為6%，則該投資組合的風險溢酬應為： (A)11% (B)1% (C)2% (D)15%。

(　) **32** 對於具有風險規避特性的投資者而言，以下敘述何者「正確」？ (A)僅考量報酬率來選擇投資標的 (B)僅接受期望報酬率高於無風險利率的風險性投資標的 (C)願意接受較低報酬及高風險的投資標的 (D)以上(A)(B)選項皆是。

(　) **33** 報酬率之標準差主要衡量一證券之： (A)市場風險 (B)非系統風險 (C)總風險 (D)營運風險。

(　) **34** 有關資本市場線（CML）與證券市場線（SML）之敘述何者「正確」？ (A)二者均是效率前緣 (B)二者均不是效率前緣 (C)CML是效率前緣，SML不一定是 (D)SML是效率前緣，CML不一定是。

(　) **35** 依CAPM，若投資標的物之預期報酬率「大於」市場投資組合之預期報酬率，則此投資標的物之貝它（Beta）係數為： (A)大於1 (B)等於1 (C)等於0 (D)小於1。

(　) **36** X股票的貝它係數是Y股票的2倍，則下列敘述何者「正確」？ (A)X的期望報酬率為Y的2倍 (B)X的風險為Y的2倍 (C)X受市場變動影響程度為Y的2倍 (D)選項(A)(B)(C)皆正確。

( ) **37** 根據CAPM，任何資產之期望報酬率等於： (A)無風險報酬率加上該資產之風險溢酬 (B)無風險報酬率加上市場平均之風險溢酬 (C)市場平均報酬率加上該資產之風險溢酬 (D)市場平均報酬率加上市場平均之風險溢酬。

( ) **38** 某投資者寧願投資貝它係數等於0的股票，也不願投資無風險國庫券，請問該投資者可能是屬於何種風險特質？ (A)風險中立（Risk Neutral） (B)風險趨避（Risk Averting） (C)風險嫌惡（Risk Disliking） (D)風險偏好（Risk Preferring）。

( ) **39** 一般說來，債券型基金之貝它（Beta）係數： (A)小於0 (B)小於1 (C)大於1 (D)無法判斷。

( ) **40** 一般而言，在多頭行情，高貝它股票股價表現： (A)與大盤相近 (B)不如低貝它股票 (C)不如大盤 (D)優於低貝它股票。

( ) **41** 為了規避選時之風險，可採取： (A)由下而上投資策略 (B)單筆投資法 (C)定期定額投資法 (D)選項(A)(B)(C)皆非。

( ) **42** 在投資組合績效評估指標中，夏普（Sharpe）指標的計算方法是： (A)超額報酬／系統風險 (B)超額報酬／總風險 (C)超額報酬／非系統風險 (D)超額報酬／無風險利率。

( ) **43** 國內的共同基金依成立的法源基礎劃分者皆為： (A)契約型 (B)股份型 (C)公司型 (D)合夥型。

( ) **44** 國內債券型基金皆為： (A)開放型基金 (B)封閉型基金 (C)公司型基金 (D)股份型基金。

( ) **45** 某認購權證之發行總認購股數為2,000萬股，當其避險比率為0.4時，則理論上發行券商應持有之避險部位為多少？ (A)800萬股 (B)2,100萬股 (C)1,500萬股 (D)1,000萬股。

( ) **46** 下列何者須繳保證金？ 甲、買期貨；乙、賣期貨；丙、買選擇權；丁、賣選擇權 (A)僅甲、乙、丙 (B)僅乙、丙、丁 (C)僅甲、乙、丁 (D)甲、乙、丙、丁。

(　　) **47** 在其他條件不變下，轉換期間愈長之可轉換公司債，其價值會：(A)愈低　(B)愈高　(C)不變　(D)無從得知。

(　　) **48** 假設目前臺灣證券交易所股價指數小型期貨（MTX）為6,500點，則其一口契約價值為新臺幣：　(A)500,000元　(B)300,000元　(C)1,000,000元　(D)325,000元。

(　　) **49** 就投資者角度而言，股權連結商品的組合成分為：　(A)買進固定收益證券與買進股票　(B)買進固定收益證券與買進選擇權　(C)買進固定收益證券與賣出選擇權　(D)賣出固定收益證券與買進選擇權。

(　　) **50** 下列何者屬於衍生性金融商品？　甲、特別股；乙、選擇權；丙、期貨；丁、遠期契約　(A)僅甲、乙　(B)僅乙、丙、丁　(C)僅甲、乙、丁　(D)甲、乙、丙、丁。

解答與解析（答案標示為#者，表官方曾公告更正該題答案。）

1 (A)。可轉債面額$100,000/50＝2000股。

2 (B)。使用美元進口物品之公司，因需擔心美元升值使成本增加，所以會選擇做多美元的金融商品來規避匯率風險。故選(B)。

3 (D)。算術平均數指一組資料數值的總和除以資料的個數，無法用來衡量風險。

4 (A)。營運槓桿程度為公司營運中，固定成本的使用程度。固定成本佔總成本的比例越高，其營運槓桿程度越大。

5 (C)。常見的資本市場工具：股票、存託憑證、債券。常見的貨幣市場工具：國庫券、商業本票、銀行承兑匯票、可轉讓定期存單。

6 (D)。到期期間愈長，債券價格對利率的敏感性愈大，故選(D)。

7 (B)。可轉換公司債轉換期間與買權的到期期間類似，期間愈長，轉換權利的價值愈高（此為時間價值部分），所以可轉換公司債的價值愈高。

8 (A)。可轉債價值＝轉換比率×股票市價，股票市價愈低，可轉換公司債價值愈低。

9 (B)。舉債會使公司財務結構惡化，訂立限制公司再舉債保護債權人權益。

10 (C)。5.13%＝（4.8%＋一年後之預期一年期利率）/2。
一年後之預期一年期利率＝5.46%。

11 (C)。發行公司的財務風險屬於非系統風險。

12 (C)。本益比＝股價／EPS＝16.5，現金股利發放率＝每股股利／EPS＝30%。
高登模式：股價=股利×(1+股利成長率)/(要求報酬率−股利成長率)。
16.5×EPS＝30%×EPS×(1+10%)/(要求報酬率−10%)。
16.5＝0.3×1.1/(要求報酬率−0.1)。
要求報酬率＝0.12＝12%。

13 (D)。漲跌比率ADR及心理線PSY沒有借重市場價格與成交量的數據，VR屬於量的技術指標，故選(D)。

14 (D)。現金股利＝每股現金股利×股數＝2,500萬。
股價＝每股股利x(1+股利成長率)/(要求報酬率−股利成長率)。
股價＝2,500萬/股數×（1＋8%）/（12－8%）。
股價×股數＝總股東權益＝2500萬×108%/4%＝67,500萬。

15 (C)。本益比＝股價/EPS，根據高登模式：股價＝股利×（1＋股利成長率）/（要求報酬率－股利成長率），股價會隨股利成長率的增加而增加，本益比也隨之增加。

16 (C)。K值介於0－100之間，K值為20以下屬於超賣區，K值有鈍化現象，故選(C)。

17 (D)。KD指標計算公式：
RSV＝（今日收盤價－最近n天的最低價）÷（最近n天的最高價－最近n天最低價）×100。
今日K值＝昨日K值×（2/3）＋今日RSV×（1/3）。
今日D值＝昨日D值×（2/3）＋今日K值×（1/3）。
故選(D)。

18 (D)。RSI期數愈短愈具敏感性。

19 (C)。KD分析中，KD值介於0－100之間，KD值為80以上為超買區，20以下為超賣區，鈍化現象是指技術指標形態發生糾結，故(C)較為正確。

20 (C)。消費者物價指數是用來衡量一個標準家庭所消費勞務和物品之零售價格平均變動倍數。

21 (A)。流動比率是用來判斷公司短期償債能力。

22 (B)。對外長期投資增加是使外匯需求增加。

23 (A)。現金股利＝股價×殖利率
現金股利＝50×3%＝1.5
股利支付率＝現金股利／每股盈餘。
25%＝1.5/每股盈餘。
每股盈餘＝6元。

24 (D)。自有資金比率＝股東權益總額／資產總額。
財務槓桿比率＝資產總額／股東權益總額。
股東權益報酬率＝淨利率×總資產周轉率×財務槓桿比率。
＝淨利率×總資產周轉率／自有資金比率。
＝5%×2.2/50%＝22%。

25 (B)。通貨膨脹太高時央行會採取緊縮貨幣政策，放寬貨幣供給屬於寬鬆貨幣政策。

26 (C)。價值型股票的特點是：收益穩定、價值被低估、安全性較高的股票，較適合保守投資人投資。

27 (C)。失業率屬於落後指標。

28 (B)。非系統風險又稱為公司特有風險、可分散風險，一家公司出事，與另一家公司並沒有直接關係，故選(B)。

29 (C)。投資組合內相關係數越高風險越大。

30 (B)。報酬率相關係數介於－1至1之間。

31 (C)。風險溢酬＝預期報酬率－無風險利率
風險溢酬＝（60%×10%＋40%×5%）－6%＝2%。

32 (B)。風險規避者僅接受期望報酬率>無風險利率的風險性投資標的。

33 (C)。報酬率之標準差衡量的是未來報酬率落在與平均報酬率某區間內（平均值以上或以下）的機率，主要衡量一證券之總風險。

34 (C)。CML衡量投資組合報酬，僅限「效率投資組合」，SML衡量之預期報酬，同時涵蓋「效率與非效率」，以及「投資組合或個別證券」，故選(C)。

35 (A)。預期報酬率＝無風險利率＋β*（市場預期報酬率－無風險利率）。
β係數大於1時，預期報酬率>市場預期報酬率。

36 (C)。貝它係數是用來衡量個別股票或股票基金相對於整個市場的價格波動情況，X股票的貝它係數是Y股票的2倍時，X受市場變動影響程度為Y的2倍。

37 (A)。根據CAPM，任何資產之期望報酬率等於無風險報酬率加上該資產之風險溢酬。

38 (D)。風險偏好者，是指在風險中更願意得到期望收入而不是風險的期望值收入的人。

39 (B)。債券型基金之貝它係數通常小於1，因債券相對於整體市場波動較小。

40 (D)。貝它係數越高波動越大，在多頭行情時高貝它股票表現優於低貝它股票。

41 **(C)**。定期定額投資法表示於固定的時間投資固定的金額，不需要選擇何時投資。

42 **(B)**。夏普值＝(報酬率－無風險利率)／標準差＝超額報酬／總風險。

43 **(A)**。國內的共同基金依成立的法源基礎劃分者皆為契約型基金。

44 **(A)**。國內債券型基金皆為開放型基金。

45 **(A)**。2,000萬股×0.4＝800萬股。

46 **(C)**。買選擇權僅需支付權利金，故選(C)。

47 **(B)**。轉換期間愈長，對投資人愈有利，其購買價格愈高。

48 **(D)**。臺指小型期貨1點為50元，一口契約價值為新臺幣6,500點×50元＝325,000元。

49 **(C)**。股權連結型商品指固定收益商品結合賣出衍生性金融商品，取得出售衍生性商品之收入，以確保高於一般債券的投資報酬，但可能損及投資本金或轉換成股票等其他證券。

50 **(B)**。基本的衍生性金融商品包含遠期、期貨、交換及選擇權等四種，故選(B)。

財務分析

( ) **1** 有用的財務資訊應同時具備攸關性與忠實表述兩項基本品質特性，下列何者屬於「攸關性」的內容？ (A)財務資訊能讓使用者用以預測未來結果 (B)讓使用者了解描述現象所須之所有資訊，包括所有必要之敘述及解釋 (C)財務資訊對經濟現象的描述，能讓各自獨立且具充分認知的經濟現象觀察者，達成對經濟現象的描述為忠實表述的共識 (D)財務資訊應清楚簡潔的分類、凸顯特性及表達。

( ) **2** 相對於發行股票募集資金，發行債券募集資金具有的好處（對發行公司而言）包括下列幾項？ 甲、風險較低；乙、債券不能在市場上交易；丙、債券利息可減少課稅所得，而股利則無法減少課稅所得；丁、現有股東持股比例不受影響 (A)一項 (B)兩項 (C)三項 (D)四項。

( ) **3** 下列敘述何者正確？ (A)使用價值屬於變現價值 (B)履約價值是指企業預期於其履行負債時，有義務移轉的現金或其他經濟資源的現值，包含承擔負債所發生的交易成本 (C)公允價值是指於衡量日市場參與者間，在有秩序之交易中出售某一資產所能收取或移轉某一負債所需支付之價格 (D)公允價值屬於現時價值的一種，履約價值屬於歷史成本的一種。

( ) **4** 馬祖公司X9年度進貨$7,000,000，進貨運費為$1,000,000，X9年底期末存貨比期初存貨多$2,000,000，銷貨毛利率為60%，營業費用合計$3,000,000。馬祖公司X9年度營業淨利率為：(A)25% (B)30% (C)35% (D)40%。

( ) **5** 將信用條件由1/10，n/30改為1/15，n/30，假設其他因素不變，則應收帳款週轉率將： (A)增加 (B)不變 (C)減少 (D)先增後減。

( ) **6** 依國際財務報導準則規定，下列何者並非存貨成本的計算方法？ (A)個別認定法 (B)加權平均法 (C)後進先出法 (D)先進先出法。

( ) **7** 下列有關現金流量表之敘述何者錯誤？ (A)庫藏股的買回與再發行屬籌資活動 (B)購買設備流出現金為投資活動 (C)應收帳款與預付費用之變動會影響營業活動之現金流量 (D)購買交易目的之股票屬投資活動。

( ) **8** 傑克遜公司X9年期初存貨$200,000、期末存貨$800,000、X9年度存貨週轉率5.2次。該公司X9年度之銷貨淨額為$4,000,000、X9年初應付帳款為$120,000、X9年底應付帳款為$280,000，則X9年度支付供應商之現金數若干？ (A)$4,160,000 (B)$3,840,000 (C)$3,360,000 (D)$3,040,000。

( ) **9** 金門公司在自有土地上拆除舊屋改建新屋。下列敘述何者正確？(A)拆除費用應增加新屋之成本 (B)拆除費用應增加土地之成本 (C)拆除費用減舊屋殘值後之金額，應列入新屋之成本 (D)拆除費用減舊屋殘值後之金額，應列為舊屋之處分損益。

( ) **10** 子瑜公司以$55,000購入一台生產零件的機器，估計耐用年限4年，殘值$5,000，若採用雙倍餘額遞減法提列折舊，第三年和第四年應提列之折舊費用為何？

(A)$6,250；$6,250 (B)$6,875；$6,875

(C)$6,875；$1,875 (D)$6,875；$3,438。

( ) **11** 台北公司在X9年並無付息負債，當年度淨利率為6%、資產週轉率為2次、平均資產總額為$1,600,000、平均權益為$1,024,000。台北公司在X9年之權益報酬率為多少？ (A)12 (B)18.75 (C)27 (D)48。

( ) **12** 下列何者不影響毛利率，但使稅前淨利率下降？ (A)認列存貨跌價損失 (B)提高產品售價 (C)認列機器處分利益 (D)認列較高的廣告費用。

( ) **13** 下列哪一項列在銷管費用當中？ (A)總公司餐廳對員工用餐的貼補 (B)支付股利 (C)銷貨被退回 (D)進貨時廠商所負擔的運費。

( ) **14** 某公司去年度淨進貨200萬元，進貨運費60萬元，期末存貨比期初存貨多出50萬元，該公司的銷貨毛利為銷貨的25%，營業費用有20萬元，問去年度該公司的銷貨收入為多少？ (A)200萬元 (B)262.5萬元 (C)280萬元 (D)300萬元。

( ) **15** 某企業因計畫興建廠房，發行10年期長期公司債，發行時票面利率低於市場利率故折價發行，其帳上應該如何處理？
(A)一次認列折價總額為利息費用
(B)一次認列折價總額為利息收入
(C)折價總額應列為長期負債的減項再分期攤銷
(D)折價總額應列為長期負債的加項再分期攤銷。

( ) **16** 如果劍橋航空公司的融資決策很成功，能適度運用財務槓桿原理，則其普通股權益報酬率應該： (A)低於其毛利率 (B)高於其毛利率 (C)低於其總資產報酬率 (D)高於其總資產報酬率。

( ) **17** 秀智公司年底帳務調整前的應收帳款備抵損失餘額為$75,000，全年度皆無沖減的分錄，其分析結果顯示：期末應認列的備抵損失餘額應為$115,500，請問秀智公司今年應認列的預期信用損失為多少？ (A)$40,500 (B)$85,500 (C)$115,500 (D)$55,500。

( ) **18** 大林公司去年度的銷貨毛利為2,000萬元，毛利率為20%，稅前純益率為10%，企業的所得稅率為17%，該公司去年度的淨利為：(A)622.5萬元 (B)102萬元 (C)124.5萬元 (D)830萬元。

( ) **19** 下列何者是影響盈餘品質的因素？ (A)會計政策之選擇 (B)任意性成本 (C)管理者操控 (D)選項(A)(B)(C)皆會有影響。

( ) **20** 仁德公司的股利分配率預定為40%，EPS＝8元，則其每股現金股利將為何？ (A)6.4元 (B)1.6元 (C)0.4元 (D)3.2元。

( ) **21** 假設兩家公司除了財務槓桿程度不同外，餘皆相同，則財務槓桿程度較大的公司，其貝它（Beta）值： (A)與財務槓桿程度低的公司一樣 (B)較小 (C)較大 (D)為負。

( ) **22** 丹尼爾公司發行每股面額$10之普通股6,000股以取得秀賢公司80%股份並對秀賢公司具有控制，丹尼爾公司所發行普通股的公允價值為$132,000。丹尼爾公司帳上應作的分錄何者錯誤？ (A)借記商譽$60,000 (B)借記採用權益法之投資$132,000 (C)貸記股本$60,000 (D)貸記資本公積$72,000。

( ) **23** 下列何項不屬於動態分析？ (A)二期間絕對金額比較 (B)二期間絕對金額增減變動比較 (C)二期間百分比變動比較 (D)和同期同業平均水準比較。

( ) **24** 國際會計準則理事會（IASB）的觀念性架構中所提出的強化品質特性（Enhancing qualitative characteristics）是用來補充基本品質特性（fundamental qualitative characteristics），請問下列那一項不包含在強化品質特性中？ (A)可驗證性 (B)中立性 (C)可了解性 (D)可比性。

( ) **25** 下列敘述何者錯誤？
(A)收益的認列可能與資產的原始認列同時發生
(B)負債帳面金額增加可能與費損的認列同時發生
(C)收益的除列通常於企業認列負債時發生
(D)資產的除列通常於企業喪失對已認列資產的控制時發生。

( ) **26** 神奈川公司X1年度申報所得稅時有營業虧損$30,000，若該公司以前年度皆無虧損且預估X2年度課稅所得將大於$30,000，則於X1年底可認列何種項目？
(A)應收退稅款 (B)遞延所得稅資產
(C)預付X1年度所得稅 (D)不能認列任何資產。

( ) **27** 在資產負債表中的各項資產是依何種順序排列？ (A)取得之時間先後 (B)金額之大小 (C)流動性之高低 (D)重大性之大小。

( ) **28** 在採用零售價法評估期末存貨價值時，下列哪一項目會同時影響進貨的成本與零售價？ (A)進貨折扣 (B)進貨運費 (C)進貨退回 (D)正常損耗。

( ) **29** 天天公司有一筆應收帳款$1,000,000，天天公司認為該應收帳款自原始認列後信用風險已顯著增加，並估計其於未來12個月內的違約機率為0.3%，於未來存續期間的違約機率為0.5%，且若違約將損失總帳面金額20%。天天公司於報導期間結束日應認列的備抵損失餘額應為？ (A)$6,000 (B)$600 (C)$1,000 (D)$10,000。

( ) **30** 企業因基本假設發生變動，而對已發布的財務預測所作的修正，稱為： (A)財務預測更正 (B)財務預測更新 (C)財務預測更換 (D)財務預測追溯調整。

( ) **31** 已知費城公司X9年度自由現金流量為$25,000，當年度資本支出共$25,000，無任何現金股利，當年度平均流動負債$100,000、平均流動資產$80,000，請問該公司當年度營業淨現金流量對流動負債比率為若干： (A)0.56 (B)0.5 (C)0.39 (D)0.28。

( ) **32** 以下有關現金流量允當比率的敘述何者錯誤？
(A)主要衡量營業活動淨現金流量是否足以償還流動負債
(B)比率若小於100%，代表營業活動淨現金流量可能不足以支應目前的營運水準
(C)為避免單一年度異常因素的影響，通常以最近五年的總數計算
(D)存貨增加金額越高，比率越低。

( ) **33** 在「銷售型」融資租賃中，出租人所賺取的收益不包括下列何者？甲、銷售利潤；乙、租金收入；丙、利息收入 (A)僅甲 (B)僅乙 (C)僅丙 (D)僅乙和丙。

( ) **34** 「待分配股票股利」在資產負債表上應列於？ (A)資產 (B)負債 (C)權益 (D)以上皆非。

( ) **35** 武山公司購買汽車一部，付現$100,000並開立一年期無息票據面額$500,000。若一般銀行貸款利率為8%，則武山公司所購汽車之成本應為： (A)$640,000 (B)$600,000 (C)$562,963 (D)$528,669。

(　　) **36** 下列有關投資性不動產的會計處理何者有誤？ (A)採公允價值模式衡量者，期末應按公允價值衡量，公允價值變動數計入其他綜合損益中 (B)採成本模式衡量者，期末帳面金額應按成本減累計折舊及累計減損衡量 (C)企業先前若按公允價值衡量，即使後續難以取得公允價值資訊也不得改為成本模式 (D)我國並未禁止投資性不動產採公允價值模式。

(　　) **37** 廣島公司以現金方式銷售商品，存貨採永續盤存制，售價低於成本，則： (A)流動資產不變 (B)速動比率增加 (C)固定支出保障倍數不變 (D)現金流量為固定支出之倍數不變。

(　　) **38** 新竹公司X9年之平均資產總額為$1,160,000、利息費用$25,000，另外，資產週轉率為2、淨利率為6%、所得稅率為20%。試問新竹公司X9年之利息保障倍數為何？ (A)4.82 (B)6.16 (C)7.96 (D)12。

(　　) **39** 某上市的公司之股價為780元，每股股利為13元，請計算公司的股利收益率為何？ (A)16.70% (B)12.90% (C)1.67% (D)1.28%。

(　　) **40** 假設淨利率與權益比率不變，則總資產週轉率增加，將使權益報酬率： (A)減少 (B)增加 (C)不變 (D)不一定。

(　　) **41** 進寶公司X5年度平均權益$150,000，平均負債$150,000，銷貨$150,000，其淨利$90,000，負債利息$10,000，稅率10%，稅後淨利率15%，則該公司權益報酬率為何？ (A)10.33% (B)13.33% (C)15% (D)20%。

(　　) **42** 某公司去年度銷貨毛額為600萬元，銷貨退回50萬元，已知其期初存貨與期末存貨皆為110萬元，本期進貨300萬元，另有銷售費用50萬元，管理費用62萬元，銷貨折扣50萬元，請問其銷貨毛利率是多少？ (A)60% (B)40% (C)20% (D)10%。

(　　) **43** 已知豐富公司邊際貢獻率為60%，銷貨收入$100,000，其營運槓桿度為2.0，試問該公司當年度固定成本及費用為何？ (A)$30,000 (B)$20,000 (C)$22,500 (D)選項(A)(B)(C)皆非。

( ) **44** 將於一年內發放的應付股票股利與應付現金股利在財務報表中應如何處理？
(A)應付股票股利為權益科目，而應付現金股利為流動負債
(B)應付股票股利為流動負債，而應付現金股利為權益科目
(C)兩者皆為流動負債
(D)兩者皆為權益科目。

( ) **45** 下列那些帳戶會有借方餘額？甲、銷貨折扣；乙、進貨折讓；丙、進貨退出；丁、銷貨折讓；戊、商業折扣 (A)僅甲、乙、丙 (B)僅甲、丁、戊 (C)僅甲、丁 (D)僅丁。

( ) **46** 下列敘述何者錯誤？ (A)發放普通股股票股利會降低普通股每股帳面金額 (B)股票股利發放後，企業現金會減少 (C)積欠累積優先股股利不須入帳，僅附註揭露 (D)股票分割會降低普通股每股帳面金額。

( ) **47** 石龜公司X7年的基本每股盈餘為$4.50，本年度其具稀釋作用之證券並無轉換或行使權利之情形，若假設認股權於本年度行使權利，則每股盈餘為$4.40，若再假設可轉換特別股轉換為普通股，則每股盈餘將由$4.40變為$4.42。試問石龜公司於X7年財務報表應如何列示每股盈餘之資訊？ (A)$4.40 (B)$4.42 (C)$4.50 (D)$4.50及$4.40。

( ) **48** 一般公司最常應付短期資金不足的方式為： (A)發行特別股 (B)向銀行借款 (C)發行公司債 (D)發行普通股。

( ) **49** 60元的永續年金在6%的資金成本率之下，現值為若干？ (A)$800 (B)$37.04 (C)$60 (D)$1,000。

( ) **50** 假設有一投資計畫，期初投資100萬元，其折舊年限為5年，無殘值，依直線法提折舊，其生產產品之單位售價為$2,000，單位變動成本為$1,500，每年之付現固定成本為10萬元，稅率為17%，折現率為10%，請問各年度的會計損益兩平點為多少？ (A)200個 (B)300個 (C)400個 (D)600個。

解答與解析（答案標示為#者，表官方曾公告更正該題答案。）

1 **(A)**。攸關性與決策有關，具有改變決策之能力。財務資訊必須與使用者之需求攸關。具備攸關性的資訊可幫助使用者評估過去、現在或未來之事項。

2 **(B)**。股票募集資金風險較債券募集資金低，債券可以在市場上交易，丙和丁正確，故選(B)。

3 **(C)**。(A)使用價值屬於現時價值。(B)履約價值是指企業預期於其履行負債時，所須支付現金或其他經濟資源的折現值。(D)公允價值屬於變現價值的一種，履約價值屬於現時價值的一種。故選(C)。

4 **(D)**。銷貨成本＝$7,000,000＋$1,000,000－$2,000,000＝$6,000,000
銷貨收入＝$6,000,000/（1－60%）＝$15,000,000
營業淨利率＝（$15,000,000－$6,000,000－$3,000,000）/$15,000,000＝40%。

5 **(C)**。信用條件變寬鬆，應收帳款週轉率會降低。

6 **(C)**。根據國際會計準則第2號，成本公式：通常不可替換之存貨項目及依專案計畫生產且能區隔之商品或勞務，其存貨成本之計算應採用成本個別認定法。除此之外，存貨成本應採用先進先出或加權平均成本公式分配。

7 **(D)**。購買交易目的之股票屬營業活動。

8 **(D)**。銷貨成本／平均存貨＝存貨周轉率。
平均存貨＝（$200,000＋$800,000）/2＝$500,000。
銷貨成本＝$500,000×5.2＝$2,600,000。
期初存貨＋本期進貨－期末存貨＝銷貨成本。
$200,000＋本期進貨－$800,000＝$2,600,000。
本期進貨＝$3,200,000。
支付現金數＝$120,000＋$3,200,000－$280,000＝$3,040,000。

9 **(D)**。新購土地上之建物拆除，拆除費用應增加土地之成本。
自有土地上之建物拆除，拆除費用減舊屋殘值後之金額，應列為舊屋之處分損益。

10 **(C)**。雙倍餘額遞減法折舊率＝2/折舊年限×100%。
2/4×100%＝50%。
第一年折舊費用＝$55,000×50%＝$27,500。
第二年折舊費用＝（$55,000－$27,500）×50%＝$13,750。

第三年折舊費用＝（$27,500－$13,750）×50%＝$6,875。
第四年（最後一年）折舊費用＝上期期末帳面金額－殘值＝$6,875－$5,000＝$1,875。

11 (B)。淨利率＝淨利/銷貨收入＝6%。
資產週轉率＝銷貨收入/平均總資產＝2。
銷貨收入＝$1,600,000×2＝$3,200,000。
淨利＝$3,200,000×6%＝$192,000。
權益報酬率＝$192,000/$1,024,000＝18.75%。

12 (D)。營業淨利＝毛利－營業費用，故營業費用不影響毛利但減少淨利，廣告費用屬於營業費用，故選(D)。

13 (A)。銷管費用指企業為爭取銷貨收入而產生之各項管理與推銷費用，總公司餐廳對員工用餐的貼補應列銷管費用，故選(A)。

14 (C)。銷貨成本＝200萬＋60萬－50萬＝210萬。
銷貨收入＝210萬/（1－25%）＝280萬元。

15 (C)。折價總額應列為長期負債的減項再分期攤銷，溢價總額應列為長期負債的加項再分期攤銷。

16 (D)。財務槓桿指數＝普通股權益報酬率／總資產報酬率。
融資決策很成功表示財務槓桿指數大於一，故普通股權益報酬率大於總資產報酬率。

17 (A)。$75,000＋今年應認列的預期信用損失＝$115,500。
今年應認列的預期信用損失＝$40,500。

18 (D)。銷貨收入＝2,000萬/20%＝10,000萬。
稅前純益＝10,000萬×10%＝1,000萬。
稅後淨利＝1,000萬×（1－17%）＝830萬。

19 (D)。(A)(B)(C)皆會影響盈餘品質。

20 (D)。股利分配率＝每股現金股利/EPS。
40%＝每股現金股利/8。
每股現金股利＝3.2元。

21 (C)。財務槓桿程度越大，風險越高，貝它（Beta）值越大。

22 (A)。

借：採用權益法之投資 $132,000

貸： 股本 $60,000

資本公積 $72,000

23 (D)。動態分析：係指不同年度財務報表同一項目加以比較分析，以明瞭其增減變動情形及變動趨勢，和同期同業平均水準比較不屬於動態分析。

24 (B)。強化性品質特性：可比性、可驗證性、時效性及可了解性。

25 (C)。收益的除列通常於企業認列費損時發生。

26 (B)。當年度無獲利，故可選擇遞延，認列遞延所得稅資產。

27 (C)。資產負債表中的資產主要是依照流動性高低排列；負債主要是依照到期日的長短排列。

28 (C)。進貨退回會減少可售商品總額，故進貨成本與零售價均應減除。

29 (C)。$1,000,000×0.5%×20%＝$1,000。

30 (B)。企業因基本假設發生變動，而對已發布的財務預測所作的修正，稱為財務預測更新。

31 (B)。自由現金流量＝營業現金流量－資本支出。
$25,000＝營業現金流量－$25,000。
營業現金流量＝$50,000。
營業淨現金流量對流動負債比率＝$50,000/$100,000＝0.5。

32 (A)。現金流量允當比率衡量公司由營業活動所產生之現金，是否足以應付公司的業務成長以及支付現金股利之所需。

33 (B)。「銷售型租賃」指出租人主要賺取融資的利息收入及銷售標的資產之利益，故選(B)。

34 (C)。待分配股票股利屬於權益科目。

35 (C)。$100,000＋$500,000/（1＋8%）＝$562,963。

36 (A)。採公允價值模式衡量者，期末應按公允價值衡量，公允價值變動數計入當期損益中。

37 (B)。現金方式銷售商品，存貨採永續盤存制，將使現金增加，存貨減少，因售價低於成本，現金增加量較存貨減少量少，故流動資產減少。速動比率不含存貨，現金增加故速動比率增加。固定支出保障倍數＝稅前淨利＋固定支出／固定支出，售價低於成本使淨利減少，固定支出保障倍數減少。現金流量為固定支出之倍數＝營業活動的現金流量＋所得稅支付數＋利息支付數／固定支出，營業活動的現金流量增加，現金流量為固定支出之倍數增加。

38 (C)。資產週轉率＝銷貨收入／平均總資產。
2＝銷貨收入/$1,160,000。
銷貨收入＝$2,320,000。
淨利率＝稅後淨利／銷貨收入。
6%＝稅後淨利/$2,320,000。
稅後淨利＝$139,200。
稅前淨利×（1－所得稅率）＝稅後淨利。
稅前淨利×（1－20%）＝$139,200。
稅前淨利＝$174,000。
利息保障倍數＝稅前息前淨利／利息費用。
利息保障倍數＝（$174,000＋$25,000）/$25,000＝7.96。

39 (C)。股利收益率＝每股現金股利/每股市價＝13/780＝1.67%。

40 (B)。股東權益報酬率＝淨利率×總資產週轉率×權益乘數，故總資產週轉率增加，將使權益報酬率增加。

41 (C)。股東權益報酬率＝淨利率×總資產週轉率×權益乘數。
總資產週轉率＝銷貨/平均總資產＝$150,000/（$150,000＋$150,000）＝0.5。
權益乘數公式＝總資產/股東權益＝（$150,000＋$150,000）/$150,000＝2。
股東權益報酬率＝15%×2×0.5＝15%。

42 (B)。銷貨收入＝銷貨－銷貨退回－銷貨折扣＝600萬－50萬－50萬＝500萬。
銷貨成本＝期初進貨＋本期進貨－期末進貨＝110萬＋300萬－110萬＝300萬
銷貨毛利率＝（銷貨收入－銷貨成本）/銷貨收入＝（500萬－300萬）/500萬＝40%。

43 (A)。邊際貢獻率＝（銷貨收入－變動成本）／銷貨收入。
60%＝（$100,000－變動成本）/$100,000。
變動成本＝$40,000。

營運槓桿度＝（銷貨收入－變動成本）／（銷貨收入－變動成本－固定成本）。
2＝（$100,000－$40,000）/（$100,000－$40,000－固定成本）。
固定成本＝$30,000。

44 (A)。應付股票股利為權益科目，而應付現金股利為流動負債。

45 (C)。銷貨折扣與銷貨折讓帳戶有借方餘額，進貨折讓與進貨退出帳戶會有貸方餘額，商業折扣不必入帳，故選(C)。

46 (B)。發放現金股利，才會使企業現金減少。

47 (D)。複雜資本結構之公司應考慮潛在普通股對每股盈餘之稀釋作用，並同時列示基本每股盈餘金額4.50及稀釋每股盈餘金額4.40，作雙重之表達。

48 (B)。一般公司最常應付短期資金不足的方式為向銀行借款。

49 (D)。現值＝60/6%＝$1,000。

50 (D)。直線法折舊＝（成本－殘值）／折舊年限＝（100萬－0）/5＝20萬。
損益兩平（單位）＝（固定成本＋費用）／（單位售價－單位變動成本）。
折舊20萬要算入固定成本，故（20萬＋10萬）/（2,000－1,500）＝600個。

112年 第1次證券商高級業務員

證券交易相關法規與實務

( ) **1** 下列選項何者錯誤？ (A)公司一年應提列盈餘百分之十五為法定盈餘公積 (B)法定盈餘公積，已達實收資本額時，得不再提列 (C)依章程訂定，得提特別盈餘公積 (D)依股東會議決，另提特別盈餘公積。

( ) **2** 下列有關本公司與分公司之敘述何者正確？ (A)本公司與分公司具有不同的法人格 (B)與母公司、子公司的意義相同 (C)應受關係企業專章規範 (D)分公司對業務之經營受本公司之指揮。

( ) **3** 依公司法之規定，股份有限公司之董事發現公司有受重大損害之虞時，應立即向何者報告？ (A)董事長 (B)總經理 (C)監察人 (D)董事會。

( ) **4** 下列有關公司公開招募股份的敘述，何者正確？ (A)招募股份總數募足的期限記載於招股章程 (B)公司逾期未募足，認股人亦不得撤回其所認股 (C)認股人延欠股款，發起人可立即撤銷其認股 (D)選項(A)(B)(C)皆是。

( ) **5** 公開發行公司向關係人取得不動產時，應檢附有關資料，原則上並經下列何種程序後，始得為之？ (A)董事長同意即可 (B)董事會通過即可 (C)董事會通過及監察人承認 (D)股東會決議通過。

( ) **6** 法院得將內線交易情節重大者之損害賠償義務人責任限額提高三倍，其前提要件為何？ (A)經調查屬實，由法院逕依職權為之 (B)須由同案刑事部分之檢察官請求 (C)須有損害賠償請求權人之請求 (D)須經證券主管機關之請求。

(　) **7** 甲上市公司董事小明之下列有價證券交易行為，何者構成「證券交易法」第一百五十七條之短線交易？ (A)小明於取得甲公司配發之股票股利滿3個月時，將該股票股利賣出獲利 (B)小明買進甲公司發行但未掛牌上市買賣之特別股股票，5個月後，以高於特別股股價之價格賣出同數量之甲公司普通股 (C)小明於甲公司上市前買進甲公司之股票，3個月後甲公司上市，小明乃賣出持股獲利 (D)小明賣出所持有之公司股票後4個月，認為甲公司後市看好，又買進甲公司股票。

(　) **8** 公開發行公司之審計委員會組織規程訂定應由何者決議通過？ (A)董事會 (B)股東會普通決議 (C)股東會特別決議 (D)主管機關。

(　) **9** 甲為持有A證券商已發行股份總數10%之大股東，甲若具有下列何種情事時，不得充任A證券商之董事、監察人或經理人？ (A)受證券交易法第56條及第66條第2款解除職務之處分，已滿三年 (B)最近三年內在金融機構有拒絕往來或喪失債信之紀錄 (C)依證券交易法之規定，受罰金以上刑之宣告，執行完畢、緩刑期滿或赦免後已滿三年 (D)曾任法人宣告破產時之董事、監察人、經理人或其他地位相等之人，其破產終結已滿三年。

(　) **10** 「證券交易法」對違約不履行交割，足以影響市場秩序行為之刑事處罰為： (A)1年以下有期徒刑 (B)1年以上7年以下有期徒刑 (C)5年以下有期徒刑 (D)3年以上10年以下有期徒刑。

(　) **11** 下列敘述何者正確？ (A)依「證券交易法」規定，買回股份均應於六個月內辦理變更登記 (B)買回股份除可供質押外，不得享有股東權利 (C)上市櫃公司除依「證券交易法」第二十八條之二規定於集中交易市場或店頭市場買回外，尚可依公開收購辦法於集中交易市場或店頭市場外收購 (D)公司買回股份，未於二個月內執行完畢者，得申報延長一個月為之。

(　) **12** 依「境外基金匯回金融投資管理運用辦法」規定，針對我國個人與企業之境外資金匯回，規範資金專戶管理運用，自存入存款專戶之日起算，屆滿幾年後得全部取回？ (A)3年 (B)4年 (C)5年 (D)7年。

( ) **13** 關於境外基金機構在國內進行境外基金之私募之說明，下列敘述，何者正確？ (A)可向銀行業、票券業、信託業、保險業、證券業、金融控股公司私募 (B)可向符合主管機關所定條件之自然人、法人或基金私募，人數不得超過35人 (C)向特定人私募基金，得為一般性廣告之行為 (D)境外基金機構於國內符合主管機關鎖定條件之自然人私募境外基金時，不得委任銀行或證券經紀商辦理。

( ) **14** 股份有限公司依公司法規定申請停止公開發行時，應由代表已發行股份總數________以上之股東出席股東會，以出席股東表決權________以上同意行之？（公司章程有較高規定從其規定） (A)四分之三，三分之二 (B)三分之二，三分之二 (C)三分之二，二分之一 (D)三分之二，四分之三。

( ) **15** 關於甲上市公司股東會之召集程序或決議事項，下列何項為正確？ (A)解除甲公司董事之競業禁止義務之決議事項，得以臨時動議提出 (B)甲公司對於以新股方式分派現金股息及紅利之決議事項，得以臨時動議提出 (C)甲公司無虧損者，將公積撥充資本之決議事項，得以臨時動議提出 (D)甲公司對於持有記名股票未滿1千股股東，其股東常會之召集通知，得以公告方式為之。

( ) **16** 原則上發行人發行員工認股權憑證依規定向金融監督管理委員會提出申報書，並由其收到申報書即日起屆滿幾個營業日申報生效？ (A)7個營業日 (B)12個營業日 (C)20個營業日 (D)30個營業日。

( ) **17** 以下何者符合公開發行公司審計委員會行使職權辦法所設置之審計委員會？ (A)由董事長、總經理、2位獨立董事組成之審計委員會 (B)由公司所有獨立董事組成之2人審計委員會 (C)由分別具生醫、法律、會計專業背景全體獨立董事共4位組成之審計委員會 (D)以上組成皆為符合相關法規設置之審計委員會。

( ) **18** 「證券交易法」第一百五十七條之一所定內部人交易之民事賠償責任，其賠償對象為下列何者？ (A)該內線交易行為之相對人 (B)任何因該股票之交易而受有損害之人 (C)當日就該股票善意從事相反買賣之人 (D)證券承銷商。

( ) **19** 關於內線交易之處罰，下列何者為非？
(A)對於當日善意從事相反買賣之人買入或賣出該證券價格，與消息公開後十個營業日收盤平均價格之差額，負損害賠償責任
(B)犯罪所得金額達新臺幣一億元以上者，處七年以上有期徒刑
(C)其情節重大者，賠償額得提高至三倍
(D)處七年以下有期徒刑，得併科新臺幣一千萬元以上二億元以下罰金。

( ) **20** 證券商受託買賣有價證券，對客戶應建立下列何項資料？ 甲、姓名、住所及通訊處所；乙、資產之狀況；丙、投資經驗；丁、客戶學經歷 (A)甲、乙、丙 (B)甲、乙、丁 (C)乙、丙、丁 (D)甲、丙、丁。

( ) **21** 意圖抬高或壓低集中交易市場某種有價證券之交易價格，自行或以他人名義對該有價證券連續高價買入或低價賣出，可稱為： (A)違約交割 (B)相對委託 (C)沖洗買賣 (D)連續交易操縱行為。

( ) **22** 下列有關證券投資信託基金投資有價證券之規定，何者錯誤？ (A)應委託證券經紀商交易 (B)指示基金保管機構辦理交割 (C)持有投資資產應登記於基金保管機構名下之基金專戶 (D)得使用信用卡付款。

( ) **23** 證券投資信託事業或證券投資顧問事業經營全權委託投資業務，原則上其接受單一客戶委託投資資產之金額不得低於新臺幣多少元？ (A)五百萬元 (B)一千萬元 (C)一千五百萬元 (D)二千萬元。

( ) **24** 下列何機構經主管機關之許可，得兼營證券業務？ (A)商業銀行 (B)票券金融公司 (C)信託投資公司 (D)選項(A)(B)(C)皆是。

( ) **25** 證券經紀商與證券交易所因使用市場契約產生爭議，應以下列何種方式處理？ (A)強制當事人調解 (B)應進行強制仲裁 (C)應以訴訟解決 (D)申請主管機關調處。

( ) **26** 證交所於每日收盤後，即分析有價證券之交易，發現有異常情形，即公告其下列何種交易資訊？ (A)漲跌幅度、本益比 (B)成交量、集中度 (C)週轉率、溢折價百分比 (D)選項(A)(B)(C)皆是。

( ) **27** 依據證券交易法規定，證券承銷方式不包含下列哪一種型態？ (A)全額包銷 (B)代銷 (C)居間銷售 (D)餘額包銷。

( ) **28** 戰略新板股票流動量提供者報價應每隔幾分鐘至少報價一次？ (A)3分鐘 (B)5分鐘 (C)10分鐘 (D)15分鐘。

( ) **29** 國內現行當日沖銷交易之股票課徵稅率為： (A)千分之一 (B)千分之一點五 (C)千分之一點四二五 (D)千分之三。

( ) **30** 甲公司之股票雖在證券櫃檯買賣中心掛牌，但是嗣後經營發生困難，並經法院裁定宣告破產確定，證券櫃檯買賣中心應如何處理？ (A)通知甲公司停止該公司有價證券之櫃檯買賣交易 (B)報請主管機關撤銷甲公司之有價證券櫃檯買賣契約 (C)逕行終止甲公司有價證券櫃檯買賣 (D)得終止甲公司有價證券櫃檯買賣，並報請主管機關備查。

( ) **31** 以下何者「非」創新板公司上市後，承銷商持續協助法遵作業之職責範圍？ (A)每年實地訪察委任公司重要營業據點或子公司 (B)協助委任公司在中華民國境內辦理法人說明會 (C)協助董事會運作 (D)協助編製財務預測。

( ) **32** 境外基金管理機構得在國內委任多少個總代理人代理其銷售基金？ (A)限一個 (B)限二個 (C)限五個 (D)沒有個數限制。

( ) **33** 依發行人募集與發行有價證券處理準則之規定，發行人自金管會及金管會指定之機構收到申報書件即日起至申報生效前，除依法令發布之資訊外，下列何項敘述為不正確？ (A)不得對特定人說明財務業務之預測性資訊 (B)不得對不特定人說明財務業務之預測性資訊 (C)不得發布財務業務之預測性資訊 (D)可先向投資人推薦股票。

(　) **34** 以下關於「臺灣創新板」之敘述何者為非？ (A)為協助新創企業提早進入資本市場，取得長期股權資金支應業務發展 (B)屬於資本市場藍圖強化發行市場功能之一環 (C)依發行人身分區分創新板上市公司及創新板第一上市公司 (D)創新板漲跌幅限制為7%並採逐筆交易。

(　) **35** 幾個常見的網路攻擊手法中，藉由在同一時間內送出大量封包，衝爆網站造成當機並停止服務的為： (A)釣魚 (B)蠕蟲 (C)SQL資料隱碼攻擊 (D)分散式阻斷服務攻擊。

(　) **36** 將不法所得合法化，將資金再投入正常交易活動，屬於洗錢行為三階段的何者態樣？
(A)融資（financing） (B)處置（placement）
(C)多層化（layering） (D)整合（integration）。

(　) **37** 依據資訊申報作業辦法，上櫃公司應於每月幾日前申報該公司及其股票未於國內公開發行之子公司從事衍生性商品交易資訊？ (A)每月五日 (B)每月十日 (C)每月十五日 (D)每月二十日。

(　) **38** 下列有關櫃檯買賣交易原則之敘述，何者有誤？ (A)櫃檯買賣證券商以等殖成交系統為櫃檯買賣時，其申報買賣數量須一次成交，不得部分成交 (B)櫃檯買賣之給付結算應以現款、現貨為之 (C)證券商於客戶為櫃檯買賣時應慎重考量客戶之意向條件，投資經驗 (D)等價成交系統得自市場交易時間開始前30分鐘輸入。

(　) **39** 有關公開收購之條件，下列敘述何者為錯誤？ (A)公開收購開始後不得調降公開收購價格 (B)公開收購人得依對象不同以不同收購條件為公開收購 (C)公開收購開始後，不得降低預定公開收購有價證券之數量 (D)公開收購開始後，公開收購人不得於集中交易市場或證券商營業所，或任何場所購買同種類之有價證券。

(　) **40** 國際上哪個規範對於「漂綠」提出具體措施？ (A)GRI (B)TCFD (C)SFDR (D)SASB。

( ) **41** 我國股市「開盤價」以何種方式決定及開盤時在同價位情況下，成交優先順序如何決定？ (A)採集合競價，同價位以時間決定 (B)採集合競價，同價位以電腦隨機排序決定 (C)採逐筆交易，同價位以時間決定 (D)採逐筆交易，同價位以電腦隨機排序決定。

( ) **42** 逐筆交易制度中，若委託不能全部成交時，則全數取消不予成交，此委託方式為？ (A)ROD (B)IOC (C)FOK (D)ICO。

( ) **43** 發行人申請登錄興櫃戰略新板，輔導推薦證券商應認購公司擬櫃檯買賣股份總數之百分之幾股份？ (A)1%以上 (B)2%以上 (C)3%以上 (D)4%以上。

( ) **44** 開立信用帳戶之委託人，連續多久無融資融券交易紀錄者，證券商即註銷其信用帳戶？ (A)五年 (B)一年 (C)二年 (D)三年。

( ) **45** 關於公開發行公司出席股東會使用委託書之用紙，下列敘述何者正確？ (A)以公司印發者為限，且其格式須符合「公開發行公司出席股東會使用委託書規則」之規定 (B)須為公司所印發之任何格式且必要時，得就正本影印使用 (C)須為公司所印發之正本或其影本，其格式應依公司章程之規定 (D)須為公司所印發之正本，其格式由公司就當次股東會議案內容訂定。

( ) **46** 面對國際淨零碳排的市場機制，如何進行減碳已成為企業執行ESG重要顯學，企業執行碳管理步驟正確為以下哪個排列組合？甲.減少碳足跡；乙.碳足跡量化；丙.碳中和： (A)甲、乙、丙 (B)丙、乙、甲 (C)乙、甲、丙 (D)甲、丙、乙。

( ) **47** 上市櫃公司申請終止有價證券買賣，以下程序何者錯誤？ (A)須設置特別委員會進行審議 (B)須經董事會決議通過 (C)須提請股東會決議且經公司已發行股份總數1/2以上股東之同意 (D)以上皆正確。

( ) **48** 下列何者非適用「境外結構型商品規則」第三條規定所稱之投資人？ (A)專業投資人 (B)非專業投資人 (C)專業機構投資人 (D)散戶投資人。

( ) **49** 下列何者與使用者介面與體驗無關？ (A)認知心理學 (B)客戶需求分析 (C)作業流程分析 (D)斷點分析。

( ) **50** 關於ETF折溢價風險，何者錯誤？ (A)折價是市價低於淨值，可能因市場需求不足造成 (B)買賣前應注意ETF的折溢價，儘量避免交易市價偏離淨值過大的ETF (C)溢價是市價高於淨值，溢價表示買盤熱絡，應該趕快跟著搶購 (D)ETF達發行額度上限，發行人無法再受理申購時，ETF可能會持續溢價。

解答與解析（答案標示為#者，表官方曾公告更正該題答案。）

1 (A)。「公司法」第237條：公司於完納一切稅捐後，分派盈餘時，應先提出**百分之十**為法定盈餘公積。但法定盈餘公積，已達實收資本額時，不在此限。除前項法定盈餘公積外，公司得以章程訂定或股東會議決，另提特別盈餘公積。

2 (D)。「公司法」第3條：公司以其本公司所在地為住所。本法所稱本公司，為公司依法首先設立，以管轄全部組織之總機構；**所稱分公司，為受本公司管轄之分支機構**。

3 (C)。「公司法」第218-1條：董事發現公司有受重大損害之虞時，應立即向**監察人**報告。

4 (A)。「公司法」第137條：**招股章程**應載明下列各款事項：一、第一百二十九條及第一百三十條所列各款事項。二、各發起人所認之股數。三、股票超過票面金額發行者，其金額。四、招募股份總數募足之期限，及逾期未募足時，得由認股人撤回所認股份之聲明。五、發行特別股者，其總額及第一百五十七條第一項各款之規定。

5 (C)。根據「公開發行公司取得或處分資產處理準則」第15條，公開發行公司向關係人取得或處分不動產或其使用權資產，或與關係人取得或處分不動產或其使用權資產外之其他資產且交易金額達公司實收資本額百分之二十、總資產百分之十或新臺幣三億元以上者，除買賣國內公債、附買回、賣回條件之債券、申購或買回國內證券投資信託事業發行之貨幣市場基金外，應將資料提交**董事會通過及監察人承認**後，始得簽訂交易契約及支付款項。

6 (C)。根據「證券交易法」第157-1條，內線交易情節重大者，**法院得依善意從事相反買賣之人之請求**，將賠償額提高至三倍。

7 (D)。「證券交易法」第157條第1項：發行股票公司董事、監察人、經理人或**持有公司股份**超過百分之十之股東，對公司之上市股票，於取得後六個月內再行賣出，或於賣出後六個月內再行買進，因而獲得利益者，公司應請求將其利益歸於公司。

8 **(A)**。「公開發行公司審計委員會行使職權辦法」第3條：
公開發行公司依本法設置審計委員會者，應訂定審計委員會組織規程，其內容應至少記載下列事項：一、審計委員會之人數、任期。二、審計委員會之職權事項。三、審計委員會之議事規則。四、審計委員會行使職權時公司應提供之資源。前項組織規程之訂定應經**董事會**決議通過，修正時亦同。

9 **(B)**。「證券交易法」第53條：有左列情事之一者，不得充任證券商之董事、監察人或經理人；其已充任者，解任之，並由主管機關函請經濟部撤銷其董事、監察人或經理人登記：一、有「公司法」第三十條各款情事之一者。二、曾任法人宣告破產時之董事、監察人、經理人或其他地位相等之人，其破產終結未滿三年或調協未履行者。三、**最近三年內在金融機構有拒絕往來或喪失債信之紀錄者**。四、依本法之規定，受罰金以上刑之宣告，執行完畢、緩刑期滿或赦免後未滿三年者。五、違反第五十一條之規定者。六、受第五十六條及第六十六條第二款解除職務之處分，未滿三年者。

10 **(D)**。根據「證券交易法」第155條第1項及第171條，對違約不履行交割，足以影響市場秩序行為者，處**三年以上十年以下有期徒刑**，得併科新臺幣一千萬元以上二億元以下罰金。

11 **(C)**。(A)公司依「證券交易法」第28-2條第1項規定買回之股份，除第三款部分應於買回之日起**六個月**內辦理變更登記外，應於買回之日起五年內將其轉讓；逾期未轉讓者，視為公司未發行股份，並應辦理變更登記。(B)公司依「證券交易法」第28-2條第1項規定買回之股份，不得質押；於未轉讓前，**不得享有股東權利**。(D)公司買回股份，應於依第二條申報之即日起算**二個月**內執行完畢，並應於上述期間屆滿或執行完畢後之即日起算五日內向本會申報並公告執行情形；逾期未執行完畢者，如須再行買回，應重行提經董事會決議。

12 **(D)**。根據「境外資金匯回金融投資管理運用辦法」第7條，應自其存入外匯存款專戶之日起算，屆滿五年始得取回三分之一，屆滿六年得再取回三分之一，屆滿**七年**得全部取回。

13 **(A)**。「境外基金管理辦法」第52條：
境外基金機構得在國內對下列對象進行境外基金之私募：一、**銀行業、票券業、信託業、保險業、證券業、**

金融控股公司或其他經本會核准之法人或機構。二、符合本會所定條件之自然人、法人或基金。前項第二款之應募人總數，不得超過九十九人。境外基金機構應第一項第二款對象之合理請求，於私募完成前負有提供與本次私募基金有關之財務、業務或資訊之義務。境外基金機構向特定人私募基金，不得為一般性廣告或公開勸誘之行為。違反第一項、第二項或前項規定者，視為對非特定人公開招募之行為。境外基金機構於國內向第一項第一款對象私募境外基金，得委任銀行、信託業、證券經紀商、證券投資信託事業或證券投資顧問事業辦理。

14 (C)。「公司法」第156-2條：公司得依董事會之決議，向證券主管機關申請辦理公開發行程序；申請停止公開發行者，應有代表已發行股份總數**三分之二**以上股東出席之股東會，以出席股東表決權過**半數**之同意行之。

15 (D)。「證券交易法」第26-2條：已依本法發行股票之公司，對於持有記名股票**未滿一千股**股東，其股東常會之召集通知得於開會三十日前；股東臨時會之召集通知得於開會十五日前，以公告方式為之。

16 (A)。「發行人募集與發行有價證券處理準則」第55條：
發行人發行員工認股權憑證應檢具發行員工認股權憑證申報書，載明其應記載事項，連同應檢附書件，向本會申報生效後，始得為之。依前項規定提出申報，於本會及本會指定之機構收到發行員工認股權憑證申報書即日起屆滿**七個營業日**生效，並準用第十二條第二項、第十五條及第十六條規定。但金融控股、銀行、票券金融、信用卡及保險等事業，申報生效期間為十二個營業日。

17 (C)。「公開發行公司審計委員會行使職權辦法」第4條：審計委員會應由全體獨立董事組成，其人數不得少於三人，其中一人為召集人，且**至少一人應具備會計或財務專長**。

18 (C)。根據「證券交易法」第157-1條，違反規定者，對於當日**善意從事相反買賣之人**買入或賣出該證券之價格，與消息公開後十個營業日收盤平均價格之差額，負損害賠償責任。

19 (D)。根據「證券交易法」第171條，內線交易之處罰，處**三年以上十年以下有期徒刑**，得併科新臺幣一千萬元以上二億元以下罰金。

20 (A)。根據「證券商管理規則」第34條，證券商受託買賣有價證券，對客戶應建立下列之資料：一、**姓名、住所及通訊處所**。二、職業及年齡。三、**資產之狀況**。四、**投資經驗**。五、開戶原因。六、其他必要之事項。證券商對前項之資料，除應依法令所為之查詢外，應予保密。

21 **(D)**。意圖抬高或壓低集中交易市場某種有價證券之交易價格，自行或以他人名義對該有價證券連續高價買入或低價賣出，稱為**連續交易操縱**行為。

22 **(D)**。「證券投資信託基金管理辦法」第5條：
證券投資信託事業對於基金資產之運用有指示權，並應親自為之，除本會另有規定外，不得複委任第三人處理；**證券投資信託事業有指示基金保管機構從事保管、處分、收付基金資產之權**，並得不定期盤點檢查基金資產。證券投資信託事業運用基金為上市或上櫃有價證券投資，除法令另有規定外，**應委託證券經紀商**，在集中交易市場或證券商營業處所，為現款現貨交易。證券投資信託事業運用基金為公債、公司債或金融債券投資，應以現款現貨交易為之。證券投資信託事業運用基金所持有之資產，**應以基金保管機構之基金專戶名義登記**。但持有外國之有價證券及證券相關商品，得依基金保管機構與國外受託保管機構所訂契約辦理之。

23 **(A)**。「證券投資信託事業證券投資顧問事業經營全權委託投資業務管理辦法」第12條：
證券投資信託事業或證券投資顧問事業經營全權委託投資業務，其接受單一客戶委託投資資產之金額不得低於新臺幣**五百萬元**。但委託投資資產為投資型保險專設帳簿資產或勞工退休金條例年金保險專設帳簿資產者，不在此限。

24 **(D)**。「證券交易法」第45條第2項：
證券商不得由他業兼營。但**金融機構**得經主管機關之許可，兼營證券業務。

25 **(B)**。「證券交易法」第166條：
依本法所為有價證券交易所生之爭議，當事人得依約定進行仲裁。但證券商與證券交易所或證券商相互間，不論當事人間有無訂立仲裁契約，**均應進行仲裁**。前項仲裁，除本法規定外，依仲裁法之規定。

26 **(D)**。根據「財團法人中華民國證券櫃檯買賣中心櫃檯買賣公布或通知注意交易資訊暨處置作業要點」第4條，證交所於每日收盤後，即分析有價證券之交易，發現有異常情形時，公告其交易資訊（**漲跌幅度、成交量、週轉率、集中度、本益比、股價淨值比、券資比、溢折價百分比、借券賣出、當日沖銷百分比等**）。

27 **(C)**。「證券交易法」第10條：
本法所稱承銷，謂**依約定包銷或代銷發行人發行有價證券**之行為。

28 **(C)**。戰略新板股票流動量提供者報價應每隔**10分鐘**至少報價一次。

29 **(B)**。國內現行當日沖銷交易之股票課徵**稅率為千分之一點五**。

30 **(D)**。根據「財團法人中華民國證券櫃檯買賣中心證券商營業處所買賣有價證券業務規則」第12條之2，經法院裁定宣告破產已確定者，本中心**得終止其有價證券櫃檯買賣，並報請主管機關備查**。

31 (D)。根據「臺灣證券交易所主辦證券承銷商受託協助委任公司遵循我國法令暨本公司上市相關規章應行注意事項要點」第2條，**協助編製財務預測非職責範圍**。

32 (A)。「境外基金管理辦法」第3條：境外基金管理機構或其指定機構應委任**單一**之總代理人在國內代理其基金之募集及銷售。

33 (D)。「發行人募集與發行有價證券處理準則」第5條，發行人自本會及本會指定之機構收到申報書件即日起至申報生效前，除依法令發布之資訊外，**不得對特定人或不特定人說明或發布財務業務之預測性資訊**。

34 (D)。臺灣創新板股票漲跌幅限制為10%。

35 (D)。**阻斷服務攻擊**，屬於一對一的攻擊方式，駭客會利用程式產生大量的封包、流量或請求，導致目標系統無法負荷或正常提供。

36 (D)。洗錢大致分為三個階段：處置（Placement，又稱存放、佈局、置放），多層化（Layering，又稱掩藏、掩飾、藏匿、離析）、整合（Integration，又稱**一體化、合併**）。

37 (B)。根據「財團法人中華民國證券櫃檯買賣中心對有價證券上櫃公司資訊申報作業辦法」第3條第16項，上櫃公司及其股票未於國內公開發行之子公司從事衍生性商品交易資訊：**每月十日**前申報上月資訊。

38 (A)。「財團法人中華民國證券櫃檯買賣中心證券商營業處所買賣有價證券業務規則」第36條：
櫃檯買賣證券商以等殖成交系統為櫃檯買賣時，其申報買賣之數量不能一次成交者，**得為部分成交**，其餘量仍依原申報殖利率繼續進行等殖成交。

39 (B)。根據「公開收購公開發行公司有價證券管理辦法」第7-1條，**公開收購人應以同一收購條件為公開收購**，且不得為下列公開收購條件之變更：一、調降公開收購價格。二、降低預定公開收購有價證券數量。三、縮短公開收購期間。四、其他經本會規定之事項。

40 (C)。歐盟永續金融規範（SFDR，Sustainable Finance Disclosure Regulation），於2021年3月10日開始實施，為目前全球唯一透過統一標準去揭露和審視金融商品ESG落實程度的規範，以剔除漂綠金融產品。

41 (B)。開盤價**採集合競價，同價位以電腦隨機排序決定**。

42 (C)。全部成交或取消（Fillor Kill, FOK）：係指委託須全數成交，未能全數成交，立即由系統刪除。

43 (B)。發行人申請登錄興櫃戰略新板，輔導推薦證券商應認購發行人擬櫃檯買賣股份總數之**2%以上**且不得低於20萬股。

44 (D)。「證券商辦理有價證券買賣融資融券業務操作辦法」第43條：開立信用帳戶之委託人連續**三年**以上無融資融券交易紀錄者，證券商應即註銷其信用帳戶並通知委託人。

45 (A)。「公開發行公司出席股東會使用委託書規則」第2條：**公開發行公司出席股東會使用委託書之用紙，以公司印發者為限**；公司寄發或以電子文件傳送委託書用紙予所有股東，應於同日為之。

46 (C)。碳管理3大步驟，(1)碳盤查：**量化碳排放量**，(2)碳減量：**進行減量措施**，(3)碳中和：**進行碳抵換**。

47 (C)。「財團法人中華民國證券櫃檯買賣中心上櫃公司申請終止有價證券櫃檯買賣處理程序」第2條：上櫃公司申請終止有價證券櫃檯買賣案，除公司債券依第五項規定辦理外，應先經董事會決議通過並提請股東會決議，且股東會之決議應經公司已發行股份總數**三分之二**以上股東之同意行之，並由法定代理人具名，檢附議事錄，向本中心申請辦理。

48 (D)。根據「境外結構型商品管理規則」第3條，**散戶投資人**非此規則所稱投資人。

49 (B)。**客戶需求分析**與使用者介面與體驗無關。

50 (C)。溢價是市價高於淨值，一般來說，溢價是較好的**賣出**時機。

投資學

( ) **1** 假設滬深300指數單日大跌8.7%，則有關其反向型ETF的表現，下列何者「正確」？ (A)漲幅限制為10% (B)漲幅可能高於8.7%，但不會超過10% (C)漲幅可能低於8.7% (D)無漲跌幅限制。

( ) **2** 國內信託投資公司可以從事下列何種業務？ 甲、一般活期存款；乙、代理基金銷售；丙、短期放款；丁、中長期放款 (A)僅乙、丁 (B)僅甲、乙、丙 (C)僅甲、丙、丁 (D)甲、乙、丙、丁均對。

( ) **3** 下列交易何者須繳保證金？ 甲、買期貨；乙、融券賣出股票；丙、買選擇權 (A)僅甲 (B)僅甲、丙 (C)僅甲、乙 (D)甲、乙、丙。

( ) **4** 其它條件不變，當市場利率下降時，持有存續期間（Duration）長的債券較存續期間短的債券： (A)獲利多 (B)損失多 (C)獲利少 (D)損失少。

( ) **5** 有關利率變動的影響，何者「正確」？ (A)發行可贖回債券之利率一定會高於不可贖回債券，才會有人買 (B)央行實施沖銷政策時，利率可能會下跌 (C)公司債之債信評等被降級時，其利率亦會下降 (D)附有償債基金規定之公司債，其利率會高於無償債基金設計之公司債。

( ) **6** 已知一永續債券每年付息一次，其殖利率為5%，則此永續債券之存續期間（Duration）為幾年？ (A)20年 (B)21年 (C)22年 (D)25年。

( ) **7** 當利率上升時，對債券價格與再投資報酬率之影響為何？ (A)債券價格與再投資報酬率皆上升 (B)債券價格上升但再投資報酬率下跌 (C)債券價格與再投資報酬率皆下跌 (D)債券價格下跌但再投資報酬率上升。

( ) **8** 友好公司預期明年可發放1.2元現金股利，且每年成長7%。假設目前無風險利率為6%，市場風險溢酬為8%，若友好公司股票之貝它（Beta）係數為0.75，在CAPM與股利折現模式同時成立，請問其股價應為何？ (A)10.71元 (B)15元 (C)20元 (D)24元。

( ) **9** 若今日股價指數為120，24日移動平均數為125，則其乖離率為何？ (A)6.25% (B)－6.25% (C)－4% (D)4%。

( ) **10** 短期移動平均線向下突破長期移動平均線，且兩條平均線皆為下滑，稱為： (A)黃金交叉 (B)死亡交叉 (C)整理交叉 (D)換檔交叉。

( ) **11** 一般來說，不論是買權（Call Options）或賣權（Put Options），距到期日愈近，則時間價值： (A)視情況而定 (B)愈低 (C)愈高 (D)時間與權利金價格無關。

( ) **12** 根據移動平均線的葛蘭碧八大法則，下列何者是賣訊？ (A)股價趨勢低於移動平均線卻突然暴跌，離移動平均線很遠，極有可能再趨向移動平均線 (B)股價趨勢走在移動平均線之上，股價突然下跌，但未跌破移動平均線，股價隨後又上升 (C)股價趨勢在移動平均線之下，回升時未超越移動平均線又再下跌 (D)移動平均線從下降轉為水平或上升，而股價從移動平均線下方穿破移動平均線。

( ) **13** 中央銀行調降存款準備率，釋出強力貨幣125億元，如貨幣乘數為5，則貨幣供給將增加： (A)600億元 (B)625億元 (C)125億元 (D)25億元。

( ) **14** 以財務比率評估企業之績效，哪一種較為全面？ (A)與同業在同一年度作比較 (B)與本身過去歷史資料作比較 (C)與同業作該比率之趨勢之分析比較 (D)與整體市場之同一比率在同一年度作比較。

( ) **15** 對資產股而言，何種評價方法較適當？ (A)本益比法 (B)現金流量折現法 (C)每股股價除以每股重估淨值 (D)每股股價除以每股銷售額。

( ) **16** 何者影響資金成本考量？ (A)公司之營業額 (B)公司之現金流量穩定性 (C)公司之登記資本額 (D)公司之股東人數。

( ) **17** 對於具有風險規避特性的投資者而言，以下敘述何者「正確」？ (A)僅考量報酬率來選擇投資標的 (B)僅接受期望報酬率高於無風險利率的風險性投資標的 (C)願意接受較低報酬及高風險的投資標的 (D)以上(A)、(B)選項皆是。

( ) **18** 在CAPM中，若目前無風險利率為8%，市場報酬率為18%，已知甲股票的預期報酬為20%，則甲股票的貝它值（s）為： (A)0.8 (B)1 (C)1.1 (D)1.2。

( ) **19** 投資國內債券型基金之好處為： 甲、風險較小；乙、可獲得高於市場的報酬率；丙、可獲得穩定的收益；丁、可獲得基金之溢價 (A)僅甲、乙、丙 (B)僅乙、丁 (C)僅甲、丙 (D)僅甲、丁。

( ) **20** 某證券商發行甲股票之認購權證，為規避風險該券商應採取何種行動？ (A)售出或放空適當數量的甲股票 (B)買入並持有適當數量的甲股票 (C)買入並持有適當數量的政府公債 (D)售出或放空適當數量的股價指數期貨。

( ) **21** 詹森（Jensen）的α指標，用來衡量投資績效，其適當性是建立在： (A)APT是正確的 (B)CAPM是正確的 (C)投資組合風險是不可以被分散消除的 (D)選項(A)(B)(C)皆非。

( ) **22** 有關避險基金（Hedge Fund）之敘述何者正確？ 甲、以勝過大盤指數為操作目標；乙、只運用買進標的之投資策略；丙、通常為私募；丁、流動性低 (A)僅甲、乙 (B)僅乙、丙 (C)僅丙、丁 (D)甲、乙、丙。

( ) **23** 當標的資產（underlying asset）市價高於選擇權的履約價格（striking price）時，請問：賣權（put option）處於下列何種情況？ (A)價平（at the money） (B)價內（in the money） (C)價外（out of the money） (D)權利金（premium）。

( ) **24** 何者屬於貨幣市場之工具？ 甲、可轉讓銀行定期存單；乙、可轉換公司債；丙、國庫券；丁、商業本票 (A)僅甲、乙 (B)僅丙、丁 (C)僅乙、丙、丁 (D)僅甲、丙、丁。

( ) **25** 小何於2019年初以每股25元購買增我強科技公司的股票，年底收到該公司發放每股1.5元的現金股利，同時以每股31元出售該公司的股票。請問：小何於2019年間，持有增我強科技公司股票之期間報酬（holding-period return）為多少？ (A)45% (B)50% (C)30% (D)40%。

( ) **26** 公司銷售商品至美國而有美元應收帳款，以下哪個策略無法規避匯率風險？ (A)賣美元期貨 (B)賣遠期美元 (C)買美元賣權 (D)賣臺灣存託憑證。

( ) **27** 下列何種債券有可能出現到期期間越長，而存續期間反而縮短情況？ (A)平價債券 (B)深度溢價債券 (C)深度折價債券 (D)以上皆非。

( ) **28** 小何購買90天商業本票，面額1,000萬元，成交價為995萬元，則其實質利率為何？（一年以365天計算） (A)8.28% (B)6.18% (C)8.11% (D)2.04%。

( ) **29** 主張不同到期日的債券難以相互取代，且不同到期日有不同的資金供給者與需求者、形成彼此區隔的債券市場為： (A)流動性偏好理論 (B)預期理論 (C)市場區隔理論 (D)以上皆非。

( ) **30** 信用評等對投資者有哪些好處？ 甲、簡易的信用風險指標；乙、風險溢價評估；丙、提供共同基金的經理人、資產受託人及資金擁有者有效的監視系統，以調整投資組合 (A)僅甲、乙 (B)僅乙、丙 (C)僅甲、丙 (D)甲、乙、丙。

( ) **31** 三家公司甲、乙、丙的風險相同，要求報酬率同為18%，但盈餘成長率依序為14%、12%、10%；股利發放率依序是40%、50%、60%，本益比最高的公司股票應是： (A)甲公司 (B)乙公司 (C)丙公司 (D)無法比較。

( ) **32** 在預估未來股市時，下列哪項指標的增加最可能造成整體股市預估本益比的增加？ (A)實質無風險利率 (B)財務槓桿 (C)預期股利成長率 (D)要求報酬率。

( ) **33** 甲公司今年剛發放2元現金股利，若預期其現金股利每年將固定成長3%，且投資人對該公司股票的要求報酬率為10%，請問該公司股票的合理價格最近似下列何選項？ (A)20元 (B)20.6元 (C)28.57元 (D)29.43元。

( ) **34** 有關KD值之敘述，何者不正確？ (A)理論上，D值在80以上時，股市呈現超買現象，D值在20以下時，股市呈現超賣現象 (B)當K線傾斜角度趨於陡峭時，為警告訊號，表示行情可能回軟或止跌 (C)當股價走勢創新高或新低時，KD線未能創新高或新低時為背離現象，為股價走勢即將反轉徵兆 (D)KD線一般以短線投資為主，但仍可使用於中長線。

( ) **35** 關於道氏理論之敘述何者「不正確」？ (A)基本波動是指股價長期變動趨勢 (B)次級波動即一般所謂之盤整 (C)日常波動通常由當天利多或利空消息造成，經過一段時間後對股價影響力會消失 (D)道氏理論可以預期長期股價趨勢以及趨勢可持續多久。

( ) **36** 波浪理論認為在一個完整的多頭走勢中，應有幾個向上的漲升波與幾個向下的修正波所構成？ (A)5個向上的漲升波與2個向下的修正波 (B)5個向上的漲升波與4個向下的修正波 (C)5個向上的漲升波與3個向下的修正波 (D)3個向上的漲升波與5個向下的修正波。

( ) **37** 下列有關MACD（Moving Average Convergence and Divergence）之敘述何者「不正確」？ (A)MACD是收斂與發散的移動平均線 (B)其功能在於運用短期移動平均線和長期移動平均線二者間之關係，來研判買賣的時機 (C)其值大於零時表示熊市 (D)當市場行情有所轉折時，DIF（差離值）之絕對值均會縮小。

( ) **38** 騰落指標（ADL）一般採用14日ADL，其公式為累計14日內股票上漲家數總和（UP），減去累計14日內每日股票下跌家數總和（DOWN）。已知ADL＝270家，DOWN為2,480家，求UP為多少？ (A)2,140家 (B)2,410家 (C)2,480家 (D)2,750家。

( ) **39** 「貨幣供給」是景氣指標的： (A)落後指標 (B)同時指標 (C)領先指標 (D)綜合指標。

( ) **40** 何種籌資行為可能會稀釋原股東股權比例？ (A)現金增資 (B)一般公司債 (C)無本金外匯交割（NDF） (D)選項(A)(B)(C)皆非。

( ) **41** 利用財務報表資料挑選股票時，哪一種方式較可以找到績優之股票？ (A)比較淨利大小 (B)比較每股營業利益大小 (C)比較每股淨利大小 (D)比較營業外收益大小。

( ) **42** 在市場投資組合中，每個證券之投資權數為： (A)以每個證券的市場所有證券股價總和比例為權數 (B)以每個證券的股數占市場所有證券總股數比例為權數 (C)以每個證券的市值占市場所有證券總市值比例為權數 (D)每個證券權數相同。

( ) **43** 甲、乙兩股票的預期報酬率為10%、20%，報酬率標準差分別為15%、45%，且兩股票的相關係數為－1，若投資人欲將投資組合的報酬率標準差降為零，兩股票的投資比重應為： (A)甲：75%，乙：25% (B)甲：25%，乙：75% (C)甲：66.67%，乙：33.33% (D)甲：50%，乙：50%。

( ) **44** 某投資組合報酬率與市場報酬率呈高度相關，下列敘述何者正確？ (A)該投資組合之貝它（Beta）係數也必定高 (B)該投資組合之非系統風險很小 (C)該投資組合之報酬率標準差必定很小 (D)該投資組合之期望報酬率也必定高。

( ) **45** 當資本市場投資人更加規避風險，並且預期通貨膨脹將上升時，證券市場線之形狀將如何變化？ (A)截距上升、斜率增加 (B)截距上升、斜率減少 (C)截距下降、斜率增加 (D)截距下降、斜率減少。

( ) **46** 基金經理人若具有擇時能力，則其管理之基金貝它（Beta）係數將隨市場上漲而： (A)降低 (B)不變 (C)增加 (D)無關。

( ) **47** 有關投資組合保險之敘述，何者不正確？ (A)較一般避險策略保守 (B)希望設定投資組合價值之下限 (C)希望投資組合的價值能夠在一定的風險程度下增加 (D)組合保險的基本操作策略為追漲、殺跌。

( ) **48** ETF和開放股票型基金特性比較何者為「非」？ (A)股票型基金交易成本較ETF低 (B)ETF可以在市場上放空 (C)股票型基金通常是採用主動投資策略 (D)ETF是以追蹤大盤或是標的指數為主。

( ) **49** 保本型商品的特色為：甲.投資人在可預知最大風險之下，享有獲得高報酬的機會；乙.保證一定百分比的本金發還 (A)僅甲 (B)僅乙 (C)甲、乙皆正確 (D)甲、乙皆不正確。

( ) **50** 有關選擇權之敘述，何者「正確」？ (A)選擇權的買方須繳交保證金 (B)選擇權的買方風險無限 (C)選擇權之賣方潛在獲利無限 (D)選項(A)(B)(C)皆非。

解答與解析（答案標示為#者，表官方曾公告更正該題答案。）

1 (D)。根據台灣交易所集中市場交易制度，屬於國外成分證券指數股票型基金受益憑證（ETF）交易價格無漲跌幅限制。

2 (A)。根據銀行法第101條第1項，信託投資公司經營下列業務：一、辦理中、長期放款。二、投資公債、短期票券、公司債券、金融債券及上市股票。三、保證發行公司債券。四、辦理國內外保證業務。五、承銷及自營買賣或代客買賣有價證券。六、收受、經理及運用各種信託資金。七、募集共同信託基金。八、受託經管各種財產。九、擔任債券發行受託人。十、擔任債券或股票發行簽證人。十一、代理證券發行、登記、過戶及股息紅利之發放事項。十二、受託執行遺囑及管理遺產。十三、擔任公司重整監督人。十四、提供證券發行、募集之顧問服務，及辦理與前列各款業務有關之代理服務事項。十五、經中央主管機關核准辦理之其他有關業務。故選(A)。

3 (C)。選擇權僅賣方需繳交保證金。

4 (A)。債券價格和利率成反向關係，債券存續時間越長對利率變動的敏感度越大，故當市場利率下降時，存續期間長的債券將上漲且較存續期間短的債券多。

5 (A)。可贖回債券指發行人可以在債券到期日之前贖回或清償的債券，對投資者較為不利，因此可贖回債券會提供較高的利率來吸引投資人投資。

6 (B)。永續債券存續期間=（1+利率%）÷利率
(1+0.05)÷0.05=21年。

7 (D)。債券價格和利率成反向關係，當利率上升時債券價格下跌，但債券的票面利率也隨市場利率的上升而上升，故再投資報酬率上升。

8 (D)。CAMP：預期報酬率=無風險利率+貝它係數×市場風險溢酬
6%+0.75×8%=12%
股利折現模式：股價=預估股利÷(預期報酬率－股利成長率)
1.2÷(12%－7%)=24元

9 (C)。24日乖離率＝（當日收盤價－24日移動平均價）÷24日移動平均價×100%
(120－125)÷125×100%=-4%

10 (B)。短期移動平均線向下突破長期移動平均線為死亡交叉。

11 (B)。時間價值指買方對選擇權進入價內的一種期望，所願意支付的權利金，這種期望會隨著時間的消逝而機會愈來愈少，直至到期日為零。

12 (C)。股價趨勢在移動平均線之下，回升時未超越移動平均線又再下跌，為葛蘭碧八大法則中的反壓賣出訊號。

13 (B)。貨幣供給量=強力貨幣×貨幣乘數
125億×5=625億元

14 (C)。以財務比率評估企業之績效，應與同業作該比率之趨勢分析比較才較為全面。

15 (C)。許多資產股的企業獲利不穩定，甚至虧損連連，最主要是利用處分資產，來改善財務狀況，由於有雄厚的資產當後盾，這樣公司在景氣不佳的時候比較容易存活。股價淨值比法適合用在獲利不穩定的企業，故選(C)。

16 (B)。現金流量穩定公司可以減少籌資需求。

17 (B)。風險規避者指如果能規避風險，就算降低獲利也會較偏好風險較低的投資項目，能放存款就不買股票，考慮的主要是這件事有多大的風險，而非這件事有多大的獲利。如果要風險規避者投資有風險的項目，那必須給充分的風險溢酬，風險規避者才願意投資，表示僅接受期望報酬率高於無風險利率的風險性投資標的。

18 (D)。預期報酬率=無風險利率+ß（市場報酬率－無風險利率）
20%=8%+ß(18%－8%)
ß=1.2

19 (C)。債券型基金的特點為追求相對較為穩定且可預測的收入，一般而言，債券型基金的風險通常低於股票型基金。

20 (B)。發行人發行並賣出認購權證等於持有空頭部位，因此為規避風險需買入並持有避險標的。

21 (B)。詹森指標＝投資組合實際報酬率－CAPM理論報酬率，故選(B)。

22 (C)。避險基金是一種對投資操作沒有嚴格限制的私募基金，主要追求低風險的絕對報酬，流動性低。

23 (C)。賣權的標的市價高於履約價稱為價外。

24 (D)。常見的貨幣市場金融工具有：可轉讓定期存單、商業本票、銀行承兑匯票、國庫券、債券附條件交易。

25 (C)。投資報酬率=(賣出價格－買進價格+現金股利)÷買進價格×100%
(31－25+1.5)÷25×100%=30%

26 (D)。有美元應收帳款，表示未來才能收到可處分之美元，有美元匯率下跌之風險，應採取放空美元方式避險，故選(D)。

27 (C)。深度折價債券有可能出現到期期間越長，存續期間反而縮短的情況。

28 (D)。（1000－995）÷995×365÷90=2.04%

29 (C)。市場區隔理論指主張不同到期日的債券難以相互取代，且不同到期日有不同的資金供給者與需求者、形成彼此區隔的債券市場。

30 (D)。信用評等是指由專業信評機構，對國家、銀行、券商、基金、債券及上市公司進行信用評級，藉此評估信用狀況或償債能力，供投資人或相關機構來判斷這間公司財務是否健全、適合投資，故甲、乙、丙皆是。

31 (A)。P=股價；D1=下年度股利；k=要求報酬率；g=盈餘成長率（股利成長率）
股利發放率=D1÷EPS
D1=EPS×股利發放率
股利固定成長模型：
P=D1÷(k-g)

$$本益比=\frac{P}{EPS}=\frac{D1\div(k-g)}{EPS}$$

$$=\frac{EPS\times 股利發放率\div(k-g)}{EPS}$$

⇒本益比=股利發放率÷(k－g)
A公司本益比=40%÷(18%－14%)=10%
B公司本益比=50%÷(18%－12%)=8.33%
C公司本益比=60%÷(18%－10%)=7.5%

32 (C)。本益比=股價÷每股盈餘
股利固定成長模型：股價=明年股利÷（預期報酬率－股利成長率）
股利成長率增加時股價增加，股價增加時本益比增加。
故選(C)。

33 (D)。股價=明年股利÷（要求報酬率－股利成長率）

$[2\times(1+3\%)]\div(10\%-3\%)$
=29.43元

34 (B)。應更改為K線傾斜角度趨於平緩時，為警告訊號，表示行情可能回軟或止跌。

35 (D)。道氏理論可以預期長期股價趨勢但無法預期趨勢可持續多久。

36 (C)。波浪理論認為在一個完整的多頭走勢中，有5個向上的漲升波與3個向下的修正波；空頭走勢時則為3個向上的漲升波與5個向下的修正波。

37 (C)。MACD大於零時表示牛市。

38 (D)。UP-2,480=270
UP=2,750

39 (C)。貨幣供給是景氣指標的領先指標。

40 (A)。現金增資使普通股流通在外股數增加，故會稀釋原股東之股權比例。

41 (B)。利用財務報表資料挑選股票時，通常會以本業的獲利能力（即營業利益）挑選股票，而淨利有包含營業利益及營業外利益，故選(B)。

42 (C)。證券投資權數＝證券的市值÷市場所有證券總市值

43 (A)。兩股票的相關係數為－1，投資人可依據個別資產的標準差比值來調整投資比重（w甲×σ甲）=（w乙×σ乙），將投資組合的風險降為零。
又w甲+w乙=1
(1－w乙)×15%=w乙×45%
故w乙=25%
w甲=75%

44 (B)。投資組合報酬率與市場報酬率呈高度相關，表示投資組合受到公司特有風險的影響較低，即非系統風險很小。

45 (A)。當資本市場投資人更加規避風險，表示投資人要求的風險溢酬增加，證券市場線趨於陡峭，斜率增加；當預期通貨膨脹率上升將使證券市場線平行上移，使截距上升。

46 (C)。基金經理人若採選時策略，當市場處於牛市時，應買進貝它係數>1的股票；當市場處於熊市時，應買進貝它係數<1的股票。

47 (A)。投資組合保險是追漲殺跌的策略，當風險資產收益率上升時，風險資產的投資比例隨之上升，如果風險資產收益繼續上升，投資組合保險策略將取得優於買入並持有策略的結果；而如果收益轉而下降，則投資組合保險策略的結果將因為風險資產比例的提高而受到更大的影響，從而劣於買入並持有策略的結果。故風險較一般避險策略高。

48 (A)。股票型基金交易成本較ETF高。

49 (C)。保本型商品的基本組成是：買進零息債券，加上買進連結標的之選擇權的組合。投資人在到期時可依商品契約取回約定比率的本金，總收益率則加上買進選擇權之報酬率來計算。若買進的選擇權在到期時具有履約價值，則投資人的收益率可能會增加；若買進的選擇權到期不具履約價值，投資人也可拿回全部或大部分的本金，所以投資人的本金具有一定程度的保障。故選(C)。

50 (D)。在選擇權中，選擇權買方無需繳交保證金僅需支付權利金，且擁有風險有險獲利無限的特性；選擇權賣方則需繳交保證金，且風險無限獲利有限。

財務分析

( ) **1** 企業管理當局為了避免顯現出獲利不佳，決定改變存貨評價方法，改變之後，公司的財務報表上顯示獲利逐年增加，試問上述事項違反何種品質特性的要求？ (A)可瞭解性 (B)攸關性 (C)中立性 (D)時效性。

( ) **2** 編製預估式資產負債表的主要目的為何？ (A)計算出現金餘額 (B)估算資產和負債組成項目之金額 (C)估算存貨餘額，且按經濟訂購量模型估計之 (D)計算現金流量，作為資產投資決策參考。

( ) **3** 全智公司購買商品存貨均以現金付款，銷貨則採賒銷方式，該公司本年度之存貨週轉率為12，應收帳款週轉率為15，則其營業循環約為：（假設一年以365天計） (A)13.5天 (B)54.7天 (C)30.4天 (D)24.3天。

( ) **4** 關於負債準備之敘述何者有誤？ (A)保固承諾需估列負債準備 (B)固定賠償金額之死亡保險，其支付金額確定但支付時點不確定，為負債準備 (C)負債準備並非負債 (D)某些負債之金額僅可藉由估計加以衡量，或其支付之時點不確定，此類負債稱為負債準備。

( ) **5** 前程公司由其客戶處收到一張面額$30,000，6個月到期，利率10%之票據。在收到二個月後因需要現金即持向某銀行貼現，貼現息為12%，試問前程公司將自銀行收到多少現金？ (A)$30,870 (B)$30,300 (C)$30,280 (D)$30,240。

( ) **6** 依IAS7「現金流量表」之彈性規定，利息費用付現得列於現金流量表中之何項活動？ (A)營業活動或投資活動 (B)投資活動或籌資活動 (C)營業活動或籌資活動 (D)不影響現金流量之投資及籌資活動。

( ) **7** 投資公司擁有被投資公司40%股權，其投資成本與股權淨值之差額，在投資公司之資產負債表上應： (A)列為商譽 (B)列為「股權投資產生之商譽」 (C)包括於「股權投資」中 (D)列為「成本與股權淨值之差異」。

( ) **8** 永鈞公司以$21,000,000購入房地，房屋估計可用20年無殘值，購入時土地與房屋之公允價值分別為$16,000,000及$8,000,000，若採直線法提列折舊，則每年之折舊費用為： (A)$250,000 (B)$300,000 (C)$350,000 (D)$150,000。

( ) **9** 公司以資本公積轉增資一千萬股，每股面額10元，對財務報表會有何影響？ (A)權益不變 (B)可改善財務結構 (C)可提高獲利能力 (D)選項(A)(B)(C)皆是。

( ) **10** 下列敘述何者正確？ (A)庫藏股交易可能減少淨利但不可能增加淨利 (B)庫藏股交易可能減少保留盈餘但不可能增加保留盈餘 (C)購入庫藏股並不影響每股盈餘 (D)成本法下買回庫藏股將使法定資本減少。

( ) **11** 下列何者交易發生時會影響權益之帳面金額？ 甲、宣告現金股利；乙、宣告股票股利；丙、買入庫藏股；丁、以低於成本之價格出售庫藏股 (A)僅甲、乙、丙 (B)僅甲、乙、丁 (C)僅甲、丙、丁 (D)甲、乙、丙、丁。

( ) **12** 福井公司的相關資料如下：流動負債3,000億元、流動資產5,000億元、不動產、廠房及設備7,000億元、自有資金比率為60%，則該公司的長期負債為何？ (A)4,000億元 (B)6,000億元 (C)8,000億元 (D)1,800億元。

( ) **13** 關於公司提高負債比率之必然影響，下列敘述何者正確（假設其他因素不變）？ 甲、提高稅盾（Tax Shield）；乙、提高財務困難成本（Financial Distress Cost）；丙、提高加權平均資金成本（Weighted Average Cost of Capital）： (A)僅甲、乙 (B)僅甲、丙 (C)僅乙、丙 (D)甲、乙、丙。

( ) **14** 發放已宣告之現金股利對總資產報酬率與權益報酬率之影響分別為： (A)增加，不變 (B)增加，減少 (C)不變，不變 (D)減少，不變。

( ) **15** 某公司的權益報酬率為19%，市價淨值比為1.9倍，則公司的本益比為： (A)10 (B)14 (C)19 (D)36.1。

( ) **16** 評估投資專案時最應關切： (A)現金流量 (B)稅前會計淨利 (C)稅後會計淨利 (D)折舊與重置成本。

( ) **17** 其他條件不變下，下列何種情況有最高的本益比？ (A)預期未來盈餘成長高且企業經營風險高 (B)預期未來盈餘成長低且企業經營風險低 (C)預期未來盈餘成長低且企業經營風險高 (D)預期未來盈餘成長高且企業經營風險低。

( ) **18** 綜合損益表之主要組成分子如下：其正常順序如何？ 甲＝每股盈餘；乙＝繼續營業單位損益；丙＝停業單位損益 (A)甲–乙–丙 (B)丙–乙–甲 (C)乙–丙–甲 (D)乙–甲–丙。

( ) **19** 企業提前清償公司債所造成的損益，在綜合損益表中的報導方式為： (A)列為營業費用的調整項目，因為這是營業活動之一 (B)列為營業外損益，因為這不是主要營業項目 (C)列為營業淨利的調整項目，因為會計原則的規定如此 (D)因為其性質特殊且不常發生，應以稅後淨額表達，列於停業單位損益之下。

( ) **20** 某企業因計畫興建廠房，發行10年期長期公司債，發行時票面利率低於市場利率故折價發行，其帳上應該如何處理？ (A)一次認列折價總額為利息費用 (B)一次認列折價總額為利息收入 (C)折價總額應列為長期負債的減項再分期攤銷 (D)折價總額應列為長期負債的加項再分期攤銷。

( ) **21** X0年初有220,000股，9月1日增資發行10,000股，11月1日股票分割每股分為1.5股，X1年4月1日發放股票股利10%，X1年10月1日購回庫藏股4,000股，X0年淨利$800,000，試計算X0年損益表之每股盈餘： (A)$2.39 (B)$2.75 (C)$2.85 (D)$2.95。

( ) **22** 所謂「稀釋每股盈餘」是指企業在計算每股盈餘時要考慮下列何者？ (A)淨利受到企業當年度的停業單位損益的影響 (B)停業單位損益可能增加或減少的流通在外普通股股數 (C)可轉換證券可能增加企業流通在外普通股股數的影響 (D)可轉換證券可能對企業所帶來的潛在利益。

( ) **23** 由經濟的角度來看，公司購買自己的股票最像： (A)發行新股 (B)支付股票股利 (C)支付現金股利 (D)股票分割。

( ) **24** 使得淨現值為0之折現率稱為： (A)資金成本率 (B)會計報酬率 (C)必要報酬率 (D)內部報酬率。

( ) **25** 可轉換公司債之轉換價值為： (A)股票市價 (B)債券部分未來給付之現值 (C)轉換比率乘以股票市價 (D)可轉換公司債價值減股票市價。

( ) **26** 下列與繼續經營假設有關的說明，何者正確？ (A)評估時，應考量未來至少一個營業週期以上所有可得資訊 (B)若企業有營運獲利的歷史且可供取得其需要之財務資源，仍需再蒐集額外資訊 (C)若未依據繼續經營假設編製財務報表，則應揭露此事實，並說明編製財務報表的基礎與解釋不被視為繼續經營企業的理由 (D)必須評估預計的債務清償時程以及借新還舊資金的潛在來源。

( ) **27** 下列敘述何者正確？ (A)關鍵查核事項是指依會計師專業判斷，對當期合併財務報表之查核最為重要之事項 (B)編製財務報表是治理單位的責任，管理階層負責監督財務報導流程 (C)查核意見之基礎段應在查核意見段之前 (D)不論是上市櫃公司或非上市櫃公司的查核報告，皆需包含關鍵查核事項段。

( ) **28** 以間接法編製現金流量表中的「來自營業活動的現金流量」時，下列何項敘述正確？ (A)應加入存貨增加之金額 (B)應減除預付費用減少之金額 (C)應減除清償公司債之利益 (D)應加入再發行庫藏股之金額。

( ) **29** 下列何者為來自籌資活動的現金流量？ (A)購買不動產、廠房及設備 (B)應計費用增加 (C)借入長期負債 (D)應收帳款減少。

( ) **30** 甲公司X2年1月1日發行$272,325，5%，3年到期抵押票據，每年年底付一次現金$100,000，共支付三年，請問第二年利息費用為： (A)$5,000 (B)$9,225 (C)$9,297 (D)選項(A)(B)(C)皆非。

( ) **31** 母公司和子公司相互間持有債券，在合併報表中的處理方式為：(A)視為發行公司收回債券處理 (B)不需要作任何沖銷，但合併報表中仍會出現債券項目 (C)以上(A)(B)選項都有可能，視債券發行公司為母公司或子公司而定 (D)將債券列為權益的一部分。

( ) **32** 關於折價買入並持有至到期之公司債，下列敘述何者正確？(A)持有人於買入當期之現時收益率（Current Yield）低於票面利率 (B)持有人於持有期間各期之到期收益率（Yield to Maturity）不變（以會計資料計算） (C)持有人於持有期間各期所收取現金之總額高於買入價格加計各期利息收入之總額 (D)持有人於持有期間各期所收取現金之總額低於買入價格加計各期利息收入之總額。

( ) **33** 富山公司於110年底宣告股票股利2,000,000股（每股面值$10），當時每股市價為$50。該公司110年度稅後利息費用為$1,260,000，淨利為$24,000,000，宣告股票股利前之平均權益為$200,000,000。該公司110年度之權益報酬率為： (A)12.63% (B)12.00% (C)13.33% (D)10.91%。

( ) **34** 甲公司X1年度稅後淨利$8,400,000，所得稅率25%，利息保障倍數為11，X1年度期初應付利息$15,000，期末應付利息$25,000，甲公司X1年度支付利息現金之金額為何？ (A)$112,000 (B)$102,000 (C)$91,818 (D)$83,333。

( ) **35** 阪新公司的權益報酬率在111年度大幅降低，可能的原因為何？(A)淨利率下降 (B)總資產週轉率降低 (C)平均財務槓桿比率降低 (D)選項(A)(B)(C)皆有可能。

( ) **36** 一投資方案的資金成本是： (A)一個經過充分分散風險投資組合的期望報酬率 (B)投資方案貸款的利率 (C)投資人要求與該投資方案風險類似證券之期望報酬率 (D)銀行基本放款利率。

( ) **37** 下列作法何者能使公司之權益報酬率（ROE）提高（各作法為獨立情況）？ 甲、降低營業費用率；乙、提高資產使用率；丙、降低負債利率： (A)僅甲、乙 (B)僅甲、丙 (C)僅乙、丙 (D)甲、乙、丙。

( ) **38** 要求出損益兩平的銷售金額，我們需要知道總固定成本與：(A)每單位變動成本 (B)每單位售價 (C)每單位變動成本佔售價比率 (D)每單位售價減去平均每單位固定成本。

( ) **39** 泰安企業一年的採購經費是5億元，透過網際網路進行採購，可以輕鬆省下1,000萬元。也就是說，網際網路採購服務，可以幫助降低泰安企業的： (A)營業成本 (B)研究發展費用 (C)折舊費用 (D)推銷費用。

( ) **40** 下列何者分錄與保留盈餘有關？ (A)宣告發放現金股利 (B)實際發放現金股利 (C)宣告作股票分割 (D)實際作股票分割。

( ) **41** 牛津公司只生產並銷售一種產品，當銷貨量增加30%，則營業利益增加90%，X1年銷貨$500,000，稅後淨利$124,500，無利息費用亦無其他營業外的收入與費用，稅率17%，則其變動成本及費用為何？ (A)$350,000 (B)$50,000 (C)$150,000 (D)選項(A)(B)(C)皆非。

( ) **42** 成功公司X0年1月1日流通在外之股份，計有面值10元之普通股300,000股及面值10元之6%累積特別股60,000股。X0年7月1日按每股15元之價格發行普通股300,000股，X0年度淨利為1,060,000元，試計算其普通股每股盈餘： (A)$2.28 (B)$3.26 (C)$4.26 (D)$5.26。

( ) **43** 甲公司X3年度淨利$800,000，全年度加權平均流通在外普通股股數為240,000，X3年底普通股股數為300,000，另當年度尚發行80,000股的累積特別股，與特別股股東持有人約定每年每股發放$1的特別股股利。試求甲公司X3年基本每股盈餘為何？ (A)$3.33 (B)$3 (C)$2.40 (D)$2。

( ) **44** 甲公司20X1年年初流通在外之股份計有普通股180,000股（面額$10）與不可轉換之累積特別股30,000股（面額$100，5%），並於當年9月1日按市價現金增資發行普通股60,000股。若甲公司20X1年本期淨利$400,000，且當年度未宣告發放任何股利，甲公司20X1年每股盈餘為： (A)$1.04 (B)$1.25 (C)$1.67 (D)$2.00。

( ) **45** 上市（櫃）公司在作財務預測時，必須將以下那些因素列入基本假設條件？ 甲、處分投資損失；乙、匯兌損益；丙、利率變動 (A)只有甲 (B)只有甲與乙 (C)甲、乙與丙都要列入 (D)甲、乙與丙都不要列入。

( ) **46** X1年底發生嚴重地震導致廠房毀損，其會計處理及表達為何？ (A)於綜合損益表中表達為非常損失 (B)於附註中表達為非常損失 (C)與一般廠房的會計處理方式相同，於報導期間結束日評估減損 (D)如經判斷該災害性質特殊且不常發生，始須於附註中表達為非常損失，反之則無須於附註中揭露。

( ) **47** 投資計畫評估現金流量應採何基礎？ (A)稅前 (B)稅後 (C)機會成本 (D)稅盾效果。

( ) **48** 假設你於一年前購得一股票，成本為$45，目前的價格為$48（已除息），而且你剛收到$7的現金股利，請問報酬率為多少？ (A)20.00% (B)22.22% (C)15.00% (D)18.00%。

( ) **49** 下列哪一種評估準則在正確地使用下將導致與淨現值法有相同的結果？ (A)回收期限法 (B)內部報酬率法 (C)平均會計報酬率法 (D)折現回收期限法。

( ) **50** 假設一投資組合中有兩種資產，第一種資產占60%，其β（貝他係數）為1.4，另外一種資產的β為1.9，請問投資組合的β是多少？ (A)1.6 (B)1.29 (C)1.7 (D)1.44。

解答與解析（答案標示為#者，表官方曾公告更正該題答案。）

1 (C)。財務報表之資訊應具中立性，避免偏差。若為達到預定結果，藉由資訊之選擇或表達來影響使用者的決策或判斷，則該財報即不具中立性。

2 (B)。編製預估式資產負債表的主要目的為估算資產和負債組成項目之金額。

3 (B)。營業循環=存貨周轉天數＋應收帳款周轉天數
365÷12+365÷15=54.7天。

4 (C)。負債準備屬於負債。

5 (D)。票據終值
=30,000×(1+0.1×6÷12)
=31,500

票據貼現利息：
31,500×0.12×4÷12=1,260
票據貼現可獲得現金=31,500－1,260=30,240

6 (C)。利息費用付現得列於現金流量表中之營業活動或籌資活動。

7 (C)。投資公司擁有被投資公司40%股權，其投資成本與股權淨值之差額，在投資公司之資產負債表上應包括於「股權投資」中。

8 (C)。房屋佔總房地：
\$8,000,000÷(\$8,000,000+\$16,000,000)=1/3
\$21,000,000×(1/3)÷20
=\$350,000

9 (A)。由資本公積轉為股本都在股東權益項下，權益總額不變。

10 (B)。當資本公積餘額不足以讓庫藏股減少時，則減少保留盈餘，但若有利益一律增加資本公積，所以不可能增加保留盈餘。

11 (C)。宣告現金股利：權益減少，負債增加。
宣告股票股利：權益總額不變。
買入庫藏股：權益減少，資產減少。
出售庫藏股：資產增加，權益增加。

12 (D)。資產總額=5,000+7,000億=12,000億
負債總額=12,000億×(1－60%)=4,800億
長期負債=4,800億－3,000億=1,800億元

13 (A)。提高負債比率將減少加權平均資金成本。

14 (A)。發放已宣告之現金股利使負債增加、資產減少，故影響總資產報酬率增加，不影響權益報酬率。

15 (A)。1.9÷19%=10。

16 (A)。評估投資專案時最應關切現金流量。

17 (D)。預期未來盈餘成長高且企業經營風險低會有最高的本益比。

18 (C)。綜合損益表主要組成分子之正常順序為：繼續營業單位損益－停業單位損益－每股盈餘。

19 (B)。公司債所造成的損益非本業經營的收入及支出，為營業外損益。

20 (C)。折價發行長期公司債其折價總額應列為長期負債的減項。

21 (A)。每股盈餘=稅後淨利÷平均流通在外普通股數
平均在外流通股數
=〔(22000×12÷12)+(10000×4÷12)〕×1.5
=335,000
每股盈餘
=800,000÷335,000=2.39

22 (C)。稀釋每股盈餘=（稅後淨利–特別股股利）÷（普通股在外流通股數+稀釋股）
稀釋股：包括特別股、認股權證、可轉換公司債、股票選擇權等等，當

解答與解析

這些標的轉換為普通股時，會造成普通股股數變多，這時普通股股東可分得的平均盈餘就會變少、被稀釋了。

23 (C)。用現金買回股票像把現金給原本的股東，最像支付現金股利。

24 (D)。使得淨現值為0之折現率稱為內部報酬率。

25 (C)。可轉換公司債之轉換價值為轉換比率×股票市價。

26 (C)。根據IAS1公報：(A)評估時，應考量未來至少報導期間結束日後12個月所有可得資訊。(B)若企業有營運獲利的歷史且可供取得其需要之財務資源，不需再蒐集額外資訊。(D)必須評估目前與預計的獲利能力、債務清償時程以及借新還舊資金的潛在來源。

27 (A)。(B)編製財務報表是管理階層的責任，治理單位負責監督財務報導流程。(C)查核意見之基礎段應在查核意見段之後。(D)上市櫃公司的查核報告，需包含關鍵查核事項段。

28 (C)。清償公司債之利益屬於融資活動應減除。

29 (C)。

(A)購買不動產、廠房及設備為投資活動。

(B)應計費用增加為營業活動。

(D)應收帳款減少為營業活動。

30 (C)。272,325×(1+5%)－100,000=185,941.25

185,941.25×5%=$9,297

31 (A)。母公司和子公司相互間持有債券，在合併報表中視為發行公司收回債券處理。

32 (B)。折價買入並持有至到期之公司債，持有人於持有期間各期之到期收益率不變。

33 (B)。股東權益報酬率=稅後淨利÷平均股東權益

$24,000,000÷$200,000,000=12%

34 (#)。本題官方公告一律給分。

35 (D)。權益報酬率=淨利率×總資產週轉率×財務槓桿比率。故選(D)。

36 (C)。對於投資者，一個投資項目的資金成本是一種機會成本，即投資者為選擇此項目而放棄了其他項目所付出的代價，即投資人要求與該投資方案風險類似證券之期望報酬率。

37 (D)。權益報酬率=淨利率×總資產週轉率×財務槓桿比率，故選(D)。

38 (C)。損益兩平銷售金額＝固定成本÷邊際貢獻率

邊際貢獻率=售價減變動成本後占售價之比率。

39 (A)。採購經費即公司營業成本。

40 (A)。宣告發放現金股利分錄為借記保留盈餘貸記應付現金股利。

41 (B)。稅前淨利
124,500÷0.83=150,000
營業槓桿度=EBIT變動百分比÷銷貨數量變動百分比
90%÷30%=3
營業槓桿度=（銷貨收入－總變動成本）÷營業利益
3=(500,000－總變動成本)÷150,000
總變動成本=$50,000。

42 (A)。普通股流通在外加權平均股數
=300,000+300,000×6÷12
=450,000
普通股每股盈餘＝（本期淨利－特別股股利）÷普通股流通在外加權平均股數
普通股每股盈餘＝(1,060,000－60,000×10×6%)÷450,000
=$2.28。

43 (B)。普通股每股盈餘＝（本期淨利－特別股股利）÷普通股流通在外加權平均股數
(800,000－80,000)÷240,000=$3。

44 (B)。普通股每股盈餘＝（本期淨利-特別股股利）÷普通股流通在外加權平均股數
400,000－(30,000×100×5%)÷180,000+(60,000×4÷12)
=$1.25。

45 (C)。處分投資損失、匯兌損益、利率變動皆須列入基本假設條件。

46 (C)。發生嚴重地震導致廠房毀損一般廠房的會計處理方式相同，於報導期間結束日評估減損。

47 (B)。投資計畫評估現金流量應採稅後。

48 (B)。(48-45+7)÷45
=22.22%。

49 (B)。內部報酬率法在正確地使用下將導致與淨現值法有相同的結果。

50 (A)。60%×1.4+40%×1.9=1.6。

112年 第2次證券商高級業務員

證券交易相關法規與實務

( ) **1** 以下有關股份有限公司發行無票面金額股之敘述何者正確？ (A)公司得經有代表已發行股份總數二分之一以上股東出席之股東會，以出席股東表決權過半數之同意，將已發行之票面金額股全數轉換為無票面金額股 (B)轉換前所提列之資本公積可經股東會決議，保留部分作為盈餘分配 (C)公司已採行無票面金額股者，得轉換為票面金額股 (D)公開發行股票之公司不適用發行無票面股票。

( ) **2** 甲公司為上市公司，下列關於甲之敘述，何者正確？ (A)持有已發行股份總數百分之一以上股份之股東，得向公司提出股東臨時會議案。但以一項為限，提案超過一項者，均不列入議案 (B)股東所提議案以五百字為限；提案股東應親自或委託他人出席股東常會，並參與該項議案討論 (C)股東提案係為敦促公司增進公共利益或善盡社會責任之建議，董事會仍得列入議案 (D)公司應於股東會召集通知日前，將處理結果通知提案股東，並將合於規定之議案列於開會通知。對於未列入議案之股東提案，董事會應向審計委員會之獨立董事成員或監察人報告其理由。

( ) **3** 會計師未依有關法規規定與一般公認審計準則查核公司財務報告，而於內容有重大虛偽不實或錯誤情事未予敘明者，可處幾年以下有期徒刑？ (A)1年 (B)3年 (C)5年 (D)10年。

( ) **4** 上市（櫃）公司年度財務報告應於何時前公告，並向主管機關申報？ (A)次年一月三十一日 (B)次年二月二十八日 (C)次年三月三十一日 (D)次年六月三十日。

( ) **5** 下列哪一個組合，得為公司債債權人之共同利害關係事項，召集同次公司債債權人會議？ 甲、發行公司債之公司；乙、公司債債權人之受託人；丙、有同次公司債總數百分之五以上之公司債債權人 (A)甲、乙 (B)甲、丙 (C)乙、丙 (D)甲、乙、丙。

( ) **6** 下列何者非現行法規定之刑事不法行為？ (A)內部人短線交易行為 (B)利用內部消息從事內線交易行為 (C)操縱市場行情行為 (D)選項(A)(B)(C)皆是刑事不法行為。

( ) **7** 依公司法新修正與配合洗錢防制政策，公司應何時定期申報董事、監察人、經理人及持有已發行股份總數10%股東的個人資料至主管機關建置或指定之資訊平台？ (A)每年 (B)每半年 (C)每季 (D)每月。

( ) **8** 證券商受僱人對外執行業務，及在集中交易市場所為之一切行為，證券商應負何種責任？ (A)連帶賠償責任 (B)比例分擔責任 (C)受僱人自行負責 (D)完全責任。

( ) **9** 意圖抬高或壓低集中交易市場某種有價證券之交易價格，與他人通謀，以約定價格於自己出售，或購買有價證券時，使約定人同時為購買或出售之相對行為者，稱之為： (A)違約交割 (B)相對委託 (C)沖洗買賣 (D)連續交易操縱行為。

( ) **10** 發行有價證券之上市公司，若發生重大公害或食品藥物安全事件而有影響證券交易市場秩序或損害公益之虞時，主管機關得依法的權限為何？ (A)強制上市買賣該有價證券 (B)停止上市買賣該有價證券 (C)終止上市買賣該有價證券 (D)選項(A)(B)(C)皆錯誤。

( ) **11** 投資人與證券投資顧問公司簽訂之「契約」，在法律上，其性質屬於： (A)承攬關係 (B)買賣關係 (C)委任關係 (D)代理關係。

( ) **12** 下列何者為得在證券交易所上市買賣之受益憑證？ (A)槓桿型與反向型ETF (B)境外指數股票型基金受益憑證 (C)不動產投資信託受益證券 (D)選項(A)(B)(C)皆正確。

( ) **13** 有關證券交易爭議之仲裁，在法律上適用優先順序為何？ (A)「仲裁法」優先於「證券交易法」 (B)「證券交易法」優先於「仲裁法」 (C)「民法」優先於「證券交易法」 (D)「民事訴訟法」優先於「證券交易法」。

( ) **14** 如公開發行股票公司於股東會召開時，代表公司之董事拒絕提供股東名簿者，證券主管機關可處新臺幣多少罰鍰？ (A)二十四萬元以上二百四十萬元以下 (B)十二萬元以上二百四十萬元以下 (C)二十四萬元以上四百八十萬元以下 (D)四十八萬元以上四百八十萬元以下。

( ) **15** 股份有限公司之少數股東在具備以下何項資格時，得以書面記明提議事項及理由，請求董事會召集股東臨時會？ (A)繼續一年以上，持有已發行股份總數3%以上股份 (B)繼續六個月以上，持有已發行股份總數3%以上股份 (C)繼續一年以上，持有已發行股份總數1%以上股份 (D)繼續六個月以上，持有已發行股份總數1%以上股份。

( ) **16** 得擔任公司債債權人之受託人，以下列哪一個所列事業為限？ (A)證券商 (B)證券集中保管事業 (C)證券投資信託事業 (D)金融或信託事業。

( ) **17** 外國公司股票於中華民國境內交易流通，屬於「證券交易法」第六條之何種定義之有價證券？ (A)第二項表彰權利之證書 (B)非有價證券 (C)經主管機關核定之其他有價證券 (D)推定為有價證券。

( ) **18** 若公司設立未滿一年，公開說明書中公司組織記載應揭露發起人何種資訊？ (A)出資比例占前五名者 (B)持股比例占前十名者 (C)薪資比例占前三名者 (D)發起人性別比例。

( ) **19** 上市公司董事每一交易日轉讓股數未超過多少股者，免予向主管機關進行事前申報？ (A)1萬股 (B)3萬股 (C)5萬股 (D)10萬股。

( ) **20** 關於「證券交易法」第一百五十七條之一所定內線交易禁止規定，下列敘述何者正確？ (A)適用對象為具有股權性質之有價證券 (B)規範對象以他人之名義買入或賣出，亦構成內線交易 (C)該重大影響股價之消息，若已公開超過十八小時，即非屬內線交易 (D)選項(A)(B)(C)皆正確。

( ) **21** 關於公開發行公司董事會之規範，下列敘述何者正確？ (A)發行股票之公司董事會，設置董事不得少於三人 (B)政府或法人為公開發行公司之股東時，除經主管機關核准者外，得由其代表人同時當選或擔任公司之董事及監察人，不適用公司法第27條第2項規定 (C)董事缺額達章程所定席次三分之一者，公司應自事實發生之日起60日內，召開股東臨時會補選之 (D)董事因故解任，致不足三人者，公司應於最近一次股東會補選之。

( ) **22** 甲為持有乙證券商已發行股份總數10%之大股東，甲若具有下列何種情事時，不得充任乙證券商之董事、監察人或經理人？ (A)受證券交易法第56條及第66條第2款解除職務之處分，已滿三年 (B)最近三年內在金融機構有拒絕往來或喪失債信之紀錄 (C)依證券交易法之規定，受罰金以上刑之宣告，執行完畢、緩刑期滿或赦免後已滿三年 (D)曾任法人宣告破產時之董事、監察人、經理人或其他地位相等之人，其破產終結已滿三年。

( ) **23** 違反證券交易法第155條之「操縱股價行為」，其犯罪所得在新臺幣一億元以下者，其刑事責任為何？ (A)一年以下有期徒刑，得併科新臺幣二萬元以下罰金 (B)二年以下有期徒刑，得併科新臺幣五萬元以下罰金 (C)五年以下有期徒刑，得併科新臺幣一千萬元以下罰金 (D)處三年以上十年以下有期徒刑，得併科新臺幣一千萬元以上二億元以下罰金。

( ) **24** 證券投資信託事業所經理投資國內之公募基金，應自受益人買回受益憑證請求到達之次一營業日起幾日內，給付買回價金？ (A)1個營業日 (B)3個營業日 (C)4個營業日 (D)5個營業日。

( ) **25** 下列何者得擔任境外基金之銷售機構？ 甲、證券投資信託事業；乙、證券投資顧問事業；丙、證券經紀商；丁、銀行 (A)僅乙、丙 (B)僅甲、乙、丙 (C)僅甲、乙、丁 (D)甲、乙、丙、丁皆可。

( ) **26** 下列何者不是金管會訂定證券投資信託契約記載之各項費用及所受報酬計算上限之項目？ (A)購買受益憑證之費用 (B)受益人請求買回受益憑證之費用 (C)基金保管機構收取保管費之上限 (D)證券投資信託收益分配。

( ) **27** 證券集中交易市場拍賣上市證券，其拍賣底價及競買申報價格均以何者為計算基準？ (A)每一千股 (B)每一百股 (C)每一萬股 (D)每一股。

( ) **28** 我國股市「開盤價」以何種方式決定及開盤時在同價位情況下，成交優先順序如何決定？ (A)採集合競價，同價位以時間決定 (B)採集合競價，同價位以電腦隨機排序決定 (C)採逐筆交易，同價位以時間決定 (D)採逐筆交易，同價位以電腦隨機排序決定。

( ) **29** 根據世界經濟論壇（WEF）「The Global Risks Report 2020」指出，下列哪一項不是主要的資安風險？ (A)網路攻擊 (B)個資外洩 (C)軟體設計不全 (D)資訊服務中斷。

( ) **30** 有關集保結算所提供基金市場相關服務，下列何者為非？ (A)境內及境外基金之無實體登錄 (B)基金交易平台 (C)境外基金與期信基金申報公告服務 (D)基金受益人會議電子投票服務。

( ) **31** 集團企業中之公開發行公司申請上櫃，申請公司與同屬集團企業公司之主要業務或產品，須無相互競爭之情形且具有獨立行銷之開發潛力者，否則不宜上櫃，所稱主要業務或產品係指最近二個會計年度均占各該年度總營業收入多少百分比以上者？ (A)20% (B)30% (C)10% (D)40%。

( ) **32** 興櫃一般板股票交易漲跌幅度的限制為： (A)7% (B)10% (C)20% (D)沒有漲跌幅的限制。

( ) **33** 依據證券交易法規定，證券承銷方式不包含下列哪一種型態？ (A)全額包銷 (B)代銷 (C)居間銷售 (D)餘額包銷。

( ) **34** 有關公開收購之條件，下列敘述何者為錯誤？ (A)公開收購開始後不得調降公開收購價格 (B)公開收購人得依對象不同以不同收購條件為公開收購 (C)公開收購開始後，不得降低預定公開收購有價證券之數量 (D)公開收購開始後，公開收購人不得於集中交易市場或證券商營業所，或任何場所購買同種類之有價證券。

( ) **35** 認購權證中如果履約價格小於標的股票之市場價格，例如：履約價格為50元，標的股票價格市價為65元，則該認購權證是處於： (A)價外 (B)價平 (C)價內 (D)選項(A)(B)(C)皆非。

( ) **36** 融券人遇標的證券公司有下列哪種情況不用強制回補？ (A)臨時股東會 (B)除權 (C)股東常會 (D)減資。

( ) **37** 基金依其法律關係之不同可區分為哪兩種？ (A)外資型及法人型 (B)成長型及穩定型 (C)公司型及契約型 (D)股票型及債券型。

( ) **38** 關於ETF折溢價風險，何者錯誤？ (A)折價是市價低於淨值，可能因市場需求不足造成 (B)買賣前應注意ETF的折溢價，儘量避免交易市價偏離淨值過大的ETF (C)溢價是市價高於淨值，溢價表示買盤熱絡，應該趕快跟著搶購 (D)ETF達發行額度上限，發行人無法再受理申購時，ETF可能會持續溢價。

( ) **39** 關於員工認股權憑證之發行，下列說明何者錯誤？ (A)員工認股權憑證自發行日起屆滿二年後，持有人除依法暫停過戶期間外，得依發行人所定之認股辦法請求履約 (B)員工認股權憑證不得轉讓，但因繼承者不在此限 (C)上市或上櫃公司申報發行員工認股權憑證，其認股價格不得高於發行日標的股票之收盤價 (D)員工認股權憑證之存續期間不得超過十年。

( ) **40** 權證履約，若以證券給付時，權證持有人於何日，標的證券可撥入其集保戶？ (A)履約請求當日 (B)請求履約日後第一營業日 (C)請求履約日後第二營業日 (D)請求履約日後第三營業日。

( ) **41** 發行人申請登錄興櫃一般板，應提出股份由其輔導推薦證券商認購，每一輔導推薦證券商各應認購幾萬股以上？ (A)2萬股 (B)3萬股 (C)5萬股 (D)10萬股。

( ) **42** 證券商受託買賣外國有價證券契約，如有下列情事之一者，證券商不得接受其開戶，已開戶者應取消其開戶？ (A)受破產之宣告未經復權 (B)法人委託開戶未能提出該法人授權開戶之證明 (C)曾經違反證券交易法規定，受罰金以上刑之宣告，執行完畢、緩刑期滿或赦免後未滿三年 (D)選項(A)(B)(C)皆是。

( ) **43** 下述上櫃條件哪些滿足其一即可，不須同時具備？ 甲、資本額；乙、獲利能力；丙、淨值、營業收入及營業活動現金流量；丁、股權分散 (A)甲、乙 (B)乙、丙 (C)乙、丁 (D)甲、丙。

( ) **44** 某上市公司舉行股東會，股東可用何種方式行使表決權？ (A)親自出席 (B)以書面委託代理人 (C)以電子方式進行投票 (D)選項(A)(B)(C)皆是。

( ) **45** 一般而言，投資信託基金之存續期間為何？ (A)由受益人會議決定 (B)依證券投資信託契約約定 (C)由投信投顧公會擬訂 (D)由主管機關指定。

( ) **46** 下列哪一種有價證券不得列為定期定額買進之標的？ (A)股票 (B)原型證信託ETF (C)槓桿反向型ETF (D)原型期信託ETF。

( ) **47** 有關委託書徵求人出席之規範，下列何者正確？ (A)徵求資料公告後，徵求人應出席股東會 (B)委託書不得記載「徵求人得不出席股東會」等相關文字 (C)違反出席規範者，三年內不得擔任委託書徵求人 (D)選項(A)(B)(C)皆是。

( ) **48** 於我國外幣計價國際債券市場架構中，何種計價幣別之債券可另稱為寶島債券？ (A)美元 (B)日圓 (C)人民幣 (D)澳幣。

( ) **49** 證券集中交易市場宣布有價證券停止交易或停市時，以何者作為當日收盤價格？ (A)宣布停止交易或停市時，故障前最後一筆成交價格 (B)開盤價 (C)平均價 (D)前一營業日收盤價格。

( ) **50** 國內現行當日沖銷交易之股票課徵稅率為： (A)千分之一 (B)千分之一點五 (C)千分之一點四二五 (D)千分之三。

解答與解析（答案標示為#者，表官方曾公告更正該題答案。）

1 (D)。「公司法」第156條之1：公司得經有代表已發行股份總數三分之二以上股東出席之股東會，以出席股東表決權過半數之同意，將已發行之票面金額股全數轉換為無票面金額股；其於轉換前依第二百四十一條第一項第一款提列之資本公積，應全數轉為資本。
前項出席股東股份總數及表決權數，章程有較高之規定者，從其規定。
公司印製股票者，依第一項規定將已發行之票面金額股全數轉換為無票面金額股時，已發行之票面金額股之每股金額，自轉換基準日起，視為無記載。
前項情形，公司應通知各股東於轉換基準日起六個月內換取股票。
前四項規定，於公開發行股票之公司，不適用之。
公司採行無票面金額股者，不得轉換為票面金額股。

2 (C)。「公司法」第172條之1：持有已發行股份總數百分之一以上股份之股東，得以書面向公司提出股東常會議案但以一項為限，提案超過一項者，均不列入議案。
公司應於股東常會召開前之停止股票過戶日前，公告受理股東之提案、受理處所及受理期間；其受理期間不得少於十日。
股東所提議案以三百字為限，超過三百字者，該提案不予列入議案；提案股東應親自或委託他人出席股東常會，並參與該項議案討論。
公司應於股東會召集通知日前，將處理結果通知提案股東，並將合於本條規定之議案列於開會通知。對於未列入議案之股東提案，董事會應於股東會說明未列入之理由。

3 (C)。依據「證券交易法」第174條第2項，會計師對公司、外國公司申報或公告之財務報告、文件或資料有重大虛偽不實或錯誤情事，未善盡查核責任而出具虛偽不實報告或意見；或會計師對於內容存有重大虛偽不實或錯誤情事之公司、外國公司之財務報告，未依有關法規規定、一般公認審計準則查核，致未予敘明者，處五年以下有期徒刑，得科或併科新臺幣一千五百萬元以下罰金。

4 **(C)**。「證券交易法」第36條：已依本法發行有價證券之公司，除情形特殊，經主管機關另予規定者外，應依下列規定公告並向主管機關申報：於每會計年度終了後三個月內，公告並申報由董事長、經理人及會計主管簽名或蓋章，並經會計師查核簽證、董事會通過及監察人承認之年度財務報告。

5 **(D)**。「公司法」第263條第1項：發行公司債之公司，公司債債權人之受託人，或有同次公司債總數百分之五以上之公司債債權人，得為公司債債權人之共同利害關係事項，召集同次公司債債權人會議。

6 **(A)**。內部人短線交易行為只違反民事責任，「證券交易法」第157條第1項：發行股票公司董事、監察人、經理人或持有公司股份超過10%之股東，對公司之上市股票，於取得後六個月內再行賣出，或於賣出後六個月內再行買進，因而獲得利益者，公司應請求將其利益歸於公司。

7 **(A)**。「公司法」第22-1條第1項：公司應每年定期將董事、監察人、經理人及持有已發行股份總數或資本總額超過百分之十之股東之姓名或名稱、國籍、出生年月日或設立登記之年月日、身分證明文件號碼、持股數或出資額及其他中央主管機關指定之事項，以電子方式申報至中央主管機關建置或指定之資訊平臺；其有變動者，並應於變動後十五日內為之。但符合一定條件之公司，不適用之。

8 **(D)**。「臺灣證券交易所股份有限公司營業細則」第18條：證券商受僱人到外執行業務，及在本公司市場所為之一切行為，證券商應負完全責任。

9 **(B)**。意圖抬高或壓低集中交易市場某種有價證券之交易價格，與他人通謀，以約定價格於自己出售，或購買有價證券時，使約定人同時為購買或出售之相對行為，稱為相對委託。

10 **(B)**。依據「證券交易法」第156條，發行有價證券之上市公司，若發生重大公害或食品藥物安全事件而有影響證券交易市場秩序或損害公益之虞時，主管機關得命令停止其一部或全部之買賣，或對證券自營商、證券經紀商之買賣數量加以限制。

11 **(C)**。依據「證券投資信託及顧問法」第5條，證券投資顧問契約：指證券投資顧問事業接受客戶委任，對有價證券、證券相關商品或其他經主管機關核准項目之投資或交易有關事項提供分析意見或推介建議所簽訂投資顧問之委任契約。

12 **(D)**。根據「臺灣證券交易所股份有限公司受益憑證買賣辦法」第2條，(A)(B)(C)皆為得在證券交易所上市買賣之受益憑證。

13 (B)。依據「證券交易法」第166條，依本法所為有價證券交易所生之爭議，當事人得依約定進行仲裁。但證券商與證券交易所或證券商相互間，不論當事人間有無訂立仲裁契約，均應進行仲裁。
前項仲裁，除本法規定外，依仲裁法之規定。故「證券交易法」優先於「仲裁法」。

14 (A)。「公司法」第210-1條第2項：代表公司之董事拒絕提供股東名簿者，處新臺幣一萬元以上五萬元以下罰鍰。但公開發行股票之公司，由證券主管機關處代表公司之董事新臺幣二十四萬元以上二百四十萬元以下罰鍰。

15 (A)。「公司法」第173條第1項：繼續一年以上，持有已發行股份總數百分之三以上股份之股東，得以書面記明提議事項及理由，請求董事會召集股東臨時會。

16 (D)。依據「公司法」第248條，公司債債權人之受託人，以金融或信託事業為限。

17 (C)。「證券交易法」第6條第1項：本法所稱有價證券，指政府債券、公司股票、公司債券及經主管機關核定之其他有價證券。

18 (B)。依據「公司募集發行有價證券公開說明書應行記載事項準則」第10條，公司設立未滿一年，公開說明書中公司組織記載應揭露持股比例占前十名之發起人之有關資料。

19 (A)。依據「證券交易法」第22-2條第1項，上市公司董事每一交易日轉讓股數未超過一萬股者，免予向主管機關進行事前申報。

20 (D)。「證券交易法」第157-1條：下列各款之人，實際知悉發行股票公司有重大影響其股票價格之消息時，在該消息明確後，未公開前或公開後十八小時內，不得對該公司之上市或在證券商營業處所買賣之股票或其他具有股權性質之有價證券，自行或以他人名義買入或賣出：一、該公司之董事、監察人、經理人及依公司法第二十七條第一項規定受指定代表行使職務之自然人。二、持有該公司之股份超過百分之十之股東。三、基於職業或控制關係獲悉消息之人。四、喪失前三款身分後，未滿六個月者。五、從前四款所列之人獲悉消息之人。

21 (C)。「證券交易法」第26-3條：已依本法發行股票之公司董事會，設置董事不得少於五人。
政府或法人為公開發行公司之股東時，除經主管機關核准者外，不得由其代表人同時當選或擔任公司之董事及監察人，不適用公司法第二十七條第二項規定。
董事因故解任，致不足五人者，公司應於最近一次股東會補選之。

22 (B)。「證券交易法」第53條有左列情事之一者，不得充任證券商之董事、監察人或經理人；其已充任者，解任之，並由主管機關函請經濟部撤銷其董事、監察人或經理人登記：一、有公司法第三十條各款情事之一者。二、曾任法人宣告破產時之董事、監察人、經理人或其他地位相等之人，其破產終結未滿三年或調協未履行者。三、最近三年內在金融機構有拒絕往來或喪失債信之紀錄者。四、依本法之規定，受罰金以上刑之宣告，執行完畢、緩刑期滿或赦免後未滿三年者。五、違反第五十一條之規定者。六、受第五十六條及第六十六條第二款解除職務之處分，未滿三年者。

23 (D)。依據「證券交易法」第171條，違反證券交易法第155條者處三年以上十年以下有期徒刑，得併科新臺幣一千萬元以上二億元以下罰金。

24 (D)。「證券投資信託基金管理辦法」第71條第1項：證券投資信託事業所經理投資國內之基金，應自受益人買回受益憑證請求到達之次一營業日起五個營業日內，給付買回價金。

25 (D)。「境外基金管理辦法」第18條：總代理人得委任經核准營業之證券投資信託事業、證券投資顧問事業、證券經紀商、銀行、信託業及其他經本會核定之機構，擔任境外基金之銷售機構，辦理該境外基金之募集及銷售業務。

26 (D)。「證券投資信託基金管理辦法」第3條：受益人購買或請求買回受益憑證之費用與證券投資信託事業、基金保管機構所收取經理或保管費用之上限及基金應負擔費用之項目，本會得視市場狀況限制之。

27 (D)。依據「臺灣證券交易所股份有限公司受託辦理上市證券拍賣辦法」第5條，證券集中交易市場拍賣上市證券，拍賣底價及競買申報價格均以每股為計算基準。

28 (B)。我國股市開盤價採集合競價，同價位以電腦隨機排序決定。

29 (C)。軟體設計不全不屬於資訊安全風險。

30 (A)。集保結算所尚未提供境外基金之無實體登錄。

31 (B)。依據「財團法人中華民國證券櫃檯買賣中心集團企業申請股票上櫃之補充規定」第2條，所稱主要業務或產品係指最近二個會計年度均占各該年度總營業收入百分之三十以上者。

32 (D)。興櫃一般板股票交易無漲跌幅限制。

33 (C)。「證券交易法」第10條：本法所稱承銷，謂依約定包銷或代銷發行人發行有價證券之行為。

34 (B)。「公開收購公開發行公司有價證券管理辦法」第7-1條：公開收購人應以同一收購條件為公開收購，且不得為下列公開收購條件之變更：一、調降公開收購價格。

二、降低預定公開收購有價證券數量。三、縮短公開收購期間。四、其他經本會規定之事項。

35 (C)。認購權證履約價格<股票價格處於價內。

36 (A)。「證券商辦理有價證券買賣融資融券業務操作辦法」第76條：得為融資融券之有價證券，自發行公司停止過戶前六個營業日起，停止融券賣出四日；已融券者，應於停止過戶第六個營業日（含）前，還券了結；已出借者，證券商應請求提前還券，並於最後過戶日（含）前取回。委託人申請以現券償還融券，且券源為向同一證券商申請之有價證券借貸業務借券者，至遲應於停止過戶第七個營業日（含）前提出申請，證券商若無券源，得拒絕之。但發行公司因下列原因停止過戶者不在此限：一、召開臨時股東會。二、其原因不影響行使股東權者。

37 (C)。根據基金組織時依據的法律不同，有契約型基金和公司型基金之別。

38 (C)。溢價表示市價被高估，此時買進相對昂貴。

39 (C)。「發行人募集與發行有價證券處理準則」第53條：上市或上櫃公司申報發行員工認股權憑證，其認購價格不得低於發行日標的股票收盤價。

40 (C)。依據「臺灣證券交易所股份有限公司辦理認購（售）權證履約應注意事項」，權證持有人於請求履約日後第二營業日，標的證券可撥入其集保戶。

41 (D)。依據「財團法人中華民國證券櫃檯買賣中心證券商營業處所買賣興櫃股票審查準則」第8條，發行人申請登錄興櫃一般板，應提出股份由其輔導推薦證券商認購，每一輔導推薦證券商各應認購十萬股以上。

42 (D)。「證券商受託買賣外國有價證券管理規則」第7條：證券商除法令另有規定者外，得接受委託人簽訂受託買賣外國有價證券契約，如有下列情事之一者，證券商不得接受其開戶，已開戶者應取消其開戶：一、未成年人未經法定代理人代理。二、受破產之宣告未經復權。三、受監護宣告未經撤銷。四、受輔助宣告未經輔助人同意或法院許可。五、法人委託開戶未能提出該法人授權開戶之證明。六、曾因證券交易違背契約，未結案且未滿五年。七、曾經違反證券交易法規定，受罰金以上刑之宣告，執行完畢、緩刑期滿或赦免後未滿三年。

43 (B)。申請上櫃財務要求應符合下列標準之一：

一、「獲利能力」標準：最近1個會計年度合併財務報告之稅前淨利不低於新臺幣400萬元，且稅前淨利占股本（外國企業為母公司權益金額）之比率符合下列標準：最近1年度達4%，且無累積虧損。或最近2年度均達3%；或平均達3%，且最近1年度較前1年度為佳。

二、「淨值、營業收入及營業活動現金流量」標準，同時符合：

最近期經會計師查核簽證或核閱財務報告之淨值達新臺幣6億元以上且不低於股本2／3。最近一個會計年度來自主要業務之營業收入達新臺幣20億元以上，且較前一個會計年度成長。最近一個會計年度營業活動現金流量為淨流入。

44 **(D)**。「公司法」第177條第4條：委託書送達公司後，股東欲親自出席股東會或欲以書面或電子方式行使表決權者，應於股東會開會二日前，以書面向公司為撤銷委託之通知；逾期撤銷者，以委託代理人出席行使之表決權為準。

45 **(B)**。「證券投資信託基金管理辦法」第79條第1項：基金之存續期間依證券投資信託契約之約定。

46 **(C)**。「證券商受託辦理定期定額買賣有價證券作業辦法」第7條：證券商辦理定期定額業務，買賣之有價證券以中長期投資為原則，並以股票、指數股票型基金受益憑證及主動式交易所交易基金受益憑證為限，且應訂定標的選定標準。前項標的不得含槓桿反向指數股票型證券投資信託基金受益憑證及槓桿反向指數股票型期貨信託基金受益憑證。

47 **(D)**。「公開發行公司出席股東會使用委託書規則」第10-1條：公司依第七條第一項規定將徵求資料傳送至證基會或於日報公告後，徵求人應依股東委託出席股東會。徵求人不得於徵求委託書之書面及廣告內容記載徵求人得不出席股東會等相關文字。

「公開發行公司出席股東會使用委託書規則」第5條，違反出席規範者，三年內不得擔任委託書徵求人。

48 **(C)**。國內、外發行人於台灣募集發行並向櫃買中心申請上櫃之外幣計價債券稱為國際債券，如果採人民幣計價發行時，另稱為寶島債券。

49 **(A)**。「臺灣證券交易所股份有限公司交易系統與交易傳輸系統發生故障或中斷之處理措施」第6條：本公司公告暫停交易、恢復交易、停止交易或停市時，應透過基本市況報導或主機連線或資訊公司系統予以宣布；宣布停止交易或停市時，以故障前最後一筆成交價格，作為當日收盤價格。

50 **(B)**。一般出賣股票的證券交易稅稅率是千分之三，於同一證券商受託買賣，同一帳戶於同一營業日現款買進與現券賣出同種類同數量之上市或上櫃股票，其出賣股票的證券交易稅稅率是千分之一點五。

投資學

( ) **1** 在其他條件相同下，以下何者的票面利率會「最高」？ (A)可轉換公司債 (B)可贖回公司債 (C)可賣回公司債 (D)附認股權證公司債。

( ) **2** ETN和ETF的比較，下列何者有誤？ (A)兩者都追蹤標的指數為主 (B)ETN理論上沒有追蹤誤差，而ETF會有追蹤誤差 (C)ETN是由券商發行，ETF是由投信發行 (D)ETN可以用實物或現金申購贖回，而ETF只能用現金申購贖回。

( ) **3** 國內某上市可轉換公司債的轉換價格若為25元，則每張債券可轉換為普通股多少股？ (A)2,000股 (B)2,500股 (C)4,000股 (D)10,000股。

( ) **4** 何者會改變公司之每股淨值？ 甲、盈餘轉增資；乙、發放現金股利；丙、依規定提撥法定盈餘公積；丁、股票分割 (A)僅甲、丙 (B)僅乙、丙、丁 (C)僅甲、乙、丁 (D)甲、乙、丙、丁均會。

( ) **5** 開始投資前應考慮哪些步驟？ 甲、建立投資目標；乙、決定要以被動或主動方式管理投資組合；丙、建立資產配置的指導原則 (A)僅甲、乙 (B)僅乙、丙 (C)僅甲、丙 (D)甲、乙、丙。

( ) **6** 在國內個人買賣短期票券之利息所得的課稅方式是採： (A)併入綜合所得稅計算 (B)免稅 (C)分離課稅 (D)併入營利事業所得稅計算。

( ) **7** 甲公司發行一永續債券，票面利率為6%，每張面額10萬元，若目前同類型債券可提供7%，請問其發行價格應為： (A)85,714元 (B)70,000元 (C)80,000元 (D)75,000元。

( ) **8** 一年期的利率為4.8%，二年期的利率為5.13%。請問一年後之預期一年期利率為何？（假設利率為實質年利率） (A)5.02% (B)5.23% (C)5.46% (D)5.51%。

( ) **9** 在中華信評之短期債信評等等級中，下列何者表示債信最佳？ (A)twA-1 (B)twA-2 (C)twA-3 (D)twB。

( ) **10** 以下哪項新金融商品免徵交易稅？ (A)臺指期貨 (B)臺指選擇權 (C)認購權證 (D)不動產投資信託（REITs）。

( ) **11** 一般俗稱的債券殖利率是指下列何者？ (A)到期收益率 (B)當期收益率 (C)贖回收益率 (D)票面利率。

( ) **12** 在利率期限結構中的市場區隔理論（Market Segmentation Theory）中，理論上如果長期利率下跌，則短期利率將： (A)上漲 (B)不受影響 (C)下跌 (D)選項(A)(B)(C)皆錯誤。

( ) **13** 一個三年期，每年付息一次並重設票息的浮動利率債券，在發行時的票面利率為Index+5.5%。假設在發行三個月後，市場指標利率下跌為4.5%，債券信用風險維持不變，則此債券的存續期間約為多少？ (A)0.68年 (B)0.75年 (C)1.50年 (D)2.75年。

( ) **14** 公司股利成長率之值為多少時，就「不可以」應用股利永續成長模式來估計股價？ (A)低於股票要求報酬率 (B)高於股票要求報酬率 (C)大於0 (D)不管公司股利成長率的值是多少，都可以使用股利成長模式估計股價。

( ) **15** 哪一種金融商品，投資人可將債權轉換為普通股？ (A)認購權證 (B)認售權證 (C)可轉換公司債 (D)附認股權證公司債。

( ) **16** 某投資人以每股市價$184買進Z公司股票，預期Z公司每年將60%的盈餘保留下來，做為再投資用，並賺取25%的報酬，直到永遠。昨日剛公告去年每股盈餘為$10，試計算投資人對該股票要求年報酬率為多少？ (A)12.5% (B)15.98% (C)17.17% (D)17.5%。

( ) **17** 甲公司今年剛發放2元現金股利，若預期其現金股利每年將固定成長3%，且投資人對該公司股票的要求報酬率為10%，請問該公司股票的合理價格最近似下列何選項？ (A)20元 (B)20.6元 (C)28.57元 (D)29.43元。

( ) **18** 在MACD中，計算差離值平均值DEM（或一般所稱MACD值），實務上採用幾天的指數平滑移動平均線？ (A)12日 (B)26日 (C)9日 (D)14日。

( ) **19** 在K線中，所謂陽線係指： (A)開低收高之紅K線 (B)開高收低之黑K線 (C)開收同價之十字線 (D)開、收、高、低皆相同之四合一線。

( ) **20** 掌握底部量及頭部量，可用何項技術指標？ (A)OBV (B)TAPI (C)平均量 (D)ADL。

( ) **21** 下列有關MACD（Moving Average Convergence and Divergence）之敘述何者「不正確」？ (A)MACD是收斂與發散的移動平均線 (B)其功能在於運用短期移動平均線和長期移動平均線二者間之關係，來研判買賣的時機 (C)其值大於零時表示熊市 (D)當市場行情有所轉折時，DIF（差離值）之絕對值均會縮小。

( ) **22** 金融體系的支票存款大幅增加，會促使何種貨幣供給額增加？ (A)僅M1a (B)僅M1b (C)僅M1a與M1b (D)M1a、M1b與M2皆增加。

( ) **23** 預測股價變動較具參考價值的景氣指標是： (A)領先指標 (B)同時指標 (C)落後指標 (D)選項(A)(B)(C)皆錯誤。

( ) **24** 中央銀行可以透過下列哪些方法導引利率走勢？ 甲、公開市場操作；乙、調整重貼現率；丙、調整存款準備率 (A)僅甲、乙 (B)僅乙、丙 (C)僅甲、丙 (D)甲、乙、丙。

( ) **25** 我國的貨幣若貶值，會造成： 甲、進口衰退；乙、出口衰退；丙、國際貿易逆差 (A)僅甲 (B)僅乙 (C)僅甲、丙 (D)僅乙、丙。

( ) **26** W公司資產負債表中，有650萬元之資產，300萬元之負債，假設W公司股票流通在外股數為10萬股，且目前股票市價為70元，請問W公司股票之市價淨值比為： (A)2 (B)2.5 (C)3 (D)1.5。

( ) **27** 其他因素不變下，新臺幣升值會引起進口物價： (A)上漲 (B)下跌 (C)不變 (D)無關係。

( ) **28** 下列何種現象發生時，政府將會採取更寬鬆之財政政策？ (A)綠燈轉為黃藍燈 (B)黃紅燈轉為紅燈 (C)黃藍燈轉為綠燈 (D)黃藍燈轉黃紅燈。

( ) **29** 對資產股而言，何種評價方法較適當？ (A)本益比法 (B)現金流量折現法 (C)每股股價除以每股重估淨值 (D)每股股價除以每股銷售額。

( ) **30** 一般而言，期貨交易對散戶（自然人）所提供的功能是： (A)避險功能大於投機功能 (B)投機功能大於避險功能 (C)投機與避險二者約略相當 (D)難以論定。

( ) **31** 基本分析常利用下列何種數值來評估普通股的價值？ (A)每股盈餘 (B)過去成交量 (C)市場成交量 (D)歷史成交價格。

( ) **32** 速動比率的公式為： (A)流動資產／流動負債 (B)流動資產／負債總額 (C)（流動資產－存貨－預付費用）／流動負債 (D)（流動資產－存貨－預付費用）／負債總額。

( ) **33** 下列哪項與基本分析無關？ (A)毛利率 (B)負債比率 (C)股票成交量 (D)銷售量。

( ) **34** 投資組合之風險來自於： 甲、個股報酬率之相關係數；乙、市場之風險 (A)僅甲 (B)僅乙 (C)甲、乙均是 (D)甲、乙均不是。

( ) **35** 投資公司債必須承擔的非系統性風險為何？ (A)倒帳風險 (B)通貨膨脹風險 (C)利率風險 (D)選項(A)與(C)都是。

( ) **36** 已知證券M的預期報酬率為27%，標準差為32%；證券S的預期報酬率為13%，標準差為19%。若證券M與S兩證券的相關係數為0.78，請問：兩證券之共變異數（covariance）為多少？ (A)0.038 (B)0.049 (C)0.047 (D)0.045。

( ) **37** 何者「不是」資本市場之工具？ (A)政府債券 (B)國庫券 (C)一般公司債 (D)存託憑證。

( ) **38** 所謂套利（Arbitrage）交易係指： (A)利用市場無效率，賺取無風險超額利潤 (B)預期市場價格變動，從中賺取差價 (C)以低價買進證券，待高價時賣出，賺取差價 (D)選項(A)(B)(C)皆屬套利交易。

( ) **39** 何者「不是」基本CAPM模型之假設或結果？ (A)投資人皆同意所有股票之標準差相同 (B)證券市場線有正的斜率 (C)存在無風險利率 (D)所有投資人對相同之投資組合有相同之期望報酬。

( ) **40** 由CAPM，若某投資標的物之貝它係數等於1，則其預期報酬率較市場投資組合之預期報酬率為： (A)大 (B)小 (C)相等 (D)不一定。

( ) **41** 資本市場線上，在市場投資組合之左下方的投資組合，其投資於市場投資組合之權重為： (A)等於100% (B)大於100% (C)在0與100%之間 (D)小於0。

( ) **42** 成為臺灣50指數成分股的資格，何者「正確」？ 甲、公司成立3年以上；乙、依公司市值大小排序，取排名前50檔股票 (A)僅甲 (B)僅乙 (C)甲、乙均正確 (D)甲、乙均不正確。

( ) **43** 目的在消除投資組合價值下跌之風險，同時能保有上漲利益之操作策略，稱為： (A)投資組合分散風險策略 (B)投資組合保險策略 (C)投資組合選股策略 (D)投資組合套利策略。

( ) **44** 當經濟景氣開始走下坡，而利率似又有下跌之趨勢時，投資人應投資下列哪一證券市場？ (A)股市 (B)貨幣市場 (C)債券市場 (D)選項(A)(B)(C)皆可。

( ) **45** 某基金年化報酬率12%，年化標準差8%，beta係數為2，無風險利率2%，則該基金的崔納（Treynor）指標為： (A)6% (B)5% (C)1.5 (D)1.25。

( ) **46** 哪一因素較不會影響股票的理論價值？ (A)盈餘成長率變化 (B)預期通貨膨脹變化 (C)立委選舉事件 (D)市場風險變化。

( ) **47** 有關國內共同基金管理費率的敘述何者不正確？ (A)債券型基金的管理費率小於股票基金 (B)管理費率的多寡與基金規模有關 (C)指數型基金的管理費率通常較低 (D)管理費率必定與基金績效有關。

( ) **48** 小王支付5元之權利金買進一賣權，該賣權履約價格為100元，請問標的物價格為多少時，才能使小王損益兩平？ (A)95元 (B)100元 (C)90元 (D)105元。

( ) **49** 下列有關「技術分析」的敘述中，何者為錯誤？ (A)技術分析是利用過去有關價格與交易量等訊息來判斷股價走勢 (B)技術分析常使用圖形及指標來判斷價格走勢 (C)一般技術分析認為股價具有主要與次要趨勢 (D)如果股價報酬率為「隨機漫步」，使用技術分析才有意義。

( ) **50** 有關我國10年期公債期貨所規定之可交割債券之敘述，下列何者「正確」？ 甲、到期日距交割日在8年6個月以上10年以下；乙、1年付息1次；丙、到期日距交割日為11年；丁、到期1次還本 (A)僅甲、乙 (B)僅甲、丙、丁 (C)僅甲、乙、丁 (D)僅乙、丙、丁。

解答與解析（答案標示為#者，表官方曾公告更正該題答案。）

1 (B)。可贖回債券指發行人可以在債券到期日之前贖回或清償的債券，對投資人不利，會給予較高的票面利率。

2 (D)。ETF可以用實物或現金申購贖回，ETN只能用現金申購贖回。

3 (C)。可轉債發行面額一張為10萬元
可轉債面額／轉換價格＝100,000／25＝4,000股

4 (C)。每股淨值＝股東權益／流通在外股數
盈餘轉增資使流通在外股數增加，發放現金股利使股東權益減少，提撥法定盈餘公積股東權益不變且不影響流通在外股數，股票分割使流通在外股數增加，故選(C)。

5 (D)。建立投資目標、決定要以被動或主動方式管理投資組合、建立

資產配置的指導原則皆是開始投資前應考慮之步驟。

6 (C)。個人短期票券利息所得採分離課稅（目前稅率為10%）不須再併入綜合所得稅申報。

7 (A)。永續債券的價格公式為票面利息／市場利率
6%×100,000＝6,000
6,000／7%＝85,714

8 (C)。5.13%＝（4.8%+一年後之預期一年期利率）／2
一年後之預期一年期利率＝5.46%

9 (A)。中華信評之短期債信評等等級中，債信由最佳至最差為：twA－1>twA－2>twA－3>twB>twC>D。

10 (D)。不動產證券化條例第49條：依本條例規定發行或交付之受益證券，其買賣或經受託機構依信託契約之約定收回者，免徵證券交易稅。

11 (A)。債券殖利率指投資人買進債券後一直持有至到期日所獲得的平均年報酬率，又稱到期收益率。

12 (B)。市場區隔理論：主張投資人對不同期限之債券有各自偏好，不同期限債券市場完全區隔，因此長短期利率分別由短、長期債券市場決定，彼此獨立，不同期限的債券完全不具替代性。

13 (B)。此債券的票面利率為Index+5.5%，而每年付息一次且重設票息，因此每一年的利率會根據當時的市場指標利率進行調整。在發行三個月後，市場指標利率下跌為4.5%，因此此時債券的新票面利率為Index+5.5%－（4.5%－Index）＝2×Index+1%，即新的票面利率比發行時下降了3.5%。由於此債券每年付息一次，因此存續期間可以切割成三個12個月的期間。假設目前存續期間為t年，那麼到期時，此債券的剩餘存續期間為2年－t。
因此，可以列出下列等式：
（1+5.5%）×（1+Index－4.5%）^（0.25）+（1+2×Index+1%）^（0.25）+（1+2×Index+1%）^（0.25）=100
其中，100為債券的面值。解出Index＝0.5%。
代入新的票面利率公式，可得新的票面利率為2%。
因此，存續期間為0.75年。

14 (B)。股利永續成長模式：股價＝[現金股利×（1+股利成長率）]／（要求報酬率－股利成長率）
股利成長率大於要求報酬率時無法計算股價。

15 (C)。可轉換公司債指附有讓債券持有人得自發行日起屆滿一定時日後，於一定期間內享有按約定之轉換價格或轉換比率，將公司債轉換成發行公司普通股之權利的公司債。

16 (D)。股利成長率＝股東權益報酬率×盈餘保留率
股利成長率＝25%×60%＝15%

股利發放率＝1－盈餘保留率
股利發放率＝1－60%＝40%
現金股利＝每股盈餘×股利發放率
現金股利＝$10×40%＝$4
股價＝[現金股利×（1+股利成長率）]／（要求報酬率－股利成長率）
184＝[4×（1+15%）]／（要求報酬率－15%）
要求報酬率＝17.5%

17 (D)。股價＝[現金股利×（1+股利成長率）]／（要求報酬率－股利成長率）
股價＝[2×（1+3%）]／（10%−3%）
股價＝29.43

18 (C)。在MACD中，MACD值實務上採用9日的指數平滑移動平均線。

19 (A)。開低收高之紅K線為陽線，開高收低之黑K線為陰線。

20 (C)。可用平均量掌握底部量及頭部量。

21 (C)。MACD大於0時表示牛市。

22 (D)。貨幣的定義M1a＝通貨淨額＋活期存款＋支票存款
M1b＝M1a＋活期儲蓄存款
M2＝M1b+定期及定期儲蓄存款＋外幣存款＋郵匯局轉存款
M1a、M1b與M2皆包含支票存款，故M1a、M1b與M2皆增加。

23 (A)。股價指數為領先指標。

24 (D)。央行可透過貨幣政策導引利率走勢，甲、乙、丙皆為貨幣政策。

25 (A)。我國貨幣貶值不利於進口，會使進口衰退，並造成國際貿易順差。

26 (A)。市價淨值比＝股價／每股淨值
每股淨值＝（650萬－300萬）／10萬股＝35
70／35＝2

27 (B)。新臺幣升值會引起進口物價下跌。

28 (A)。綠燈轉為黃藍燈表示景氣衰退，政府會採取更寬鬆之財政政策。

29 (C)。資產股使用股價淨值比較為適當。
股價淨值比＝每股股價除以每股重估淨值

30 (B)。散戶因資金量較小，期貨交易通常被用做投機功能。

31 (A)。成交量與成交價為技術分析。

32 (C)。速動比率＝（流動資產－存貨－預付費用）／流動負債

33 (C)。股票成交量與技術分析有關。

34 (C)。甲、乙均是投資組合之風險。

35 (A)。通貨膨脹風險及利率風險屬於系統性風險。

36 (C)。共變數＝相關係數×標準差σ^m×標準差σ^s＝0.78×32%×19%＝0.047

37 (B)。國庫券為貨幣市場工具。

38 (A)。套利交易指利用市場無效率，賺取無風險超額利潤。

39 (A)。不同的股票標準差皆不相同。

40 (C)。貝它係數等於1，表示投資標標的物波動性與總體市場波動性一致，其預期報酬率與市場之預期報酬率相等。

41 (C)。在市場投資組合之左下方的投資組合，代表投資在無風險資產與市場組合之比重，分佈於0～100%之間，即兩者之投資比重相加為1。

42 (B)。臺灣50指數挑選臺灣證券交易所上市股票中，總市值最大的50家公司作為指數的成分股。

43 (B)。投資組合保險策略的主要特質，在於能鎖定風險性資產投資組合之下方風險，同時仍保有上方獲利之機會。

44 (C)。利率下跌債券價格將會上漲。

45 (B)。崔納指標＝（投資組合報酬率－無風險利率）／beta係數
（12%－2%）／2＝5%

46 (C)。立委選舉事件與股票無關。

47 (D)。管理費率不一定與基金績效有關。

48 (A)。買進賣權表示看空此標的物，損益兩平點為履約價－權利金點數。
100－5＝95元。

49 (D)。隨機漫步理論認為，證券價格的波動是隨機的，使用技術分析無效。

50 (C)。臺灣期貨交易所股份有限公司「中華民國十年期政府債券期貨契約」交易規則第5條：本契約除另有規定以現金交割外，應採實物交割，其交割之債券以本公司公告者為限。公告之債券應符合下列各款條件：一、中華民國政府中央登錄公債。二、發行時償還期限為十年，或增額發行時原始公債償還期限為十年。三、到期日距本契約交割日在八年六個月以上十年以下。四、一年付息一次。五、到期一次還本。

財務分析

( ) **1** 下列關於財務資訊品質特性之敘述何者不正確？ (A)財務資訊同時具備攸關性與忠實表述兩項基本品質特性後，即為有用的財務資訊 (B)財務資訊具有之強化性品質特性愈多愈高愈好，即使財務資訊不具備攸關性與忠實表述兩項基本品質特性也無妨，可以藉由較多或較高之強化性品質特性，以使資訊有用 (C)可比性、可驗證性、時效性與可了解性，為可進一步強化財務資訊有用性的四項強化性品質特性 (D)強化性品質特性可幫助決定在兩種同等攸關且忠實表述的方法中，應採用何者來描述某一經濟現象。

( ) **2** 假設下列各項會計變動對財務報表有重大的影響，則為財務報表分析擬編製比較財務報表時，下列何項會計變動，其以前年度之財務報表不需要重編？ (A)折舊方法由直線法改為年數合計法 (B)報表編製自個別公司獨立編製改為編製合併報表 (C)建造合約損益認列方式由全部完工法改為完工百分比法 (D)前期存貨計算錯誤。

( ) **3** 大方公司X1年度銷貨總額為$4,000,000、銷貨退回為$200,000、銷貨成本為$3,600,000、平均流動資產為$1,900,000，則其流動資產週轉率為： (A)2.5 (B)2 (C)1.5 (D)0.94。

( ) **4** 下列何者非屬或有負債？ (A)因過去事件所產生之可能義務，其存在與否僅能由一個或多個未能完全由企業所控制之不確定未來事件之發生或不發生加以證實 (B)因過去事件所產生之現時義務，但因該義務之金額無法充分可靠地衡量的原因而未予以認列 (C)不確定時點或金額之負債 (D)因過去事件所產生之現時義務，但因並非很有可能需要流出具經濟效益之資源以清償該義務的原因而未予以認列。

( ) **5** 甲公司商品標價$20,000，出售時給顧客20%商業折扣，付款條件為「2/10，1/30」，若甲公司在折扣期間內收回貨款，則甲公司收回帳款時應： (A)借記應收帳款$20,000 (B)借記應收帳款$16,000 (C)借記現金$16,000 (D)借記現金$15,680。

( ) **6** 宇凡公司於X1年底購買土地一筆，價格為$1,000,000，該公司支付現金$400,000，餘款則開立附息票據支應。此項交易在當期現金流量表的揭露方式為： (A)投資活動：-$400,000；籌資活動：-$600,000 (B)投資活動：-$1,000,000；籌資活動：0 (C)投資活動：-$1,000,000；籌資活動：+$600,000 (D)投資活動：-$400,000；籌資活動：0。

( ) **7** 現金流量表將協助財務報表使用者： (A)預測未來銷貨收入 (B)評估應計基礎和現金基礎淨利間差異產生的理由 (C)決定公司股票之市價 (D)評估公司保全現金與約當現金之能力。

( ) **8** 甲公司X2年1月1日發行$272,325，5%，3年到期抵押票據，每年年底付一次現金$100,000，共支付三年，請問第二年利息費用為： (A)$5,000 (B)$9,225 (C)$9,297 (D)選項(A)(B)(C)皆錯誤。

( ) **9** 母公司應採下列何種方法評價待出售子公司之資產與負債？ (A)可回收價值 (B)淨公允價值 (C)成本與淨公允價值選低者 (D)帳面金額與淨公允價值選低者。

( ) **10** 宣告股票股利對負債及權益之影響為： (A)負債：增加；權益：減少 (B)負債：增加；權益：無影響 (C)負債：無影響；權益：減少 (D)負債：無影響；權益：無影響。

( ) **11** 波力公司於X1年12月31日以$100,000之價格，將其原始成本為$80,000，帳面金額為$60,000，尚能使用5年之機器設備出售給其80%持股之子公司。此交易對X1年波力公司淨利之影響為何？ (A)使淨利增加 (B)使淨利減少 (C)沒有影響 (D)可能增加、亦可能減少淨利。

( ) **12** 關於公司提高負債比率之必然影響，下列敘述何者正確（假設其他因素不變）？ 甲、提高稅盾（Tax Shield）；乙、提高財務困難成本（Financial Distress Cost）；丙、提高加權平均資金成本（Weighted Average Cost of Capital） (A)僅甲、乙 (B)僅甲、丙 (C)僅乙、丙 (D)甲、乙、丙。

(　　) **13** 智平公司資產總額$4,000,000，負債總額$1,000,000，平均利率6%，若總資產報酬率為12%，稅率為35%，則權益報酬率為若干？ (A)14% (B)14.7% (C)15% (D)15.3%。

(　　) **14** 下列作法何者能使公司之資產報酬率（ROA）提高（各作法為獨立情況）？ 甲、降低營業費用率；乙、提高資產使用率；丙、降低負債利率 (A)僅甲、乙 (B)僅甲、丙 (C)僅乙、丙 (D)甲、乙、丙。

(　　) **15** 甲公司X1年1月1日購入乙公司30%普通股股權，該年底投資帳戶餘額為$250,000，若乙公司X1年度淨利為$150,000，支付股利$60,000，假設投資成本與取得股權淨值無差異，請問甲公司投資金額為： (A)$205,000 (B)$223,000 (C)$250,000 (D)$268,000。

(　　) **16** 田中公司於X1年1月1日按溢價20%發行20,000股，每股面值$10的普通股，若X1年12月14日發放10%股票股利，則該項股票股利將造成12月31日結帳時： (A)流動負債增加與保留盈餘減少 (B)權益不變與股本增加 (C)權益增加與保留盈餘減少 (D)每股面值下跌與流通在外股數增加。

(　　) **17** 甲公司X3年度淨利$800,000，全年度加權平均流通在外普通股股數為240,000股，X3年底普通股股數為300,000股，另當年度尚發行80,000股的累積特別股，與特別股股東持有人約定每年每股發放$1的特別股股利。試求甲公司X3年基本每股盈餘為何？ (A)$3.33 (B)$3 (C)$2.4 (D)$2。

(　　) **18** X1年底發生嚴重地震導致廠房毀損，其會計處理及表達為何？ (A)於綜合損益表中表達為非常損失 (B)於附註中表達為非常損失 (C)與一般廠房的會計處理方式相同，於報導期間結束日評估減損 (D)如經判斷該災害性質特殊且不常發生，始須於附註中表達為非常損失，反之則無須於附註中揭露。

( ) **19** 一公司盈餘循環性大是指： (A)其售價較高 (B)其固定成本較高 (C)其財務槓桿程度高 (D)營收型態與經濟循環關係大。

( ) **20** 某一投資組合部位的信用槓桿倍數為2倍，若此一投資組合的現金部位可創造5%的獲利，則其槓桿組合的投資收益為何？ (A)10% (B)8% (C)6% (D)5%。

( ) **21** 下列何種金融工具不會改變一公司的資本結構？ (A)認股權證 (B)實施庫藏股，辦理減資 (C)由其他證券公司發行該公司的股票認購權證 (D)特別股。

( ) **22** 企業在取得資產後，無法在需要賣出時出售或必須大幅降價出售之風險稱為： (A)流動性風險 (B)財務風險 (C)企業風險 (D)購買力風險。

( ) **23** 保安公司權益的帳面金額資料如下：普通股股本（面額為$10）$100,000、資本公積$104,000、保留盈餘$200,000、庫藏股（成本法）$50,000，合計$354,000，假設公司再以每股$15的價錢出售庫藏股5,000股，則股本的金額將為： (A)$50,000 (B)$75,000 (C)$100,000 (D)$175,000。

( ) **24** 在制定資本預算決策時，會計盈餘往往不是重點所在，其原因為： (A)會計盈餘與現金流量不一定相同 (B)會計盈餘未能完全考慮貨幣的時間價值 (C)會計盈餘會受到成本分攤方式之影響 (D)選項(A)(B)(C)皆是。

( ) **25** 評估投資專案時最應關切： (A)現金流量 (B)稅前會計淨利 (C)稅後會計淨利 (D)折舊與重置成本。

( ) **26** 下列敘述何者正確？ (A)關鍵查核事項是指依會計師專業判斷，對當期合併財務報表之查核最為重要之事項 (B)編製財務報表是治理單位的責任，管理階層負責監督財務報導流程 (C)查核意見之基礎段應在查核意見段之前 (D)不論是上市櫃公司或非上市櫃公司的查核報告，皆需包含關鍵查核事項段。

( ) **27** 下列收入認列的順序何者正確？ 甲、決定交易價格；乙、辨認合約中之履約義務；丙、將交易價格分攤至合約中之履約義務；丁、於滿足履約義務時認列收入；戊、辨認客戶合約 (A)乙→戊→甲→丙→丁 (B)戊→乙→甲→丙→丁 (C)甲→乙→丙→戊→丁 (D)甲→戊→乙→丙→丁。

( ) **28** 泰山公司存貨之成本為$3,200、售價$3,500、估計銷售費用$50、正常毛利$350、重置成本為$2,800。泰山公司期末帳上之存貨金額應為： (A)$2,800 (B)$2,850 (C)$3,000 (D)$3,200。

( ) **29** 下列何者屬於負債準備？ (A)公司債發行溢價部分 (B)可轉換公司債 (C)產品售後服務保證負債 (D)應付租賃款。

( ) **30** 賒銷商品$20,000，付款條件為2/10，1/20，n/30，若客戶於第8天先付現$9,800，並於第19天再付現$7,920，則該筆賒銷所產生之應收帳款尚有借餘多少？（假設公司以總額法入帳）(A)$2,000 (B)$4,000 (C)$4,260 (D)$4,460。

( ) **31** 下列敘述何者為真？ (A)每股現金流量其值通常較每股盈餘為低 (B)短期借款之增減屬於投資活動之現金流量 (C)資金流量分析為一種靜態分析 (D)不論採用直接法或間接法表達營業活動之現金流量，投資活動及籌資活動之現金流量皆為相同。

( ) **32** 應付公司債折價攤銷為： (A)利息費用之減少 (B)利息費用之增加 (C)公司債到期日應償還金額之增加 (D)負債之減少。

( ) **33** 可轉換公司債提前清償所產生之損益應列為： (A)營業損益 (B)營業外損益 (C)保留盈餘之調整 (D)銷貨成本。

( ) **34** 下列幾項屬投資性不動產？ 甲、目前尚未決定未來用途所持有之土地；乙、供員工使用之建築物；丙、以融資租賃出租予另一企業之廠房；丁、以營業租賃出租予另一企業之建築物，且對租用該建築物之承租人提供清潔服務，該服務相較租賃合約不具重大性 (A)一項 (B)二項 (C)三項 (D)四項。

( ) **35** 關於折價買入並持有至到期之公司債，下列敘述何者正確？ (A)持有人於買入當期之現時收益率（Current Yield）低於票面利率 (B)持有人於持有期間各期之到期收益率（Yield to Maturity）不變（以會計資料計算） (C)持有人於持有期間各期所收取現金之總額高於買入價格加計各期利息收入之總額 (D)持有人於持有期間各期所收取現金之總額低於買入價格加計各期利息收入之總額。

( ) **36** 下列何者非為舉債可能導致之影響？ (A)利息費用增加 (B)負債比率提高 (C)營業情況佳時產生槓桿利益 (D)所得稅將提高。

( ) **37** 密西根公司宣告並發放現金股利，將使其： (A)流動比率不變 (B)投資活動的現金流入量增加 (C)淨值報酬率下降 (D)負債總額不變。

( ) **38** 偉鈞公司的總資產報酬率為12%，淨利率為6%，淨銷貨收入為$200,000，試問平均總資產為多少？（假設公司未舉債） (A)$200,000 (B)$100,000 (C)$5,000 (D)$8,000。

( ) **39** 下列作法何者能使公司之權益報酬率（ROE）提高（各作法為獨立情況）？ 甲、降低營業費用率；乙、提高資產使用率；丙、降低負債利率 (A)僅甲、乙 (B)僅甲、丙 (C)僅乙、丙 (D)甲、乙、丙。

( ) **40** 以下有關庫藏股的敘述，何者錯誤？ (A)庫藏股不會影響公司的核准發行股數 (B)庫藏股不會影響公司的已發行股數 (C)庫藏股不會影響公司的每股盈餘 (D)庫藏股不應視為公司的長期投資。

( ) **41** 請由以下通宵企業的財務資料，計算出該企業普通股的每股權益帳面金額：總資產$250,000、淨值$170,000、普通股股本$50,000（5,000股）、特別股股本$10,000（1,000股） (A)$34 (B)$30 (C)$24 (D)$32。

( ) **42** 下列哪些屬於綜合損益表上營業外費用？ (A)會計政策變動影響數 (B)銷貨折讓 (C)促銷期間的贈品費用 (D)不動產、廠房及設備處分損失。

( ) **43** 巴斯公司銷貨在60,000單位時，營運資產報酬率為15%（稅前、息前報酬率），營運資產週轉率為5，營運資產$1,000,000，營運槓桿度為5，則該公司損益兩平銷貨量為何？ (A)48,000 (B)62,500 (C)75,000 (D)選項(A)(B)(C)皆錯誤。

( ) **44** 發放股票股利及股票分割後，下列敘述何者錯誤？ (A)均不影響權益總數 (B)均使股票面額下跌 (C)均使股數增加 (D)股東所持有股票占總數比例均不變。

( ) **45** 甲公司20X1年年初流通在外之股份計有普通股180,000股（面額$10）與不可轉換之累積特別股30,000股（面額$100，5%），並於當年9月1日按市價現金增資發行普通股60,000股。若甲公司20X1年本期淨利$400,000，且當年度未宣告發放任何股利，甲公司20X1年每股盈餘為： (A)$1.04 (B)$1.25 (C)$1.67 (D)$2.00。

( ) **46** 根據資本資產定價模式，資產期望報酬率有差異的原因是在於下列何者不同？ (A)貝它（Beta）係數 (B)市場風險溢價 (C)無風險利率 (D)標準差。

( ) **47** 若一計畫的內部報酬率大於其資金成本率，則表示該計畫之淨現值： (A)大於0 (B)小於0 (C)等於0 (D)不一定大於或小於0。

( ) **48** 回收期限法（Payback Period Rule）： (A)未考慮期初的投資 (B)考慮了一投資計畫所有的現金流量 (C)考慮了貨幣的時間價值 (D)在直接應用時不需要考慮資金成本。

( ) **49** 宏碁乙是一種： (A)特別股 (B)普通股 (C)可轉換公司債 (D)可轉換公司債轉換股票之權證。

( ) **50** 在應用內部報酬率法（IRR）時，若面臨的是典型的現金流量型態之投資計畫，則接受投資的條件是當內部報酬率： (A)大於0時 (B)等於0時 (C)小於資金成本率時 (D)大於資金成本率時。

解答與解析（答案標示為#者，表官方曾公告更正該題答案。）

1 (B)。若財務資訊不具備基本品質特性（攸關性與忠實表述），具備更多更高之強化性品質特性都不能使財務資訊有用。

2 (A)。會計政策變動及錯誤更正需重編財務報表，折舊方法改變屬於會計估計變動。

3 (B)。流動資產週轉率＝銷貨淨額／平均流動資產
（$4,000,000－$200,000）／$1,900,000＝2

4 (C)。不確定時點或金額之負債是指負債準備。

5 (D)。商業折扣依折扣淨額入帳
$20,000×（1－20%）＝$16,000
折扣期間內收回貨款享2%折扣
$16,000×2%＝$320
借：現金 $15,680
銷貨折扣 $320
貸：應收帳款 $16,000

6 (D)。購買土地屬於投資活動，開立附息票據與現金無關，故現金流量表揭露方式為投資活動：－$400,000。

7 (B)。現金流量表的用途：評估應計基礎和現金基礎淨利間差異產生的理由，評估企業未來淨現金流入的能力、分析企業支付現金股息之能力。

8 (C)。272,325×（1+5%）－100,000＝185,941
185,941×5%＝$9,297

9 (D)。待出售子公司之資產與負債應以帳面價值與淨公允價值孰低者衡量。

10 (D)。宣告股票股利為權益內變動，不影響權益總額亦不影響負債。

11 (C)。母公司出售機器給子公司為順流交易，未實現利益應完全沖銷，故不影響淨利。

12 (A)。提高負債比率將降低加權平均資金成本。

13 (B)。總資產報酬率＝[稅後淨利+利息費用×（1－稅率）]／平均資產總額
12%＝[稅後淨利+（$1,000,000×6%）×65%]／$4,000,000
稅後淨利＝$441,000
權益報酬率＝稅後淨利／股東權益
$441,000/（$4,000,000－$1,000,000）＝14.7%

14 (A)。資產報酬率＝[稅後淨利+利息費用×（1－稅率）]／平均資產總額
負債比率＝（總負債／總資產）
降低負債比率指總負債減少或總資產增加，皆無法使資產報酬率提高。

15 (B)。投資成本+（150,000－60,000）×30%＝250,000
投資成本＝$223,000

16 (B)。發放股票股利將使保留盈餘減少，股本增加，總權益不變。

17 (B)。每股盈餘＝（稅後淨利－特別股股利）／加權平均流通在外的普通股股數
[800,000－（80,000×1）]／240,000＝3

18 (C)。災害導致廠房毀損，應按一般的資產減損原則處理。

19 (D)。盈餘循環性大是指營收型態與經濟循環關係大。

20 (A)。5%×2＝10%

21 (C)。資本結構指一個企業的長期資金來源的結構，一般是指企業使用長期負債、混合式證券（如可轉換債券與特別股）與普通股等長期資金來源的比重。由其他證券公司發行該公司的股票認購權證不影響公司資本結構。

22 (A)。資產無法及時變現為流動性風險。

23 (C)。庫藏股交易不影響普通股股本，股本金額仍為$100,000。

24 (D)。會計盈餘以帳面價值評價，資本預算決策注重市場價值。

25 (A)。現金流量可瞭解公司以現金償債、支付股利及投入營業所需的能力。

26 (A)。依據審計準則，管理階層應依照適用之財務報導架構編製財務報表，且維持與財務報表編製有關之必要內部控制，以確保財務報表未存有導因於舞弊或錯誤之重大不實表達。查核意見之基礎段應緊接於查核意見段之後。上市（櫃）公司須於查核報告中溝通關鍵查核事項，對非上市（櫃）公司之查核報告則未強制。

27 (B)。企業應以能夠描述移轉對客戶承諾之商品或勞務而換得預期有權取得對價之方式認列收入。為能依核心原則認列收入，應適用下列五步驟：(1)辨認客戶合約；(2)辨認合約中之履約義務；(3)決定交易價格；(4)將交易價格分攤至合約中之履約義務；及(5)於滿足履約義務時認列收入。

28 (#)。 送分。

29 (C)。負債準備為不確定時點或金額之負債，企業因過去事件所產生之現時義務，當該義務很有可能使企業為了履行義務而造成具有經濟效益之資源流出，且與義務相關之金額能可靠估計時，應予以認列。

30 (A)。10天內付現享有2%折扣，應收帳款＝$9,800／（1－2%）＝$10,000
20天內付現享有1%折扣，應收帳款＝$7,920／（1－1%）＝$8,000
應收帳款尚有借餘$20,000－$10,000－$8,000＝$2,000

31 (D)。(A)每股現金流量一般比每股盈餘要高。(B)短期借款之增減屬於籌資活動之現金流量。(C)資金流量分析為一種動態分析。

32 (B)。應付公司債折價為利息費用加項
借：利息費用
　　貸：應付公司債折價

33 (B)。與企業的業務經營無直接關係所產生之損益應列為營業外損益。

34 (B)。(甲)、(丁)為投資性不動產。

35 (B)。折價發行的債券：持有至到期日會有資本利得，故資本利得收益率為正數，殖利率大於當期收益率。又折價發行，當期收益率大於票面利率。即：殖利率>現時收益率>票面利率。
持有人於持有期間各期所收取現金之總額等於買入價格加計各期利息收入之總額。

36 (D)。舉債會產生稅盾，所得稅降低。

37 (D)。宣告並發放現金股利將使現金減少，負債不變，保留盈餘減少，不影響公司淨利。
故宣告並發放現金股利使流動比率減少，籌資活動的現金流出量增加，淨值報酬率不變。

38 (B)。淨利為$200,000×6%＝$12,000
總資產報酬率＝淨利／平均總資產
平均總資產＝12,000／12%＝100,000

39 (D)。ROE＝淨利率×資產週轉率×權益乘數
甲、乙、丙皆能使公司之權益報酬率（ROE）提高。

40 (C)。每股盈餘＝（稅後淨利－特別股股利）／加權平均流通在外的普通股股數
庫藏股交易會影響流通在外普通股股數，故也會影響公司的每股盈餘。

41 (D)。普通股的每股權益帳面金額＝（股東權益－特別股帳面價）／普通股流通在外股數
（$170,000－$10,000）／5,000＝32

42 (D)。不動產、廠房及設備處分與企業的業務經營無直接關係，所產生之損失應列為營業外費用。

43 (A)。營運槓桿公式＝（銷貨－總變動成本）／（銷貨－總變動成本－固定支出）
稅息前淨利＝（銷貨－總變動成本－固定支出）
營運資產報酬率＝稅息前淨利／平均營運資產
稅息前淨利＝1,000,000×15%＝150,000
（銷貨－邊際收益）／150,000＝5
銷貨－邊際收益＝750,000
單位變動成本＝750,000/60,000＝12.5
固定成本＝750,000－150,000＝600,000
損益兩平銷貨量＝600,000/12.5＝48,000

44 (B)。股票分割使股票面額下跌，發放股票股利不影響股票面額。

45 (B)。每股盈餘＝（稅後淨利－特別股股利）／加權平均流通在外的普通股股數
（400,000－30,000×100×5%）／（180,000+60,000×4/12）＝1.25

46 (A)。CAPM假定投資組合的報酬只跟系統性風險有關，此模型認為，市場上包含系統性風險與非系統性風險，但是非系統性風險可以藉由投資組合消除個別證券的非系統性風險，讓投資組合只剩下系統性風險貝它（Beta）係數。

47 (D)。當內部報酬率大於資金成本時，表示此項決策有利可圖，淨現值不一定大於或小於0。

48 (D)。回收期限法衡量一專案現金流量從期初投入到回收原始成本所需要的時間，沒有考慮貨幣的時間價值，沒有考慮收回本金後的現金流量，在直接應用時不需要考慮資金成本。

49 (D)。宏碁乙是一種可轉換公司債轉換股票之權證。

50 (D)。當內部報酬率大於資金成本時，表示此項決策有利可圖。

112年 第3次證券商高級業務員

證券交易相關法規與實務

( ) 1 依「公司法」規定，董事之股份設定或解除質權者，應即通知公司，公司應於質權設定或解除後幾日內，將其質權變動情形，向主管機關申報並公告之？ (A)五日 (B)十日 (C)十五日 (D)三十日。

( ) 2 依「證券交易法」之規定，未經審計委員會全體成員二分之一以上同意之事項，得由全體董事多少比例以上同意行之？ (A)二分之一 (B)三分之二 (C)四分之三 (D)五分之四。

( ) 3 公開發行公司向關係人取得不動產時，應檢附有關資料，原則上並經下列何種程序後，始得為之？ (A)董事長同意即可 (B)董事會通過即可 (C)董事會通過及監察人承認 (D)股東會決議通過。

( ) 4 公開說明書主要內容有虛偽不實記載，對於善意投資人之損失，下列何者原則上不與公司負連帶賠償責任？ (A)發行人及其負責人 (B)承銷該證券之證券承銷商 (C)買賣該證券之證券經紀商 (D)會計師、律師等專業者簽名其上以證實所載內容。

( ) 5 境外基金公開說明書之更新或修正，總代理人應將其中譯本於更新或修正後幾日內辦理公告？ (A)2日 (B)3日 (C)5日 (D)7日。

( ) 6 依現行法令規定，公開發行公司董事會應至少多久召開一次？ (A)每一季 (B)每四個月 (C)每半年 (D)每年。

( ) 7 控制公司使從屬公司以不合營業常規之方式經營，致從屬公司遭受損害，從屬公司之債權人應如何請求控制公司賠償從屬公司之損失？ (A)請求對自己負損害賠償 (B)以自己之名義請求 (C)向檢察官提出告訴 (D)選項(A)(B)(C)皆可。

( ) **8** 已依我國證券交易法規定選任獨立董事公開發行股份有限公司，有重大之資產或衍生性商品交易事項於提董事會討論時，如獨立董事有反對意見或保留意見，請問應如何處理？ (A)董事會議不得為決議 (B)董事會議所為決議無效 (C)應於董事會議事錄記載 (D)董事會議所為決議得撤銷。

( ) **9** 公開發行公司之審計委員會組織規程訂定應由何者決議通過？ (A)董事會 (B)股東會普通決議 (C)股東會特別決議 (D)主管機關。

( ) **10** 公開發行公司對於其董事、監察人、經理人及大股東持股之異動申報，並未依「證券交易法」第二十五條第二項之規定，於每月十五日以前，彙總向主管機關申報，則主管機關每次得對該公司處新臺幣多少元之行政罰鍰： (A)新臺幣四萬元以上，新臺幣二十萬元以下 (B)新臺幣六萬元以上，新臺幣三十萬元以下 (C)新臺幣十二萬元以上，新臺幣二十萬元以下 (D)處新臺幣二十四萬元以上四百八十萬元以下罰鍰，並得命其限期改善；屆期未改善者，得按次處罰。

( ) **11** 「證券交易法」第一百五十七條之一第五項及第六項所稱涉及公司之財務、業務，對其股票價格有重大影響，或對正當投資人之投資決定有重要影響之消息，係指下列何種消息？ (A)私募具股權性質之有價證券 (B)公司董事受停止行使職權之假處分裁定，致董事會無法行使職權者 (C)停止公開收購公開發行公司所發行之有價證券 (D)選項(A)(B)(C)皆是。

( ) **12** 公開發行公司股票終止櫃檯買賣，發行人應於接到證券櫃買中心通知日起幾日內公告之？ (A)當天 (B)2日 (C)3日 (D)10日。

( ) **13** 甲上市公司依董事會之決議，因維護信用及股東權益之必要將於集中交易市場買回甲公司股份50萬股，並辦理銷除股份。下列敘述，何者正確？ (A)甲公司買回股份，應於買回之日起一年內辦理變更登記 (B)甲公司董事會之決議及執行情形，除非有因故未買回股份之情形外，否則應於甲公司最近一次之股東會報告 (C)甲公司買回股份，須經董事會三分之二以上董事之出席及出席董事超過二分之一同意，方為適法 (D)甲公司買回的股份之數量比例，不得超過甲公司已發行股份總數3%。

( ) **14** 依「證券商設置標準」規定，經金管會核准辦理與證券業務相關之金融科技創新實驗案件，如符合一定條件，實驗申請人得申請許可改制為證券商，下列敘述何者正確？ (A)創新實驗具有創新性、有效提升金融服務之效率、降低經營及使用成本或提升金融消費者及企業之權益等成效 (B)應為依法設立登記之股份有限公司，且不得為閉鎖性股份有限公司 (C)未經營證券商不得辦理之業務 (D)選項(A)(B)(C)皆正確。

( ) **15** 甲為持有X證券商已發行股份總數10%之大股東，甲若具有下列何種情事時，不得充任X證券商之董事、監察人或經理人？ (A)受證券交易法第56條及第66條第2款解除職務之處分，已滿三年 (B)最近三年內在金融機構有拒絕往來或喪失債信之紀錄 (C)依證券交易法之規定，受罰金以上刑之宣告，執行完畢、緩刑期滿或赦免後已滿三年 (D)曾任法人宣告破產時之董事、監察人、經理人或其他地位相等之人，其破產終結已滿三年。

( ) **16** 上櫃公司買回公司股票達多少數量或金額以上，應將買回之日期、數量、種類及價格公告？ (A)累積達公司已發行股份總數百分之二 (B)每次金額達新臺幣一億元以上 (C)每次金額達新臺幣五億元以上 (D)累積達公司在外流通股數達百分之三。

( ) **17** 證券商營業員因違反法令受解職處分，則未滿下列何期限不得再從事證券業務？ (A)1年 (B)2年 (C)3年 (D)5年。

( ) **18** 下列何者不屬於「證券交易法」第一百五十條但書規定，上市有價證券得在集中交易市場外交易之事項？ (A)政府債券 (B)基於法律規定所生之效力，不能經由有價證券集中交易市場之買賣而取得或喪失證券所有權者 (C)私人間不超過一成交單位，前後兩次相隔不少於三個月者 (D)五百張以上之鉅額交易。

( ) **19** 下列何者不是普通上櫃股票成為融資融券交易股票之條件？ (A)上櫃滿6個月 (B)每股淨值在票面以上 (C)該上櫃股票之發行公司設立登記滿3年 (D)經證券商業同業公會公告得為融資融券交易股票。

( ) **20** 上市公司之董事、監察人、經理人或持有公司股份超過股份總額百分之十之股東，其股票之轉讓方式，下列敘述何者錯誤？(A)自申報主管機關生效日後，向非特定人為之 (B)自向主管機關申報之日起三日後，於證券集中交易市場賣出 (C)於向主管機關申報之日起三日內，向符合主管機關所定條件之特定人為之 (D)每一交易日轉讓股數未超過100,000股者，免予申報。

( ) **21** 下列哪一種證券商得為公司股份之認股人或公司債之應募人？(A)承銷商 (B)自營商 (C)經紀商 (D)選項(A)(B)(C)皆正確。

( ) **22** 共同基金持有股票，係由何人行使投票表決權？ (A)證券投資信託公司 (B)受益憑證持有人 (C)保管機構 (D)發行公司。

( ) **23** 某甲投顧在電視節目中表示：「我們介紹的股票，不管是上漲或下跌，其價格之預測皆百分之百正確」，問此舉是否違反法令規定？ (A)不違法，因其係主觀之表示 (B)違反「不得有虛偽、欺罔或其他足使人誤信之宣傳」 (C)違反「不得代理委任人從事證券投資之行為」 (D)違反「不得與委任人為投資證券收益共享或損失分擔之約定」。

( ) **24** 公司制證券交易所之最低實收資本額為新臺幣： (A)15億元 (B)10億元 (C)5億元 (D)1億元。

( ) **25** 證券投資信託契約終止後，原則上應於多少時間內辦理清算證券投資信託基金？ (A)1個月內 (B)3個月內 (C)半年內 (D)1年。

( ) **26** 開放式基金受益人要求贖回受益憑證，其買回價格之計算為：(A)按面額 (B)按契約公式 (C)依買回請求到達之當日或次一營業日基金淨值計算 (D)依買回請求當日基金淨值計算。

( ) **27** 透過證券櫃檯買賣中心之國際債券交易系統之國際債券，其單筆買賣申報數量之限制為： (A)無申報數量之限制 (B)不得超過99個交易單位 (C)不得超過9個交易單位 (D)每次申報以一單位為限。

( ) **28** 為符合ESG永續發展新趨勢，提升證券期貨業產業形象，金管會發布「證券期貨業永續發展轉型執行策略」，以五大目標為實行準則，以下何者不是五大目標？ (A)維護資本市場交易秩序與穩定 (B)強化證券期貨業自律機制與整合資源 (C)完善永續生態體系 (D)全面推廣比特幣支付之應用服務。

( ) **29** 有關集保結算所提供基金市場相關服務，下列何者為非： (A)境內及境外基金之無實體登錄 (B)基金交易平台 (C)境外基金與期信基金申報公告服務 (D)基金受益人會議電子投票服務。

( ) **30** 關於經紀商對於客戶電話委託下單，下述說明何者為是？ (A)主管機關依個案處理其是否必須同步錄音 (B)法令對券商並未規定其必須進行同步錄音 (C)券商必須進行同步錄音，並至少保存二年 (D)券商必須進行同步錄音，並至少保存一年。

( ) **31** 融券人遇標的證券公司有下列哪種情況不用強制回補？ (A)臨時股東會 (B)除權 (C)股東常會 (D)減資。

( ) **32** 依發行人募集與發行海外有價證券處理準則之規定，發行人募集與發行海外有價證券，除另有規定外，依規定應檢齊相關書件提出申報，於金融監督管理委員會指定之機構收到申報書即日起需屆滿幾日始生效？ (A)五個營業日 (B)十二個營業日 (C)十五個營業日 (D)二十個營業日。

( ) **33** 現行櫃檯證券經紀商受託買賣股票，向委託人收付款券原則上採下列何者方式？ (A)客戶與客戶自行支付 (B)由買方證券商向賣方證券商辦理 (C)由賣方證券商向買方證券商辦理 (D)帳簿劃撥。

( ) **34** 股票已在證券交易所上市或在證券商營業處所買賣之公司自辦股務事務者或代辦股務機構，多久時間接受集保結算所之股務單位股務作業評鑑？ (A)每年 (B)每兩年 (C)每三年 (D)每六個月。

( ) **35** 申請上櫃時屬母子公司關係者，母公司及所有子公司，及其董事、監察人、代表人暨持股逾10%股東，與其關係人總計持有申請公司之股份不得超過發行總額之多少百分比？ (A)10% (B)30% (C)70% (D)80%。

( ) **36** 盤中零股交易第一次撮合時間為： (A)09:00 (B)09:03 (C)09:05 (D)09:10。

( ) **37** 關於ETF折溢價風險，何者錯誤？ (A)折價是市價低於淨值，可能因市場需求不足造成 (B)買賣前應注意ETF的折溢價，儘量避免交易市價偏離淨值過大的ETF (C)溢價是市價高於淨值，溢價表示買盤熱絡，應該趕快跟著搶購 (D)ETF達發行額度上限，發行人無法再受理申購時，ETF可能會持續溢價。

( ) **38** 證券商辦理有價證券買賣融資融券，以下列何項為限？ (A)經證交所或櫃買中心公告得為融資融券之有價證券所為之普通交割買賣 (B)零股交易 (C)鉅額交易 (D)全額交割股票。

( ) **39** 下列哪一種有價證券不得列為定期定額買進之標的？ (A)股票 (B)原型證信託ETF (C)槓桿反向型ETF (D)原型期信託ETF。

( ) **40** 依據證券交易法規定，證券承銷方式不包含下列哪一種型態？ (A)全額包銷 (B)代銷 (C)居間銷售 (D)餘額包銷。

( ) **41** 證券投資信託事業募集之證券投資信託基金，除信託業兼營證券投資信託業務者外，應自開始募集日起幾日內募集成立？ (A)15日 (B)20日 (C)30日 (D)60日。

( ) **42** 目前各國金融監理機關對比特幣抱持謹慎的態度，考量的原因包含下列哪幾項？ 甲、洗錢；乙、資恐；丙、逃稅；丁、詐騙： (A)僅甲 (B)僅甲、乙 (C)僅甲、乙、丙 (D)甲、乙、丙、丁。

( ) **43** 下列何者不是金管會訂定證券投資信託契約記載之各項費用及所受報酬計算上限之項目？ (A)購買受益憑證之費用 (B)受益人請求買回受益憑證之費用 (C)基金保管機構收取保管費之上限 (D)證券投資信託收益分配。

( ) **44** 在相同之發行條件下，價內（In-the-money）、價平（At-the-money）、價外（Out-of-the-money）之認購權證，其價格高低次序應為： (A)價內＞價平＞價外 (B)價內＜價平＜價外 (C)價內＝價平＝價外 (D)選項(A)(B)(C)皆非。

( ) **45** 曾因證券交易違背契約未結案，或因偽造上市有價證券案件經法院諭知有罪判決確定須滿幾年始得再行開戶買賣上市證券？ (A)二年 (B)三年 (C)五年 (D)七年。

( ) **46** 下列有關證券零股交易買賣之敘述何者錯誤？ (A)委託人需開立集保帳戶始得買賣 (B)申報時間僅可於13:40~14:30 (C)以集合競價撮合成交 (D)申報截止前會揭示未成交最高買進及最低賣出之價格。

( ) **47** 以電子方式行使表決權而未親自出席股東會的股東，在表決以下何者種議案時會被計為棄權？ (A)臨時動議 (B)原議案之修正 (C)對各項議案內容沒有表示贊成或反對時 (D)選項(A)(B)(C)皆是。

( ) **48** 自民國111年12月19日起，電子下單進行盤中零股買賣時，撮合的間隔時間為： (A)30秒 (B)1分鐘 (C)3分鐘 (D)5分鐘。

( ) **49** 有關公開收購之條件，下列敘述何者為錯誤？ (A)公開收購開始後不得調降公開收購價格 (B)公開收購人得依對象不同以不同收購條件為公開收購 (C)公開收購開始後，不得降低預定公開收購有價證券之數量 (D)公開收購開始後，公開收購人不得於集中交易市場或證券商營業所，或任何場所購買同種類之有價證券。

( ) **50** 發行人申請登錄興櫃一般板，應提出股份由其輔導推薦證券商認購，每一輔導推薦證券商各應認購幾萬股以上？ (A)2萬股 (B)3萬股 (C)5萬股 (D)10萬股。

解答與解析（答案標示為#者，表官方曾公告更正該題答案。）

1 (C)。「公司法」第197-1條第1項：董事之股份設定或解除質權者，應即通知公司，公司應於質權設定或解除後十五日內，將其質權變動情形，向主管機關申報並公告之。但公開發行股票之公司，證券管理機關另有規定者，不在此限。

2 (B)。依據「證券交易法」第14-5條，如未經審計委員會全體成員二分之一以上同意者，得由全體董事三分之二以上同意行之。

3 (C)。依據公開發行公司取得或處分資產處理準則第15條，公開發行公司向關係人取得不動產時，應將有關資料提交董事會通過及監察人承認後，始得簽訂交易契約及支付款項。

4 **(C)**。「證券交易法」第32條：公開說明書應記載之主要內容有虛偽或隱匿之情事者，下列各款之人，對於善意之相對人，因而所受之損害，應就其所應負責部分與公司負連帶賠償責任：一、發行人及其負責人。二、發行人之職員，曾在公開說明書上簽章，以證實其所載內容之全部或一部者。三、該有價證券之證券承銷商。四、會計師、律師、工程師或其他專門職業或技術人員，曾在公開說明書上簽章，以證實其所載內容之全部或一部，或陳述意見者。

5 **(B)**。「境外基金管理辦法」第37條：境外基金公開說明書之更新或修正，總代理人應將其中譯本於更新或修正後三日內辦理公告。

6 **(A)**。「公開發行公司董事會議事辦法」第3條第1項：董事會應至少每季召開一次，並於議事規範明定之。

7 **(B)**。「公司法」第369-4條：控制公司直接或間接使從屬公司為不合營業常規或其他不利益之經營，而未於會計年度終了時為適當補償，致從屬公司受有損害者，應負賠償責任。

控制公司負責人使從屬公司為前項之經營者，應與控制公司就前項損害負連帶賠償責任。

控制公司未為第一項之賠償，從屬公司之債權人或繼續一年以上持有從屬公司已發行有表決權股份總數或資本總額百分之一以上之股東，得以自己名義行使前二項從屬公司之權利，請求對從屬公司為給付。

8 **(C)**。依據「證券交易法」第14-3條，已依我國證券交易法規定選任獨立董事公開發行股份有限公司，有重大之資產或衍生性商品交易事項於提董事會討論時，如獨立董事有反對意見或保留意見，應於董事會議事錄載明。

9 **(A)**。依據「公開發行公司審計委員會行使職權辦法」第3條，公開發行公司依本法設置審計委員會者，應訂定審計委員會組織規程，組織規程之訂定應經董事會決議通過，修正時亦同。

10 **(D)**。依據「證券交易法」第178條，違反證券交易法第二十五條第二項之規定者，處新臺幣二十四萬元以上四百八十萬元以下罰鍰，並得命其限期改善；屆期未改善者，得按次處罰。

11 **(D)**。依據「證券交易法」第一百五十七條之一第五項及第六項重大消息範圍及其公開方式管理辦法第2條，選項(A)(B)(C)皆是證券交易法第一百五十七條之一第五項及第六項所稱涉及公司之財務、業務，對其股票價格有重大影響，或對正當投資人之投資決定有重要影響之消息。

12 (B)。依據「財團法人中華民國證券櫃檯買賣中心證券商營業處所買賣有價證券業務規則」第12條之2，發行人經本中心通知其有價證券終止櫃檯買賣者，應於接獲本中心通知日起二日內於本中心指定之網際網路資訊申報系統揭露。

13 (C)。「證券交易法」第28-2條：股票已在證券交易所上市或於證券商營業處所買賣之公司，有下列情事之一者，得經董事會三分之二以上董事之出席及出席董事超過二分之一同意，於有價證券集中交易市場或證券商營業處所或依第四十三條之一第二項規定買回其股份，不受公司法第一百六十七條第一項規定之限制：一、轉讓股份予員工。二、配合附認股權公司債、附認股權特別股、可轉換公司債、可轉換特別股或認股權憑證之發行，作為股權轉換之用。三、為維護公司信用及股東權益所必要而買回，並辦理銷除股份。

14 (D)。「證券商設置標準」第10-2條第10-2條第1項：經本會核准辦理金融科技創新實驗案件之申請人符合下列條件，得向本會申請許可改制為證券商：一、創新實驗具有創新性、有效提升金融服務之效率、降低經營及使用成本或提升金融消費者及企業之權益等成效。二、應為依法設立登記之股份有限公司，且不得為閉鎖性股份有限公司。三、申請日前一個月內經會計師查核簽證之資產負債表顯示淨值不低於第三條所定金額，且不低於公司股本之三分之二。前開公司股本如有以非現金方式出資抵充之股數，不得超過公司已發行股份總數之四分之一，且申請人應提出所評估價值與效益之說明，並經會計師複核。四、未經營證券商不得辦理之業務。

15 (B)。「證券交易法」第53條：有左列情事之一者，不得充任證券商之董事、監察人或經理人；其已充任者，解任之，並由主管機關函請經濟部撤銷其董事、監察人或經理人登記：一、有公司法第三十條各款情事之一者。二、曾任法人宣告破產時之董事、監察人、經理人或其他地位相等之人，其破產終結未滿三年或調協未履行者。三、最近三年內在金融機構有拒絕往來或喪失債信之紀錄者。四、依本法之規定，受罰金以上刑之宣告，執行完畢、緩刑期滿或赦免後未滿三年者。五、違反第五十一條之規定者。六、受第五十六條及第六十六條第二款解除職務之處分，未滿三年者。

16 (A)。「上市上櫃公司買回本公司股份辦法」第3條：公司非依第二條規定辦理公告及申報後，不得於有價證券集中交易市場或證券商營業處所買回股份。其買回股份之數量每累積達公司已發行股份總數百分之二或金額達新臺幣三億元以上者，應於事實發生之即日起算二日內將買回之日期、數量、種類及價格公告。

17 (C)。「證券商負責人與業務人員管理規則」第12條第2項：證券商僱用經本會依本法規定命令解除職務未滿三年之人員，從事第二條第二項各款以外業務者，應向證券交易所申報登記後，始得為之。

18 (D)。「證券交易法」第150條：上市有價證券之買賣，應於證券交易所開設之有價證券集中交易市場為之。但左列各款不在此限：一、政府所發行債券之買賣。二、基於法律規定所生之效力，不能經由有價證券集中交易市場之買賣而取得或喪失證券所有權者。三、私人間之直接讓受，其數量不超過該證券一個成交單位；前後兩次之讓受行為，相隔不少於三個月者。四、其他符合主管機關所定事項者。

19 (D)。依據「證券商辦理有價證券買賣融資融券業務操作辦法」第8條，(D)應為經櫃檯買賣中心公告得為融資融券交易股票。

20 (D)。「證券交易法」第22-2條：已依本法發行股票公司之董事、監察人、經理人或持有公司股份超過股份總額百分之十之股東，其股票之轉讓，應依左列方式之一為之：一、經主管機關核准或自申報主管機關生效日後，向非特定人為之。二、依主管機關所定持有期間及每一交易日得轉讓數量比例，於向主管機關申報之日起三日後，在集中交易市場或證券商營業處所為之。但每一交易日轉讓股數未超過一萬股者，免予申報。三、於向主管機關申報之日起三日內，向符合主管機關所定條件之特定人為之。

21 (B)。「證券交易法」第83條：證券自營商得為公司股份之認股人或公司債之應募人。

22 (A)。「證券投資信託事業管理規則」第23條第1項：證券投資信託事業行使證券投資信託基金持有股票之投票表決權，除法令另有規定外，應由證券投資信託事業指派該事業人員代表為之。

23 (B)。預測無法百分之百正確，此舉為虛偽、欺罔、使人誤信之宣傳。

24 (C)。「證券交易所管理規則」第12條：公司制證券交易所之最低實收資本額為新臺幣五億元。

25 (B)。「證券投資信託及顧問法」第47條第1項：證券投資信託契約終止時，清算人應於主管機關核准清算後三個月內，完成證券投資信託基金之清算，並將清算後之餘額，依受益權單位數之比率分派予各受益人。但有正當理由無法於三個月內完成清算者，於期限屆滿前，得向主管機關申請展延一次，並以三個月為限。

26 (C)。「證券投資信託基金管理辦法」第70條第2項：受益憑證之買回價格，得以證券投資信託契約明定，以買回請求到達證券投資信託事業或其代理機構之當日或次一營業日之基金淨資產價值核算之。

27 (C)。「財團法人中華民國證券櫃檯買賣中心外幣計價國際債券管理規則」第19條：國際債券透過本系統交易者，應以其發行幣別為之，其交易及申報單位如下：一、買賣斷採百元價格申報，升降單位為百分之一元；附條件採利率申報，升降單位為萬分之一個百分點。二、每交易單位為面額美元或歐元十萬元、日圓一千萬元，其他貨幣計價者由本中心另訂之。三、申報數量須為一交易單位或其整倍數，單筆買賣申報數量不得超過九交易單位。

28 (D)。「證券期貨業永續發展轉型執行策略」五大目標為：「完善永續生態體系」、「維護資本市場交易秩序與穩定」、「強化證券期貨業自律機制與整合資源」、「健全證券期貨業經營與業務轉型」、「保障投資或交易人權益及建構公平友善服務」。

29 (A)。集保結算所尚未提供境外基金之無實體登錄。

30 (D)。「財團法人中華民國證券櫃檯買賣中心證券商營業處所買賣有價證券業務規則」第62條第5項、第6項：證券經紀商對電話委託應同步錄音，並將電話錄音紀錄置於營業處所。
前項電話錄音紀錄，證券經紀商應至少保存一年。但買賣委託有爭議者，應保存至該爭議消除為止。

31 (A)。「證券商辦理有價證券買賣融資融券業務操作辦法」第76條：得為融資融券之有價證券，自發行公司停止過戶前六個營業日起，停止融券賣出四日；已融券者，應於停止過戶第六個營業日（含）前，還券了結；已出借者，證券商應請求提前還券，並於最後過戶日（含）前取回。委託人申請以現券償還融券，且券源為向同一證券商申請之有價證券借貸業務借券者，至遲應於停止過戶第七個營業日（含）前提出申請，證券商若無券源，得拒絕之。但發行公司因下列原因停止過戶者不在此限：一、召開臨時股東會。二、其原因不影響行使股東權者。

32 (B)。「發行人募集與發行海外有價證券處理準則」第7條第1項：發行人募集與發行海外有價證券，依規定檢齊相關書件提出申報，於本會及本會指定之機構收到申報書即日起屆滿十二個營業日生效。

33 (D)。「有價證券集中交易市場實施全面款券劃撥制度注意事項」第3條：證券經紀商受託買賣向委託人收付款券，均應透過委託人開設之款券劃撥帳戶，以帳簿劃撥方式為之。

34 (C)。「公開發行股票公司股務處理準則」第3-5條第1項：股票已在證券交易所上市或在證券商營業處所買賣之公司自辦股務事務者或代辦股務機構，應每三年至少一次接受本會指定機構之評鑑。

35 (C)。依據「財團法人中華民國證券櫃檯買賣中心集團企業申請股票上櫃之補充規定」第3條，申請上櫃時屬母子公司關係者，公司及其所有子公司，以及前開公司之董事、監察人、代表人，暨持有公司股份超過發行總額百分之十之股東，與其關係人總計持有該申請公司之股份不得超過發行總額之百分之七十。但申請公司前開相關人員與母公司無直接或間接利害關係者，其持有申請公司之股份不計入。

36 (D)。依據「臺灣證券交易所股份有限公司上市股票零股交易辦法」第8條，零股交易自上午九時十分起第一次撮合。

37 (C)。溢價表示市價被高估，此時買進相對昂貴。

38 (A)。「證券商辦理有價證券買賣融資融券業務操作辦法」第4條：證券商辦理上市（櫃）有價證券買賣融資融券，以接受委託人委託於證券交易所集中交易市場或櫃檯買賣中心等價成交系統，對於經證券交易所或櫃檯買賣中心公告得為融資融券之有價證券，所為普通交割之買賣成交後應行交割之款券為限。

39 (C)。定期定額投資標的以可中長期投資之股票及ETF為限，由證券商訂定標的選定標準，但不含槓桿反向指數股票型證券投資信託基金受益憑證及槓桿反向指數股票型期貨信託基金受益憑證。

40 (C)。「證券交易法」第10條：本法所稱承銷，謂依約定包銷或代銷發行人發行有價證券之行為。

41 (C)。「證券投資信託事業募集證券投資信託基金處理準則」第7條：證券投資信託事業經核發營業執照後，除他業兼營證券投資信託業務者外，應於一個月內申請募集符合下列規定之證券投資信託基金：一、為國內募集投資於國內之股票型證券投資信託基金或平衡型證券投資信託基金。二、證券投資信託基金最低成立金額為新臺幣二十億元。三、封閉式證券投資信託基金受益權單位之分散標準，應符合臺灣證券交易所股份有限公司有價證券上市審查準則之規定。四、開放式證券投資信託基金自成立日後滿三個月，受益人始得申請買回。

42 (D)。各國監理機關對民眾投入虛擬貨幣市場，仍是抱持謹慎態度，考量的原因包含洗錢、資恐、逃稅、詐騙等。

43 (D)。「證券投資信託基金管理辦法」第3條：受益人購買或請求買回受益憑證之費用與證券投資信託事業、基金保管機構所收取經理或保管費用之上限及基金應負擔費用之項目，本會得視市場狀況限制之。

44 (A)。對認購權證而言，價內表示履約價大於股票價格，價平表示履約價等於股票價格，價外表示履約價小於股票價格，故價格高低依序為：價內＞價平＞價外。

45 (C)。依據「臺灣證券交易所股份有限公司營業細則」第76條，曾因證券交易違背契約未結案，或因偽造上市有價證券案件經法院諭知有罪判決確定須滿五年始得再行開戶買賣上市證券。

46 (B)。「臺灣證券交易所股份有限公司上市股票零股交易辦法」第3條：零股交易買賣申報時間為上午九時至下午一時三十分，及盤後下午一時四十分至二時三十分；其買賣申報限各該交易時段內有效。

47 (D)。「公司法」第177-1條：公司召開股東會時，採行書面或電子方式行使表決權者，其行使方法應載明於股東會召集通知。但公開發行股票之公司，符合證券主管機關依公司規模、股東人數與結構及其他必要情況所定之條件者，應將電子方式列為表決權行使方式之一。前項以書面或電子方式行使表決權之股東，視為親自出席股東會。但就該次股東會之臨時動議及原議案之修正，視為棄權。

48 (B)。本考試時依據「臺灣證券交易所股份有限公司上市股票零股交易辦法」第8條，電子下單進行盤中零股買賣時，撮合的間隔時間為一分鐘。（證券交易所於113年3月15日公告修正第8條條文，自113年12月2日起實施，零股交易自上午九時十分起，每五秒鐘以集合競價撮合成交，依本公司章則規定施以延長撮合間隔時間之有價證券，不在此限。）

49 (B)。依據「證券交易法」第43-2條，公開收購人應以同一收購條件為公開收購。

50 (D)。依據「財團法人中華民國證券櫃檯買賣中心證券商營業處所買賣興櫃股票審查準則」第8條，發行人申請登錄興櫃一般板，應提出股份由其輔導推薦證券商認購，每一輔導推薦證券商各應認購十萬股以上。

投資學

( ) **1** 附認股權證公司債之債權人於執行認股權利時，公司淨值總額會： (A)減少 (B)不變 (C)增加 (D)增減不一定。

( ) **2** 4年期面額10,000元之零息債券（Zero-Coupon Bonds），其價格為6,830元，該債券之年報酬率為： (A)10% (B)15% (C)18.10% (D)19.50%。

( ) **3** 在國內個人買賣短期票券之利息所得的課稅方式是採： (A)併入綜合所得稅計算 (B)免稅 (C)分離課稅 (D)併入營利事業所得稅計算。

( ) **4** 請問零β（zero-beta）證券的期望報酬是： (A)市場報酬率 (B)零報酬率 (C)負的報酬率 (D)無風險利率。

( ) **5** 甲債券之存續期間（Duration）為3年；乙債券之存續期間為4年；丙債券之存續期間為5年；當市場利率下跌0.1%時，對何種債券之價格影響幅度最大？ (A)甲 (B)乙 (C)丙 (D)三者皆同。

( ) **6** 某公司即將發行公司債籌措資金，每一張公司債承諾從第3年年底開始，每年支付$5,000債息直到永遠。假設投資人要求報酬率為5%，試計算買賣雙方都同意之債券價格約為多少？ (A)$86,384 (B)$90,703 (C)$95,238 (D)$100,000。

( ) **7** 當一檔股票的理論要求報酬率被低估時，其目前股價： (A)被高估 (B)不偏不倚 (C)被低估 (D)可能被低估，也可能不偏不倚。

( ) **8** 福隆公司每年固定配發現金股利4元，不配發股票股利，其股票必要報酬率為10%，若其貝它係數為1.22，在零成長之股利折現模式下，其股價應為： (A)44.4元 (B)33.3元 (C)40元 (D)48.8元。

( ) **9** 某投資人以每股市價$184買進Z公司股票，預期Z公司每年將60%的盈餘保留下來，做為再投資用，並賺取25%的報酬，直到永遠。昨日剛公告去年每股盈餘為$10，試計算投資人對該股票要求年報酬率為多少？ (A)12.5% (B)15.98% (C)17.17% (D)17.5%。

( ) **10** 何者為DMI的賣出訊號？ (A)＋DI線由上往下跌破－DI線 (B)K線由上往下跌破D線 (C)＋DI線由下向上突破－DI線 (D)DIF線由下向上突破DEM線。

( ) **11** 當股價完成上升三角形整理後，通常會： (A)上漲 (B)下跌 (C)繼續整理 (D)不一定。

( ) **12** 下列有關「技術分析」的敘述中，何者為錯誤？ (A)技術分析是利用過去有關價格與交易量等訊息來判斷股價走勢 (B)技術分析常使用圖形及指標來判斷價格走勢 (C)一般技術分析認為股價具有主要與次要趨勢 (D)如果股價報酬率為「隨機漫步」，使用技術分析才有意義。

( ) **13** 理論上，提高上市公司董監事持股比率，對一般股東的權益具有： (A)不具作用 (B)負面作用 (C)正面作用 (D)選項(A)(B)(C)皆非。

( ) **14** 「貨幣供給」是景氣指標的： (A)落後指標 (B)同時指標 (C)領先指標 (D)綜合指標。

( ) **15** 中央銀行調降存款準備率，釋出強力貨幣125億元，如貨幣乘數為5，則貨幣供給將增加： (A)600億元 (B)625億元 (C)125億元 (D)25億元。

( ) **16** 其他因素不變，預期新臺幣大幅貶值，外資在股市可能呈： (A)淨買超 (B)淨賣超 (C)不一定 (D)無影響。

( ) **17** 哪一比率常被認為是影響股票報酬率的基本面因素？ 甲、本益比；乙、淨值市價比；丙、公司規模大小 (A)僅甲、乙 (B)僅乙、丙 (C)僅甲、丙 (D)甲、乙、丙。

( ) **18** 一種交易策略，其原始淨投資金額與風險均為0，但其期望報酬率則為正，此種交易稱為： (A)投機交易 (B)避險交易 (C)套利交易 (D)選項(A)(B)(C)皆有可能。

( ) **19** 哪一項投資組合的非系統風險較「小」？ (A)電子產業之股票型基金 (B)依臺灣公司治理100指數發行之ETF (C)某績優公司個別股票 (D)綠能產業趨勢基金。

( ) **20** 根據資本資產定價模式（CAPM），已知市場投資組合報酬率為18%，市場風險為1.2，某特定股票的預期報酬率為20%，則無風險利率為多少？ (A)2% (B)6% (C)8% (D)12%。

( ) **21** 當股票報酬率的變動主要是由系統風險解釋時，意味著下列何種投資組合管理是較適當的？ (A)由上而下分析法 (B)由下而上分析法 (C)價值分析法 (D)選項(A)(B)(C)皆可。

( ) **22** 目前臺灣掛牌交易之反向型ETF倍數為可放空幾倍？ (A)1倍 (B)2倍 (C)3倍 (D)4倍。

( ) **23** 有關避險基金（Hedge Fund）之敘述何者正確？ 甲、以勝過大盤指數為操作目標；乙、只運用買進標的之投資策略；丙、通常為私募；丁、流動性低 (A)僅甲、乙 (B)僅乙、丙 (C)僅丙、丁 (D)甲、乙、丙。

( ) **24** 關於選擇權之敘述何者不正確？ (A)選擇權的買方一定要執行該項權利 (B)歐式選擇權的買方必須於合約到期日當日方可行使買入或賣出的權利 (C)選擇權的買方有權執行該權利，但無義務一定要執行 (D)選擇權依執行時點區分，可分為美式及歐式。

( ) **25** 假設有一買權的履約價格為52元，權利金3元，其標的物價格目前為49元，請問該買權的履約價值為何？ (A)3元 (B)2元 (C)1元 (D)0元。

( ) **26** 發行海外存託憑證（Global Depositary Receipts, GDR）會使該公司之淨值總額如何變化？ (A)增加 (B)減少 (C)不變 (D)不一定。

( ) **27** 假設有一券商對公債附條件交易的報價為3.95－4.20，代表券商願與客戶承作附賣回與附買回交易的利率各為多少？ (A)4.20%、3.95% (B)4.05%、4.05% (C)3.95%、4.20% (D)3.95%、4.15%。

( ) **28** 按購買力平價理論，外國的通貨膨脹率高於我國，則長期本國貨幣將會： (A)升值 (B)先升後貶 (C)貶值 (D)先貶後升。

( ) **29** 假設到期年數與殖利率不變，下列何種債券之存續期間「最短」？ (A)溢價債券 (B)折價債券 (C)平價債券 (D)零息債券。

( ) **30** 一般而言，下列有關公司債與特別股之敘述何者正確？ 甲、均為固定收益證券；乙、均比普通股優先清償；丙、均有稅盾效果 (A)僅甲、乙 (B)僅乙、丙 (C)僅甲、丙 (D)甲、乙、丙。

( ) **31** 下列何者是影響債券存續期間（Duration）的因素？ 甲、到期期間；乙、票面利率；丙、到期收益率；丁、票面值 (A)僅甲、丙 (B)僅乙、丙、丁 (C)僅甲、乙、丙 (D)甲、乙、丙、丁。

( ) **32** 國內上市股票資本公積轉增資，針對除權參考價之計算而言，下列哪些因素是必需考慮的？ 甲、除權前一交易日之收盤價；乙、資本公積配股率；丙、員工紅利 (A)僅甲、乙 (B)僅甲、丙 (C)僅乙、丙 (D)甲、乙、丙。

( ) **33** 小花買入某股票，每股成本為40元，她預期一年後可賣到42元，且可收到現金股利4元，則她的預期股利殖利率是： (A)12.5% (B)10% (C)7.5% (D)5%。

( ) **34** 有關移動平均線之敘述，何者不正確？ (A)分析成交價及成交量判斷買賣時機 (B)是利用統計學上移動平均的原理 (C)可利用移動平均線之間的轉折點及交叉現象，研判大盤指數走勢 (D)移動平均線代表不同期間投資人之持股平均成本。

( ) **35** 下列何種缺口代表在快速移動下的中點或近於中點的記號？ (A)普通缺口 (B)突破缺口 (C)逃逸缺口 (D)竭盡缺口。

( ) **36** 6日移動平均線為60元，以3%為有效突破區，下列何者描述「正確」？ (A)突破61.8元為賣出訊號 (B)跌破58.2元為買進訊號 (C)跌破58.2元為賣出訊號 (D)突破60元為買進訊號。

(　　) **37** 根據道氏理論，次級波動係指：　(A)股價長期波動趨勢　(B)每日的波動　(C)依股價長期趨勢線之中短期的波動　(D)低點跌破前次低點。

(　　) **38** 中央銀行透過提高重貼現率，以避免景氣過熱，可能的效果有：甲、基本放款利率上升；乙、債券利率下降；丙、公司成長減緩；丁、股價下跌
(A)僅甲、乙　　(B)僅甲、丙、丁
(C)僅丙、丁　　(D)甲、乙、丙、丁。

(　　) **39** 金融體系的支票存款大幅增加，會促使何種貨幣供給額增加？(A)僅M1a　(B)僅M1b　(C)僅M1a與M1b　(D)M1a、M1b與M2皆增加。

(　　) **40** 為何「股價指數」是景氣指標中的重要領先指標？
(A)因為股價反映出預期的公司盈利與股利
(B)因為股價反映出即時性經濟活動
(C)因為股價會受市場心理因素影響
(D)因為股價會受金融情勢的影響。

(　　) **41** 新臺幣貶值幅度遠大於經濟成長率，以美元計算之每人GNP會：(A)增加　(B)減少　(C)不變　(D)無關係。

(　　) **42** 甲、乙兩股票的預期報酬率為10%、20%，報酬率標準差分別為15%、45%，且兩股票的相關係數為-1，若投資人欲將投資組合的報酬率標準差降為零，兩股票的投資比重應為：
(A)甲：75%，乙：25%　　(B)甲：25%，乙：75%
(C)甲：66.67%，乙：33.33%　　(D)甲：50%，乙：50%。

(　　) **43** 關於投資人最適投資組合之敘述，何者「正確」？　甲、不同投資人必須依個別的可行投資集合形成效率集合，結合自己的風險偏好，來選擇最適投資組合；乙、不同的投資人面對相同的效率前緣不一定會選擇相同的最適投資組合　(A)僅甲　(B)僅乙　(C)甲、乙皆是　(D)甲、乙皆非。

( ) **44** 在資本資產定價模式中，設無風險利率1%，市場投資組合期望報酬11%，某公司股票報酬率變異數0.16，股票報酬率與市場投資組合報酬率的共變異數（Covariance）等於0.108，市場投資組合報酬率變異數0.09，則該公司股票期望報酬率為多少？
(A)7.8% (B)10%
(C)10.9% (D)13%。

( ) **45** 投資指數型基金之優點是： (A)可規避市場風險 (B)可獲取額外高報酬 (C)可分散非系統風險 (D)選項(A)(B)(C)皆是。

( ) **46** 2017年起臺灣證券交易所開放投資人可洽證券商辦理股票、ETF定期定額業務，目前開放的定期定額標的，何者「不正確」？
(A)原型ETF (B)反向型ETF
(C)上市股票 (D)上櫃股票。

( ) **47** 請問當投資組合尚未完全分散仍存有非系統風險時，則較適合使用下列何種投資績效評估指標？ (A)夏普指標（Sharpe ratio） (B)崔納指標（Treynor ratio） (C)詹森指標（Jensen ratio） (D)α指標。

( ) **48** 有關選擇權之敘述，何者「正確」？
(A)選擇權的買方須繳交保證金
(B)選擇權的買方風險無限
(C)選擇權之賣方潛在獲利無限
(D)選項(A)(B)(C)皆非。

( ) **49** 投資人和證券商進行轉換公司債資產交換取得之債券，有關公司債轉換權屬於何方擁有？ (A)投資人一方 (B)證券商一方 (C)發行公司一方 (D)投資人和證券商雙方均擁有。

( ) **50** 當標的資產（underlying asset）市價高於選擇權的履約價格（striking price）時，請問：賣權（put option）處於下列何種情況？
(A)價平（at the money） (B)價內（in the money）
(C)價外（out of the money） (D)權利金（premium）。

解答與解析（答案標示為#者，表官方曾公告更正該題答案。）

1 (C)。淨值＝資產－負債，即股東權益。
附認股權證公司債之債權人於執行認股權利時，將使公司資產增加，負債不變，故淨值將會增加。

2 (A)。6,830×（1+r）^{4}＝10,000
r＝10%

3 (C)。個人短期票券利息所得採分離課稅（目前稅率為10%）不須再併入綜合所得稅申報。

4 (D)。預期報酬率＝無風險利率+β（市場報酬率－無風險利率）
β=0時，預期報酬率＝無風險利率。

5 (C)。存續期間越長，債券價格對利率的變動越敏感。

6 (B)。債券票面價值＝$5,000／5%＝$100,000
$100,000－$5,000／（1+0.05）－$5,000／（1+0.05）^{2}＝$90,703

7 (A)。股價＝[現金股利×（1+股利成長率）]／（要求報酬率－股利成長率）
要求報酬率被低估時，股價將被高估。

8 (C)。股價＝[現金股利×（1+股利成長率）]／（要求報酬率－股利成長率）
股價＝4／10%＝40元

9 (D)。股利成長率＝股東權益報酬率×盈餘保留率
股利成長率＝25%×60%＝15%
股利發放率＝1－盈餘保留率
股利發放率＝1－60%＝40%
現金股利＝每股盈餘×股利發放率
現金股利＝$10×40%＝$4
股價＝[現金股利×（1+股利成長率）]／（要求報酬率－股利成長率）
184＝[4×（1+15%）]／（要求報酬率－15%）
要求報酬率＝17.5%

10 (A)。在DMI動向指標中，+DI線是用來顯示上升趨勢的強度，－DI線是用來顯示下降趨勢的強度，當+DI向上穿越－DI時稱為黃金交叉，代表買進訊號；當+DI向下穿越－DI時稱為死亡交叉，代表賣出訊號。

11 (A)。上升三角形通常被視為持續上升趨勢的強烈訊號。

12 (D)。隨機漫步理論認為，證券價格的波動是隨機的，使用技術分析無效。

13 (C)。理論上，當公司董事和監察人的持股比例較高時，往往被認為是管理層積極參與公司經營的跡象，董監與一般股東的利益會越一致。

14 (C)。貨幣供給是景氣指標的領先指標。

15 (B)。貨幣供給＝貨幣基數（強力貨幣）×貨幣乘數
125億元×5＝625億元

16 **(B)**。臺幣匯率貶值時，資金將流出台股，不利台股後勢，外資在股市可能呈淨賣超。

17 **(D)**。甲乙丙皆是基本面分析常用之數據。

18 **(C)**。套利交易指利用市場無效率，賺取無風險超額利潤。

19 **(B)**。非市場風險為可分散風險，可透過多角化的投資組合而分散掉的風險，ETF相當於買進一籃子股票，成份股相關係數較低，非系統風險較單一產業基金及個別股票低。

20 **(C)**。預期報酬率＝無風險利率+β（市場報酬率－無風險利率）
20%＝無風險利率+1.2（18%－無風險利率）
無風險利率＝8%

21 **(A)**。系統性風險是影響整個市場的風險，由上而下分析法優先分析總體經濟狀況較為適當。

22 **(A)**。目前臺灣掛牌交易之反向型ETF倍數為放空1倍。

23 **(C)**。避險基金指以私募方式，利用期貨或選擇權等衍生性金融產品，對相關聯的不同股票進行對沖交易。避險基金因為有投資門檻高、一般人買不到的特性，因此流動性通常較差。丙、丁正確，故選(C)。

24 **(A)**。選擇權是一種契約，其買方有權利但沒有義務，在未來的特定日期或之前，以特定的價格購買或出售一定數量的標的物。

25 **(D)**。買權之標的物價格低於履約價格，其履約價值＝0。

26 **(C)**。當公司發行存託憑證時，必須提交同等數量的本國公司股票，寄放於海外委託發行的存託銀行或信託公司在本國國內的保管機構，然後才能於海外發行相等數量的存託憑證，因而存託憑證之持有人實際上就是寄存股票所有人，公司之淨值總額不變。

27 **(A)**。券商為了獲取利差，將使附賣回利率>＝附買回利率，因此券商對公債附條件交易的報價為3.95－4.20，代表券商願與客戶承做附賣回與附買回交易的利率各為4.20%、3.95%。

28 **(A)**。外國的通貨膨脹率高於我國，表示外國購買力相對低於我國，按購買力平價理論，長期本國貨幣將會升值。

29 **(A)**。票面利率較高的債券將比票面利率較低的債券更快地償還其原始成本，票面利率越高，存續期間越短，當殖利率不變，溢價債券之票面利率>殖利率，票面利率最高，存續期間最短。

30 **(A)**。特別股無稅盾效果。

31 **(C)**。存續期間從計算上所代表的是持有債券的平均回本時間，影響存續期間有幾個主要因素：
(1) 到期日：到期日越長，需要越長的時間才能回本，存續期間越長。

(2) 票面利率：票面利率越高，領的利息越多，回本時間越短，存續期間越短。
(3) 到期收益率：到期收益率越高，收益回本的速度越快，存續期間越短。

32 (A)。除權參考價＝前一交易日股票收盤價／（1+配股率）。

33 (B)。預期股利殖利率＝現金股利／每股成本＝4／40＝10%

34 (A)。移動平均線主要計算成交價，沒有計算成交量。

35 (C)。逃逸缺口是快速移動或近於中點的訊號。

36 (C)。60×（1+3%）＝61.8
60×（1－3%）＝58.2
突破61.8元為買進訊號。
跌破58.2元為賣出訊號。

37 (C)。次級波動：在基本波動下，會存在著數個次級波動，而這些次級波動通常稱為「技術修正」，也就是一般所謂的「盤整」，每一盤整可能持續數個星期或數個月。

38 (B)。提高重貼現率將使債券利率上升。

39 (D)。貨幣的定義M1a＝通貨淨額＋活期存款＋支票存款
M1b＝M1a＋活期儲蓄存款
M2＝M1b+定期及定期儲蓄存款＋外幣存款＋郵匯局轉存款
M1a、M1b與M2皆包含支票存款，故M1a、M1b與M2皆增加。

40 (A)。股價反映的是未來展望，預期公司未來的盈利能力，屬於領先指標。

41 (B)。臺幣貶值表示美元升值，故美元可以用更少的金額表示一樣的臺幣金額，以美元計算之每人GNP會減少。

42 (A)。兩股票的相關係數為－1，投資人可依據個別資產的標準差比值來調整投資比重（w甲×σ甲）＝（w乙×σ乙），將投資組合的風險降為零。
又w甲+w乙＝1
（1－w乙）×15%＝w乙×45%
故w乙＝25%w甲＝75%。

43 (C)。為獲得較高之收益率，必須承受相對較高的風險，投資人在市場上衡量自己願意承受的風險水準後，可以找到最大可能收益的投資組合，這個投資組合點即為最適投資組合。

44 (D)。預期報酬率＝無風險利率+β（市場報酬率－無風險利率）
β＝共變異數／市場組合變異數
β＝0.108／0.09＝1.2
預期報酬率＝1%+1.2×（11%－1%）＝13%

45 (C)。指數型基金指完全追蹤某個指數並跟隨該指數漲跌的投資產品，這類基金投資於某一指數的所

有資產類別，投資組合非常分散，可分散非系統風險。

46 (B)。定期定額投資標的以可中長期投資之股票及ETF為限，由證券商訂定標的選定標準，但不含槓桿反向指數股票型證券投資信託基金受益憑證及槓桿反向指數股票型期貨信託基金受益憑證。

47 (A)。夏普指標衡量投資組合一單位總風險所獲取之風險溢酬，適合尚未完全分散仍有非系統風險投資組合績效之評估，如高科技或金融類股型基金。

48 (D)。選擇權的買方須繳交權利金；選擇權的賣方須繳交保證金。
選擇權的買方風險有限，獲利無限，最大損失為投入的權利金。
選擇權的賣方風險無限，獲利有限，最大獲利為買方的權利金。

49 (B)。可轉債資產交換是證券商購入可轉債後，將其拆解為選擇權端與固定收益端，並賣給債券投資人及選擇權投資，公司債轉換權屬於證券商所有。

50 (C)。對於賣權而言，標的資產市價高於選擇權的履約價格屬於價外。

財務分析

( ) **1** 根據國際會計準則第32號「金融工具：表達」，企業在符合下列何項條件時，宜將金融資產及金融負債互抵，以淨額列示？(A)抵銷權利目前具備法律上之執行效力 (B)意圖以淨額交割，或同時變現（實現）資產及清償負債，亦即同時交割 (C)選項(A)及(B)皆須符合 (D)選項(A)(B)(C)皆非。

( ) **2** 流動比率大於1時，償還應付帳款將使流動比率： (A)增加 (B)減少 (C)不變 (D)不一定。

( ) **3** 下列何者屬於負債準備？ (A)公司債發行溢價部分 (B)可轉換公司債 (C)產品售後服務保證負債 (D)應付租賃款。

( ) **4** 員工休假福利為： (A)或有負債 (B)需入帳的負債 (C)當員工休假時入帳為費用 (D)當員工退休時入帳為費用。

( ) **5** 關於應收帳款，以下敘述何者正確？ (A)應收帳款應依國際財務報導準則第九號規定衡量。但未付息之短期應收帳款若折現之影響不大，得以原始發票金額衡量 (B)應收帳款業經貼現或轉讓者，應就該應收帳款之風險及報酬與控制之保留程度，評估是否符合國際財務報導準則第九號除列條件 (C)金額重大之應收關係人帳款，應單獨列示 (D)以上皆正確。

( ) **6** 下列敘述何者正確？ (A)現金比率可衡量應收帳款的收現性 (B)一般而言，現金比率大於1代表流動資產品質較佳 (C)現金比率過高有可能代表資源閒置浪費 (D)現金比率的計算方式為營業活動現金流量除以本期現金及約當現金變動數。

( ) **7** 安可公司111年度淨利$150,000、折舊費用$50,000、專利權攤銷費用$15,000、存貨減少數$18,000、應收帳款增加數$45,000、應付帳款減少數$20,000、出售設備損失$10,000（帳面金額$30,000，減現金收入$20,000），則111年度來自營運活動的淨現金流量為： (A)$158,000 (B)$178,000 (C)$168,000 (D)$136,000。

( ) **8** 下列會計項目何者不得列報於綜合損益表作為本期淨利之一部分？ (A)非常損失 (B)財務成本 (C)停業單位損失 (D)除列按攤銷後成本衡量之金融資產淨損益。

( ) **9** 將一定金額以下的資本支出視為收益支出處理，是合乎： (A)比例性原則 (B)成本原則 (C)客觀性原則 (D)重大性原則。

( ) **10** 可轉換公司債提前清償所產生之損益應列為： (A)營業損益 (B)營業外損益 (C)保留盈餘之調整 (D)銷貨成本。

( ) **11** 採有效利率法攤銷應付公司債折、溢價時，下列關係何者正確？ (A)折價發行時折價攤銷額逐期遞減 (B)溢價發行時溢價攤銷額逐期遞減 (C)折價發行時折價攤銷額逐期遞增 (D)選項(A)(B)(C)皆不正確。

( ) **12** 已提列償債基金之長期負債，若於一年內到期，將使： (A)營運資金不變 (B)流動比率下降 (C)營運資金減少 (D)不一定。

( ) **13** 已知某公司的稅後淨利為$5,395,000，所得稅率為17%，當期的利息費用50萬元，則其利息保障倍數為： (A)13.5倍 (B)9.24倍 (C)10倍 (D)14倍。

( ) **14** 下列何者無法使資產報酬率提高？ (A)提高權益比率 (B)提高資產週轉率 (C)提高淨利率 (D)增加銷貨。

( ) **15** 下列敘述何者為真？ (A)舉債經營必定使公司普通股每股盈餘提高 (B)資產重估增值並按增值資產攤提折舊並不會使當年度利息保障倍數下降 (C)所得稅率提高有利於舉債經營之租稅成本 (D)財務槓桿指數小於1時，表示財務槓桿運用成功。

( ) **16** 關於公司提高負債比率之必然影響，下列敘述何者正確（假設其他因素不變）？ 甲、提高稅盾（Tax Shield）；乙、提高財務困難成本（Financial Distress Cost）；丙、提高加權平均資金成本（Weighted Average Cost of Capital）： (A)僅甲、乙 (B)僅甲、丙 (C)僅乙、丙 (D)甲、乙、丙。

( ) **17** 下列哪一種行業的總資產週轉率通常會較高？ (A)生化製藥業 (B)電子業 (C)石油化學工業 (D)連鎖速食店。

( ) **18** 大分公司本益比為60，股利支付率為75%，今知每股股利為$8，則普通股每股市價應為多少？ (A)$32 (B)$240 (C)$640 (D)$480。

( ) **19** 其他條件不變下，下列何種情況有最高的本益比？ (A)預期未來盈餘成長高且企業經營風險高 (B)預期未來盈餘成長低且企業經營風險低 (C)預期未來盈餘成長低且企業經營風險高 (D)預期未來盈餘成長高且企業經營風險低。

( ) **20** 嘉南公司在X1年度第三季發生處分土地獲利$50,000，這項利益： (A)暫不列入第三季損益表，只需列入年度損益計算 (B)應平均分攤到第三季和第四季的損益表 (C)應追溯調整前二季損益表 (D)應全部列入第三季損益表。

( ) **21** 要求出損益兩平的銷售金額，我們需要知道總固定成本與： (A)每單位變動成本 (B)每單位售價 (C)每單位變動成本佔售價比率 (D)每單位售價減去平均每單位固定成本。

( ) **22** 公司去年度進貨成本為280萬元，期末存貨比期初存貨少了40萬元，該公司的銷貨毛利為銷貨的20%，銷售費用為20萬元，一般管理費用為20萬元，利息費用為20萬元，利息收入為10萬元，請問去年度該公司的營業利益為多少？ (A)50萬元 (B)40萬元 (C)30萬元 (D)20萬元。

( ) **23** 下列敘述何者錯誤？ (A)銷售商品通常於客戶取得該商品的控制時認列收入 (B)企業如於整個履約期間平均花費努力或投入，應按直線基礎逐步認列收入 (C)以迄今已生產數量占總數量的比例認列相同比例的收入屬於產出法 (D)以完工比例法認列收入屬於按直線基礎逐步認列收入。

( ) **24** 普通股市價下降，其股利支付率將：（假設其他一切條件不變） (A)不變 (B)不一定 (C)上升 (D)下降。

( ) **25** 林內公司流通在外之普通股共100,000股，且在當年度沒有發生應調整股數事項；其認購權證的履約價格為每股50元；當期普通股的每股平均市價為100元。所有認購權證履約可取得普通股總股數為10,000股。則其用以計算稀釋每股盈餘之約當股數為：(A)20,000股 (B)85,000股 (C)100,000股 (D)105,000股。

( ) **26** 某公司股票X1年初之市價為$50，每年支付股利$3，預計X1年底股票市價$58，則該投資之預期報酬率若干？ (A)5% (B)15% (C)22% (D)25%。

( ) **27** X1年底發生嚴重地震導致廠房毀損，其會計處理及表達為何？(A)於綜合損益表中表達為非常損失 (B)於附註中表達為非常損失 (C)與一般廠房的會計處理方式相同，於報導期間結束日評估減損 (D)如經判斷該災害性質特殊且不常發生，始須於附註中表達為非常損失，反之則無須於附註中揭露。

( ) **28** 一投資方案的資金成本是： (A)一個經過充分分散風險投資組合的期望報酬率 (B)投資方案貸款的利率 (C)投資人要求與該投資方案風險類似證券之期望報酬率 (D)銀行基本放款利率。

( ) **29** 破產的間接成本主要是由誰來負擔？ (A)股東 (B)債權人 (C)政府 (D)競爭對手。

( ) **30** 企業在取得資產後，無法在需要賣出時出售或必須大幅降價出售之風險稱為： (A)流動性風險 (B)財務風險 (C)企業風險 (D)購買力風險。

( ) **31** 持有存貨的成本包括： (A)資金之機會成本 (B)儲存成本 (C)過時成本 (D)選項(A)(B)(C)皆是。

( ) **32** 假設你投資500萬於某一檔股票，3年來的報酬率分別為3%、-8%、15%，3年後總共的報酬率為： (A)13% (B)8.97% (C)13.85% (D)11.78%。

( ) **33** 下列敘述何者正確？ (A)使用價值屬於變現價值 (B)履約價值是指企業預期於其履行負債時，有義務移轉的現金或其他經濟資源的現值，包含承擔負債所發生的交易成本 (C)公允價值是指於衡量日市場參與者間，在有秩序之交易中出售某一資產所能收取或移轉某一負債所需支付之價格 (D)公允價值屬於現時價值的一種，履約價值屬於歷史成本的一種。

( ) **34** 下列敘述何者正確？ (A)綜合損益表中須列示綜合損益歸屬於普通股權益持有人之每股金額 (B)綜合損益金額會因其他綜合損益之重分類調整而變動 (C)綜合損益等於報導期間權益之變動（但排除與業主之交易及與該等交易直接相關之交易成本所產生之變動） (D)綜合損益結帳後將累計於其他權益。

( ) **35** 依國際財務報導準則規定，下列何者並非存貨成本的計算方法？ (A)個別認定法 (B)加權平均法 (C)後進先出法 (D)先進先出法。

( ) **36** 關於負債準備之敘述何者有誤？ (A)保固承諾需估列負債準備 (B)固定賠償金額之死亡保險，其支付金額確定但支付時點不確定，為負債準備 (C)負債準備並非負債 (D)某些負債之金額僅可藉由估計加以衡量，或其支付之時點不確定，此類負債稱為負債準備。

( ) **37** 由來自營業活動現金流量為負值，可知： (A)當期公司現金餘額減少 (B)營業活動現金流量小於淨利 (C)營業活動使用之現金數較所得到之現金數多 (D)公司應收帳款餘額快速增加。

( ) **38** 下列何者非屬交換交易，不須在於財務報表的其他部分中揭露？ (A)盈餘轉增資 (B)發行股票交換不動產、廠房及設備 (C)公司債轉換為普通股 (D)以債務承受取得不動產、廠房及設備。

( ) **39** 長期負債若將於12個月內到期，並將以現金或另創流動負債償還之部分： (A)仍列長期負債，不必特別處理 (B)仍列長期負債，另設「一年內到期長期負債」科目 (C)轉列流動負債 (D)以上(A)(B)(C)作法皆非。

( ) **40** 長期借款合約中規定之借款回存，在財務報表上應如何表達？ (A)列為流動資產中之銀行存款 (B)列為流動資產，但非屬銀行存款 (C)列為長期投資或其他資產 (D)自長期負債中減除。

( ) **41** 下列何者交易發生時會影響權益之帳面金額： 甲、宣告現金股利；乙、宣告股票股利；丙、買入庫藏股；丁、以低於成本之價格出售庫藏股？ (A)僅甲、乙、丙 (B)僅甲、乙、丁 (C)僅甲、丙、丁 (D)甲、乙、丙、丁。

( ) **42** 若愛知公司稅前純益為$200,000，第一優先債券利息費用為$30,000，第二優先債券利息費用$10,000，第三優先債券利息費用$20,000，則第二優先債券盈餘支付利息倍數為何？ (A)5 (B)4 (C)3 (D)6.5。

( ) **43** 假設芊芊公司X1年底平均資產總額為$2,800,000，平均負債總額為$1,600,000，利息費用為$140,000，所得稅率為20%，總資產報酬率為12%，則權益報酬率為何？ (A)12.00% (B)13.33% (C)10.56% (D)18.67%。

( ) **44** 在產品售價不變的情況下，若生產某商品的總固定成本與單位變動成本都下降，對其邊際貢獻率與損益兩平銷貨收入有何影響？ (A)邊際貢獻率下降，損益兩平點上升 (B)邊際貢獻率上升，損益兩平點下降 (C)邊際貢獻率下降，損益兩平點下降 (D)邊際貢獻率不變，損益兩平點上升。

( ) **45** 石龜公司X7年的基本每股盈餘為$4.50，本年度其具稀釋作用之證券並無轉換或行使權利之情形，若假設認股權於本年度行使權利，則每股盈餘為$4.40，若再假設可轉換特別股轉換為普通股，則每股盈餘將由$4.40變為$4.42。試問石龜公司於X7年財務報表應如何列示每股盈餘之資訊？ (A)$4.40 (B)$4.42 (C)$4.50 (D)$4.50及$4.40。

( ) **46** 下列那一個項目可不須在財務報表之附註中揭露？ (A)關係人交易 (B)期後事項 (C)會計政策 (D)有可能發生之或有資產。

( ) **47** 在應用內部報酬率法（IRR）時，若面臨的是典型的現金流量型態之投資計畫，則接受投資的條件是當內部報酬率： (A)大於0時 (B)等於0時 (C)小於資金成本率時 (D)大於資金成本率時。

( ) **48** 當投資計畫的現金流入現值大於現金支出的現值時，此一投資計畫具有下列何種性質？ (A)還本年限超過經濟年限 (B)內部報酬率低於資金成本 (C)負的淨現值 (D)正的淨現值。

( ) **49** 假設稅率為17%，折舊費用為$50,000，則當公司有獲利時，其折舊費用稅後的效果為： (A)淨現金流入$6,800 (B)淨現金流出$6,800 (C)淨現金流出$8,500 (D)淨現金流入$8,500。

( ) **50** 測度一家公司的財務風險常採用財務槓桿係數，請問此一槓桿係數主要受哪一變數影響？ (A)固定生產成本 (B)銷售訂價及景氣持平 (C)利息費用 (D)資產購置金額。

解答與解析（答案標示為#者，表官方曾公告更正該題答案。）

1 (C)。根據國際會計準則第32號「金融工具：表達」，企業僅於同時符合下列條件時，始應將金融資產及金融負債互抵，並於財務狀況表中以淨額表達：企業目前有法律上可執行之權利將所認列之金額互抵；且企業意圖以淨額基礎交割或同時實現資產及清償負債。對未能符合除列規定之金融資產移轉之會計處理，企業不得將該已移轉之資產與相關負債互抵。

2 (A)。流動比率＝流動資產／流動負債
流動比率大於1，表示流動資產>流動負債，償還應付帳款使流動資產及流動負債同時減少，流動比率會增加。

3 (C)。負債準備為不確定時點或金額之負債，企業因過去事件所產生之現時義務，當該義務很有可能使企業為了履行義務而造成具有經濟效益之資源流出，且與義務相關之金額能可靠估計時，應予以認列。

4 (B)。公司應於其給予員工之累積帶薪假將導致未來額外支付增加時（也就是員工會使用到累積帶薪假），對其認列負債。

5 (D)。根據「證券發行人財務報告編製準則」第9條，應收票據應依國際財務報導準則第九號規定衡量。但未附息之短期應收票據若折現之影響不大，得以原始發票金額衡量。應收票據業經貼現或轉讓

者，應就該應收票據之風險及報酬與控制之保留程度，評估是否符合國際財務報導準則第九號除列條件。金額重大之應收關係人帳款，應單獨列示。

6 (C)。現金比率指評估企業短期償債能力的重要財務指標，反映企業在緊急情況下利用手邊的現金和現金等價物來償還短期負債的能力。相較於流動比率和速動比率，現金比率更為嚴格，因為它只考慮現金及現金等價物，不包括應收帳款或存貨等流動資產。一般認為，該比率在20%以上為好。但由於現金類資產獲利能力低，比率過高，會導致企業機會成本增加，造成盈利能力的下降。

7 (B)。150,000+50,000+15,000+18,000－45,000－20,000+10,000＝$178,000

8 (A)。非常損益指與公司的正常營業活動無關而產生，不得列於本期淨利之一部分。

9 (D)。重大性原則即某一金額以下不具重要性，可權宜處理，不必嚴格遵守一般公認會計原則，以節省成本。

10 (B)。與企業的業務經營無直接關係所產生之損益應列為營業外損益。

11 (C)。攤銷公司債折溢價，折價發行時，攤銷數會逐期遞增；溢價發行時，攤銷數會逐期遞增。

12 (A)。將在一年內到期者，償債基金與長期負債將一併轉列流動資產與流動負債，流動資產與流動負債同時增加，營運資金不變，流動比率不變。

13 (D)。利息保障倍數＝（稅前淨利+利息費用）／利息費用
稅前淨利＝5,395,000／（1－17%）＝6,500,000
利息保障倍數＝(6,500,000+500,000)／500,000＝14。

14 (A)。資產報酬率＝稅後淨利／平均總資產
提高權益比率無法使資產報酬率提高。

15 (C)。所得稅率提高會增加公司利息支出的稅盾，有利於舉債經營之租稅成本。

16 (A)。加權平均資金成本即是將負債、普通股、特別股及可轉換公司債等依權數予以加權平均而求得。提高負債比率不一定提高加權平均資金成本。

17 (D)。總資產週轉率＝銷貨額／總資產。用以衡量公司所有資產的使用效率，也就是投資1元資產，所產生多大的銷貨收入。食品業通常會有較高的總資產週轉率。

18 (C)。股票配息率＝每股股利／每股盈餘
75%＝8／每股盈餘
每股盈餘＝10.67

本益比＝每股市價／每股盈餘
60＝每股市價／10.67
每股市價＝640

19 (D)。本益比越高，代表市場對該公司的盈利前景越看好，所以相對有越多人願意支付更高的價格買進該公司的股票，預期未來盈餘成長高且企業經營風險低會有較高的本益比。

20 (D)。於第三季發生處分土地，該損益應全部列入當季損益表。

21 (C)。損益兩平銷售金額＝固定成本／邊際貢獻率
邊際貢獻率＝售價減變動成本後占售價之比率

22 (B)。銷貨成本＝期初存貨+本期進貨－期末存貨
銷貨成本＝40萬+280萬＝320萬
銷貨毛利＝銷貨收入－銷貨成本＝銷貨收入×20%
銷貨收入－320萬＝銷貨收入×20%
銷貨收入＝400萬
銷貨毛利＝80萬
營業利益＝銷貨毛利－營業費用
80萬－20萬－20萬＝40萬

23 (D)。完工比例法指與建造合約有關之合約收入，於報導期間結束日參照合約活動之完成程度認列為收入。

24 (A)。股利支付率＝每股股利／每股盈餘
普通股市價變動不影響股利支付率。

25 (D)。稀釋每股盈餘之約當股數＝流通在外之普通股數+（認購權證履約可取得普通股總股數×認購權證每股履約價格／當期普通股每股平均市價）
＝100,000+（10,000×50／100）
＝100,000+5,000
＝105,000股

26 (C)。[（58－50）+3]／50＝22%

27 (C)。嚴重地震導致廠房毀損應表達為重大災害損失，應按一般的資產減損原則處理。

28 (C)。對於投資者，一個投資項目的資金成本是一種機會成本，即投資者為選擇此項目而放棄了其他項目所付出的代價，即投資人要求與該投資方案風險類似證券之期望報酬率。

29 (A)。破產的間接成本主要是由股東來負擔。

30 (A)。資產無法及時變現為流動性風險。

31 (D)。持有成本指持有存貨所產生之成本，包括倉庫及其設備之折舊、租金、保險、存貨陳舊過時損失以及資金投資在存貨所產生之機會成本。

32 (B)。5,000,000×（1+3%）=5,150,000
5,150,000×（1－8%）＝4,738,000
4,738,000×（1+15%）＝5,448,700
（5,448,700－5,000,000）／5,000,000＝8.97%

33 (C)。
(A)使用價值屬於現時價值。
(B)履約價值是指企業預期於其履行負債時，所須支付現金或其他經濟資源的折現值。
(D)公允價值屬於變現價值的一種，履約價值屬於現時價值的一種。
故選(C)。

34 (C)。
(A)綜合損益表中須列示綜合損益歸屬於母公司業主與非控制權益之金額。
(B)綜合損益金額不會因其他綜合損益之重分類調整而變動。
(D)綜合損益＝本期淨利+其他綜合損益，本期淨利結帳後將累計於保留盈餘，其他綜合損益結帳後將累計於其他權益。

35 (C)。根據國際會計準則第2號，成本公式：通常不可替換之存貨項目及依專案計畫生產且能區隔之商品或勞務，其存貨成本之計算應採用成本個別認定法。除此之外，存貨成本應採用先進先出或加權平均成本公式分配。

36 (C)。負債準備係負債，指未確定時點或金額之負債。

37 (C)。營業活動現金流輛為負值，代表公司營運的現金是持續流出的狀態，即營業活動使用之現金數較所得到之現金數多。

38 (A)。交換交易是指金融工具間的交換，金融交換是交易雙方在一定期間內，交換不同標的物之現金流量的協議。盈餘轉增資是企業將過去年度所獲利的部分轉化為資本，不屬於交換交易。

39 (C)。長期負債將於一年內或一個營業週期內到期，並將以流動資產或流動負債償還者，應轉列為流動負債。

40 (C)。借款回存又稱為補償性存款，若契約規定在借款償還之前，該回存部分不能動用。若所借款項為短期借款則借款回存列為流動資產。若所借之款項為長期借款，則應列為其他資產或長期投資。

41 (C)。宣告股票股利為保留盈餘轉股本，股東權益總額不變。

42 (D)。稅前息前淨利＝200,000+30,000+10,000+20,000＝260,000
第二優先債券利息保障乘數＝260,000／（30,000+10,000）＝6.5

43 (D)。總資產報酬率＝[稅後淨利+利息費用×（1－稅率）]／平均資產總額
12%＝（稅後淨利+$140,000×80%）／$2,800,000
稅後淨利＝$224,000
權益報酬率＝稅後淨利／股東權益
$224,000／（$2,800,000－$1,600,000）＝18.67%

44 **(B)**。邊際貢獻率＝（銷貨收入－總變動成本）／銷貨收入
單位變動成本下降使邊際貢獻率上升
損益兩平銷貨收入＝總固定成本／邊際貢獻率
總固定成本下降邊際貢獻率上升使損益兩平銷貨收入下降。

45 **(D)**。複雜資本結構之公司應考慮潛在普通股對每股盈餘之稀釋作用，並同時列示基本每股盈餘金額$4.50及稀釋每股盈餘金額$4.40，作雙重之表達。

46 **(D)**。一般情況下，對或有資產不應在報表附註中揭露，但如果或有資產很可能會給企業帶來經濟利益時，則應在報表附註中進行揭露。

47 **(D)**。當內部報酬率大於資金成本時，表示此項決策有利可圖。

48 **(D)**。淨現值＝現金流入現值－現金流出現值。現金流入現值大於現金支出現值時淨現值為正。

49 **(D)**。公司必須處於獲利階段才享有稅盾，損失時則無。折舊費用為現金流入，$50,000×17%＝$8,500。

50 **(C)**。財務槓桿係數＝息前稅前淨利／（息前稅前淨利－利息費用）

113年 第1次證券商高級業務員

證券交易相關法規與實務

( ) **1** 下列敘述何者正確？ (A)平衡型基金應於基金名稱中標明平衡字樣 (B)受益憑證為無記名式 (C)保護型基金係指在基金存續期間，由保證機構到期時提供受益人一定比率本金保證之基金 (D)保本型基金之保本比率應達投資本金之百分之五十以上。

( ) **2** 依現行法令規定，公開發行公司獨立董事之提名方式為何？ (A)依章程任意規定 (B)依章程載明之候選人提名制度 (C)依董事會推薦名單 (D)並無規定。

( ) **3** 甲持續買入乙公開發行公司股份，至六月十日超過股份總額百分之十，則甲自取得大股東身分當日起多久內不得轉讓所持有乙公司之股票？ (A)12個月 (B)9個月 (C)6個月 (D)3年。

( ) **4** 公開發行公司之財務報告，應由聯合或法人會計師事務所之執業會計師，多少人數以上共同查核簽證？ (A)1人 (B)2人 (C)3人 (D)5人。

( ) **5** 得為融資融券交易之上櫃股票經發行公司轉申請上市後，除了下列何種原因之外均可為融資融券的標的？ (A)股價波動過度劇烈者 (B)股權過度集中者 (C)成交量過度異常者 (D)選項(A)(B)(C)皆是。

( ) **6** 下列有關多重資產型基金之敘述何者錯誤？ (A)得同時投資股票、債券、基金受益憑證等資產 (B)投資任一種核准資產種類之總金額不得超過本基金淨資產價值之70% (C)投資任一種核准資產種類之總金額不得超過本基金淨資產價值之20% (D)因應投資策略所需，運用多重資產型基金投資於基金受益憑證之總金額，得不受投資基金受益憑證總金額之限制。

( ) **7** 公開發行公司發放股票股利，原則上應事前經下列何者之同意通過？ (A)股東會之普通決議 (B)董事會之普通決議 (C)股東會之特別決議 (D)董事長個人之決定。

( ) **8** 證券投資信託契約終止後，原則上應於多少時間內辦理清算證券投資信託基金？ (A)1個月內 (B)3個月內 (C)半年內 (D)1年內。

( ) **9** 公開發行公司董事，對公司之上市股票從事短線交易，獲得之利益，應歸於何人所有？ (A)請求之股東 (B)公司 (C)證券交易所 (D)主管機關。

( ) **10** 公司對於未依「證券交易法」發行之股票，擬在證券交易所上市者，應先向哪個單位申請補辦公開發行程序？ (A)經濟部 (B)金融監督管理委員會 (C)臺灣證券交易所 (D)證券櫃檯買賣中心。

( ) **11** 依公司法規定，相關公司買回公司股份與轉讓給員工之行為，下列敘述何者正確？ (A)買回股份，應經股東會特別決議為之 (B)買回股份後，應在2年內轉讓給員工，否則應將買回股份視為未發行股份，辦理變更登記 (C)買回之股份不得超過公司已發行股份總數百分之五 (D)非公開發行公司若為閉鎖型股份有限公司，則不得為轉讓員工之目的，買回公司股份。

( ) **12** 投資顧問事業若有聯合炒作行為，得處三年以上十年以下有期徒刑、得併科新臺幣多少金額罰金？ (A)一千萬元以上二億元以下 (B)三百萬元以下 (C)五千萬元以下 (D)一千萬元以上五千萬元以下。

( ) **13** 依「證券交易法」之規定，私募之應募人，原則上自該有價證券交付之日起多久後，可將私募之有價證券賣出？ (A)1年 (B)2年 (C)3年 (D)5年。

( ) **14** 下列關於股東召集或請求召集股東會之說明，何者錯誤？ (A)繼續一年以上，持有已發行股份總數3%以上股份之股東，得以書面記明提議事項及理由，請求董事會召集股東臨時會，請求提出後15日內，董事會不為召集之通知時，股東得報經主管機關許可，自行召集 (B)董事因股份轉讓或其他理由，致董事會不為召集或不能召集股東會時，得由持有已發行股份總數3%以上股份之股東，報經主管機關許可，自行召集 (C)繼續三個月以上持有已發行股份總數超過50%股份之股東，得自行召集股東臨時會 (D)繼續六個月以上持有已發行股份總數超過50%股份之股東，得自行召集股東臨時會。

( ) **15** 在公司買回股份期間，若經理人賣出其股份，可處新臺幣多少金額之罰鍰？ (A)十萬至二十萬元 (B)十萬至一百萬元 (C)十二萬至五十萬元 (D)二十四萬至二百四十萬元。

( ) **16** 有關董事之解任，下列敘述何者正確？ (A)董事訂有任期者，若任期未滿遭公司解任且無正當理由，該董事得請求公司賠償其損害 (B)董事在任期中轉讓超過選任當時持有之公司股份之三分之一時，董事當然解任 (C)董事執行業務有重大損害公司的行為，僅能由股東會決議將其解任 (D)選項(A)(B)(C)皆正確。

( ) **17** 依「證券交易法」之規定，公開發行公司設置審計委員會者，應如何作成決議？ (A)應由審計委員會成員三分之二以上同意 (B)應由審計委員會成員三分之一以上同意 (C)應由審計委員會成員二分之一以上同意 (D)應由審計委員會成員全體同意。

( ) **18** 關於控制從屬公司之認定，下列敘述何者錯誤？ (A)公司持有他公司有表決權之股份，超過他公司已發行有表決權之股份總數半數者為控制公司 (B)公司與他公司之執行業務股東或董事有半數以上相同者推定為有控制與從屬關係 (C)公司與他公司之已發行有表決權之股份總數有半數以上為相同之股東持有者，無法推定為具有控制或從屬關係 (D)公司直接或間接控制他公司之人事、財務或業務經營者亦為控制公司。

( ) **19** 試問公開發行公司除經主管機關核准者外，董事間應有如何比例之席次，不得具配偶或二等親以內之親屬關係？ (A)超過二分之一 (B)超過三分之一 (C)超過四分之一 (D)超過三分之二。

( ) **20** 因應公司法第22條之1之修正並促進公司資訊透明及落實洗錢防制作為，公司自民國107年11月1日起應依法於「公司負責人及主要股東資訊申報平臺」申報負責人及主要股東資訊，其有變動者，並應於變動後多少日內為之？ (A)15日 (B)20日 (C)30日 (D)60日。

( ) **21** 某證券商為專營證券業務之上櫃公司，且其特別盈餘公積尚未達實收資本額，則該證券商應於每年稅後盈餘項下，提存多少比例之特別盈餘公積？ (A)百分之十 (B)百分之二十 (C)百分之三十 (D)百分之五十。

( ) **22** Z上市公司設有七席董事，其中三席為獨立董事，甲為董事長。下列關於Z公司董事會召集之敘述，何者正確？ (A)Z公司二位董事即得以書面記明提議事項及理由，請求董事長甲召集董事會 (B)Z公司過半數之董事得以書面記明提議事項及理由，請求董事長召集董事會 (C)Z公司有緊急情事時，董事會之召集，仍應於三日前通知各董事 (D)三位獨立董事得隨時共同召集董事會。

( ) **23** 「證券交易法」對違約不履行交割，足以影響市場秩序行為之刑事處罰為： (A)1年以下有期徒刑 (B)1年以上7年以下有期徒刑 (C)5年以下有期徒刑 (D)3年以上10年以下有期徒刑。

( ) **24** 法人違反「證券交易法」之規定者，依該法規定之罰則，應如何處罰？ (A)處罰該法人 (B)處罰其行為之負責人 (C)一律處罰其董事 (D)處罰其股東。

( ) **25** 證券商受託買進創新板有價證券，以其委託人為合格投資人及公司依法買回其股份者為限。上述所稱合格投資人，係指委託人符合以下何項條件者？ (A)專業機構投資人或具有半年以上證券交易經驗之法人 (B)依法設立之創業投資事業 (C)具有兩年以上證券交易經驗之自然人，且具有新臺幣一百萬元以上之財力證明 (D)具有兩年以上證券交易經驗之自然人，且最近一年度所得達新臺幣一百萬元。

( ) **26** 以下哪些為證券商「客戶服務中心」可提供之服務範圍？ 甲、處理客戶消費爭議；乙、對客戶詢問之金融商品回覆說明；丙、對客戶詢問之交易平台操作功能回覆說明；丁、對客戶詢問其投資組合建議，提供投資產品推介 (A)僅甲 (B)僅甲、乙 (C)僅甲、乙、丙 (D)甲、乙、丙、丁皆是。

( ) **27** 下列哪一類案件之審核適用申報生效制？ (A)募集設立者 (B)補辦公開發行 (C)申請發行海外存託憑證 (D)選項(A)(B)(C)皆是。

( ) **28** 我國資本額達新臺幣100億元之上市上櫃公司之合併財務報告子公司，應自何時起完成溫室氣體盤查之確信資訊揭露？ (A)2023年 (B)2025年 (C)2027年 (D)2029年。

( ) **29** 依公司法規定，發行人募集發行有價證券，有下列情事者不得公開發行新股（包括具有優先權利之特別股）？ 甲、公司連2年虧損；乙、資產不足抵償債務者；丙、最近三年稅後淨利不足以支付已發行特別股股息 (A)僅甲、乙 (B)僅甲、丙 (C)僅乙、丙 (D)甲、乙、丙皆是。

( ) **30** 下列何種有價證券的發行一定要洽商銷售方式辦理承銷？ (A)股票 (B)認購權證 (C)可轉換公司債 (D)普通公司債。

( ) **31** 依現行發行人募集與發行海外有價證券處理準則，上市、上櫃公司得申報募集與發行之海外有價證券有下列哪些？ 甲、海外公司債；乙、海外股票；丙、海外存託憑證；丁、其已發行之股票於國外證券市場交易 (A)僅甲、乙 (B)僅丙、丁 (C)僅甲、乙、丙 (D)甲、乙、丙、丁皆是。

( ) **32** 採洽商銷售承銷之普通公司債案件，每一認購人所認購數量不得超過該次承銷總數之： (A)10% (B)20% (C)30% (D)50%。

( ) **33** 加掛ETF在何種情況，可能會終止買賣？ (A)該ETF投資信託契約中本身有約定終止之情況 (B)其受益憑證每單位淨值已為負數 (C)被加掛之ETF已終止買賣 (D)選項(A)(B)(C)皆是。

( ) **34** 股票已上市上櫃之公司，為維護公司信用得經下列何者之同意買回公司股份，不受「公司法」§167第1項規定之限制？ (A)股東會決議 (B)股東特別決議 (C)假決議 (D)董事會特別決議。

(　) **35** 關於股東提案權之規定，下列敘述何者正確？ (A)董事會違法拒絕將股東之合法提案列入股東會議程者，將受到有期徒刑1年以下之處罰 (B)股東須繼續持有公司股份達1年以上，且比例達百分之一以上始有提案權 (C)持有無表決權股份之股東若總數達已發行股份總數百分之一以上者，亦有股東提案權 (D)股東提案權於股東常會及股東臨時會均得行使。

(　) **36** 上市上櫃公司外資及陸資持股比率合計達一定門檻，且以年報作為股東會議事手冊之補充資料者，應於股東會召開前提前申報年報，該門檻和須提前申報之期間分別為何？ (A)外資及陸資持股比率合計達30%、股東會召開前14日 (B)外資及陸資持股比率合計達25%、股東會召開前14日 (C)外資及陸資持股比率合計達30%、股東會召開前30日 (D)外資及陸資持股比率合計達25%、股東會召開前30日。

(　) **37** 下列何者非證券集中交易市場之結算標的？ (A)認購（售）權證 (B)指數投資證券 (C)政府公債 (D)台股期貨。

(　) **38** 集中市場開盤前輸入之買賣申報，於開盤後，若有未成交買賣申報，其效力如何？ (A)於開盤後仍然有效 (B)市價申報者無效，限價申報者有效 (C)限價申報應無效，市價申報者有效 (D)即為無效。

(　) **39** 證券商應按月編造資本適足明細申報表一份，於次月何日前送達證交所？ (A)三日 (B)七日 (C)十日 (D)十五日。

(　) **40** 盤中零股交易第一次撮合時間為： (A)09:00 (B)09:03 (C)09:05 (D)09:10。

(　) **41** 有價證券依「證交所股份有限公司實施股市監視制度辦法」採處置措施者，經紀商受託買賣時應如何因應？ (A)向委託人預先收取款券或融資自備價款或融券保證金 (B)無須有特別作為 (C)限制買賣金額 (D)停止此一證券之下單買賣。

( ) **42** 一般公開發行公司初次申請股票上市條件，公司「獲利能力」標準之一為稅前淨利占年度決算之財務報告所列示股本比率，最近二個會計年度均需達多少者，始合乎獲利能力標準？ (A)3%以上 (B)5%以上 (C)6%以上 (D)10%以上。

( ) **43** 以下何者為「櫃買中心證券商營業處所買賣有價證券業務規則」所規定證券櫃檯買賣中心得終止櫃檯買賣之情事？ (A)已在臺灣證券交易所上市 (B)金融機構經目的事業主管機關依法指派接管 (C)公司營運全面停頓逾六個月 (D)選項(A)(B)(C)皆是。

( ) **44** 外國政府發行之政府公債，申請在櫃檯買賣之方式為何？ (A)逕向臺灣證券交易所申請，並由其審核後公告 (B)逕向證券櫃檯買賣中心申請，並由其審核後公告 (C)逕向中華民國證券商業同業公會申請，並由其審核後公告 (D)由金融監督管理委員會函令證券櫃檯買賣中心公告。

( ) **45** 股票之發行人須於發生對股東權益有重大影響事項之日起幾日內，將該事項向主管機關申報公告並將抄本送證券櫃檯買賣中心供公眾閱覽？ (A)一日 (B)二日 (C)三日 (D)四日。

( ) **46** 證券自營商為債券附條件買賣時，其交易餘額不得超過之淨值倍數及約定期限最長者為： (A)二倍及三個月 (B)二倍及六個月 (C)四倍及一年 (D)六倍及一年。

( ) **47** 外國公司申請登錄興櫃併送申報辦理公開發行，須於多久後設置獨立董事及薪資報酬委員會？ (A)兩個月 (B)三個月 (C)六個月 (D)申請時須已完成設置。

( ) **48** 委託人融資期限屆滿未清償，經證券商處分擔保品後，自逾期之日起，至清償日止，按核定利率之多少比率加收融資違約金？ (A)5% (B)10% (C)15% (D)25%。

( ) **49** 境外基金機構得委任下列何機構擔任總代理人，辦理境外基金募集及銷售業務？ (A)經核准營業之證券投資信託事業 (B)經核准營業之證券投資顧問事業 (C)經核准營業之證券經紀商 (D)選項(A)(B)(C)皆是。

( ) **50** 臺灣證券交易所於每月終依據各證券商當月買賣金額計算之應收經手費金額開具帳單分送各證券商，應於次月幾日前繳清？
(A)五日 (B)十日 (C)十五日 (D)三十日。

解答與解析（答案標示為#者，表官方曾公告更正該題答案。）

1 **(A)**。「證券投資信託基金管理辦法」第66條第1項：受益憑證應為記名式。
「證券投資信託基金管理辦法」第44條第1項：保護型基金係指在基金存續期間，藉由基金投資工具，於到期時提供受益人一定比率本金保護之基金。
「證券投資信託基金管理辦法」第44條第3項：保本型基金之保本比率應達投資本金之百分之九十以上。

2 **(B)**。「公司法」第192-1條第1項：公司董事選舉，採候選人提名制度者，應載明於章程，股東應就董事候選人名單中選任之。但公開發行股票之公司，符合證券主管機關依公司規模、股東人數與結構及其他必要情況所定之條件者，應於章程載明採董事候選人提名制度。

3 **(C)**。新任內部人自取得其身份之日起六個月後始得轉讓。

4 **(B)**。「會計師辦理公開發行公司財務報告查核簽證核准準則」第2條：公開發行公司之財務報告，應由依會計師法第十五條規定之聯合或法人會計師事務所之執業會計師二人以上共同查核簽證。

5 **(B)**。「有價證券得為融資融券標準」第2條第6項：得為融資融券交易之創新板股票經發行公司申請改列為上市後或上櫃股票經發行公司轉申請上市後，除有股權過度集中之情事者外，即得為融資融券交易，不適用第一項上市滿六個月與第四項第一款及第三款規定；該項作業程序由證券交易所擬訂，並報主管機關核定。

6 **(C)**。「證券投資信託基金管理辦法」第31-1條第1項：多重資產型基金指得同時投資於股票、債券（包含其他固定收益證券）、基金受益憑證、不動產投資信託基金受益證券及經本會核准得投資項目等資產種類，且投資於前開任一資產種類之總金額不得超過本基金淨資產價值之百分之七十者。

7 **(C)**。「公司法」第240條第5項：公開發行股票之公司，得以章程授權董事會以三分之二以上董事之出席，及出席董事過半數之決議，將應分派股息及紅利之全部或一部，以發放現金之方式為之，並報告股東會。

8 **(B)**。「證券投資信託及顧問法」第47條第1項：證券投資信託契約終止時，清算人應於主管機關核准清算後三個月內，完成證券投資信託基金之清算，並將清算後之餘額，依受益權單位數之比率分派予各受益人。但有正當理由無法於三個月內完成清算者，於期限屆滿前，得向主管機關申請展延一次，並以三個月為限。

9 **(B)**。「證券交易法」第157條第1項：發行股票公司董事、監察人、經理人或持有公司股份超過百分之十之股東，對公司之上市股票，於取得後六個月內再行賣出，或於賣出後六個月內再行買進，因而獲得利益者，公司應請求將其利益歸於公司。

10 **(B)**。「證券交易法」第42條：公司對於未依本法發行之股票，擬在證券交易所上市或於證券商營業處所買賣者，應先向主管機關申請補辦本法規定之有關發行審核程序。

「證券交易法」第3條：本法所稱主管機關，為金融監督管理委員會。

11 **(C)**。「公司法」第167-1條：公司除法律另有規定者外，得經董事會以董事三分之二以上之出席及出席董事過半數同意之決議，於不超過該公司已發行股份總數百分之五之範圍內，收買其股份；收買股份之總金額，不得逾保留盈餘加已實現之資本公積之金額。

前項公司收買之股份，應於三年內轉讓於員工，屆期未轉讓者，視為公司未發行股份，並為變更登記。

12 **(A)**。「證券投資信託及顧問法」第105-1條：證券投資信託事業、證券投資顧問事業之董事、監察人、經理人或受僱人，意圖為自己或第三人不法之利益，或損害證券投資信託基金資產、委託投資資產之利益，而為違背其職務之行為，致生損害於證券投資信託基金資產、委託投資資產或其他利益者，處三年以上十年以下有期徒刑，得併科新臺幣一千萬元以上二億元以下罰金。

13 **(C)**。依據「證券交易法」第43-8條，有價證券私募之應募人及購買人，自該私募有價證券交付日起滿三年，可將私募之有價證券賣出。

14 **(D)**。「公司法」第173-1條第1項：繼續三個月以上持有已發行股份總數過半數股份之股東，得自行召集股東臨時會。

15 **(D)**。選項有誤，依據最新「證券交易法」應更正為新臺幣二十四萬元至四百八十萬元。

「證券交易法」第28-2條第6項：公司於有價證券集中交易市場或證券商營業處所買回其股份者，該公司依公司法第三百六十九條之一規定之關係企業或董事、監察人、經理人、持有該公司股份超過股份總額百分之十之股東所持有之股份，於該公司買回之期間內不得賣出。

依據「證券交易法」第178條第10項違反二十八條之二第六項處新臺

幣二十四萬元以上四百八十萬元以下罰鍰，並得命其限期改善；屆期未改善者，得按次處罰。

16 (A)。「公司法」第197條第1項：董事經選任後，應向主管機關申報，其選任當時所持有之公司股份數額；公開發行股票之公司董事在任期中轉讓超過選任當時所持有之公司股份數額二分之一時，其董事當然解任。
「公司法」第200條：董事執行業務，有重大損害公司之行為或違反法令或章程之重大事項，股東會未為決議將其解任時，得由持有已發行股份總數百分之三以上股份之股東，於股東會後三十日內，訴請法院裁判之。

17 (C)。「證券交易法」第14-4條第6項：審計委員會之決議，應有審計委員會全體成員二分之一以上之同意。

18 (C)。「公司法」第369-3條：有下列情形之一者，推定為有控制與從屬關係：一、公司與他公司之執行業務股東或董事有半數以上相同者。二、公司與他公司之已發行有表決權之股份總數或資本總額有半數以上為相同之股東持有或出資者。

19 (A)。「證券交易法」第26-3條第3項：公司除經主管機關核准者外，董事間應有超過半數之席次，不得具有下列關係之一：一、配偶。二、二親等以內之親屬。

20 (A)。「公司法」第22-1條第1項：公司應每年定期將董事、監察人、經理人及持有已發行股份總數或資本總額超過百分之十之股東之姓名或名稱、國籍、出生年月日或設立登記之年月日、身分證明文件號碼、持股數或出資額及其他中央主管機關指定之事項，以電子方式申報至中央主管機關建置或指定之資訊平臺；其有變動者，並應於變動後十五日內為之。

21 (B)。「證券商管理規則」第14條：證券商除由金融機構兼營者另依有關法令規定外，已依本法發行有價證券者，應依本法第四十一條規定，於每年稅後盈餘項下，提存百分之二十特別盈餘公積。但金額累積已達實收資本額者，得免繼續提存。

22 (B)。「公司法」第203-1條第2項過半數之董事得以書面記明提議事項及理由，請求董事長召集董事會。
「公司法」第204條第3項：有緊急情事時，董事會之召集，得隨時為之。

23 (D)。依據「證券交易法」第155條第1項，在證券交易所上市之有價證券，不得在集中交易市場委託買賣或申報買賣，業經成交而不履行交割，足以影響市場秩序。
依據「證券交易法」第171條，違反第一百五十五條第一項，處三年以上十年以下有期徒刑，得併科新臺幣一千萬元以上二億元以下罰金。

24 **(B)**。「證券交易法」第179條：法人及外國公司違反本法之規定者，除第一百七十七條之一及前條規定外，依本章各條之規定處罰其為行為之負責人。

25 **(B)**。「臺灣證券交易所股份有限公司營業細則」第79-2條：證券商受託買進創新板有價證券，以其委託人為合格投資人及公司依法買回其股份者為限。前項所稱合格投資人，係指委託人符合以下條件之一者：一、專業機構投資人或具有一年以上證券交易經驗之法人。二、依法設立之創業投資事業。三、依洽商銷售方式取得創新板初次上市有價證券之法人。四、具有兩年以上證券交易經驗之自然人，且符合下列條件之一：(一)新臺幣二百萬元以上之財力證明。(二)最近兩年度平均所得達新臺幣一百萬元。

26 **(C)**。依據「證券商提供數位服務作業指引」第4條，客戶服務中心服務範圍：(一)提供客戶諮詢服務、處理客戶消費爭議及建言。(二)被動提供客戶金融商品說明、交易平台說明、證券業務相關活動及市場訊息等業務。(三)不得對客戶投資組合提供任何建議等涉及推介之行為、不得接受客戶委託買賣有價證券、不得接受客戶親臨申辦或洽談業務。

27 **(D)**。「發行人募集與發行有價證券處理準則」第3條：金融監督管理委員會（以下簡稱本會）審核有價證券之募集與發行、公開招募、補辦公開發行、無償配發新股與減少資本採申報生效制。

28 **(C)**。為積極回應全球永續發展行動與國家淨零排放目標，金管會於2022年3月3日發布「上市櫃公司永續發展路徑圖」，分階段推動全體上市櫃公司於2027年完成溫室氣體盤查，2029年完成溫室氣體盤查之確信，營造健全永續發展（ESG）生態體系。

29 **(D)**。「公司法」第269條：公司有下列情形之一者，不得公開發行具有優先權利之特別股：一、最近三年或開業不及三年之開業年度課稅後之平均淨利，不足支付已發行及擬發行之特別股股息者。二、對於已發行之特別股約定股息，未能按期支付者。

「公司法」第270條：公司有下列情形之一者，不得公開發行新股：一、最近連續二年有虧損者。但依其事業性質，須有較長準備期間或具有健全之營業計畫，確能改善營利能力者，不在此限。二、資產不足抵償債務者。

30 **(B)**。依據「中華民國證券商業同業公會證券商承銷或再行銷售有價證券處理辦法」第31條，發行認購（售）權證、指數投資證券之承銷案件應全數採洽商銷售方式辦理。

31 **(D)**。「發行人募集與發行海外有價證券處理準則」第3條：有價證券已在證券交易所上市或依財團法人中華民國證券櫃檯買賣中心證券商營業處所買賣有價證券審查準則第三條規定在證券商營業處所買賣之公開發行公司，得申報募集與發行海外公司債、海外股票、參與發行海外存託憑證及申報其已發行之股票於國外證券市場交易。

32 **(D)**。「中華民國證券商業同業公會證券商承銷或再行銷售有價證券處理辦法」第32條，採洽商銷售之承銷案件，普通公司債、未涉及股權之金融債券每一認購人認購數量不得超過該次承銷總數之百分之五十。

33 **(D)**。「財團法人中華民國證券櫃檯買賣中心證券商營業處所買賣有價證券業務規則」第12-13條第3項：證券投資信託事業經理之加掛其他幣別之受益憑證有下列情事之一者，本中心得終止其櫃檯買賣，並報請主管機關備查：一、有該上櫃受益憑證之證券投資信託契約所定終止之情事，經證券投資信託事業向本中心申請終止櫃檯買賣者。二、經證券投資信託事業於公開資訊觀測站發布經理之加掛其他幣別之受益憑證每受益權單位淨資產價值為零或負數之重大訊息者。三、被加掛之指數股票型基金經本中心終止其受益憑證之櫃檯買賣者。四、本中心基於其他原因認為有終止其櫃檯買賣之必要者。

34 **(D)**。「公司法」第167-1條：公司除法律另有規定者外，得經董事會以董事三分之二以上之出席及出席過半數董事同意之決議，於不超過該公司已發行股份總數百分之五之範圍內，收買其股份；收買股份之總金額，不得逾保留盈餘加已實現之資本公積之金額。

35 **(C)**。「公司法」第172-1條第1項，持有已發行股份總數百分之一以上股份之股東，得向公司提出股東常會議案。但以一項為限，提案超過一項者，均不列入議案。
依據「公司法」第172-1條第7項，董事會違法拒絕將股東之合法提案列入股東會議程者，處新臺幣一萬元以上五萬元以下罰鍰。但公開發行股票之公司，由證券主管機關各處公司負責人新臺幣二十四萬元以上二百四十萬元以下罰鍰。

36 **(C)**。「公開發行公司股東會議事手冊應行記載及遵行事項辦法」第6條：公司應於股東常會開會二十一日前或股東臨時會開會十五日前，將股東會議事手冊及前項會議補充資料，製作電子檔案傳送至本會指定之資訊申報網站。但上市上櫃公司於最近會計年度終了日實收資本額達新臺幣二十億元以上或最近會計年度召開股東常會其股東名簿記載之外資及陸資持股比率合計達百分之三十以上者，應於股東常會開會三十日前完成前開電子檔案之傳送。

37 (D)。目前在證券集中市場交易的有價證券標的包括股票、存託憑證、認購（售）權證、受益證券、指數股票型基金、封閉式基金、轉換公司債、政府公債。

38 (A)。依據「臺灣證券交易所股份有限公司營業細則」第58-3條，有價證券當市第一次撮合成交之價格為其開盤價格，開市前輸入而未成交之買賣申報，仍依原電腦隨機排列順序繼續撮合。

39 (C)。依據「臺灣證券交易所股份有限公司營業細則」第26條，證券商應按月編造資本適足明細申報表，於次月十日前以電子媒體向證券交易所申報。

40 (D)。依據「臺灣證券交易所股份有限公司上市股票零股交易辦法」第8條，零股交易自上午九時十分起第一次撮合。

41 (A)。「臺灣證券交易所股份有限公司營業細則」第82條第4項：有價證券經本公司依「實施股市監視制度辦法」及其相關作業規定採取處置措施者，證券經紀商應依其規定，於受託買賣當日，向委託人預先收取款券或融資自備款或融券保證金。

42 (C)。依據「臺灣證券交易所股份有限公司有價證券上市審查準則」第4條，獲利能力：其財務報告之稅前淨利符合下列標準之一，且最近一個會計年度決算無累積虧損者。(一)稅前淨利占年度決算之財務報告所列示股本比率，最近二個會計年度均達百分之六以上。(二)稅前淨利占年度決算之財務報告所列示股本比率，最近二個會計年度平均達百分之六以上，且最近一個會計年度之獲利能力較前一會計年度為佳。(三)稅前淨利占年度決算之財務報告所列示股本比率，最近五個會計年度均達百分之三以上。

43 (D)。依據「財團法人中華民國證券櫃檯買賣中心證券商營業處所買賣有價證券業務規則」第12條之2，選項(A)(B)(C)皆是證券櫃檯買賣中心得終止櫃檯買賣之情事。

44 (D)。「財團法人中華民國證券櫃檯買賣中心外國有價證券櫃檯買賣審查準則」第37條，外國政府發行之政府公債及國際組織發行以新臺幣計價之債券，其在證券商營業處所之買賣、停止或終止買賣，由金融監督管理委員會函令證券櫃檯買賣中心公告之。

45 (B)。依據「證券交易法」第36條，股票之發行人須於發生對股東權益有重大影響事項之日起二日內，將該事項向主管機關申報公告並將抄本送證券櫃檯買賣中心供公眾閱覽。

46 (D)。選項有誤，依據最新「財團法人中華民國證券櫃檯買賣中心證券商營業處所債券附條件買賣交易細則」，應為三．五倍及一年。

「財團法人中華民國證券櫃檯買賣中心證券商營業處所債券附條件買賣交易細則」第11條第1項：證券商之自有資本適足比率合於證券商管理規則第六十五條規定者，前項附買回及附賣回交易餘額得調降為其淨值之三・五倍；證券商之自有資本適足比率合於證券商管理規則第六十六條規定者，本中心得視情節輕重，再調降前項附買回及附賣回交易餘額之倍數。但依其按月申報之報表顯示其調整原因消滅時，得按其消滅之程度，調整其倍數。

「財團法人中華民國證券櫃檯買賣中心證券商營業處所債券附條件買賣交易細則」第11條第3項：債券附條件買賣，其約定買回賣回之期間，不得超過一年。

47 (D)。「財團法人中華民國證券櫃檯買賣中心證券商營業處所買賣興櫃股票審查準則」第26-1條：發行人於登錄興櫃期間，應持續設置符合本準則申請登錄條件之獨立董事及薪資報酬委員會，且該委員會過半數成員應由獨立董事擔任。

48 (B)。「證券商辦理有價證券買賣融資融券業務操作辦法」第82條：證券商得自委託人違約日起至清償日止，依違約事由，按應補差額乘以融資利率百分之十收取融資違約金，或按應補差額乘以融券費費率百分之十收取融券違約金，或按所定之融券手續費率收取相當於一次手續費之融券違約金。

49 (D)。「境外基金管理辦法」第8條：境外基金機構得委任經核准營業之證券投資信託事業、證券投資顧問事業或證券經紀商擔任總代理人，辦理境外基金募集及銷售業務。

50 (B)。「臺灣證券交易所股份有限公司營業細則」第121條：本公司於每月終依據各證券商當月買賣金額按前條費率計算應收經手費金額開具帳單分送各證券商，各證券商應於次月十日前繳清。

(S)投資學

( ) **1** 假設前一營業日H公司股價收盤為30元，其認購權證之履約價格為25元，權利金為3.5元，若執行比例為1.3，請問今天H公司權證之最大上漲幅度為： (A)7.00% (B)8.40% (C)120.57% (D)111.43%。

( ) **2** 目前臺灣掛牌交易之反向型ETF倍數為可放空幾倍？ (A)1倍 (B)2倍 (C)3倍 (D)1.5倍。

( ) **3** 何種證券之持有人在公司辦理現金增資時，有優先認購新股之權利？ 甲、認購權證；乙、普通股；丙、認股權證；丁、可轉換公司債 (A)僅乙 (B)僅甲、乙 (C)僅乙、丙 (D)僅甲、丙。

( ) **4** 小何使用6萬美元的自有資金，並借入額外的50萬歐元，借1個月的歐元要支付0.5%的月利率，而將資金投資於澳幣能夠獲得1%的月報酬。假設澳幣的即期匯率目前為0.6美元，而1歐元目前價值1.2美元。若匯率在下一個月沒有變化，試問小何進行此利差交易（Carry Trade）的月報酬為： (A)0.55% (B)2.83% (C)6.00% (D)10.00%。

( ) **5** 老王今以每股140元，融券賣出甲公司股票五千股，融券保證金成數為九成。若老王在一個月後，以每股148元，融券買進甲公司五千股，試計算老王實現報酬率約為多少？（假設不考慮證券商手續費率、證券交易稅率、融券手續費率與融券利率） (A)-5.71% (B)-6.35% (C)-11.43% (D)-15.71%。

( ) **6** 假設一90天期國庫券的面額為100萬元，報價為95.30，請問投資人欲買進時，須支付多少金額？（一年以365天計算） (A)953,000元 (B)988,411元 (C)986,931元 (D)992,274元。

( ) **7** 下列敘述何者正確？ (A)債券到期期限愈短，利率風險愈大 (B)債券的存續期間愈長，利率風險愈高 (C)債券的票面利率愈低，利率風險愈低 (D)選項(A)(B)(C)皆非。

( ) **8** 哪些條件會使可轉換公司債之價值較低？ 甲、轉換價格較低；乙、轉換比例較低；丙、凍結期間愈短；丁、股票價格降低 (A)甲、乙、丙、丁 (B)僅甲、丙、丁 (C)僅乙、丙、丁 (D)僅乙、丁。

( ) **9** 一個剛發行的1年期債券，面額為$10,000，每半年付息一次，其債息分別依序為$300和$500，若目前同類型債券之市場殖利率為10%，試計算該債券價格約為： (A)$8,950 (B)$9,810 (C)$9,831 (D)$10,293。

( ) **10** 公司股利成長率之值為多少時，就「不可以」應用股利永續成長模式來估計股價？ (A)低於股票要求報酬率 (B)高於股票要求報酬率 (C)大於0 (D)不管公司股利成長率的值是多少，都可以使用股利成長模式估計股價。

( ) **11** 有一公司流通在外的普通股有100,000股，每股市價為40元，每股股利為2元，公司股利發放率為40%，則此公司本益比為多少？ (A)2.5 (B)4 (C)6 (D)8。

( ) **12** 甲公司為擴充產能，將盈餘保留再投資，未來兩年年底均不發放股利，而第三年底發放每股現金股利3元，且預期之後每年股利均可成長4%，直至永遠。若要求報酬率為10%，則甲公司目前每股之合理價格為多少？ (A)50元 (B)52元 (C)41.32元 (D)42.98元。

( ) **13** 在KD中何者為牛市背離現象？ (A)大盤創新低點，RSI值並沒有創新低點 (B)大盤創新低點，DIF值並沒有創新低點 (C)大盤創新低點，ADX值並沒有創新低點 (D)大盤創新低點，K值並沒有創新低點。

( ) **14** 對技術分析的敘述，何者「不正確」？ (A)價格的變化會有趨勢產生 (B)技術分析的重心在於預測股票價格的變化趨勢 (C)未來的價格水準並非研究重心 (D)股價變化的趨勢無時間性。

(　) **15** 創業投資事業的基金管理團隊通常將資金投資於哪一階段的公司？ (A)具有成長潛力的草創期公司 (B)穩定營運的擴張期公司 (C)產品已廣為接受的成熟期公司 (D)市場已有替代商品出現的衰退期公司。

(　) **16** 哪一種股票較可能是成長型股票？ (A)現金股息占盈餘之百分比偏低之股票 (B)低市價淨值比股票 (C)低本益比股票 (D)資產週轉率低的股票。

(　) **17** 其他條件不變，若甲國之預期通貨膨脹高於乙國，則甲國的貨幣將： (A)升值 (B)貶值 (C)不變 (D)不一定。

(　) **18** 其它條件相同，營收易受景氣影響的公司，投資人對其股票可接受的本益比： (A)較高 (B)必等於銀行利率的倒數 (C)較低 (D)不一定，視投資人風險偏好而定。

(　) **19** 已知最適風險投資組合（optimal risky portfolio）的預期報酬率為6.5%、標準差為23%，無風險利率為3.5%。請問：最佳可行的資本配置線（CAL）的斜率為多少？ (A)0.64 (B)0.39 (C)0.08 (D)0.13。

(　) **20** 描述期望報酬率與β值之間關係的線，稱為： (A)資本市場線（Capital Market Line） (B)效率集合（Efficient Set） (C)證券市場線（Security Market Line） (D)等平均線（Iso-Mean Line）。

(　) **21** 關於投資人最適投資組合之敘述，何者「正確」？ 甲、不同投資人必須依個別的可行投資集合形成效率集合，結合自己的風險偏好，來選擇最適投資組合；乙、不同的投資人面對相同的效率前緣不一定會選擇相同的最適投資組合 (A)僅甲 (B)僅乙 (C)甲、乙皆是 (D)甲、乙皆非。

(　) **22** 下列哪種資產配置的年報酬率波動性最低？ (A)80%股票；20%債券 (B)60%股票；40%債券 (C)30%股票；70%銀行存款 (D)50%股票；50%債券。

(　) **23** 哪種類股在股市多頭行情時，漲幅較大？ (A)績優大型股 (B)低貝它大型股 (C)低貝它小型股 (D)高貝它小型股。

( ) **24** 在其他條件不變下，當履約價格（strike price）下降時，歐式買權（European call）的價格會________，而美式賣權（American put）的價格會________ (A)上升；上升 (B)下降；上升 (C)上升；下降 (D)下降；下降。

( ) **25** 轉換公司債資產交換對證券商的優點，何者「正確」？ 甲、活絡證券商資金之運用；乙、承擔發行公司之信用風險以獲取較高收益 (A)僅甲 (B)僅乙 (C)甲、乙皆正確 (D)甲、乙皆不正確。

( ) **26** 當買入證券後，未能公平且迅速賣出該證券，此風險為： (A)違約風險 (B)流動性風險 (C)購買力風險 (D)利率風險。

( ) **27** 假設滬深300指數單日大跌8.7%，則有關其反向型ETF的表現，下列何者正確？ (A)漲幅限制為10% (B)漲幅可能高於8.7%，但不會超過10% (C)漲幅不可能低於8.7% (D)無漲跌幅限制。

( ) **28** 在其他條件相同下，下列何者的票面利率最高？ (A)可轉換公司債 (B)可贖回公司債 (C)可賣回公司債 (D)附認股權證公司債。

( ) **29** 當標的公司股票除權時，其可轉換公司債之轉換條件如何變化？ 甲、轉換價格不變；乙、轉換比率不變；丙、轉換價值不變 (A)僅乙 (B)僅丙 (C)僅甲、乙 (D)僅乙、丙。

( ) **30** 附認股權證公司債之債權人於執行認股權利時，則公司之I、每股盈餘會有稀釋效果；II、負債總額不變；III、資產增加： (A)僅I、II對 (B)僅I、III對 (C)僅II、III對 (D)I、II、III均對。

( ) **31** 已知一債券的票面利率為8%，面額為100元，5年後到期，每半年付息一次，且目前此債券的殖利率為5%，則此債券目前的價格約為： (A)93.372元 (B)97.523元 (C)100元 (D)113.128元。

( ) **32** 若殖利率曲線為正斜率，在利率期限結構（Term Structure）中的流動性偏好理論（the Liquidity Preference Theory）中，投資人認為： (A)短期債券比長期債券有較高的報酬率 (B)長短期債券有相同的報酬率 (C)長期債券比短期債券有較高的報酬率 (D)選項(A)(B)(C)皆有可能。

( ) **33** 老王以1,000萬元之公債用面額與證券公司承作附賣回（RS）交易，雙方約定利率為6%，並於30天後向證券公司買回，屆時老王應支付證券公司之利息為何？（註：一年以365天計算） (A)$49,315 (B)$44,770 (C)$48,770 (D)$42,185。

( ) **34** 某公司今年每股發放股利3元，在股利零成長的假設下，已知投資人的必要報酬率為8%，則每股普通股的預期價值為： (A)20元 (B)30元 (C)33.3元 (D)37.5元。

( ) **35** 某股票在除權交易日前一天收盤價為90元，若盈餘轉增資配股率15%，資本公積轉增資配股率10%，則除權參考價為： (A)64元 (B)72元 (C)69.5元 (D)80元。

( ) **36** 在RSI分析中，下列描述何者「正確」？ (A)成交量愈大，RSI的振幅愈大 (B)成交量愈小，RSI的振幅愈小 (C)時間長度愈長，RSI振幅愈小 (D)時間長度愈短，RSI振幅愈小。

( ) **37** 有關騰落指標（ADL）的敘述，何者「不正確」？ (A)ADL是以股票漲跌家數累積差值研判大盤走勢 (B)ADL的計算公式，其取樣的漲跌家數與ADR相同 (C)ADL能全面真實的反映股市的走勢方向，而不被個別大戶所操縱 (D)ADL公式中，其下限為0，上限則無限制。

( ) **38** 一般而言，P/E Ratio（本益比）是指： (A)股價對每股稅後盈餘比 (B)股價對每股營收比 (C)股價對每股權益比 (D)股價對每股支出比。

( ) **39** 以基本分析法來評估公司所隱含的真實價值時，所須考量的因素有：甲、總體經濟面；乙、各類產業環境；丙、個別公司特質；丁、歷史股價；戊、歷史成交量 (A)僅甲、乙 (B)僅甲、乙、丙 (C)僅丁、戊 (D)甲、乙、丙、丁、戊。

( ) **40** 關於臺灣公司治理100指數之敘述，何者「不正確」？ (A)原則從最近1年公司治理評鑑結果前20%的股票中篩選 (B)定期審核以外之期間，成分股因故剔除，將即按順位遞補後續排名公司 (C)每一營業日收盤後發布一次「報酬指數」 (D)於股市交易時間內，每5秒計算1次「市值指數」。

( ) **41** 若甲證券之平均報酬為18%，標準差為0.20，而乙證券之平均報酬為4%，標準差為0.10，若二證券為完全負相關，其共變異數為何？ (A)0.05 (B)0.3 (C)-0.02 (D)-0.04。

( ) **42** 所謂效率投資組合（Efficient Portfolio）是指：甲、在固定風險水準下，期望報酬率最高之投資組合；乙、在固定期望報酬率水準下，風險最高之投資組合；丙、在固定風險水準下，期望報酬率最低之投資組合；丁、在固定期望報酬率水準下，風險最低之投資組合 (A)甲與乙 (B)甲與丁 (C)乙與丙 (D)丙與丁。

( ) **43** 在CAPM模式中，若已知甲股票的預期報酬為18%，甲股票的β值為1.2，目前無風險利率為6%，則市場風險溢酬為： (A)10% (B)12% (C)14% (D)16%。

( ) **44** 進行資產配置策略時，將會考慮下列何者因素？ 甲、風險承受能力；乙、流動性；丙、進場時機；丁、股價高低；戊、投資目標 (A)僅甲、丙、丁、戊 (B)僅甲、乙、丙、丁 (C)僅甲、乙、丙 (D)僅甲、乙、戊。

( ) **45** 共同基金經理人採取由下而上（Bottom-Up）管理方式，認為基金的超額報酬主要來自於： (A)大盤研判 (B)類股波段操作 (C)尋找價值低估的潛力股 (D)分散風險。

( ) **46** 何種投資組合與大盤指數的追蹤誤差最小？ (A)保本型基金 (B)高科技基金 (C)指數基金 (D)高成長型基金。

( ) **47** 一般而言，下列那種平均報酬率的計算方法，最適合來衡量投資組合的投資績效？ (A)時間加權法 (B)調和平均法 (C)金額加權法 (D)內部報酬率法。

( ) **48** 當技術分析（使用歷史資料預測股價）無效時，市場至少必須是： (A)弱式效率市場假說 (B)半強式效率市場假說 (C)強式效率市場假說 (D)非效率市場。

( ) **49** 當市場利率或殖利率大於債券之票面利率時，該債券應屬： (A)折價 (B)溢價 (C)平價 (D)無法判斷。

( ) **50** 某公司即將發行公司債籌措資金，每一張公司債承諾從第3年年底開始，每年支付$5,000債息直到永遠。假設投資人要求報酬率為5%，試計算買賣雙方都同意之債券價格約為多少？
(A)$86,384 (B)$90,703 (C)$95,238 (D)$100,000。

解答與解析（答案標示為#者，表官方曾公告更正該題答案。）

1 (D)。股票漲跌幅限制為10%
權證之最大上漲金額為30×10%×1.3＝3.9
最大上漲幅度為3.9／3.5＝111.43%

2 (A)。目前臺灣掛牌交易之反向型ETF倍數為放空1倍。

3 (A)。普通股股東具有優先認股權，為公司法保障原股東而賦予其優先認購新股之權利。

4 (C)。50萬歐元×1.2＝60萬美元
月利息＝60萬×0.5%＝3,000
月報酬＝(60萬+6萬)×1%＝6,600
月報酬率＝(6,600－3000)／6萬＝6%

5 (B)。融券報酬率＝（投資價值－投資現值）／投資成本×100%
（140－148）／（140×90%）×100%＝－6.35%

6 (B)。100－95.3＝4.7
100萬×(1－4.7%×90／365)＝$988,411

7 (B)。債券到期期限愈長，利率風險愈大；債券的票面利率愈高，存續期間愈短，利率風險愈低。

8 (D)。轉換價格愈高，轉換比例愈低，可轉換公司債價值就愈低。凍結期間愈長，限制轉換權利的執行，轉換權利愈沒有價值，可轉換公司債價值愈低。

9 (B)。[300／（1+5%）]+[（10,000+500）／（1+5%）^{2}]
＝286+9,524＝9,810

10 (B)。股利永續成長模式：股價＝[現金股利×（1+股利成長率）]／（要求報酬率－股利成長率）
股利成長率大於要求報酬率時無法計算股價。

11 (D)。（每股股利／每股盈餘）×100%＝股利發放率
（2／每股盈餘）×100%＝40%
每股盈餘＝5
本益比＝每股市價／每股盈餘
40／5＝8

12 (C)。股價＝3／（10%－4%）＝50
50／（1+10%）／（1+10%）＝41.32

13 (D)。僅K值為KD指標。

14 (D)。根據趨勢理論，基本趨勢一旦形成，股價將形成廣泛的全面上漲或下跌，持續時間常常達到一年以上。

15 (A)。創業投資事業的基金管理團隊通常將資金投資於具有成長潛力的新創事業或早期企業。

16 (A)。成長型股票一般傾向將大部分獲利拿去再投資，使得公司能快速成長，因此股票通常不派發股息。

17 (B)。預期通貨膨脹高表示該國幣值較不值錢，貨幣將貶值。

18 (C)。營收易受景氣影響的公司，投資人給予較低的本益比。

19 (D)。夏普比率＝（最適風險投資組合的預期報酬率－無風險利率）／最適風險投資組合的標準差
（6.5%－3.5%）／23%＝0.13

20 (C)。證券市場線SML在描述β值與報酬率之關係。

21 (C)。為獲得較高之收益率，必須承受相對較高的風險，投資人在市場上衡量自己願意承受的風險水準後，可以找到最大可能收益的投資組合，這個投資組合點即為最適投資組合。

22 (C)。報酬率波動性：股票>債券>銀行存款
股票配置越少波動性越低。

23 (D)。高貝它股票波動程度較大，在股市多頭行情時，漲幅較大，小型股股本較小，股價易受影響。

24 (C)。標的物之履約價格越低，代表標的物之履約價格低於市價越多，買權執行價值上升，故買權價格上升，賣權價格下降。美式、歐式之差異為履約方式不同，不影響選擇權價格。

25 (A)。可轉換公司債資產交換為證券商持有可轉換公司債券，將其拆解為選擇權端與固定收益端，分別出售給投資人，風險由投資人承擔。

26 (B)。因市場成交量不足或缺乏願意交易的買方，導致想賣而賣不掉，為流動性風險。

27 (D)。境外ETF無漲跌幅限制。

28 (B)。可贖回債券指發行人可以在債券到期日之前贖回或清償的債券，對投資人不利，會給予較高的票面利率。

29 (B)。公司進行除權配股時，發行公司會自動依除權比例調降轉換價格，增加可轉換股數，轉換價值不變。

30 (D)。每股盈餘＝稅後淨利／流通在外普通股股數
附認股權證公司債之債權人於執行認股權利時，將使公司資產增加，負債不變，流通在外普通股股數增加，每股盈餘被稀釋。

31 (D)。票面利率>殖利率為溢價債券
$4／(1+2.5\%)+4／(1+2.5\%)^{2}\cdots\cdots+(4+100)／(1+2.5\%)^{10}=113.128$

32 (C)。長期債券由於債券之期限較長，承擔較高的利率風險與違約風

險，須以較高之投資報酬來吸引投資人，付給投資人較高的投資補償。

33 (A)。1,000萬×6%×30／365＝49,315

34 (D)。股價＝[現金股利×（1+股利成長率）]／（要求報酬率－股利成長率）
＝3×1／8%＝37.5

35 (B)。除權參考價格＝前一交易日股票收盤價／（1+配股率）
90／（1+15%+10%）＝72

36 (C)。RSI時間週期愈大，它對價格波動的敏感度就會愈低，振幅愈小。

37 (D)。ADL值可能為負。

38 (A)。本益比＝股價／每股盈餘

39 (B)。歷史股價與歷史成交量，為技術分析使用。

40 (B)。若成分股有變更交易方法、停止買賣、終止上市等情事而刪除時，將不予遞補，故在定期審核以外期間的成分股數目可能不足100檔。

41 (C)。完全負相關相關係數為－1
共變異數＝相關係數×甲標準差×乙標準差
－1×0.2×0.1＝－0.02

42 (B)。效率投資組合的主要意義是「總風險相同時，相對上可獲得最高的預期報酬率」或「預期報酬相同時，相對上總風險最低」的投資組合。

43 (A)。預期報酬率＝無風險利率+β×市場風險溢酬
18%＝6%+1.2×市場風險溢酬
市場風險溢酬＝10%

44 (D)。進場時機與股價高低為投資當下需考慮之因素。

45 (C)。由下而上管理方式重視選股，目標是找到投資報酬有前景的股票。

46 (C)。指數基金追蹤市場指數，緊貼指數表現，爭取相近回報。

47 (A)。時間加權平均報酬率，是一種考慮時間，並不受到現金流出與流入影響的年化報酬率計算方法，適合用來衡量投資組合或基金經理人的投資成效，可以排除過程中資金的影響。

48 (A)。弱式效率市場：證券之市場價格，充分反映過去的歷史資訊，故投資人無法再利用過去已發生的成交量價資訊情報，賺得超額報酬，技術分析無效。

49 (A)。殖利率大於債券之票面利率為折價債券。

50 (B)。債券票面價值＝$5,000／5%＝$100,000
$100,000－$5,000／(1+0.05)－$5,000／$(1+0.05)^2$＝$90,703

財務分析

( ) **1** 下列對財務報表使用者之風險描述，何者為非？ (A)有會計風險與審計風險 (B)審計風險是指經審計人員審計後，財務報表仍可能隱含錯誤、不適當，而未被發現之風險 (C)風險性高的行業其審計風險也會偏高 (D)財務報表無論是否經過審計，其會計風險均相同。

( ) **2** 前程公司由其客戶處收到一張面額$30,000，6個月到期，利率10%之票據。在收到二個月後因需要現金即持向某銀行貼現，貼現息為12%，試問前程公司將自銀行收到多少現金？ (A)$30,870 (B)$30,300 (C)$30,280 (D)$30,240。

( ) **3** 品妍公司於110年度曾出售一批不動產、廠房及設備，其原始成本為$500,000，出售時的累計折舊為$250,000，而售得之價款為$350,000。上述事項在間接法現金流量表中應如何列示？ (A)從稅前淨利中減除$100,000，並從投資活動增加$350,000現金流量 (B)從稅前淨利中減除$100,000，並從籌資活動減少$350,000現金流量 (C)從稅前淨利中加回$350,000，並從投資活動增加$250,000現金流量 (D)從稅前淨利中加回$250,000，並從籌資活動減少$350,000現金流量。

( ) **4** 下列何種情況最可能出現在一個新成立且急速擴充的企業之現金流量表？ (A)投資活動現金流量淨額大於0；籌資活動現金流量淨額小於0 (B)投資活動現金流量淨額小於0；籌資活動現金流量淨額大於0 (C)投資活動現金流量淨額小於0；籌資活動現金流量淨額小於0 (D)投資活動現金流量淨額大於0；籌資活動現金流量淨額大於0。

( ) **5** 下列何項為「淨現金流量允當比率」之計算公式？ (A)營業活動淨現金流量／流動負債 (B)營業利益／(營業利益－利息費用) (C)最近五年度營業活動淨現金流量／最近五年度(資本支出＋存貨增加額＋現金股利) (D)(營業活動淨現金流量－現金股利)／(不動產、廠房及設備毛額＋長期投資＋其他非流動資產＋營運資金)。

( ) **6** 甲公司X1年底，調整後有關機器之資料為：成本$500,000，累計折舊$400,000，估計使用年限為6年，且無殘值，採用直線法提列折舊。X2年初加以翻修共花費$100,000，估計自X2年初起可再使用8年無殘值，則X2年度折舊費用為何？ (A)$20,000 (B)$18,750 (C)$15,000 (D)$25,000。

( ) **7** 下列何者應列於不動產、廠房及設備項下？ (A)購入土地，擬經整理後分區出售 (B)購入土地擬於價格較佳時轉手賺取價差 (C)購入土地擬作為廠房用地 (D)選項(A)(B)(C)皆是。

( ) **8** 下列何者非為權益項目？ (A)庫藏股 (B)特別盈餘公積 (C)償債基金 (D)保留盈餘。

( ) **9** 下列關於可轉換公司債的敘述，何者正確？ (A)票面利率通常高於發行日市場利率 (B)轉換價格通常高於發行日普通股股票之公允價值 (C)轉換價格在發行日後不能調整 (D)票面利率不得設定為0。

( ) **10** 南投公司X1年期初資產為$450,000、負債為$180,000；若X1年1月份僅兩項交易：購買辦公設備支付$135,000與預收貨款$75,000，請問X1年1月底的權益為何？ (A)$210,000 (B)$270,000 (C)$345,000 (D)$405,000。

( ) **11** 豪景公司X1年底之流動比率為1.3，負債比率為0.375。流動資產為$1,000,000，總資產為$4,000,000。若該公司X1年之淨利為$750,000並曾宣告$250,000之現金股利、$250,000之股票股利，且無其他影響權益之交易，則該公司X1年初之權益金額為： (A)$1,750,000 (B)$2,000,000 (C)$2,250,000 (D)$2,500,000。

( ) **12** 下列何者並非發行公司債取得資金的優點？ (A)享有稅盾利益 (B)資金成本低於普通股及特別股 (C)流動比率上升 (D)財務槓桿比率下降。

( ) **13** 下列哪個交易會造成利息保障倍數上升、負債比率下降及現金流量對固定支出倍數上升？ (A)償還長期銀行借款 (B)公司債轉換成普通股 (C)以高於成本的價格出售存貨 (D)選項(A)(B)(C)皆是。

( ) **14** 關於公司提高負債比率之必然影響，下列敘述何者正確（假設其他因素不變）？ 甲、提高稅盾（Tax Shield）；乙、提高財務困難成本（Financial Distress Cost）；丙、提高加權平均資金成本（Weighted Average Cost of Capital） (A)僅甲、乙 (B)僅甲、丙 (C)僅乙、丙 (D)甲、乙、丙。

( ) **15** 某公司的權益報酬率為19%，市價淨值比為1.9倍，則公司的本益比為： (A)10 (B)14 (C)19 (D)36.1。

( ) **16** 仁國公司X3年度平均流動資產$800,000，平均流動負債$350,000，銷貨收入淨額$150,000，銷貨成本$105,000，稅後淨利率10%，則仁國公司營運資金週轉率為何？ (A)10% (B)33.33% (C)9% (D)18.75%。

( ) **17** 發放股票股利，將使： (A)流動比率上升 (B)投資活動的現金流入量增加 (C)淨值報酬率下降 (D)流通在外股數增加。

( ) **18** 請由以下通宵企業的財務資料，計算出該企業普通股的每股權益帳面金額：總資產$250,000、淨值$170,000、普通股股本$50,000（5,000股）、特別股股本$10,000（1,000股） (A)$34 (B)$30 (C)$24 (D)$32。

( ) **19** 嘉義公司X1年間投入成本$525,000的原材料生產產品，尚須投入$420,000完工為製成品，製成品估計售價及估計銷售費用分別為$980,000及$17,500。若X1年底原材料重置成本降至$500,000，請問：原材料應提列多少「存貨跌價損失」？ (A)$0 (B)$17,500 (C)$35,000 (D)$70,000。

( ) **20** 立力公司有35,000股普通股流通在外，發行面額為$10。另有按面額$100發行之5%累積特別股5,000股流通在外。立力公司過去四年及今年皆未發放股利，若本年度預告發放$100,000之股利，則今年底分配給特別股之股利是多少？ (A)$150,000 (B)$125,000 (C)$360,000 (D)$100,000。

( ) **21** 某一投資組合部位的信用槓桿倍數為2倍，若此一投資組合的現金部位可創造5%的獲利，則其槓桿組合的投資收益為何？(A)10% (B)8% (C)6% (D)5%。

( ) **22** 宏碁乙是一種： (A)特別股 (B)普通股 (C)可轉換公司債 (D)可轉換公司債轉換股票之權證。

( ) **23** 一公司資產的價值為500萬元，負債的價值為200萬元，該公司負債的貝它（Beta）為0.6，權益之貝它為1.3，試問公司整體的貝它是多少？ (A)0.75 (B)1.14 (C)1.02 (D)1.2。

( ) **24** 若公司的股票股利配股率愈高（不考慮除權處理所需費用），則權益總值有何變化？ (A)縮小 (B)不變 (C)放大 (D)不一定。

( ) **25** 下列何者非我國貨幣市場中常見的交易對象？ (A)附買回協議 (B)金融債券 (C)可轉讓定期存單 (D)銀行承兌匯票。

( ) **26** 針對不同年限投資計畫的評估選擇，下列何種方法較適合？(A)會計報酬率法 (B)內部報酬率法 (C)等值年金法 (D)獲利率指數法。

( ) **27** 在作資本預算決策時，攸關的稅率應為： (A)公司預期的邊際稅率 (B)以前年度之稅率 (C)稅法中最高的稅率 (D)公司預期的平均稅率。

( ) **28** 估計資金成本的方法包括： (A)以【（預期下一期的股利／目前股價）＋股利成長率】之估計值估計 (B)利用資本資產定價模式估計 (C)利用套利定價模式估計 (D)選項(A)(B)(C)皆可。

(　　) **29** 若同開科技公司擴建廠房之資金成本13.66%，已知權益資金成本是15%，所得稅率是17%，已知公司負債權益比率是1：4，且該公司新廠房的資金來源為銀行貸款，試問該公司舉債利率為何？(A)15%　(B)10%　(C)9.60%　(D)8%。

(　　) **30** 下列敘述何者正確？　(A)綜合損益表中須列示綜合損益歸屬於普通股權益持有人之每股金額　(B)綜合損益金額會因其他綜合損益之重分類調整而變動　(C)綜合損益等於報導期間權益之變動（但排除與業主之交易及與該等交易直接相關之交易成本所產生之變動）　(D)綜合損益結帳後將累計於其他權益。

(　　) **31** 下列敘述何者正確？　(A)使用價值屬於變現價值　(B)履約價值是指企業預期於其履行負債時，有義務移轉的現金或其他經濟資源的現值，包含承擔負債所發生的交易成本　(C)公允價值是指於衡量日市場參與者間，在有秩序之交易中出售某一資產所能收取或移轉某一負債所需支付之價格　(D)公允價值屬於現時價值的一種，履約價值屬於歷史成本的一種。

(　　) **32** 南方公司20X3年12月31日應收帳款總額為$500,000、其中逾期30天以上之帳款共計$50,000。該公司估計未逾期帳款之損失率為2%，逾期30天以上之帳款損失率為20%。已知調整前備抵損失為貸餘$8,500，則20X3年度本期淨利應列多少預期信用減損損失？(A)$10,500　(B)$27,500　(C)$19,000　(D)$11,500。

(　　) **33** 編製母公司之現金流量表時，為取得子公司股權所支付之現金為：　(A)營業活動　(B)投資活動　(C)籌資活動　(D)不影響現金流量之投資或籌資活動。

(　　) **34** 下列何者並非現金流量表之功能？　(A)評估公司盈餘的品質(B)評估對外部資金的依賴程度　(C)評估公司的財務彈性　(D)評估資產的管理效能。

(　　) **35** 股票發行溢價列為：　(A)負債　(B)資產之減項　(C)權益　(D)利益。

( ) **36** 下列敘述何者正確？ (A)庫藏股交易可能減少淨利但不可能增加淨利 (B)庫藏股交易可能減少保留盈餘但不可能增加保留盈餘 (C)購入庫藏股並不影響每股盈餘 (D)成本法下買回庫藏股將使法定資本減少。

( ) **37** 甲公司X1年底有關資料如下：10%累積特別股，每股面額$10；總面額$900,000；普通股，每股面額$10；總面額$1,000,000；稅前淨利$600,000；所得稅率25%。若甲公司當年度流通在外股數無變動，則每股盈餘為多少？ (A)$3.6 (B)$4.5 (C)$5.1 (D)$6.3。

( ) **38** 青山牧場飼養乳牛於X1年初共生產牛奶50,000公升，每公升牛奶公允價值為$58，每公升牛奶出售成本為$6。若X1年當年發生飼料費用$200,000，採收牛奶工資$60,000，其他支出$90,000，請問該公司認列之「農產品-牛奶」（存貨）金額為多少？ (A)$2,250,000 (B)$2,340,000 (C)$2,400,000 (D)$2,600,000。

( ) **39** 下列何項資訊對短期債權人最不重要？ (A)獲利能力 (B)應收帳款週轉率 (C)財務結構 (D)速動比率。

( ) **40** 宜蘭公司本期稅後淨利$664,000，所得稅率17%，非流動負債$10,600,000，流動負債$1,800,000，利息費用$200,000，利率10%。請問宜蘭公司本期之利息保障倍數為何？ (A)3.5倍 (B)5倍 (C)8倍 (D)7倍。

( ) **41** 下列何者無法使總資產報酬率提高？ (A)提高淨利率 (B)增加銷貨 (C)提高總資產週轉率 (D)降低不動產、廠房及設備對長期資金比率。

( ) **42** 下列敘述何者為非？ (A)兩公司今年本益比相同，不代表兩公司成長性一樣 (B)產業成長性低的公司，其本益比會較高 (C)公司面臨風險的改變會影響本益比變動 (D)會計方法變動會影響本益比。

( ) **43** 霍普金斯證券公司處分交易目的持有之10,000張臺灣水泥股票，獲利2億3,000萬元，應記入： (A)營業利益 (B)其他綜合利益 (C)公司內部移轉 (D)營業外收入。

( ) **44** 下列各項成本中那一項應歸類為變動成本？ (A)繳納商品的貨物稅 (B)應客戶之要求先墊付的聯邦快遞運費 (C)工廠警衛所領的值班費 (D)廠房設備的折舊費用。

( ) **45** 茂盛公司於X2年9月1日以3,000股庫藏股票取得公允價值為$150,000之設備，該庫藏股票係於X1年度以每股$58買回，該公司X2年9月1日之股價為每股$65，此交易對公司之權益影響數為何？ (A)減少$39,000 (B)減少$24,000 (C)增加$21,000 (D)增加$24,000。

( ) **46** 累積特別股5%面額$100（核准發行1,000股），帳面上特別股折價為$3,000、積欠股利$7,000，普通股每股面額$40，核准發行10,000股，已發行8,000股，普通股溢價為$68,000，累積盈餘為$30,000，特別股收回價格為$110，則普通股每股帳面金額為：(A)$49.50 (B)$50.13 (C)$49.75 (D)$63.25。

( ) **47** 甲公司於8月10日向乙公司購貨，金額$42,000，授信條件是2/10，n/30。甲公司在8月19日支付該筆款項，則下列何者為甲公司在8月19日正確的分錄？ (A)借記應付帳款$41,160 (B)貸記現金$41,160 (C)貸記應付帳款$41,160 (D)貸記現金$42,000。

( ) **48** X1年底發生嚴重地震導致廠房毀損，其會計處理及表達為何？(A)於附註中表達為非常損失 (B)於綜合損益表中表達為非常損失 (C)與一般廠房的會計處理方式相同，於報導期間結束日評估減損 (D)如經判斷該災害性質特殊且不常發生，始須於附註中表達為非常損失，反之則無須於附註中揭露。

( ) **49** 若一計畫的內部報酬率大於其資金成本率，則表示該計畫之淨現值： (A)大於0 (B)小於0 (C)等於0 (D)不一定大於或小於0。

( ) **50** 一般來說，我們會用統計上的迴歸方法來估計： (A)無風險利率 (B)股票報酬率之共變數 (C)股票之貝它係數 (D)股票報酬率之變異數。

解答與解析（答案標示為#者，表官方曾公告更正該題答案。）

1 **(D)**。審計可以降低資訊風險，進而增進財務報告查核所帶來的經濟效益。

2 **(D)**。30,000×（1+0.1×6/12）＝31,500
31,500×0.12×4/12＝1,260
31,500－1,260＝30,240

3 **(A)**。處分固定資產屬於投資活動，在間接法現金流量表需對稅前淨利進行調整，從稅前淨利中減除處分收益$350,000－（$500,000－$250,000）＝$100,000，並從投資活動增加取得之現金$350,000。

4 **(B)**。新成立且急速擴充的企業通常會舉債進行大量投資，投資活動現金流量淨額小於0，籌資活動現金流量淨額大於0。

5 **(C)**。現金流量比率＝營業活動淨現金流量／流動負債
營業利益率＝營業利益／（營業利益－利息費用）
現金再投資比率＝(營業活動淨現金流量－現金股利)／(固定資產毛額＋長期投資＋其他資產＋營運資金)

6 **(D)**。（$500,000－$400,000+$100,000)／8＝$25000

7 **(C)**。不動產、廠房及設備，指用於商品、農業產品或勞務之生產或提供、出租予他人或供管理目的而持有，且預期使用期間超過一年之有形資產，包括土地、建築物、機器設備、運輸設備、辦公設備及生產性植物等會計項目。

8 **(C)**。償債基金在資產負債表上應列為非流動資產。

9 **(B)**。可轉換公司債票面利率通常為0%，轉換價格如遇已發行普通股股份增加時將進行調整。

10 **(B)**。權益＝資產－負債
購買辦公設備與預收貨款不影響權益科目
$450,000－$180,000＝$270,000

11 **(B)**。年底權益金額＝$4,000,000×（1－0.375)＝$2,500,000
股票股利不影響權益總金額
年初權益金額＝$2,500,000+$250,000－$750,000＝$2,000,000

12 **(D)**。增加負債會導致財務槓桿比率上升。

13 **(D)**。償還長期銀行借款，負債減少利息減少，使利息保障倍數上升；公司債轉換成普通股，負債減少權益增加，使負債比率下降；以高於成本的價格出售存貨，營業活動現金流量增加，現金流量對固定支出倍數上升。

14 **(A)**。提高負債比率不一定提高加權平均資金成本。

15 **(A)**。本益比＝股價／每股盈餘
市價淨值比＝股價／每股淨值

每股淨值＝股東權益／在外流通股數
每股盈餘＝稅後淨利／在外流通股數
權益報酬率＝稅後淨利／股東權益＝每股盈餘／每股淨值＝市價淨值比／本益比
19%＝1.9／本益比
本益比＝10

16 (B)。營運資金週轉率＝銷貨收入淨額／（平均流動資產－平均流動負債）
$150,000／（$800,000－$350,000）＝33%

17 (D)。發放股票股利不影響資產，故流動比率不變，籌資活動的現金流出量會增加，股東權益總額不變，淨值報酬率不變，流通在外股數增加。

18 (D)。每股帳面價值＝（淨值－特別股股本）／普通股股數
（$170,000－$10,000）／5,000＝$32

19 (A)。淨變現價值＝$980,000－$17,500＝$962,500
成本＝$525,000+$420,000＝$945,000
當淨變現價值大於成本時不需提列存貨跌價損失。

20 (D)。有累積特別股時，需補足未發放之特別股股利，才能分派普通股股利。
$100×5,000×5%×5＝$125,000
故本年發放$100,000之股利應全數分配於特別股股利，剩餘部分累積至未來發放。

21 (A)。5%×2＝10%

22 (D)。宏碁乙是一種可轉換公司債轉換股票之權證。

23 (C)。權益＝500萬－200萬＝300萬
公司整體的貝它＝0.6×（200萬／500萬）+1.3×（300萬／500萬）＝1.02

24 (B)。發放股票股利不影響權益總值，故股票股利配股率高低亦不影響權益總值。

25 (B)。金融債券為資本市場工具。

26 (C)。等值年金法將不同年限的投資計畫轉換為每年等值的現金流，可以方便直接比較不同期限之計畫的效益。

27 (A)。邊際稅率指每增加一單位所得所適用的稅率，在作資本預算決策時，影響新增項目現金流的應是公司的邊際稅率。

28 (D)。股利折現模型、資本資產定價模式（CAPM）、套利定價模式（APT）皆為估計資金成本的有效方法。

29 (B)。資金成本＝[負債×舉債利率×（1－所得稅率）+權益×權益資金成本率]／（負債+權益）
13.66%＝[1×舉債利率×（1−17%）+4×15%]／（1+4）
舉債利率＝10%

30 (C)。
(A)綜合損益表中須列示綜合損益歸屬於母公司業主與非控制權益之金額。
(B)綜合損益金額不會因其他綜合損益之重分類調整而變動。
(D)綜合損益＝本期淨利+其他綜合損益，本期淨利結帳後將累計於保留盈餘，其他綜合損益結帳後將累計於其他權益。
故選(C)。

31 (C)。
(A)使用價值屬於現時價值。
(B)履約價值是指企業預期於其履行負債時，所須支付現金或其他經濟資源的折現值。
(D)公允價值屬於變現價值的一種，履約價值屬於現時價值的一種。
故選(C)。

32 (A)。（500,000－50,000）×2%＝9,000
50,000×20%＝10,000
預期信用減損損失＝總預期信用減損損失－調整前備抵損失
10,000+9,000－8,500＝10,500

33 (B)。取得子公司股權所支付的現金屬於企業的投資行為，在母公司現金流量表中作為投資活動現金流出列示。

34 (D)。評估資產的管理效能為資產負債表之功能。

35 (C)。股票發行溢價列為資本公積，為權益科目。

36 (B)。當資本公積餘額不足以讓庫藏股減少時，則借記保留盈餘，但若有利益一律貸記資本公積，所以不可能增加保留盈餘。

37 (A)。每股盈餘＝（稅後淨利－特別股股利）／流通在外之普通股股數
（600,000×75%－900,000×10%）／（1,000,000／10）＝3.6

38 (D)。生物資產認列金額：除公允價值無法可靠衡量之情況外，生物資產應於原始認列時以公允價值減出售成本衡量。
（$58－$6）×50,000＝$2,600,000

39 (C)。財務結構指財務負債與資本的比例，這通常是長期債權人或投資者關心的問題，而短期債權人則更注重短期流動性。

40 (B)。利息保障倍數＝稅前淨利+利息費用／利息費用
[$664,000×（1－17%）+$200,000]／$200,000＝5

41 (D)。資產報酬率＝稅後損益÷平均總資產
不動產、廠房及設備對長期資金比率＝（權益總額+非流動負債）／不動產、廠房及設備淨額
提高固定資產會降低不動產、廠房及設備對長期資金比率，總資產提高使資產報酬率降低。

42 (B)。產業成長性低的公司，其本益比會較低。

43 **(A)**。證券公司處分股票為其公司業務內項目，處分損益應列入營業利益。

44 **(A)**。變動成本是會隨產量增加而遞增，不會隨產量增加而變動的為固定成本，繳納商品的貨物稅為變動成本。

45 **(B)**。以$58×3,000＝$174,000之價格取得公允價值為$150,000之設備，公司權益數減少$174,000－$150,000＝$24,000

46 **(C)**。特別股權益＝收回價格+積欠股利

$110×1,000+$7,000＝$117,000

普通股帳面價值＝（股東權益總額－特別股權益）／普通股在外流通股數

股東權益總額+$40×8,000+$100×1,000－$3,000+$68,000+$30,000＝$515,000

（$515,000－$117,000）／8,000＝49.75

47 **(B)**。

借：應付帳款	$42,000	
貸：現金		$41,160
購貨折扣		$840

48 **(C)**。嚴重地震導致廠房毀損應表達為重大災害損失，應按一般的資產減損原則處理。

49 **(D)**。當內部報酬率大於資金成本率時，表示此項決策有利可圖，淨現值不一定大於或小於0。

50 **(C)**。迴歸分析使用歷史價格資料來預測未來價格走勢並計算股票的貝它係數。

113年 第2次證券商高級業務員

證券交易相關法規與實務

( ) **1** 公開發行公司受讓他人全部營業或財產，對公司營運有重大影響者，得以有代表已發行股份總數多少股東出席股東會，以出席股東表決權三分之二以上之同意行之？ (A)五分之四 (B)四分之三 (C)三分之二 (D)過半數。

( ) **2** 甲股份有限公司近期擬召開股東常會討論變更章程等議案，該公司並於股東常會召開前之停止股票過戶日前，公告受理股東之提案、書面或電子受理方式、受理處所及受理期間。依公司法之規定，下列敘述何者錯誤？ (A)甲公司股東若不克出席股東會，得出具一委託書，並委託一人代理出席股東會 (B)股東提案得不以一項為限 (C)甲公司受理股東提案之受理期間不得少於十日 (D)甲公司股東會討論盈餘轉增資之議案，應在召集事由中列舉並說明其主要內容，不得以臨時動議提出。

( ) **3** 依現行「公司法」規定，發行擔保公司債之總額，不得超過公司現有全部資產減去全部負債之餘額的多少？ (A)一倍 (B)二分之一 (C)三分之一 (D)三分之二。

( ) **4** 公開發行公司內部稽核主管之任免，應經下列何者通過？ (A)股東會 (B)董事會 (C)監察人 (D)臺灣證券交易所。

( ) **5** Z上市公司（下稱Z公司）公開發行新股，順利完成增資後，股價立即暴跌，受損害之投資人欲援引證券交易法（下稱本法）公開說明書不實之規定請求賠償，下列何者非屬本法第32條明定可求償之對象？ (A)Z公司 (B)Z公司負責人 (C)未在公開說明書上簽章之公司職員 (D)未在公開說明書上簽章之Z公司該發行案證券承銷商。

( ) **6** 下列何者非短線交易歸入權行使之對象？ (A)董事 (B)經理 (C)持有公司股份超過10%之股東 (D)持有公司已發行股份總數5%的員工。

( ) **7** 依證券交易法之規定，下列敘述何者錯誤？
(A)任何人單獨或與他人共同取得任一公開發行公司已發行股份總額超過百分之十五之股份者，應於取得後，同一年度結束前，向主管機關申報
(B)募集有價證券，應先向認股人或應募人交付公開說明書
(C)證券交易所得依法令或上市契約之規定終止有價證券上市，並應報請主管機關備查
(D)公開發行公司審計委員會應由全體獨立董事組成，其人數不得少於3人，其中1人為召集人，且至少1人應具備會計或財務專長。

( ) **8** 下列何種有價證券之募集發行，不適用「證券交易法」之規定？ (A)認購權證 (B)公司債券 (C)公司股票 (D)政府債券。

( ) **9** 因有價證券集中交易市場買賣所生之債權，甲、證券交易所；乙、證券經紀商、證券自營商；丙、委託人，三者對交割結算基金有優先受償之權，其優先順序如何？
(A)甲、乙、丙 (B)甲、丙、乙
(C)丙、甲、乙 (D)丙、乙、甲。

( ) **10** 有關證券交易爭議之仲裁，在法律上適用優先順序為何？ (A)「仲裁法」優先於「證券交易法」 (B)「證券交易法」優先於「仲裁法」 (C)「民法」優先於「證券交易法」 (D)「民事訴訟法」優先於「證券交易法」。

( ) **11** 若公司設立未滿一年，公開說明書中公司組織記載應揭露發起人何種資訊？
(A)出資比例占前五名者 (B)持股比例占前十名者
(C)薪資比例占前三名者 (D)發起人性別比例。

( ) **12** 依「證券交易法」之規定，私人間直接讓受不超過一交易單位之私募有價證券，前後二次讓受之行為，不得少於幾個月？ (A)1個月 (B)3個月 (C)4個月 (D)6個月。

( ) **13** 關於公開發行公司私募股票之股東會決議中，「出席數」與「同意數」之敘述，何者為是？ (A)代表已發行股份總數三分之二以上股東出席，出席股東表決權過半數之同意 (B)代表已發行股份總數過半數股東出席，出席股東表決權過半數之同意 (C)代表已發行股份總數過半數股東出席，出席股東表決權三分之二以上之同意 (D)代表已發行股份總數三分之一以上股東出席，出席股東表決權過半數之同意。

( ) **14** 下列何種重大消息係指「證券交易法」第一百五十七條之一第五項及第六項所稱涉及公司之財務業務，對其股價有重大影響之消息？ (A)公司股票有被進行公開收購者 (B)公司股權有重大異動者 (C)公司所從屬之控制公司股權有異動者 (D)公司獨立董事均解任。

( ) **15** 試問公開發行公司除經主管機關核准者外，董事間應有如何比例之席次，不得具配偶或二等親以內之親屬關係？ (A)超過二分之一 (B)超過三分之一 (C)超過四分之一 (D)超過三分之二。

( ) **16** 證券商轉投資總金額不得超過其淨值百分之多少？ (A)20% (B)40% (C)50% (D)100%。

( ) **17** 兼營證券自營商與證券經紀商之證券商，應在下列何時製作之書面文件，區別其交易為自行買賣或代客買賣？ (A)每一交易日之結算交割時 (B)每次買賣時 (C)製作每月之營運月報表時 (D)編製年度財務報告時。

( ) **18** 公司買回其股份時，下列哪些關係人不得在買回期間內賣出？ 甲、董事；乙、經理人；丙、關係企業經理人之未成年子女；丁、監察人之配偶 (A)甲、乙、丙、丁 (B)甲、乙、丙 (C)乙、丙、丁 (D)甲、乙、丁。

(　　) **19** 已兼營期貨顧問業務之證券投資顧問事業申請經營全權委託投資業務，或證券投資顧問事業同時申請經營全權委託投資業務及兼營期貨顧問業務者，實收資本額應達新臺幣多少元？　(A)五千萬元　(B)七千萬元　(C)一億元　(D)二億元。

(　　) **20** 下列敘述何者正確？　(A)平衡型基金應於基金名稱中標明平衡字樣　(B)受益憑證為無記名式　(C)保護型基金係指在基金存續期間，由保證機構到期時提供受益人一定比率本金保證之基金　(D)保本型基金之保本比率應達投資本金之50%以上。

(　　) **21** 公司財務報告之主要內容有虛偽或隱匿之情事時，下列何者不須負賠償責任？　(A)公司董事長　(B)簽證會計師　(C)未曾在財務報告上簽名的公司職員　(D)選項(A)(B)(C)皆是。

(　　) **22** 某一證券商淨值為20億，若經主管機關核准將其資金用於股權性質之投資，則其投資取得成本總額不得超過：　(A)6億　(B)8億　(C)10億　(D)15億。

(　　) **23** 下列何一事項，得適用假決議規定？　(A)變更章程　(B)公司資產負債表等會計表冊之承認　(C)董事競業行為之許可　(D)選項(A)(B)(C)皆可適用。

(　　) **24** 股東就其持有之股份於一定條件下，得分別行使表決權，有人亦稱之「股東分割投票制度」。依現行法相關適用「股東分割投票制度」之股東，下列敘述何者正確？　(A)需為公開發行公司之股東　(B)以自然人股東為限　(C)需係為自己持有股份之股東　(D)需為持有公司已發行股份總數10%以上股份之股東。

(　　) **25** 下列選項中，可作為股份有限公司之發起人出資項目是：　(A)對公司事業所需之技術　(B)對公司事業所需之財產　(C)現金　(D)選項(A)(B)(C)皆可。

(　　) **26** 一般公開發行公司初次申請股票上市條件，公司「獲利能力」標準之一為稅前淨利占年度決算之財務報告所列示股本比率，最近二個會計年度均需達多少者，始合乎獲利能力標準？　(A)3%以上　(B)5%以上　(C)6%以上　(D)10%以上。

( ) **27** 資本額達新臺幣100億元以上之上市上櫃公司（含合併財務報告子公司），最晚須在何時揭露溫室氣體盤查之減碳目標？(A)2023年 (B)2025年 (C)2027年 (D)2029年。

( ) **28** 以下哪項「非」創新板公司上市後，承銷商持續協助法遵作業之職責範圍？ (A)每年實地訪察委任公司重要營業據點或子公司 (B)協助委任公司在中華民國境內辦理法人說明會 (C)重大訊息記者會前提供諮詢建議 (D)協助編製財務預測。

( ) **29** 發行人總括申報發行公司債經申報生效後，有下列何種情形發生，即告終止？ (A)預定發行期間屆滿 (B)預定之總括發行金額已足額發行 (C)主管機關為保護公益認為必要而撤銷該次總括申報者 (D)選項(A)(B)(C)皆是。

( ) **30** 下列何種證券商應向證交所繳存交割結算基金？ (A)承銷商、自營商 (B)自營商、經紀商 (C)經紀商、承銷商 (D)承銷商、自營商、經紀商。

( ) **31** 我國全體上市櫃公司最晚須在何時完成溫室氣體盤查之資訊揭露？ (A)2023年 (B)2025年 (C)2027年 (D)2029年。

( ) **32** 證券商之董事、監察人持股超過10%之股東及其從業人員於初次櫃檯買賣有價證券時，應向何證券商辦理開戶？ (A)主管機關指定之證券商 (B)證券櫃買中心所指定之證券商 (C)本身所投資或服務之證券商 (D)本身所投資或服務以外之證券商。

( ) **33** 公司召開實體股東會，並以視訊加以輔助，股東會議事手冊及會議補充資料，應如何發放？ (A)股東會現場發放 (B)以電子檔案傳送至視訊會議平台 (C)股東會現場發放，並以電子檔案傳送至視訊會議平台 (D)股東會現場發放，或以電子檔案傳送至視訊會議平台，二者擇一。

( ) **34** 上櫃公司若經申請變更公司名稱經核准後，應於連續多長期間內將此訊息公告於證券櫃買中心指定網站之重大訊息？ (A)六個月 (B)三個月 (C)二個月 (D)一個月。

( ) **35** 本國公司可透過下列何種方式申請登錄興櫃？ (A)已公開發行公司者再申請登錄興櫃 (B)申請登錄興櫃併送一般公開發行 (C)申請登錄興櫃併送簡易公開發行 (D)選項(A)(B)(C)皆是。

( ) **36** 期信ETF在最近________營業日之基金平均單位淨資產價值較其最初單位淨資產價值累積跌幅達________以上者，自公告後次一營業日起暫停融資融券交易、停止有價證券借貸及當日沖銷交易？ (A)10個、50% (B)10個、65% (C)30個、50% (D)30個、65%。

( ) **37** 臺灣證券交易所向證券商收取之經手費費率，應由其會同何機關擬定？ (A)證券暨期貨市場發展基金會 (B)證券櫃檯買賣中心 (C)證券商業同業公會 (D)金融監督管理委員會證券期貨局。

( ) **38** 投資人新申購開放式基金，可能會立即產生哪項費用？ (A)銷售費用 (B)轉換費用 (C)證券手續費 (D)管理費。

( ) **39** 公司召開實體股東會，並以視訊加以輔助，股東會議事手冊應納入哪項資訊？ (A)股東會之召開方式 (B)實體股東會召開地點 (C)視訊輔助會議部分所使用之視訊會議平台 (D)選項(A)(B)(C)皆是。

( ) **40** 金融控股公司委託書之徵求人於股東會有選舉董事或監察人議案者，除持股期間應為繼續持有一年以外，其持有股份總數限制為何？ (A)已發行股份三百萬股或已發行股份總數千分之一以上 (B)已發行股份三百萬股或已發行股份總數千分之三以上 (C)已發行股份二百萬股或已發行股份總數千分之五以上 (D)已發行股份二百萬股或已發行股份總數千分之三以上。

( ) **41** 證券經紀商受投資人委託買賣上櫃股票，不可接受何種委託？ (A)限價委託 (B)市價委託 (C)議價委託 (D)選項(A)(B)(C)皆可。

( ) **42** 公司如有哪些情況，年報確定須強制揭露個別董事及監察人之酬金？ (A)最近三年度個體或個別財務報告曾出現稅後虧損 (B)於最近年度公司治理評鑑結果落在倒數第二級距 (C)最近一年度稅後淨利增加10%，但非擔任主管職務之全時員工年度薪資平均數未較前一年度增加 (D)以上皆是。

(　　) **43** 封閉式基金每單位淨資產價值（NAV）為16元，而市場每單位交易價格為18元，此現象稱該封閉式基金為：(A)折價 (B)平價 (C)溢價 (D)價內。

(　　) **44** 發行人要將其股票在交易所掛牌買賣，交易所因提供場所，每年依據發行有價證券之總面值，向發行人收取之費用稱為：(A)掛牌費 (B)上市費 (C)場地費 (D)服務費。

(　　) **45** 使用委託書違背主管機關訂定之委託書規則，其法律效果為何？(A)股東會決議無效 (B)其代理之表決權不予計算 (C)使用人出席無效 (D)不影響委託書效力，但須罰款。

(　　) **46** 第一上櫃外國股票之交易單位為：(A)一萬股 (B)一千股 (C)二百個交易單位 (D)一百個交易單位。

(　　) **47** 下列有關指數投資證券（ETN）名稱規範，何者正確？(A)應明確顯示所追蹤之指數或指數表現 (B)不得使人誤信能保證本金或保證獲利 (C)應明確顯示所追蹤標的指數之單日正向倍數或反向倍數表現 (D)以上皆是。

(　　) **48** 有價證券借貸期間，自借貸交易成交日起算，原則上不得超過：(A)一個月 (B)三個月 (C)六個月 (D)一年。

(　　) **49** 有關發行人申報發行員工認股權憑證之規範，以下敘述何者錯誤？(A)應經董事會三分之二以上董事出席及出席董事超過二分之一之同意 (B)認股權人資格條件，至少應包括個人表現及績效等事項 (C)發放審核程序須提報薪資報酬委員會或審計委員會同意 (D)發行期間自申報生效通知到達之日起不得超過一年。

(　　) **50** 證券商受託買賣外國有價證券契約，如有下列情事之一者，證券商不得接受其開戶，已開戶者應取消其開戶？(A)受破產之宣告經復權 (B)法人委託開戶未能提出該法人授權開戶之證明 (C)曾經違反證券交易法規定，受罰金以上刑之宣告，執行完畢、緩刑期滿或赦免後滿三年 (D)選項(A)(B)(C)皆是。

解答與解析（答案標示為#者，表官方曾公告更正該題答案。）

1 (D)。「公司法」第185條：公司為下列行為，應有代表已發行股份總數三分之二以上股東出席之股東會，以出席股東表決權過半數之同意行之：一、締結、變更或終止關於出租全部營業，委託經營或與他人經常共同經營之契約。二、讓與全部或主要部分之營業或財產。三、受讓他人全部營業或財產，對公司營運有重大影響。

2 (B)。「公司法」第172-1條：持有已發行股份總數百分之一以上股份之股東，得向公司提出股東常會議案。但以一項為限，提案超過一項者，均不列入議案。

3 (A)。「公司法」第247條：公開發行股票公司之公司債總額，不得逾公司現有全部資產減去全部負債後之餘額。

4 (B)。「公開發行公司建立內部控制制度處理準則」第11條第3項：公開發行公司內部稽核主管之任免，應經董事會通過，已設置獨立董事者，獨立董事如有反對意見或保留意見，應於董事會議事錄載明。

5 (C)。「證券交易法」第32條第1項：前條之公開說明書，其應記載之主要內容有虛偽或隱匿之情事者，左列各款之人，對於善意之相對人，因而所受之損害，應就其所應負責部分與公司負連帶賠償責任：一、發行人及其負責人。二、發行人之職員，曾在公開說明書上簽章，以證實其所載內容之全部或一部者。三、該有價證券之證券承銷商。四、會計師、律師、工程師或其他專門職業或技術人員，曾在公開說明書上簽章，以證實其所載內容之全部或一部，或陳述意見者。

6 (D)。「證券交易法」第157條第1項：發行股票公司董事、監察人、經理人或持有公司股份超過百分之十之股東，對公司之上市股票，於取得後六個月內再行賣出，或於賣出後六個月內再行買進，因而獲得利益者，公司應請求將其利益歸於公司。

7 (A)。「證券交易法」第43-1條第1項：任何人單獨或與他人共同取得任一公開發行公司已發行股份總額超過百分之五之股份者，應向主管機關申報及公告；申報事項如有變動時，亦同。有關申報取得股份之股數、目的、資金來源、變動事項、公告、期限及其他應遵行事項之辦法，由主管機關定之。

8 (D)。「證券交易法」第22條第1項：有價證券之募集及發行，除政府債券或經主管機關核定之其他有價證券外，非向主管機關申報生效後，不得為之。

9 (B)。「證券交易法」第154條第2項：因有價證券集中交易市場買賣所生之債權，就第一百零八條及第一百三十二條之交割結算基金有優先受償之權，其順序如左：一、證券交易所。二、委託人。三、證券經紀商、證券自營商。

10 (B)。「證券交易法」第166條：依本法所為有價證券交易所生之爭議，當事人得依約定進行仲裁。但證券商與證券交易所或證券商相互間，不論當事人間有無訂立仲裁契約，均應進行仲裁。
前項仲裁，除本法規定外，依仲裁法之規定。

11 (B)。依據「公司募集發行有價證券公開說明書應行記載事項準則」第10條，公司設立未滿一年者，公開說明書中公司組織記載應揭露持股比例占前十名之發起人之有關資料。

12 (B)。依據「證券交易法」第43-8條，私人間之直接讓受，其數量不超過該證券一個交易單位，前後二次之讓受行為，相隔不少於三個月。

13 (C)。「證券交易法」第43-6條第1項：公開發行股票之公司，得以有代表已發行股份總數過半數股東之出席，出席股東表決權三分之二以上之同意，對左列之人進行有價證券之私募，不受第二十八條之一、第一百三十九條第二項及公司法第二百六十七條第一項至第三項規定之限制：一、銀行業、票券業、信託業、保險業、證券業或其他經主管機關核准之法人或機構。二、符合主管機關所定條件之自然人、法人或基金。三、該公司或其關係企業之董事、監察人及經理人。

14 (D)。依據「證券交易法第一百五十七條之一第五項及第六項重大消息範圍及其公開方式管理辦法」第2條，「證券交易法」第一百五十七條之一第五項所稱涉及公司之財務、業務，對其股票價格有重大影響，或對正當投資人之投資決定有重要影響之消息，指公司董事受停止行使職權之假處分裁定，致董事會無法行使職權者，或公司獨立董事均解任者。

15 (A)。「證券交易法」第26-3條第3項：公司除經主管機關核准者外，董事間應有超過半數之席次，不得具有下列關係之一：一、配偶。二、二親等以內之親屬。

16 (B)。「證券商管理規則」第18-1條第1項：證券商轉投資證券、期貨、金融及其他事業，其全部事業投資總金額不得超過該證券商淨值之百分之四十，並應符合公司法第十三條之規定；其轉投資個別事業之範圍及相關規範，由本會另定之。

17 (B)。「證券交易法」第46條：證券商依前條第一項但書之規定，兼營證券自營商及證券經紀商者，應於每次買賣時，以書面文件區別其為自行買賣或代客買賣。

18 (A)。「證券交易法」第28-2條第6項：公司於有價證券集中交易市場或證券商營業處所買回其股份者，該公司依公司法第三百六十九條之一規定之關係企業或董事、監察人、經理人、持有該公司股份超過股份總額百分之十之股東所持有之股份，於該公司買回之期間內不得賣出。

「證券交易法」第28-2條第8項：第六項所定不得賣出之人所持有之股份，包括其配偶、未成年子女及利用他人名義持有者。

19 **(B)**。「證券投資信託事業證券投資顧問事業經營全權委託投資業務管理辦法」第5條第1項：證券投資顧問事業申請經營全權委託投資業務，應具備下列條件：一、實收資本額達新臺幣五千萬元；已兼營期貨顧問業務之證券投資顧問事業申請或同時申請經營全權委託投資業務及兼營期貨顧問業務者，實收資本額應達新臺幣七千萬元。

20 **(A)**。(B)「證券投資信託基金管理辦法」第66條第1項：受益憑證應為記名式。(C)「證券投資信託基金管理辦法」第44條第1項：保護型基金係指在基金存續期間，藉由基金投資工具，於到期時提供受益人一定比率本金保護之基金。(D)「證券投資信託基金管理辦法」第44條第3項：保本型基金之保本比率應達投資本金之百分之九十以上。

21 **(C)**。「證券交易法」第20-1條：前條第二項之財務報告及財務業務文件或依第三十六條第一項公告申報之財務報告，其主要內容有虛偽或隱匿之情事，下列各款之人，對於發行人所發行有價證券之善意取得人、出賣人或持有人因而所受之損害，應負賠償責任：一、發行人及其負責人。二、發行人之職員，曾在財務報告或財務業務文件上簽名或蓋章者。

前項各款之人，除發行人外，如能證明已盡相當注意，且有正當理由可合理確信其內容無虛偽或隱匿之情事者，免負賠償責任。

會計師辦理第一項財務報告或財務業務文件之簽證，有不正當行為或違反或廢弛其業務上應盡之義務，致第一項之損害發生者，負賠償責任。

22 **(A)**。根據「證券商管理規則」第18條第2項，經主管機關核准運用之資金，其原始取得成本總額，不得超過該證券商淨值之百分之三十。20億×30%＝6億。

23 **(B)**。「公司法」第175條：假決議之規定僅適用於討論一般事項，倘屬公司法規定之特別決議事項，自不得準用第175條之規定作成假決議。董事競業行為之許可及變更章程為公司法規定之特別決議事項。

24 **(A)**。「公司法」第181條第3項：公開發行公司之股東係為他人持有股份時，股東得主張分別行使表決權。

25 **(D)**。「公司法」第131條第3項：發起人之出資，除現金外，得以公司事業所需之財產、技術抵充之。

26 (C)。依據「臺灣證券交易所股份有限公司有價證券上市審查準則」第4條，獲利能力：其財務報告之稅前淨利符合下列標準之一，且最近一個會計年度決算無累積虧損者。(一)稅前淨利占年度決算之財務報告所列示股本比率，最近二個會計年度均達百分之六以上。(二)稅前淨利占年度決算之財務報告所列示股本比率，最近二個會計年度平均達百分之六以上，且最近一個會計年度之獲利能力較前一會計年度為佳。(三)稅前淨利占年度決算之財務報告所列示股本比率，最近五個會計年度均達百分之三以上。

27 (B)。實收資本額達新臺幣一百億元以上之上市上櫃公司、鋼鐵業及水泥業之合併財務報告子公司，及實收資本額達新臺幣五十億元以上且未達一百億元之上市上櫃公司之母公司個體，應自一百十四年起完成盤查資訊揭露，一百十六年起完成確信資訊揭露。

28 (D)。根據「臺灣證券交易所主辦證券承銷商受託協助委任公司遵循我國法令暨本公司上市相關規章應行注意事項要點」第2條，協助編製財務預測非職責範圍。

29 (D)。「發行人募集與發行有價證券處理準則」第24條第1項：發行人總括申報發行公司債經申報生效後，有下列情形之一，即告終止，並應於發生終止事由之日起二日內辦理公告：一、有前條第三項情事者。二、預定發行期間屆滿者。三、預定之總括發行金額已足額發行者。四、經本會為保護公益認有必要者而廢止該次總括申報者。

30 (B)。「臺灣證券交易所股份有限公司證券商交割結算基金管理辦法」第2條：證券經紀商及證券自營商應依行政院金融監督管理委員會所定之標準向證交所繳存交割結算基金。

31 (C)。為積極回應全球永續發展行動與國家淨零排放目標，金管會於2022年3月3日發布「上市櫃公司永續發展路徑圖」，分階段推動全體上市櫃公司於2027年完成溫室氣體盤查，2029年完成溫室氣體盤查之確信，營造健全永續發展（ESG）生態體系。

32 (C)。「臺灣證券交易所股份有限公司證券商內部人員在所屬證券商開戶委託買賣有價證券管理辦法」第2條：本辦法所稱證券商內部人員，係指下列有關人員：一、證券商之董事、監察人及受僱人員。但法人董事、監察人限於法人本身及其代表人；證券商由金融機構兼營者，受僱人員為其證券部門人員。二、前款人員之配偶及未成年子女。
前項第一款人員限在所屬證券商開戶委託買賣。

33 (C)。「公開發行公司股東會議事手冊應行記載及遵行事項辦法」第6條：公司召開股東會，應於股東會開會十五日前，備妥當次股東會議事手冊及會議補充資料，供股東隨時索閱，並陳列於公司及其股務代理機構。前項之議事手冊及會議補充資料，於股東會開會當日應依下列方式提供股東參閱：一、公司召開實體股東會者，應於股東會現場發放。二、公司召開視訊輔助股東會者，應於股東會現場發放，並以電子檔案傳送至視訊會議平台。三、公司召開視訊股東會者，應以電子檔案傳送至視訊會議平台。

34 (B)。「財團法人中華民國證券櫃檯買賣中心證券商營業處所買賣有價證券業務規則」第9-1條：如係變更公司名稱者，該變更案經核准日起三年內，所有發行之有價證券及其他依規定應公開之資訊，均應以新舊名稱對照揭露，並應於更名後連續三個月，逐日輸入本中心指定之網際網路資訊申報系統之重大訊息予以公告。

35 (D)。櫃買中心表示，為持續精進興櫃市場，經參酌外界實務之建言，打造更友善之市場環境，並加速企業IPO時程，爰將興櫃一般板及戰略新板整併，使興櫃回歸為單一板塊之預備市場，並開放發行公司申請登錄興櫃得併送申報辦理公開發行，且得選擇採用一般公開發行或簡易公開發行機制。整併後之興櫃股票市場，其交易制度則維持原一般板之推薦證券商造市商角色與議價制度，且不限定交易對象，使一般投資人均可參與。全案業經主管機關核備，櫃買中心業公告修正24項規章及廢止1項規章，並自113年1月1日起實施。櫃買中心指出，整併後本國發行公司申請登錄興櫃之方式，包括：(1)完成公開發行程序後，已屬公開發行公司者再申請登錄興櫃。(2)申請登錄興櫃併送一般公開發行；(3)申請登錄興櫃併送簡易公開發行（即簡化申報書件為財務報告一本兩年度、內部控制制度專案審查報告之審查期間為半年）。

36 (B)。期貨ETF最近十個營業日之基金平均單位淨資產價值較其最初單位淨資產價值累積跌幅達百分之六十五以上者，於證交所公告後次一營業日起，暫停融資融券交易、停止有價證券借貸及當日沖銷交易，其中暫停融資融券係指不可以再新增融資融券交易，惟可進行融資融券了結交易（包含融券買進及融資賣出交易）。

37 (C)。「台灣證券交易所股份有限公司營業細則」第120條第1項：本公司向買賣雙方證券商收取經手費，其費率由本公司會同證券商業同業公會擬訂報請主管機關核定後施行。

38 (A)。投資人新申購開放式基金，會立即產生銷售費用。

39 (D)。「公開發行公司股東會議事手冊應行記載及遵行事項辦法」第3條：股東會議事手冊編製內容應載明下列事項，並編製目錄及頁次：一、公司名稱。二、股東會年份及種類。三、股東會召開方式。四、股東會日期。五、股東會地點：(一)公司召開實體股東會者，應載明股東會地點。(二)公司召開實體股東會並以視訊輔助者（以下簡稱視訊輔助股東會），除應載明實體股東會開會地點外，並應載明視訊輔助會議部分所使用之視訊會議平台。(三)公司不召開實體股東會，僅以視訊方式召開者（以下簡稱視訊股東會），應載明公司所使用之視訊會議平台。六、公司董事及監察人持股情形：依據證券交易法第二十六條規定全體董事及監察人最低應持有股數，以及截至該次股東會停止過戶日股東名簿記載之個別及全體董事、監察人持有股數。七、會議議程。八、議案內容及提案者。九、股東會議事規則、公司章程及其他參考資料。

40 **(C)**。「公開發行公司出席股東會使用委託書規則」第5條第1項：委託書徵求人，除第六條規定外，應為持有公司已發行股份五萬股以上之股東。但股東會有選舉董事或監察人議案，徵求人應為截至該次股東會停止過戶日，依股東名簿記載或存放於證券集中保管事業之證明文件，持有該公司已發行股份符合下列條件之一者。一、金融控股公司、銀行法所規範之銀行及保險法所規範之保險公司召開股東會，徵求人應繼續一年以上，持有該公司已發行股份二百萬股或已發行股份總數千分之五以上。二、前款以外之公司召開股東會，徵求人應繼續六個月以上，持有該公司已發行股份八十萬股或已發行股份總數千分之二以上且不低於十萬股。

41 **(C)**。證券經紀商受投資人委託買賣上櫃股票，不可接受議價委託。

42 **(D)**。依據「公開發行公司年報應行記載事項準則」第10條，公司有下列情事之一，應揭露個別董事及監察人之酬金：

(1) 最近三年度個體或個別財務報告曾出現稅後虧損者，應揭露個別董事及監察人之酬金。但最近年度個體或個別財務報告已產生稅後淨利，且足以彌補累積虧損者，不在此限。

(2) 最近年度董事持股成數不足情事連續達三個月以上者，應揭露個別董事之酬金；最近年度監察人持股成數不足情事連續達三個月以上者，應揭露個別監察人之酬金。

(3) 最近年度任三個月份董事、監察人平均設質比率大於百分之五十者，應揭露於各該月份設質比率大於百分之五十之個別董事、監察人酬金。

(4) 全體董事、監察人領取財務報告內所有公司之董事、監察人酬金占稅後淨利超過百分之二，且個別董事或監察人領取酬金超過新臺幣一千五百萬元者，應揭露該個別董事或監察人酬金。

(5) 上市上櫃公司於最近年度公司治理評鑑結果屬最後二級距者，或最近年度及截至年報刊印日止，曾遭變更交易方法、停止買賣、終止上市上櫃，或其他經公司治理評鑑委員會通過認為應不予受評者。

(6) 上市上櫃公司最近年度非擔任主管職務之全時員工年度薪資平均數未達新臺幣五十萬元者。

(7) 上市上櫃公司最近一年度稅後淨利增加達百分之十以上，惟非擔任主管職務之全時員工年度薪資平均數卻未較前一年度增加者。

(8) 上市上櫃公司最近一年度稅後損益衰退達百分之十且逾新臺幣五百萬元，及平均每位董事酬金（不含兼任員工酬金）增加達百分之十且逾新臺幣十萬元者。

43 (C)。封閉式基金市價大於淨值稱為溢價。

44 (B)。交易所因提供場所，每年依據發行有價證券之總面值，向發行人收取之費用稱為上市費。

45 (B)。依據「公開發行公司出席股東會使用委託書規則」第22條，使用委託書違背主管機關訂定之委託書規則，其代理之表決權不予計算。

46 (B)。依據「財團法人中華民國證券櫃檯買賣中心上櫃外國股票暨臺灣存託憑證買賣辦法」第6條，第一上櫃外國股票之交易單位為一千股。

47 (D)。「證券商發行指數投資證券處理準則」第3條：指數投資證券應於名稱中明確顯示所追蹤之指數或指數表現。指數投資證券以追蹤標的指數之正向倍數或反向倍數表現者，應於名稱中明確顯示所追蹤標的指數之單日正向倍數或反向倍數表現。

48 (C)。「臺灣證券交易所股份有限公司有價證券借貸辦法」第25條：有價證券借貸期間，自借貸交易成交日起算，最長不得超過六個月。

49 (D)。依據「發行人募集與發行有價證券處理準則」第56條第2項，發行期間自申報生效通知到達之日起不得超過二年。超過發行期間，其未發行之餘額仍須發行時，應重行申報。

50 (B)。「證券商受託買賣外國有價證券管理規則」第7條：證券商除法令另有規定者外，得接受委託人簽訂受託買賣外國有價證券契約，如有下列情事之一者，證券商不得接受其開戶，已開戶者應取消其開戶：一、未成年人未經法定代理人代理。二、受破產之宣告未經復權。三、受監護宣告未經撤銷。四、受輔助宣告未經輔助人同意或法院許可。五、法人委託開戶未能提出該法人授權開戶之證明。六、曾因證券交易違背契約，未結案且未滿五年。七、曾經違反證券交易法規定，受罰金以上刑之宣告，執行完畢、緩刑期滿或赦免後未滿三年。

投資學

( ) **1** 有關組合型基金與臺灣50指數ETF之比較，下列敘述何者正確？ (A)均為主動式管理 (B)均可分散風險 (C)均為追蹤某一指數 (D)均直接投資於股票。

( ) **2** 費城半導體指數設立於1993年12月1日，為全球半導體業景氣主要指標之一。請問下列敘述何者不正確？ (A)指數的計算方式採取「市值加權」的計算方法 (B)費城半導體指數成份股包括了「設備廠商」、「晶片製造廠商」及「IC設計公司」等，旺宏的ADR也在此指數中 (C)旺宏（2337）、台積電（2330）、華邦電（2344）均為臺灣半導體產業 (D)費城半導體指數與臺股指數走勢有高度相關。

( ) **3** 公司的營運槓桿越大，表示何種資產所占的比重越大？ (A)固定資產 (B)流動資產 (C)長期負債 (D)短期負債。

( ) **4** 以下關於封閉型與開放型基金的敘述，何者「不正確」？ 甲、封閉型基金以淨值交易；乙、封閉型基金的規模不會改變，開放型則會；丙、封閉型基金可轉型成開放型基金；丁、開放型基金在集中市場交易、封閉型基金則否 (A)甲、丙 (B)乙、丙 (C)丙、丁 (D)甲、丁。

( ) **5** 某股價指數包含甲、乙二種股票，二股票之發行股數分別為200股及400股，昨日二股票之收盤價分別為30元及10元，股價指數為500.00。若今日二股票之收盤價分別為28元及12元，依發行量加權方式計算，則今日股價指數應為： (A)480.00 (B)481.25 (C)490.00 (D)520.00。

( ) **6** 可轉換公司債之債權人於執行轉換權利時，對公司之影響為：(A)負債增加 (B)股本減少 (C)現金減少 (D)有盈餘稀釋效果。

( ) **7** 某企業可用以支付債息之盈餘為600萬元，其目前流通在外之負債計有抵押公司債1,500萬元，票面利率6%，無抵押公司債500萬元，票面利率8%，其全體債息保障係數為： (A)3.346 (B)3.846 (C)4.426 (D)4.615。

( ) **8** 一個剛發行5年期債券，面額$100,000，票面利率10%，每半年付息一次，發行時殖利率為8%，發行價格為$108,111，若殖利率維持不變，試計算該債券半年後的價格約為多少？ (A)$106,760 (B)$107,435 (C)$111,760 (D)$112,435。

( ) **9** 甲公司發行一永續債券，票面利率為6%，每張面額10萬元，若目前同類型債券可提供7%，請問其發行價格應為： (A)85,714元 (B)70,000元 (C)80,000元 (D)75,000元。

( ) **10** 在國內買賣公債之資本利得需繳交哪種稅率？ (A)分離課稅，稅率20% (B)0.3% (C)10% (D)免稅。

( ) **11** 市場上的長期利率，乃是代表市場投資人對未來「一連串」短期利率的預期，稱為： (A)平均理論 (B)預期理論 (C)流動性溢酬理論 (D)市場區隔理論。

( ) **12** 在債券評等中，下列哪一等級以下（不含）是Moody's債券評等為垃圾債券（Junk Bond）？ (A)Baa (B)Ba (C)B (D)Caa。

( ) **13** 老王以1,000萬元之公債用面額與證券公司承作附賣回（RS）交易，雙方約定利率為6%，並於30天後向證券公司買回，屆時老王應支付證券公司之利息為何？（註：一年以365天計算） (A)$49,315 (B)$44,770 (C)$48,770 (D)$42,185。

( ) **14** 假設期望殖利率固定不變，債券愈趨近到期日時，下列敘述何者正確？ 甲、折價債券價格會趨近債券面額；乙、溢價債券價格會趨近債券面額；丙、溢價債券價格會遠離債券面額 (A)僅甲、乙 (B)僅甲、丙 (C)僅乙、丙 (D)甲、乙、丙。

( ) **15** 公司減資有三種類型，包括有庫藏股減資、現金減資與虧損減資，試問在公司沒有虧損的情況之下，三種減資對公司影響的效果，下列何者正確？ I、均會使公司流通在外股數減少；II、均會使公司每股淨值增加；III、均會使公司股票價格上漲；IV、均會使公司每股盈餘上升 (A)I、II、III、IV (B)僅I、II、IV (C)僅II、III (D)僅I、IV。

( ) **16** 甲公司目前股價是50元，已知該公司今年每股可賺2.5元，試求該公司目前本益比倍數是多少？ (A)2 (B)1/2 (C)1/20 (D)20。

( ) **17** 有甲、乙和丙三種債券，其到期日依序為10年、5年、3年，且其他條件相同時，則當殖利率上漲1%時，何種債券價格波動幅度最大？ (A)甲債券 (B)乙債券 (C)丙債券 (D)無從得知。

( ) **18** 甲公司決定於明年起發放股利，首發股利為每股$0.60，預期每年股利金額成長4%。假設折現率為12%，請問三年後的今天，該公司股票價格為： (A)$7.50 (B)$7.72 (C)$8.23 (D)$8.44。

( ) **19** 在趨向指標DMI實務中，計算±DI線時一般採用幾日的±DI線？ (A)9 (B)12 (C)14 (D)26。

( ) **20** 在MACD中，實務上採用兩條指數平滑移動平均線（EMA），其天數為下列何者？ (A)9；9 (B)12；26 (C)6；24 (D)30；72。

( ) **21** 在下列反轉型態中，何者是描述在上升趨勢中盤中有新高點出現後，當天以最低價收盤？ (A)W底 (B)頭肩底 (C)底部一日反轉 (D)頂部一日反轉。

( ) **22** KD線的理論基礎，在股價下跌時，則當日收盤價會朝何方向接近？ (A)開盤價 (B)收盤價 (C)最低價 (D)最高價。

( ) **23** 道氏理論雖然對股市長期市場變動指明了方向，但不能指示下列何者？ (A)利用線路來確認趨勢 (B)利用平均數來確認趨勢 (C)股價變動趨勢如海浪有漲潮及退潮 (D)應購買何種股票。

( ) **24** 以VR值研判股市超買超賣區時，下列敘述何者正確？ (A)VR是基本面分析工具 (B)VR值為0到100之間 (C)VR值越小，代表進入超賣區 (D)VR是價的技術指標。

( ) **25** 新臺幣對美元貶值，以美元表示之GDP成長率： (A)小於經濟成長率 (B)等於經濟成長率 (C)大於經濟成長率 (D)與經濟成長率無法比較。

( ) **26** 台北公司的部分資料如下：平均總資產250萬元、平均股東權益100萬元、資產報酬率8%，則該公司股東權益報酬率為：（不考慮稅賦、利息的影響） (A)30% (B)25% (C)20% (D)15%。

( ) **27** 中央銀行透過提高重貼現率，以避免景氣過熱，可能的效果有：甲、基本放款利率上升；乙、債券利率下降；丙、公司成長減緩；丁、股價下跌 (A)僅甲及乙 (B)僅甲、丙及丁 (C)僅丙及丁 (D)甲、乙、丙、丁。

( ) **28** 計算淨現值（NPV）時應考慮哪些資訊？ 甲、現金流量；乙、風險；丙、利率 (A)僅甲、乙 (B)僅甲、丙 (C)僅乙、丙 (D)甲、乙、丙。

( ) **29** 下列何者不屬於領先指標？ (A)實質海關出口值 (B)實質半導體設備進口值 (C)外銷訂單動向指數 (D)實質貨幣總計數M1B。

( ) **30** 存款準備率的高低與銀行資金成本呈： (A)無關係 (B)不一定 (C)反比 (D)正比。

( ) **31** 每股股價除以每股銷售額評價法，最「不」適用於哪類公司？(A)銷售額穩定成長的公司 (B)業外收入比重高的公司 (C)屬於買賣業的公司 (D)毛利率低的公司。

( ) **32** 由兩種股票組成的投資組合圖形中，當其報酬率相關係數等於多少時，其各組合點為一直線？ (A)0 (B)0.5 (C)1 (D)-1。

( ) **33** 若甲股票的標準差為0.25，甲和乙股票的共變異數是0.005，甲和乙股票的相關係數為0.5，則乙股票的標準差為： (A)0.125 (B)0.04 (C)0.15 (D)0.02。

( ) **34** 根據CAPM，當一證券被合理地評價時，下列敘述何者正確？(A)期望報酬率等於市場平均報酬率 (B)Jensen指標等於0 (C)貝它（Beta）係數等於正數 (D)風險溢酬（Risk Premium）等於市場風險溢酬。

( ) **35** 某投資組合之貝它（Beta）係數為1.6，市場之平均風險溢酬（Risk Premium）為6%，則投資者對該投資組合要求高於無風險利率多少之報酬率？ (A)7.5% (B)6% (C)6.4% (D)9.6%。

( ) **36** 下列有關市場投資組合（Market Portfolio）理論之描述，何者不正確？ (A)包含市場上所有證券 (B)每個證券之投資比重相等 (C)為效率投資組合 (D)具有風險。

( ) **37** 何者「非」弱式效率市場之檢定方法？ (A)隨機性 (B)濾嘴法則 (C)宣布發放股票股利 (D)小型公司效應。

( ) **38** 下列敘述何者「不正確」？ (A)增加資產種類一定可使風險分散效果更好 (B)不能賣空下，股票之間相關係數愈低，風險分散之效果愈好 (C)股票之風險溢酬愈高，其貝它係數愈大 (D)投資組合之建構多以平均數－變異數分析為基礎。

( ) **39** 假設資本資產定價模式成立，若市場投資組合之期望報酬率與變異數分別為12%與0.04，投資組合P為一個效率投資組合，其變異數為0.16。當無風險利率為2%，則投資組合P之期望報酬率應為： (A)22% (B)24% (C)36% (D)16%。

( ) **40** 若小明將其資金35%投資於國庫券、65%投資於市場投資組合，請問其投資組合之貝它係數應為何？ (A)1 (B)0.35 (C)0.5 (D)0.65。

( ) **41** 在市場投資組合右上方之投資組合，其市場投資組合與無風險資產權重可能為多少？ (A)0.7及0.3 (B)0.8及0.2 (C)-0.2及1.2 (D)1.2及-0.2。

( ) **42** 當投資者判斷市場處於空頭行情時，以下哪項策略「不」適合？ (A)增加固定收益證券之比重 (B)增加現金比重 (C)提高投資組合之貝它係數 (D)出售持有之股票。

( ) **43** 投資共同基金之好處為： 甲、可分散投資風險；乙、可保證獲取高於市場平均之報酬率；丙、可透過專家操作管理；丁、基金市價往往高於其淨值，可創造價值 (A)僅甲、乙 (B)僅甲、丙 (C)僅乙、丙 (D)僅甲、丙、丁。

( ) **44** 下列何種共同基金的風險相對較高？ (A)貨幣型基金 (B)成長型基金 (C)債券型基金 (D)保本型基金。

( ) **45** 何種投資組合與大盤指數的追蹤誤差最小？ (A)保本型基金 (B)高科技基金 (C)指數基金 (D)高成長型基金。

( ) **46** 執行認購權證之權利時，在現金給付之情形下，需交付： 甲、手續費；乙、認購股款；丙、證券交易稅 (A)僅乙 (B)僅甲、乙 (C)僅甲、丙 (D)甲、乙、丙。

( ) **47** 保本型商品的特色為： 甲、投資人在可預知最大風險之下，享有獲得高報酬的機會；乙、保證一定百分比的本金發還 (A)僅甲 (B)僅乙 (C)甲、乙皆正確 (D)甲、乙皆不正確。

( ) **48** 某一標的物市價40元，執行價格43元之賣權價格為5元，則此賣權之內含價值為何？ (A)5元 (B)3元 (C)2元 (D)0元。

( ) **49** 股價指數期貨之契約規格中，其交割方式為何？ (A)股票指數交割 (B)指數交割 (C)現金交割 (D)股票交割。

( ) **50** 具有選時能力的股票型共同基金經理人，在股市下跌期間，其持有投資組合的貝它係數應： (A)大於1 (B)等於1 (C)等於0 (D)小於1。

解答與解析（答案標示為#者，表官方曾公告更正該題答案。）

1 (B)。組合型基金為主動式管理，指數ETF為被動式管理。僅指數ETF追蹤某一指數。指數ETF直接投資於股票，組合型基金則投資於子基金。

2 (B)。旺宏ADR原是位於那斯達克指數中，已於2007年10月29日下市。

3 (A)。營運槓桿為公司營運中，固定成本的使用程度，營運槓桿越大固定資產所占的比重越大。

4 (D)。開放型基金以淨值交易，封閉型基金依市價交易。開放型基金買賣管道在基金公司、銀行，封閉型基金在集中交易市場交易。

5 (D)。$(28\times200+12\times400)/(200\times30+400\times10)\times500=520$

6 (D)。每股盈餘＝稅後淨利／流通在外普通股股數可轉換公司債之債權人於執行轉換權利時，流通在外普通股股數增加，每股盈餘被稀釋。

7 (D)。利息保障倍數＝息前稅前淨利／利息支出
＝600萬／(1500萬×6%+500萬×8%)
＝4.615

8 (B)。每期利息＝$100,000×10%／2＝$5,000
$108,111×[1+（8%/2）]＝$112,435
$112,435－$5,000＝$107,435

9 (A)。10萬×6%／7%＝85,714元

10 (D)。投資債券的利得包含利息所得與資本利得。利息所得自然人採10%分離課稅，免再併入個人綜合所得；法人則先扣繳10%後合併營利事業所得額課稅，資本利得免稅。

11 (B)。預期理論認為，長期債券的利率等於當時的短期利率及債券存續期間內所有預期的短期利率的平均值。

12 (A)。Moody's評級在Baa（含）以上為投資等級債券、以下的則為高收益債（垃圾債券）。

13 (A)。1,000萬×6%×（30÷365）＝$49,315

14 (A)。無論債券為折價、平價、溢價發行，隨到期日的接近，債券價格會越來越趨近面額，到期日當天，債券價格會等於債券面額。

15 (D)。減資均會使均會使公司流通在外股數減少，使公司每股盈餘上升。

16 (D)。本益比＝股價／每股盈餘
50／2.5＝20

17 (A)。存續期間越長債券價格波動幅度最大。

18 (D)。股價＝三年後現金股利／（折現率－股利成長率）
$0.60\times(1+4\%)^3/(12\%-4\%)$
＝$8.44

19 (C)。DMI可視為中長期技術指標，實務上採用14日為計算基期。

20 (B)。在MACD應用上，是以12日為快速移動平均線（12日EMA），而以26日為慢速移動平均線（26日EMA），首先計算出此兩條移動平均線的數值，再計算出兩者數值間的差離值，以作為研究買賣行情的基礎。

21 (D)。上升趨勢中盤中有新高點出現後，當天以最低價收盤為頂部一日反轉。

22 (C)。KD指標的假設當市場趨勢往上漲時，當日收盤價會接近當日波動的最高價。當市場趨勢往下跌時，當日收盤價會接近當日波動的最低價。

23 (D)。道氏理論認為股票會隨市場的趨勢同向變化以反映市場趨勢和狀況。無法用來選股。

24 **(C)**。(A)VR是技術面分析工具。(B)VR值無上限。(D)VR是量的技術指標。

25 **(A)**。新臺幣對美元貶值，以美元表示之GDP成長率小於臺幣經濟成長率。

26 **(C)**。資產報酬率＝稅後淨利／平均總資產
8%＝稅後淨利／250萬
稅後淨利＝20萬
股東權益報酬率＝稅後淨利／平均股東權益
20萬／100萬＝20%

27 **(B)**。提高重貼現率使債券利率上升。

28 **(D)**。計算淨現值時需考慮初始投資額、現金流量、貼現率、投資項目的壽命週期、風險。

29 **(A)**。實質海關出口值為同時指標。

30 **(D)**。調升存款準備率將使資金成本提高。

31 **(B)**。此評價法用以評估公司業內銷貨額，不適合評估靠業外收益賺錢之公司。

32 **(C)**。報酬率相關係數等於1時，兩種股票呈完全正相關，組合點為一直線，無法藉由投資組合來分散其風險。

33 **(B)**。共變異數＝相關係數×甲標準差×乙標準差
0.005＝0.5×0.25×乙標準差
乙股票的標準差＝0.04

34 **(B)**。根據CAPM：
(A)證券期望報酬率會根據其貝它係數進行調整。
(C)貝它係數可以為正數或負數。
(D)風險溢酬為貝它係數乘以市場風險溢酬計算得出，不會相等。

35 **(D)**。預期報酬率＝無風險利率+β×市場風險溢酬
預期報酬率＝無風險利率+1.6×6%
預期報酬率要高於無風險利率9.6%

36 **(B)**。市場投資組合指一個包含所有風險性資產投資所構成的投資組合，而每種風險性資產所占的權重等於該資產市值占總風險性資產市值之比例。

37 **(C)**。弱式效率市場之檢定方法：隨機性、濾嘴法則、報酬趨勢、小型公司效應。

38 **(A)**。需視增加之資產與投資組合的相關係數而定，不一定可使風險分散效果更好。

39 **(A)**。P期望報酬率＝無風險利率+[（市場投資組合期望報酬率－無風險利率）／市場投資組合標準差]×投資組合P標準差
2%+[（12%－2%）／$\sqrt{0.04}$]×$\sqrt{0.02}$
＝2%+10%／0.2×0.4
＝22%

40 **(D)**。國庫券＝無風險利率＝貝他係數為0
35%×0+65%×1＝0.65

41 (D)。靠近右上方之投資組合，其投資於市場投資組合的比重將大於1，而無風險資產之比重將小於0。意即以無風險資產來融資，增加市場投資組合的比重。

42 (C)。貝它係數越高表示投資組合與市場波動幅度越相近，當判斷市場處於空頭行情時，應降低投資組合之貝它係數。

43 (#)。送分。

44 (B)。成長型基金指投資標的以經營績效良好、股價有長期增值潛力的大型績優股為主之共同基金，通常此類型基金追求的利潤主要來自投資的資本利得，股利收入通常僅佔一小部分，這類基金通常波動較大，風險相對較高。

45 (C)。指數基金完全追蹤某個指數並跟隨該指數漲跌，指數的追蹤誤差最小。

46 (D)。執行認購權證之權利時，在現金給付之情形下，需交付手續費、認購股款及證券交易稅。
如是標的物給付之情形，需交付手續費及認購股款，不需繳付證券交易稅。

47 (C)。保本型商品只指將大部份本金投資於固定收益商品，其餘部份則可能配置於資產選擇權。所以投資人投資保本型商品可保有一定比例（即保本率）之本金，並參與標的選擇權之投資效益之部分，提供投資人兼具下檔保障又具有參與上漲空間之投資工具。

48 (B)。賣權內含價值＝履約價（執行價）－標的物市價
43－40＝3

49 (C)。期貨合約均有特定的到期日，契約到期後買賣雙方必須進行標的物交割，然而股價指數並非商品，要如何交割呢？理論上，賣方可用指數所含的成分股交予買方，但實務上指數所含的成分股可能很多，交割有其執行上的困難，因此股價指數期貨之交割係以現金為之，契約中均規定指數衡量單位的現金價值，例如臺股期貨每點200元，交割時是以每點的現金價值乘上臺股期貨指數漲跌之點數來計算買賣雙方應付或應得的金額，直接以現金結算。

50 (D)。具有選時能力的股票型共同基金經理人，在股市下跌期間，會將投資組合的貝它係數進行調整，貝它係數小於1時，波動性較總體市場小，投資組合較為抗跌。

財務分析

( ) **1** 趨勢分析最常用的基期是： (A)固定基期 (B)變動基期 (C)最大基期 (D)平均基期。

( ) **2** 比較兩家營業規模差距甚大之公司時，下列何種方法最佳？ (A)趨勢分析 (B)比較分析 (C)水平分析 (D)共同比財務報表分析。

( ) **3** 根據國際會計準則第32號「金融工具：表達」，當股票選擇權發行人可選擇以現金淨額交割或以本身股份交換現金方式交割時，該股票選擇權宜歸類為： (A)金融資產 (B)金融負債 (C)權益 (D)一般資產。

( ) **4** 資產、負債被區分為流動部分和非流動部分，是基於下列何者？ (A)繼續經營假設 (B)經濟個體假設 (C)重大性 (D)完整性。

( ) **5** 群馬公司速動比率為1.5，存貨占流動資產的1/5，無預付費用及其他流動資產，流動負債為$600,000，則該公司之流動資產為若干？ (A)$1,125,000 (B)$900,000 (C)$875,000 (D)$750,000。

( ) **6** 威廉公司的應收帳款週轉率為20，營業循環為40天，請問存貨週轉率為何（一年以365天計算）？ (A)16.78 (B)24.33 (C)33.46 (D)50.125。

( ) **7** 紐約公司109年度帳列稅前盈餘為$1,400,000，其中包括免稅利息收入$300,000，該公司另可享受$100,000之投資抵減。假設所得稅率為20%，則紐約公司109年度之有效稅率（Effective Tax Rate）為： (A)33.33% (B)30.91% (C)40.00% (D)8.57%。

( ) **8** 前程公司由其客戶處收到一張面額$30,000，6個月到期，利率10%之票據。在收到二個月後因需要現金即持向某銀行貼現，貼現息為12%，試問前程公司將自銀行收到多少現金？ (A)$30,870 (B)$30,300 (C)$30,280 (D)$30,240。

( ) **9** 南方公司20X3年12月31日應收帳款總額為$500,000、其中逾期30天以上之帳款共計$50,000。該公司估計未逾期帳款之損失率為2%，逾期30天以上之帳款損失率為20%。已知調整前備抵損失為貸餘$8,500，則20X3年度本期淨利應列多少預期信用減損損失？ (A)$10,500 (B)$27,500 (C)$19,000 (D)$11,500。

( ) **10** 現金流量表分析資金流入與流出，並按投資、營業、籌資等三項活動歸類，若依我國企業實務慣用分類方式編製現金流量表，則現金股利之分配應屬何種活動？ (A)營業活動 (B)投資活動 (C)籌資活動 (D)選項(A)(B)(C)皆是。

( ) **11** 依IAS7「現金流量表」之彈性規定，利息費用付現得列於現金流量表中之何項活動？ (A)營業活動或投資活動 (B)投資活動或籌資活動 (C)營業活動或籌資活動 (D)不影響現金流量之投資及籌資活動。

( ) **12** 台東公司X1年銷貨收入淨額為$3,200,000，銷貨毛利為$800,000；年初應收帳款$2,400,000，存貨$2,560,000，應付帳款$800,000；而年底應收帳款$1,920,000，存貨$2,880,000，應付帳款$480,000，請問台東公司X1年度支付給供應商的現金數額為：(A)$1,760,000 (B)$2,720,000 (C)$3,040,000 (D)$3,200,000。

( ) **13** 桃園公司為一曆年制公司，本年度產生銷貨收入2,000萬元及銷貨成本700萬元，其他交易事項則包括：一、公司於本年度4月30日向銀行借款1,000萬元，利率3%，約定每年初付息。二、經律師評估可能獲賠200萬元之官司仍在纏訟中。試問該公司本期淨利為何？(A)1,480萬元 (B)1,280萬元 (C)1,270萬元 (D)1,470萬元。

( ) **14** 不動產、廠房及設備後續支出之當年度，若將資本支出誤列為收益支出，當年度財務報表將產生下列哪一種結果？ (A)資產多計，淨利多計 (B)資產少計，淨利少計 (C)資產多計，淨利少計 (D)資產少計，淨利多計。

( ) **15** 長期負債若將於12個月內到期，並將以現金或另創流動負債償還之部分： (A)仍列長期負債，不必特別處理 (B)仍列長期負債，另設「一年內到期長期負債」科目 (C)轉列流動負債 (D)以上作法皆非。

( ) **16** 取得轉投資事業之資本公積配股時，應如何列帳？ (A)按市價入帳 (B)按平均成本入帳 (C)按面額入帳 (D)不入帳，僅註記股數增加。

( ) **17** 某企業今年決定發放10%股票股利，故下列何者為非？ (A)企業的保留盈餘會減少 (B)企業普通股股本增加 (C)企業已發行且流通在外股數增加 (D)若當時市價高於面額，企業的權益增加。

( ) **18** 甲公司自建廠房供自用，建造期間累積工程支出$750,000，該項建造支出符合借款成本資本化之條件，建造期間發生實際利息費用為$70,000，可免利息為$80,000。若外購則需花費$850,000，試計算該自建廠房入帳成本為： (A)$750,000 (B)$810,000 (C)$820,000 (D)$850,000。

( ) **19** 甲公司X1年底有關資料如下：10%累積特別股，每股面額$10；總面額$900,000；普通股，每股面額$10；總面額$1,000,000；稅前淨利$600,000；所得稅率25%。若甲公司當年度流通在外股數無變動，則每股盈餘為多少？ (A)$3.6 (B)$4.5 (C)$5.1 (D)$6.3。

( ) **20** 山梨公司以現金償還長期借款（考量利息變動），則： (A)速動比率下降 (B)利息保障倍數不變 (C)長期資金占不動產、廠房及設備之比率不變 (D)權益比率不變。

( ) **21** 淨值為正之公司，以現金償還5年到期之公司債，將使權益比率： (A)降低 (B)提高 (C)不變 (D)不一定。

( ) **22** 某公司相關資料如下：流動負債20億元、長期負債30億元、不動產、廠房及設備50億元、長期資金占不動產、廠房及設備比率為1.6，求公司的流動資產總額？ (A)50億元 (B)60億元 (C)70億元 (D)80億元。

( ) **23** 高知公司X1年度平均總資產$160,000，銷貨$50,000，其稅後淨利$25,000，稅率25%，平均財務槓桿比率為2，則該公司權益報酬率為何？ (A)18.75% (B)31.25% (C)12.5% (D)25%。

( ) **24** 巴黎公司與倫敦公司總資產報酬率相同，且已知前者淨利率較後者為高，試問哪一家可能為鋼鐵公司，而哪一家為電腦維修公司？ (A)因總資產報酬率一樣，兩者行業種類相同 (B)前者為電腦維修公司 (C)後者為電腦維修公司 (D)無法判斷。

( ) **25** 以下哪一種資訊不會在綜合損益表上揭露？ (A)停業單位損益 (B)股本溢價 (C)每股盈餘 (D)所得稅費用。

( ) **26** 利物浦輪船公司最近購入一艘二手汽輪，請問其相關的支出中哪一項應列為當期費用？ (A)購入汽輪的成本$200,000 (B)在購入時雇人在輪船身上噴寫利物浦公司的專屬標誌 (C)汰換老舊的前艙玻璃 (D)置換全新的動力引擎。

( ) **27** 下列何者分錄與保留盈餘有關？ (A)宣告發放現金股利 (B)實際發放現金股利 (C)宣告作股票分割 (D)實際作股票分割。

( ) **28** 下列哪一個項目會影響到損益兩平點？ 甲、總固定成本；乙、每單位售價；丙、每單位變動成本 (A)僅甲及乙 (B)僅甲及丙 (C)甲、乙、丙 (D)僅乙及丙。

( ) **29** 公司買回庫藏股採成本法處理時，有關庫藏股之入帳金額，以下何者敘述正確？ (A)若以市價購回，則應以購入之市價入帳 (B)若以市價購回，則仍應以面額入帳，差額為資本公積 (C)若以市價購回，則仍應以面額入帳，差額為票券買賣損益 (D)若以市價購回，購買價格與面額的差價應認列其他收入。

( ) **30** 富岡公司持有新豐公司股票10,000股，每股面額$10元。新豐公司於X1年4月1日宣告將發放2元股票股利，當日新豐公司股票市價為每股40元。富岡公司於4月1日應認列收入： (A)$20,000 (B)$80,000 (C)$60,000 (D)$0。

( ) **31** 採用定期盤存制的萬吉公司，在去年度盤點時存貨少記100萬元，假設該公司的適用稅率為17%，這項錯誤將使：(A)去年度銷貨成本減少100萬元 (B)去年度淨利虛增100萬元 (C)今年度淨利虛增50萬元 (D)去年度淨利虛減83萬元。

( ) **32** 桃園公司X1年的淨利率為12%，權益報酬率為18%，負債比率為60%，稅後淨利為$180,000。若該公司未發行特別股，請問資產週轉率為多少？ (A)30% (B)40% (C)60% (D)100%。

( ) **33** 累積特別股5%面額$100（核准發行1,000股），帳面上特別股折價為$3,000、積欠股利$7,000，普通股每股面額$40，核准發行10,000股，已發行8,000股，普通股溢價為$68,000，累積盈餘為$30,000，特別股收回價格為$110，則普通股每股帳面金額為：(A)$49.50 (B)$50.125 (C)$49.75 (D)$63.25。

( ) **34** 立力公司有35,000股普通股流通在外，發行面額為$10。另有按面額$100發行之5%累積特別股5,000股流通在外。立力公司過去四年及今年皆未發放股利，若本年度預宣告發放$100,000之股利，則今年底分配給特別股之股利是多少？ (A)$150,000 (B)$125,000 (C)$360,000 (D)$100,000。

( ) **35** 大大公司20X3年1月1日流通在外普通股有100,000股，3月1日發放股票股利20,000股，9月1日增資發行新股30,000股，20X3年稅後純益為$1,860,000，則20X3年普通股每股盈餘為：(A)$14.31 (B)$15.17 (C)$13.23 (D)$11.24。

( ) **36** 大華公司X1年底各帳戶之餘額為：現金$15,000、應收帳款$12,000、設備$85,000、應付帳款$4,000、預收收入$2,000、普通股股本$50,000及庫藏股$2,800。另外，保留盈餘在X1年期初餘額為$44,000，本期發放現金股利$3,400。試問該公司X1年之本期淨利為多少？ (A)$11,400 (B)$12,600 (C)$18,200 (D)$22,300。

( ) **37** 對於作盈餘預測，如果已經有綜合損益表、現金流量表、資產負債表與權益變動表在手邊，哪些有可能有增額或邊際資訊內涵（Incremental Information Content）？ 甲、年度經營報告書；乙、財務報表附註資料；丙、公司負責人致股東函 (A)僅乙、丙 (B)僅甲 (C)僅甲、丙 (D)甲、乙、丙。

( ) **38** 無塵晶圓現有本益比為30，今市場傳出幾項分析師預測，假設其他情形不變，請問以下哪一項預測，對其本益比會有負面影響？ (A)預測無塵股票的系統性風險係數會下降 (B)預測無塵的營業槓桿率下降 (C)預測無塵的每股盈餘將會繼續成長，但是成長率由原先的25%降為20% (D)預測無塵的財務槓桿率下降。

( ) **39** 一公司資產的價值為500萬元，負債的價值為200萬元，該公司負債的貝它（Beta）為0.6，權益之貝它為1.3，試問公司整體的貝它是多少？ (A)0.75 (B)1.14 (C)1.02 (D)1.20。

( ) **40** 根據淨現值法則，何種情形下應該投資？ (A)淨現值除以投資成本大於資金成本率 (B)淨現值大於投資之成本 (C)淨現值大於0 (D)淨現值的風險為0。

( ) **41** 甲公司X3年出售土地獲得現金$360,000，出售設備獲得現金$400,000，發行普通股獲得現金$280,000，購買設備支付現金$210,000，支付現金股利$240,000，請問該公司X3年度投資活動現金流量為多少？ (A)$550,000 (B)$590,000 (C)$830,000 (D)$310,000。

( ) **42** 下列何者會使得股票賣權（Put Option）的價值增加？ (A)標的股票價格增加 (B)執行價格（Exercise Price）下降 (C)標的股票的波動性減少 (D)到期日變長。

( ) **43** 下列何者不是內部報酬率法的缺點？ (A)內部報酬率可能不只一個 (B)內部報酬率不一定愈大愈好 (C)在互斥的計畫中作選擇時，有可能選到較差的方案 (D)內部報酬率法未考慮所有的現金流量。

( ) **44** 某公司預計下一年度將發放每股股利5元，且假設該公司未來的股利成長率固定為3%。若該公司股票的預期報酬率為11%，則該公司目前股票之評價結果應為多少？
(A)$45.45 (B)$55
(C)$62.50 (D)$71.43。

( ) **45** 一企業對於固定生產成本投入之程度稱為： (A)固定產能利用率 (B)財務槓桿 (C)邊際產能利用率 (D)營業槓桿。

( ) **46** 下列哪一項作法的淨現值不大於0？
(A)採用產品差異化的策略以滿足不同客戶之需求
(B)產品屬完全競爭市場
(C)阻止別人進入市場
(D)採取成本領導的策略。

( ) **47** 若中洲電信公司權益資金成本是20%，舉債利率是10%，所得稅率是17%，已知公司負債權益比率是6：4，並知道公司將全部向銀行貸款來擴建新的機房，試問中洲電信公司之加權平均資金成本是（假設不考慮兩稅合一）： (A)8.36% (B)10.65% (C)12.98% (D)15%。

( ) **48** 由承租人角度來看，下列何者不是租賃相關之成本？
(A)租賃資產之買價 (B)稅後之租賃給付
(C)放棄之折舊稅值 (D)取代其他負債之使用。

( ) **49** 永平公司決定在下年度發行票面利率等於14%的債券，該公司認為，它可以按照某特定價格將債券賣給投資人，而在此一價格下，投資人能夠獲得16%的收益率，假定稅率等於17%，則永平公司的稅後負債成本為何？ (A)11.62% (B)12.8% (C)13.28% (D)14.8%。

( ) **50** 於合併報表中，子公司持有母公司股票視為： (A)長期投資 (B)受限制資產 (C)負債 (D)庫藏股。

解答與解析（答案標示為#者，表官方曾公告更正該題答案。）

1 (A)。趨勢分析比較三期以上財務報表某一項目，以其中一期為基期，計算其餘各期百分比，為固定基期。

2 (D)。共同比財務報表分析將每項數據相對於某一基準（如總資產或總收入）進行比較，可以消除規模差異影響，使得不同公司之間的財務數據具有可比性。

3 (B)。具交割選項之衍生金融工具係屬金融負債。

4 (A)。繼續經營假設：假設一個連續經營個體在可預見之未來將持續營運，無意圖清算或重大縮減營運規模。由於假設企業將繼續經營，因此資產將可繼續使用至目的完成，負債也可於到期時清償。負債依到期日遠近，分為流動負債與非流動負債。資產依使用期間長短或目的不同，分為流動資產與非流動資產。

5 (A)。速動比率＝（流動資產－存貨）／流動負債
存貨占流動資產的1／5＝20%
1.5＝流動資產×80%／$600,000
流動資產＝$1,125,000

6 (A)。營業循環＝應收帳款週轉天數+存貨週轉天數
應收帳款週轉天數＝365天／應收帳款週轉率
應收帳款週轉天數=365天／20=18.25
40＝18.25－存貨週轉天數
存貨週轉天數＝21.75天
存貨週轉天數＝365天／存貨週轉率
21.75＝365／存貨週轉率
存貨週轉率＝16.78

7 (D)。有效稅率＝（應納稅額－投資抵減稅額）／全年所得額
應納稅額=（$1,400,000－$300,000）×20%＝$220,000
有效稅率＝（$220,000－$100,000）／$1,400,000＝8.57%

8 (D)。票據終值＝30,000×（1+10%×6／12）＝31,500
票據貼現利息：31,500×10%×4／12＝1,260
票據貼現可獲得現金＝31,500－1,260＝30,240

9 (A)。（500,000－50,000）×2%=9,000
50,000×20%＝10,000
預期信用減損損失＝總預期信用減損損失－調整前備抵損失
10,000+9,000－8,500＝10,500

10 (C)。因支付利息為取得財務資源之成本為籌資活動，收取利息、股利為投資之報酬為投資活動。

11 (C)。根據IAS7的彈性規定，利息費用可以選擇性列入現金流量表的營業活動或籌資活動，根據公司會計政策及業務情況的選擇。

12 (C)。銷貨成本＝銷貨收入淨額－銷貨毛利
銷貨成本＝3,200,000－800,000＝2,400,000

銷貨成本＝期初存貨＋進貨淨額－期末存貨
$2,400,000＝$2,560,000+進貨淨額－$2,880,000
進貨淨額＝$2,720,000
支付現金數＝$2,720,000+（$800,000－$480,000）＝$3,040,000

13 (B)。2,000萬－700萬－1,000萬×3%×8／12＝1,280萬

14 (B)。將資本支出誤記為收益支出時，將使費用多計，淨利少計，資產少計。

15 (C)。長期負債將於一年內或一個營業週期內到期，並將以流動資產或流動負債償還者，應轉列為流動負債。

16 (D)。收到股票股利時不列為投資收益、僅註記股數增加，並按增加後之總股數，重新計算每股成本或帳面價值。

17 (D)。發放股票股利將保留盈餘轉為股本，總權益不變。

18 (C)。資本化利息取可免利息與實際利息較低者
自建資產成本＝$750,000+$70,000＝$820,000
自建資產與對外購置資產對比金額，如自建金額較高則以對外購置資產金額入帳，差額認列自建損失；自建金額較低則認列自建資產成本。故選(C)。

19 (A)。稅後淨利－特別股股利／在外流通普通股股數
（$600,000×75%－$900,000×10%）／（$1,000,000／$10）＝$3.6

20 (A)。現金償還長期借款使現金減少，長期負債減少，利息費用減少。
速動比率＝速動資產／流動負債，現金減少速動比率下降
利息保障倍數=稅前息前利潤／利息費用，利息費用減少利息保障倍數上升。
長期資金占不動產、廠房及設備之比率＝（長期負債+股東權益）／不動產、廠房及設備，長期負債減少長期資金占不動產、廠房及設備之比率下降
權益比率＝股東權益／總資產，現金減少權益比率上升。

21 (B)。權益比率=股東權益／總資產
現金償還5年到期之公司債使現金減少，負債減少，權益比率上升。

22 (A)。長期資金／不動產、廠房及設備比率＝1.6
長期資金／50億＝1.6
長期資金＝80億
長期資金＝長期負債+股東權益
80億＝30億+股東權益
股東權益＝50億
股東權益＝資產－負債
50億=流動資產+50億－（20億+30億）
流動資產＝50億

23 (B)。財務槓桿比率＝平均總資產／平均權益
2＝$160,000／平均權益
平均權益＝$80,000
權益報酬率＝稅後淨利／平均權益
$25,000／$80,000＝31.25%

24 (C)。總資產報酬率＝淨利率×總資產週轉率。總資產報酬率相同時淨利率較高表示總資產週轉率較低，鋼鐵公司總資產週轉率通常較電腦維修公司低，故後者為電腦維修公司。

25 (B)。股本溢價為權益科目，在資產負債表上揭露。

26 (C)。汰換老舊的前艙玻璃為非必要支出，不更換也不會影響資產運營，應列為當期費用。

27 (A)。宣告發放現金股利
借　保留盈餘
貸　應付現金股利

28 (C)。損益兩平點＝總固定成本／(每單位售價－每單位變動成本)。故選(C)。

29 (A)。在成本法下，庫藏股的入帳金額應根據其實際支付的成本進行入賬。

30 (D)。獲配股票股利時不作分錄，應僅註記股數增加，並重新計算收到新股後的每股持股成本。

31 (D)。銷貨成本＝期初存貨+進貨淨額－期末存貨
期末存貨少記100萬，使去年度銷貨成本增加100萬，淨利虛減83萬。

32 (C)。權益報酬率＝淨利率×資產週轉率×權益乘數
權益乘數＝總資產／股東權益
負債比率＝總負債／總資產＝60%＝6／10
權益乘數＝10／4
18%＝12%×資產週轉率×10／4
資產週轉率＝60%

33 (C)。特別股權益＝收回價格+積欠股利
$110×1,000+$7,000＝$117,000
普通股帳面價值＝（股東權益總額－特別股權益）／普通股在外流通股數
股東權益總額+$40×8,000+$100×1,000－$3,000+$68,000+$30,000＝$515,000
（$515,000－$117,000）／8,000＝49.75

34 (D)。有累積特別股時，需補足未發放之特別股股利，才能分派普通股股利。
$100×5,000×5%×5＝$125,000
故本年發放$100,000之股利應全數分配於特別股股利，剩餘部分累積至未來發放。

35 (A)。普通股每股盈餘＝稅後純益／加權平均流通在外普通股數
加權平均流通在外普通股數＝（100,000×12×12／12）+（30,000×4／12）＝130,000
$1,860,000／130,000＝$14.31

36 (C)。總資產＝15,000+12,000+85,000＝112,000
總負債＝4,000+2,000＝6,000
股東權益＝112,000－6,000＝106,000
年底保留盈餘＝106,000－50,000+2,800＝58,800
58,800＝44,000+本期淨利－3,400
本期淨利＝18,200

37 (D)。年度經營報告書：通常提供管理層的觀點與未來的展望，這可能會附帶關鍵的策略方向與風險評估，對盈餘預測有幫助。
財務報表附註資料：附註中包含財務報表的相關解釋，可能含有重大會計政策變更、相關風險披露以及其他重要事件的影響，這些都是盈餘預測的重要參考。
公司負責人致股東函：這封信通常揭示公司未來的計畫、經營環境的變化及對股東的承諾，為盈餘的預測提供重要的預告和評估。
甲、乙、丙這些資料提供了不同的視角和重要背景訊息，有助於進行更全面的盈餘預測分析。

38 (C)。雖然仍然預測成長，但成長率的下降會使得未來盈餘的增長速度放緩，這會對投資者的信心產生負面影響，從而下降本益比。

39 (C)。權益＝500萬－200萬＝300萬
公司整體的貝它＝0.6×（200萬／500萬）+1.3×（300萬／500萬）＝1.02

40 (C)。淨現值是將投資計畫中每期淨現金流量以資金成本折成現值後減去期初投資的淨額。在評估投資計畫時，只要淨現值大於0，該計畫就可以採行，若小於0，則該加以拒絕。

41 (A)。360,000+400,000－210,000＝550,000
發行普通股及支付現金股利為籌資活動現金流量。

42 (D)。選擇權的價值包含時間價值，到期日變長，會使選擇權價值增加。

43 (D)。內部報酬率法考慮所有的現金流量。

44 (C)。股價＝明年股利／（預期報酬率－股利成長率）
5／（11%－3%）＝$62.5

45 (D)。營運槓桿為公司營運中，固定成本的使用程度。一般來說，公司的固定成本佔總成本的比例越高，其營運槓桿程度越大，而風險也越高。

46 (B)。在完全競爭市場中，長期利潤通常為0，意味著企業無法獲得超額利潤，淨現值往往不會高於0。

47 (C)。資金成本＝負債×舉債利率×（1－所得稅率）+權益×權益資金成本率）／（負債+權益）
6×10%×（1－17%）+4×20%／（6+4）＝12.98%

48 (A)。租賃資產之買價應為出租人之成本。

49 (C)。稅後負債成本＝稅前負債成本×（1－稅率）
16%×（1－17%）＝13.28%

50 (D)。子公司持有母公司股票，於編製合併報表時，應列為股東權益之減項，等同庫藏股之處理模式。

信託業務｜銀行內控｜初階授信｜初階外匯｜理財規劃｜保險人員推薦用書

2F021141	初階外匯人員專業測驗重點整理+模擬試題	蘇育群	530元
2F031111	債權委外催收人員專業能力測驗重點整理+模擬試題 榮登金石堂暢銷榜	王文宏 邱雯瑄	470元
2F041101	外幣保單證照 7日速成	陳宣仲	430元
2F051131	無形資產評價管理師(初級、中級)能力鑑定速成(含無形資產評價概論、智慧財產概論及評價職業道德) 榮登博客來、金石堂暢銷榜	陳善	550元
2F061141	證券商高級業務員(重點整理+試題演練) 榮登博客來、金石堂暢銷榜	蘇育群	670元
2F071141	證券商業務員(重點整理+試題演練) 榮登博客來、金石堂暢銷榜	金永瑩	590元
2F081101	金融科技力知識檢定(重點整理+模擬試題)	李宗翰	390元
2F091121	風險管理基本能力測驗一次過關 榮登金石堂暢銷榜	金善英	470元
2F101131	理財規劃人員專業證照10日速成	楊昊軒	390元
2F111141	外匯交易專業能力測驗一次過關	蘇育群	近期出版

2F141121	防制洗錢與打擊資恐(重點整理+試題演練)	成琳	630元
2F151131	金融科技力知識檢定主題式題庫(含歷年試題解析) 榮登博客來、金石堂暢銷榜	黃秋樺	470元
2F161121	防制洗錢與打擊資恐7日速成 榮登金石堂暢銷榜	艾辰	550元
2F171141	14堂人身保險業務員資格測驗課 榮登博客來、金石堂暢銷榜	陳宣仲 李元富	490元
2F181111	證券交易相關法規與實務 榮登金石堂暢銷榜	尹安	590元
2F191121	投資學與財務分析 榮登金石堂暢銷榜	王志成	570元
2F201121	證券投資與財務分析 榮登金石堂暢銷榜	王志成	460元
2F211141	高齡金融規劃顧問師資格測驗一次過關 榮登博客來、金石堂暢銷榜	黃素慧	560元
2F621131	信託業務專業測驗考前猜題及歷屆試題 榮登金石堂暢銷榜	龍田	590元
2F791141	圖解式金融市場常識與職業道德 榮登博客來、金石堂暢銷榜	金融編輯小組	550元
2F811131	銀行內部控制與內部稽核測驗焦點速成+歷屆試題 榮登博客來、金石堂暢銷榜	薛常湧	590元
2F851121	信託業務人員專業測驗一次過關 榮登博客來、金石堂暢銷榜	蔡季霖	670元
2F861121	衍生性金融商品銷售人員資格測驗一次過關 榮登金石堂暢銷榜	可樂	470元
2F881121	理財規劃人員專業能力測驗一次過關 榮登金石堂暢銷榜	可樂	600元
2F901131	初階授信人員專業能力測驗重點整理+歷年試題解析二合一過關寶典 榮登金石堂暢銷榜	艾帕斯	590元
2F911131	投信投顧相關法規(含自律規範)重點統整+歷年試題解析二合一過關寶典 榮登金石堂暢銷榜	陳怡如	480元
2F951141	財產保險業務員資格測驗(重點整理+試題演練) 榮登金石堂暢銷榜	楊昊軒	530元
2F121121	投資型保險商品第一科7日速成	葉佳洺	590元
2F131121	投資型保險商品第二科7日速成	葉佳洺	570元
2F991141	企業內部控制基本能力測驗(重點統整+歷年試題) 榮登金石堂暢銷榜	高瀅	530元

[金融證照]

證券商高級業務員(重點整理＋試題演練)

編　著　者：蘇　育　群

發　行　人：廖　雪　鳳
登　記　證：行政院新聞局局版台業字第 3388 號
出　版　者：千華數位文化股份有限公司
地址：新北市中和區中山路三段 136 巷 10 弄 17 號
電話：(02)2228-9070　　傳真：(02)2228-9076
客服信箱：chienhua@chienhua.com.tw

法律顧問：永然聯合法律事務所
編輯經理：甯開遠
主　　編：甯開遠
執行編輯：陳資穎
校　　對：千華資深編輯群
設計主任：陳春花
編排設計：翁以倢

千華官網／購書

千華蝦皮

出版日期：2025 年 2 月 20 日　　第四版／第一刷

本書如有勘誤或其他補充資料，
將刊於千華官網，歡迎前往下載。

國家圖書館出版品預行編目(CIP)資料

證券商高級業務員(重點整理+試題演練) / 蘇育群編著. -- 第四版. -- 新北市 : 千華數位文化股份有限公司, 2025.02

面 ; 公分

金融證照

ISBN 978-626-427-000-7(平裝)

1.CST: 證券投資 2.CST: 證券市場 3.CST: 證券法規

563.53 114001616

頂尖名師精編紙本教材

超強編審團隊特邀頂尖名師編撰，
最適合學生自修、教師教學選用！

千華影音課程

超高畫質，清晰音效環
繞猶如教師親臨！

數位創新

現在考生們可以在「Line」、「Facebook」粉絲團、「YouTube」三大平台上，搜尋【千華數位文化】。即可獲得最新考訊、書籍、電子書及線上線下課程。千華數位文化精心打造數位學習生活圈，與考生一同為備考加油！

TTQS 銅牌獎

實戰面授課程

不定期規劃辦理各類超完美考前衝刺班、密集班與猜題班，完整的培訓系統，提供多種好康講座陪您應戰！

遍布全國的經銷網絡

實體書店：全國各大書店通路

電子書城：

Google play、Hami 書城 …

Pube 電子書城

網路書店：

千華網路書店、博客來

MOMO 網路書店…

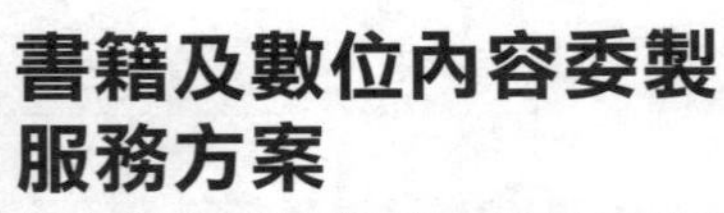

書籍及數位內容委製服務方案

課程製作顧問服務、局部委外製作、全課程委外製作，為單位與教師打造最適切的課程樣貌，共創 1+1= 無限大的合作曝光機會！

多元服務專屬社群 @ f YouTube

千華官方網站、FB 公職證照粉絲團、Line@ 專屬服務、YouTube、
考情資訊、新書簡介、課程預覽，隨觸可及！